U0587150

山长说

—— 岭南教育名家讲演录

◇ 顾　　　问｜吴颖民

◇ 主　　　编｜王红

◇ 执行副主编｜姚轶懿

◇ 副　主　编｜全汉炎、叶丽琳

SPM 南方传媒

全国优秀出版社
全国百佳图书出版单位

广东教育出版社

· 广州 ·

图书在版编目（CIP）数据

山长说：岭南教育名家讲演录/王红主编．—广州：广东教育
出版社，2020.9（2023.12重印）

ISBN 978-7-5548-0725-5

Ⅰ.①山… Ⅱ.①王… Ⅲ.①中小学教育—教育研究—文集
Ⅳ.①G632.0-53

中国版本图书馆CIP数据核字（2020）第085269号

项目策划：靳淑敏
责任编辑：谢慧瑜
责任技编：姚健燕
装帧设计：邓君豪

山长说——岭南教育名家讲演录
SHANZHANG SHUO——LINGNAN JIAOYU MINGJIA JIANGYAN LU
广 东 教 育 出 版 社 出 版 发 行
（广州市环市东路472号12-15楼）
邮政编码：510075
网址：http://www.gjs.cn
广东新华发行集团股份有限公司经销
广州市岭美文化科技有限公司印刷
（广州市荔湾区花地大道南海南工商贸易区A幢）
720毫米×1000毫米 16开本 22.25印张 450 000字
2020年9月第1版 2023年12月第2次印刷
ISBN 978-7-5548-0725-5
定价：75.00元
质量监督电话：020-87613102 邮箱：gjs-quality@nfcb.com.cn
购书咨询电话：020-87615809

编委会

顾 问

吴颖民

主 编

王 红

执行副主编

姚轶懿

副主编

全汉炎　叶丽琳

编 委（按姓氏笔画为序）

王建平	王建辉	王海林	卢春梅	刘仕森
刘良华	刘静波	李顺松	杨耀明	何 勇
张 卫	张怀志	张淑华	张雄记	张锦庭
陈 晓	陈 峰	陈祥春	陈淑玲	林加良
林惜平	郑炽钦	孟纯初	荀万祥	胡中锋
钟 东	黄灿明	彭建平	韩延辉	蔡晓冰
谭小华	谭根林			

山長谤坛

题字人顾明远，系北京师范大学资深教授、国家教育咨询委员会委员、中国教育学会名誉会长、北京明远教育书院名誉院长。

山長講壇

黄永光

题字人黄永光，系广东广雅中学原校长，享受国务院政府特殊津贴专家，广东省南粤杰出教师，广东省中学语文特级教师。

山长讲坛

黄永光

先生之風
山高水長

廣東省中小學校長聯合會

吳穎民會長命題

羅易 奉書

题字人罗易，系广东实验中学正高级、特级教师，其书法作品被广州艺术博物院收藏。

序 一

让旗手亮出自己的旗帜
——写在《山长说》出版之际

　　获悉《山长说——岭南教育名家讲演录》即将出版，我甚感欣慰！这本文集汇集了广东乃至全国教育界（主要是基础教育界）几十位专家、学者、校长近三年来的精彩讲演，这是广东教育人与出版人献给奋战在抗击新冠疫情、坚守教育岗位一线的校长、教师们的一份礼物。感谢广东教育出版社的鼎力相助和精心编辑，感谢各位作者的无私分享和倾力奉献！

　　作为一名曾在华南师范大学附中担任过十七年校长的教育工作者，我强烈地体会到校长对于学校的意义。尽管现阶段，我国中小学办学自主权十分有限，但是校长对学校发展而言，仍然具有决定性的作用。人们常说，一位好校长就是一所好学校。而好校长的核心品格和能力，我认为首屈一指的是教育领导力，尤其是领导力中的教育理想、信念和价值取向。校长对学校的领导首先是教育思想的领导，其次才是组织层级的领导。校长有没有教育理想和教育信念？校长对好教育是怎么理解的？校长心目中的好学校是什么模样？校长的教师观、学生观、质量观是什么？校长会以什么样的行动去追求自己的办学目标和教育理想？……所有这些，都是优秀校长必须念念不忘、明确回答的重大问题。

　　另外，作为华南师范大学曾经分管中小学校长、教师培训工作多年的副校长，站在一个更高的平台上，我更加关注校长素质的提升和专业的成长。我更深刻地体会到，校长虽然"位高权重"，却高处不胜寒！他们也需要"温暖"，需要被关心，需要有团体，需要有"家"和平台，并通过这个"家"和平台在社会舆论中发出权威的声音。于是"山长讲坛"应运而生，响应者如云。

还记得2013年，华南师范大学、华南师范大学附属中学、广东实验中学、广东广雅中学、朝天路小学等学校联合发起创立广东省中小学校长联合会，期冀通过建立广东省中小学校长的行业组织，更好地发挥这一专业社会团体的智库功能、平台功能，更好地促进中小学校长的发展和中小学学校的发展。为了落实办会初衷，推动校长办学思想、教育主张的提炼和传播，我们创办了"山长讲坛"。讲坛以"启迪教育智慧、分享教育之道"为宗旨，致力于打造中国教育智慧分享的传播平台。"山长"来源于中国古代对历代讲学者的称谓，"山长讲坛"是以"山长"开论坛的形式传承中国古代的书院精神：崇圣尚礼，人格养成；践履践行，经世致用；崇尚学术，兼容并蓄。我们用有历史感的校长称谓"山长"做讲坛名，希望能表达继承优良传统文化的意愿，同时也给公众一种新鲜感。

讲坛效仿TED演讲模式，每人讲演限时18分钟，要求校长讲短话、讲实话、讲真话，"倒逼"校长提炼思想、精准表达。"山长讲坛"每次安排5至6位嘉宾，除教育界人士外，通常还有跨界专业人士。讲演全程录像，网络直播，一时间成为关注基础教育人士的热门话题，有着广泛的社会影响。几年来，广东省内的知名校长纷纷走上这个讲坛，阐述自己的办学主张，分享独有的教育智慧，北京、上海等地的专家学者和校长也应邀来到广东参与分享，成为广东教育界校长们的一大盛事。据不完全统计，"山长讲坛"的视频点击率达数百万次之多。此次结集出版的，便是近三年来在"山长讲坛"亮相的众多名家的思想精华荟萃。

教育是一个宏大的话题，更是一个浩大的系统工程，其历程之漫长，工艺之复杂，变量之繁多，涉及面之宽广，无以比拟。正因为教育的复杂性、迟效性，教育界人士一般不敢以"教育家"自称。我以为，教育界人士也不必过谦，只要在教育的一个领域的一个局部，或一个分支，比如基础教育、学前教育、职业教育、高等教育，甚至更小的领域，如基础教育的学科教学中，有自己独特的、成体系的教育主张，或有长期的教育教学（办学）实践且卓有成效，或在一定区域（专业）内有相当的知名度、美誉度和影响力，他们就是教育家。唯愿他们既成就事业，又成名成家。这也是我们搭建"山长讲坛"传播平台的发心和初心。

令人欣喜的是，"山长讲坛"举办以来，有个性追求的校长和有办学特色的学校越来越多，也有不少校长进入了"正高级教师"的专家行列。在这个过程中不少校长提炼了自己的办学思想，传播了自己的教育主张，亮出了自己的旗帜，擦亮了学校的文化品牌。

一枝独秀不是春，万紫千红才是春。我衷心希望在祖国大地深化改革、扩大开放的春风沐浴下，广东有更多的教育家型校长茁壮成长！

吴颖民

2020年4月30日

（吴颖民，系中国教育学会副会长、广东省中小学校长联合会首任会长、广州中学校长）

序 二

启迪教育智慧，分享教育之道
——从"人人论坛"到"山长讲坛"

我一直坚信，作为一名优秀的校长，不仅要有科学的办学思想和卓有成效的办学实践，还要善于把自己的教育思想"晒"出来，一方面为教育同行提供更多的借鉴，另一方面可以更好地宣传和传播自己的办学智慧。"山长讲坛"正是这样一个可以让校长们"晒"思想的平台。

"山长讲坛"的原型是"人人论坛"。2013年，我在由华南师范大学承担的"广东省新一轮百千万人才培养工程"培养项目的课程设计中策划了一个特别环节叫"人人论坛"。"人人论坛"要求每一位培养对象都需要对自己的办学思想、办学理念或教学思想、教学理念等进行分享，希望每个教育家（专家）、校长、名师培养对象都有自己的思考，并且人人都要定期"晒一晒"自己的教育思想，所有培训参与者一起谈问题、提建议，大家在思想碰撞中不断进步。

创设"山长讲坛"源于"人人论坛"的触发，也可以说是"人人论坛"的升级版，参与对象也由高端项目的培训对象升级为更广泛的"公众"，包括广大的校长、教育专家、名教师、跨界嘉宾等；并且"山长讲坛"又借鉴了TED演讲模式，限定18分钟的演讲时间，对演讲嘉宾的要求更高、难度更大！"山长讲坛"不仅立足于教育思想的传播与分享，更为注重思想观点的呈现，每一个演讲嘉宾不仅仅只是分享经验，更重要的是提出自己的教育主张。参加"山长讲坛"对每一个演讲者都是一次挑战，要在短短的18分钟内把最核心的思想观点以既鲜活生动又有思想和理论高度的形式呈现出来，实属不易。回忆我自己登上"山长讲坛"的那一集，作为一个常年站在讲坛的高校教授，洋洋洒洒讲上3个小时绝对不在话下，而要在18分钟内把自己最想传递的思想观点提炼出来，并以最有效的形式讲出来，绝对是一个挑战。为了那18分钟，我不仅字斟句酌地写了讲稿，而且还掐着计时器练了好几遍！一场演讲下来，顿觉思想高度和演讲水平都提高了不少！参与演讲的校长们也有同样的感受，尽管上讲台之前大家都紧张得不得了，然而成功演讲之后的收获却让他们久久回味！而对每一次演讲遗憾的反思，恰恰也是推动思想进一步深化的动力。因此，我们希望借助于这样更高水平、更有影响力的讲坛，让广大校长、教师高度提炼自己的思想和主张，以便更广泛地传播、分享他们的教育思想和学术风采。

2017年6月24日，"山长讲坛"第一季第一场在广东广雅中学开坛，2019年11月21日，"山长讲坛"第三季第三场在珠海教博会圆满落幕，三年多来，"山长讲坛"举办了三季共15场，有122位省内外教育名家、名校长、名师、跨界嘉宾、学生代表等先后登上"山长讲坛"的演讲台，精彩呈现各自的教育智慧。《山长说——岭南教育名家讲演录》是前三季精彩内容的结集，收录了59位以岭南名校长、学者、名师为主，兼具省外名校长、学者的演讲实录。为了给读者更好的阅读体验，现场讲演的内容经过了一定的删减和修改。这本书汇集了"校长应成为师生精神领袖""为教师的成长助力""教育·家""让科技为教育赋能""大湾区教育的国际化发展""百年名校的传承与创新"等教育热点话题，正如吴颖民校长所说，"这是近三年来，'山长讲坛'亮相的众多名家的思想精华荟萃"。

作为"山长讲坛"的顶层策划专家之一，我见证了她快速成长的三年。作为一个纯公益的教育思想传播平台，

"山长讲坛"迅速得到了广东各地教育同行的高度认可并深入人心。"山长讲坛"在开办的第二年，即在2018年，开始衍生出子论坛"凤城山长讲坛"，给更多基层的校长也提供了登上"山长讲坛"传播教育智慧的机会。"独行速，共行远"，我期待更多的教育同行和关心教育的社会人士一起加入到"山长讲坛"来，相信在社会各界的关注和支持下，"山长讲坛"会一直走下去，还会有更多的三年，期待将来可以出版"山长说讲演实录"系列，收录更多嘉宾的精彩思想，把他们的教育智慧记录下来，传播开去。

王　红

2020年5月15日

（王红，系华南师范大学教师教育学部常务副部长、华南师范大学省级中小学教师发展中心执行主任、广东省中小学教师培训中心常务副主任、广东省中小学校长联合会常务副会长）

目 录

——岭南教育名家讲演录

第一章 校长应当成为师生的精神领袖

山长的现代意蕴：校长应当成为师生的精神领袖/吴颖民

文化濡染人心/叶丽琳

做『有料』的教育/全汉炎

师者，行者/韩延辉

学校文化是校长构建的共同价值/简期颐

山长的现代意蕴：校长应当成为师生的精神领袖

广州中学首任校长　吴颖民

今天我讲的主题是"校长应当成为师生的精神领袖——兼论山长的现代意蕴"。大家在很多影视作品中常常可以听到这样一句话："山人自有妙计。"所谓山人，指的是过去那些怀才不遇，或是不愿意与坏人同流合污的勇士、知士。其中一些品学兼优的山人受到世人仰慕，就有人投奔到他们门下，他们就开始收徒和讲学，这些人后来就被称为"山长"。两千多年前的中国，教育的普及程度很低，官学（公办教育）很不发达，教育大多是民间教育，而这些民间的教育为了躲避战火，通常会在山林里面讲学。

到了唐朝，教育得到很大的发展，书院慢慢地发展起来。到了宋朝，已经有了很著名的、很大规模的书院，如大家所熟悉的四大书院——应天书院、白鹿洞学院、岳麓书院和嵩阳书院等。这些书院的首席讲学者被称为山长。后来书院扩大了，管理事务更加繁重，这些首席讲学者也就有了一定的管理任务，他们从单纯作为学术的权威，慢慢地增加了作为行政管理权威的职能。到了清末，书院改为学校，"山长"就改称为"校长"，这就是从山长到

扫一扫，
观看现场演讲

校长的整个转变过程。

今天来看，虽然山长和校长都是学校的最高管理者，但是他们还是有明显的差异。古代的山长首先是饱学之士，他执掌教习、教书、讲学，后来才有了一部分管理职能，而现代学校的校长被赋予了更多的职责，校长们忙得更多的不是讲学，不是学术研究，而是管理的事务。所以今天常常可以看到校长们游走于会场和餐厅之间，有大量的会议要参加，有大量的应酬要出席，实际上很难有清静的时间来做学问和研究学校发展的问题。

从现在的角度来讲，校长更多的是行政长官，这样的角色削弱了校长的学术影响，强化了学校管理的行政化倾向。但就学生的教育、学校的发展而言，校长作为学术权威，他的影响、他的作用要远远大于他作为行政长官的影响，而行政长官的影响却可能会侵蚀学校作为人才培养机构的纯洁性，甚至会影响学生的品性发展。作为学术权威和作为行政权威，这两种职能的此消彼长，正在改变校长们的行为方式和价值追求。如果校长们有成为一个学术权威角色的清晰定位，那么他们在学术上的不懈追求就能净化他们的心灵，能强化他们求真、求善、求美的价值追求；促进校长以自身的学术修养来赢得学生的尊重、信仰和信任，涵养学生的心灵，促进学生的发展。如果校长成

校长应当成为师生的精神领袖
——兼论"山长"的现代意蕴

吴颖民

为过强的行政长官角色，则会助长学校管理中对行政权威的依赖，也可能助长行政管理的粗暴性，会破坏"随风潜入夜，润物细无声"的温润性、愉悦性的氛围。

今天，由于历史和现实的原因，校长的职能和角色出现了许多异化。在一些校长的身上，多了一些官气、商气、酒气，少了文化人应有的书卷气、书生气，少了作为一个学术专家应该有的专业精神和专业的坚持。我觉得这是令人痛心的。

当然，现在的教育已经全面融入了整个社会，学校虽然有围墙，但是网络和发达的通讯已经把学校的围墙打破，让它失去了原有的跟喧嚣世界隔绝的功能，想回到过去清静的环境已经不可能。面对学校与社会几乎融为一体的现实，面对来自社会各方的世俗影响，面对各种浮躁和喧嚣对校长们的思想、行为可能带来的干扰和冲击，确实有一些校长不能很好地把持自己，甚至还出现了愤世、媚俗的不良现象。现在我们不可能借助外部的环境远离烦躁喧嚣的现实社会，但我们可以借鉴古代山长的那种心理环境，来一个主观的救助。我想这是非常重要的。既然空间上不能隔绝，那就需要在心灵上更好地去追求，如陶渊明在著名的《饮酒》中所言："结庐在人境，而无车马喧。问君何能尔？心远地自偏。"你有更好的思想追求，你就能够远离这种世俗、喧嚣对你的侵蚀。

所以，以学术的沉思来抵御世俗的污垢，在真善美的境界中求得宁静，说起来好像休闲一般，但这样的精神修养对现在的校长来讲是不可或缺的。既然要担当起传道授业解惑的重任，我们就必须在精神层面上引领师生的发展，成为学校的精神领袖。

无论是山长也好，校长也罢，他们更重要的角色应该是精神领袖。在学校中，校长处于权力的中心，以自己的影响力调动各种资源来实施学校的教育。但校长的作用是通过多个方面、多个维度表现出来的，比如我们经常讲校长要规划学校的发展，要营造育人文化，要领导课程教学，要引领教师成长，要优化内部管理，要调试内部环境，等等，这些都是校长十分重要的职责。但在众多的学校事务当中，最核心的就是要建设育人文化，因为学校育人的本质就是文化育人，描述校长的职能，我认为可以有两句话：第一句是"建设育人文化"，第二句是"实施文化育人"。我认为这两句话可以高度地概括校长最重要的职责。学校的学生管理有学生文化，教师管理有教师文化，班级管理有班级文化，学科管理有学科文化，教学管理有教学文化，课程管理有课程文化，学校的各项工作有校园各方面的文化。所有这些，可以用三个层面来概括，也就是通常讲的学校建设的物质文化、制度文化、精神文化。这三个层面当中，最根本、最本质的就是精神文化，最困难、最复杂的就是精神文化的建设。课程、制度、环境、行为都可从精神文化里的价值取向中引发出来。有什么样的价值取向，就有什么样的文化形态，就有什么样的课程，什么样的评价，所以不难理解，校长的角色最重要的就是在精神层面上发挥其引领作用。校园文化的建设，要求校长在其中扮演精神领袖的角色。"精神领袖"是什么？就是给人以精神鼓舞的人，引领人的精神往某一个精神方面发展的人。对于学校而言，校长就是主心骨，就是灵魂人物，就是核心价值的引领者，校长应该以自己的精神力量去影响师生，影响学校的精神文化建设。

精神领袖是校长在学校这样一个领导岗位上众多角色中最核心、最重要的角色，因为我们有自己的价值观。学校的教学改革，学校评价体系的完善，学校的管理，学校各种各样的软环境和硬环境的建设，都需要校长的价值观、理想追求来引领，所以学校的精神领袖是校长最重要的角色。怎样成为学校的精神领袖？我想最重要的就是三个层面：提炼、传播、践行。

首先，校长要提炼自己的教学思想。多数校长是从优秀教师中选拔上来的，擅长的领域是学科讲学，从优秀的教师到校长的岗位上要面临许多的挑战，要从一个学科专家变成学校办学育人的设计师、领路人、精神导师，校长需要不断地学习、提炼，要从教学、管理等各个方面提炼自己的教学思想，形成自己的思想主张、教学体系。其次，要善于传播。要经常讲，反复地讲，并且在传播的过程中不断地完善、提升自己的教育主张，形成自己的思想体系。最后，更重要的是践行，要把说的跟做的统一起来。你怎么说，你就应该怎么做，一定不可以说一套，做一套。你不可以说的是以人为本，以学生为本，做的却是影响学生长远发展、伤害学生利益的事情。

校长要清醒地认识到自己在学校中的角色，要不断地提炼，不断地传播，不断地践行自己的教学思想。校长们要自说自话，自圆其说，自成体系，要有自己的语言，自己的逻辑，要拿出自己的办学成果。每位校长都不可能在一所学校永远做下去，你可能调任，可能退休。当你退下来的时候，你给学校留下什么？我们回首过去，历史上许多的大学者，许多的山长，都给他们的学校留下了丰富的精神财产。孔子的学生将孔子及其弟子的言行整理成一部《论语》；宋朝的大学者朱熹在白鹿洞书院做山长，留下了《白鹿洞书院教规》，这是世界思想史上非常经典的一部作品，至今还在影响着当今的教育；明朝东林书院的山长们留下了"风声雨声读书声，声声入耳；家事国事天下事，事事关心"的不朽名联；陶行知抱着教育救国的理想，创办了育才学校，留下了"千教万教，教人求真；千学万学，学做真人"的经典话语；苏联教育家苏霍姆林斯基以他所在的帕夫雷什中学为研究素材，给我们留下了《给教师的一百条建议》《把整个心灵献给孩子》等著名的教学著作。所有的校长总有离任的一天，总有退休的一天，我们能够给学校留下什么？

我提出这么一个思考，并不是要求每一位校长都在他在任的时候或是退休的时候拿出一部鸿篇巨著，而是希望每位校长在主持学校工作的时候，都能不断地去提炼自己的教育思想，让自己的教育主张形成体系，能够成为今后学校持续发展和提升的精神财富。

古代的山长们为我们留下了宝贵的精神财产，以此为鉴，现代的校长们在漫长的人生征途中，是不是也应该为你的学校留下一点精神财产？今天我们特别拿山长和校长做一个比较，并不是为了否定我们的校长，而是想提醒校长，在众多的角色当中，你应该更重视你作为精神领袖和学术权威的角色，而不断去淡化作为行政长官的角色。

文化濡染人心

广东广雅中学校长　叶丽琳

大家好！

开讲之前，我想请各位先看一段视频（略）。

刚才这段视频由广雅毕业生制作并发布于广雅官方微信公众号。这段视频让我想起了一些学生和老师跟我说的话：

一位考入浙江大学的学生说："是广雅让我在浙大高手如林的校园中信心倍增。"

一位中山大学的教授说："我能一眼看出哪些学生来自广雅。"

一位重回母校的学生说："重回广雅，内心总是充盈的。"

可见，文化濡染人心！这些话让我备感欣慰，也引发了我的一些思考：

在学生生命成长的关键时期，学校应如何给予学生美好的内心体验，让他们不断回望并获得人生绵绵不绝的精神动力？

值得回望的动力，不是知识技能，不是楼

扫一扫，
观看现场演讲

宇建筑，更不是让人引以为豪的分数，而是学校的文化基因。无论走到哪里，这种文化都会给曾经在此求学的学生长久的滋养与润泽。因为，学校育人的所有影响都可归结为文化，学校教育的本质是文化育人。

文化内涵非常丰富，令人惋惜的是，不少学校对书本文化之外的人文空间构建往往呈现出"有载体，无品位"的状况。两年前，我和几位校长前去参观一所学校，校长在介绍学校文化时，特别强调校内建筑的名称都是请某位大书法家写的。我们一直对这位书法家充满敬意，很想欣赏他留在这里的墨宝，结果一看题字，竟然是"教学楼""实验楼""学生宿舍""饭堂"，令人哑然失笑。

一起参观的另一位校长在失望之余，却又得意地说："我的学校请书法家写的就不是这些！"我赶紧问："写了什么？"他说："为了激励学生，我们学校每座楼都以名牌大学命名，分别叫做北大楼、清华楼、中大楼、浙大楼、厦大楼。"霎时间，我很无语：有多少校长，为了追求有文化、有品位的校园环境，却偏偏做了没文化、没品位的事情！

这正是我们多数校长的最大困扰——行动很有力，方向欠清晰，设计大不足。这里所说的"设计"，指的是校

叶丽琳

长将对办学的思考转变为实践行动的能力。

今天，大家到广雅做客，我想与大家分享的是，早在一百多年前，广雅的创办者和历任山长为构建学校人文空间所做的各种努力，尤其是其中所蕴含的寓意和期待，这对我们思考这个问题时或许有所启发。

广雅创办于1888年，从学校的选址到校舍的布局，无不体现出办学者的人文底蕴和教育情怀。

广雅书院集讲学、藏书、祭祀先贤三大功能于一身，注重山、水、园林文化的传承，人文空间设计和谐有序，校园整体布局宛如人之脸谱，方正饱满。在中国传统文化中，国字脸常被认为具有忠义、耿直、坚毅、果敢的性格，这种校园布局与张之洞取名广雅，取义"广者大也，雅者正也"形意相通，一脉相承。中轴线上的山长楼、含英楼、无邪堂、冠冕楼，恰如人的口、鼻、额；东西斋设计在脸颊处，使整体造型更加传神逼真；横贯东西的莲花池，就像人的眼睛，是广雅之眼，炯炯有神，透视古今；悠悠莲池旁，东有濂溪祠，为纪念宋代理学宗师周敦颐而修建；西有莲韬馆，是山长起居及接待学生的地方，绿树成荫，生意盎然，构造出一个清幽和谐的书香庭院。

书院依据中轴线分为东西两部分，间隔东斋、西斋，即两广学子自习和生活的居舍，从唐代诗人张说的诗"东壁图书府，西园翰墨林。诵诗闻国政，讲易见天心"中各摘一字来命名，每字一斋，每斋十间。广雅的主要建筑，也可用一副对联串起来："山长木桃未雨含英生冠冕，清佳兰玉无邪琼华运昭明。"

书院命名讲究，而且富含蕴意和期待，如原作为广雅图书馆的冠冕楼，是广雅第　楼，也是广州市名楼。杜甫有诗云："冠冕通南极，文章落上台。"图书馆命名为"冠冕楼"，是为了鼓励广雅学子以品重、以学成，冠冕群伦。创设书院的环境，就是希望创设这样的文化氛围，引导学生成为有书卷气的人。

每一座楼宇除了有楼名以外，还有大气的对联。学校东侧昭明楼就有张之洞联语："尊其所闻，行其所知，合岭南东道、岭南西道人才，互为师友；博我以文，约我以礼，会汉儒经学、宋儒理学宗旨，同造圣贤。"当学子每天浸润在气势磅礴的楹联中，就会明晰读书人"为天地立心，为万民立命，为往圣继绝学，为万世开太平"的使命担当。

书院场馆的使用功能也很讲究。大多数书院都重视作为传统教学内容的"展礼"教育。祭拜先师、朔望祭祀等成为书院不可或缺的常规课程，体现尊师重道、崇贤尚圣的精神。濂溪祠是广雅中学创办之初的主要建筑，旧时每逢广雅开学行礼，首拜孔子，次拜濂溪，为的是提升学生的品行；主要是传承《爱莲说》中"出淤泥而不染、濯清涟而不妖"的荷花的高洁精神品格。现在重修的濂溪祠基本保留当年原貌。濂溪祠重开之后，每逢开学和毕业典礼，学生都要参拜濂溪先生。

莲池旁，西有莲韬馆。对莲韬馆，张之洞专门写了注释。大家对"莲"字都熟悉，原有张之洞手书"莲韬馆"木匾的左下方有数行小字跋语解释"韬"字的含义："韬"就像一个袋子包着莲子，施以营养，让莲子得以成长。良好的学习环境和优秀师资，正如"莲子"之"韬"，滋养学生的生命，成就学生的成长。"士君子有实而善韬"，寄寓着张之洞对书院师生的期望与要求，这不仅是张之洞与师生共勉之辞，更体现出张之洞在创办广雅时，就已经深刻意识到书院的人文空间对于学生成长的深远意义。

广雅创办之初，课程就有一种与时俱进、开放包容的格局与气度，不仅有中国典籍课程，还有西方课程，古今中西熔为一炉，开国际视野，与世界接轨，为当时的中国教育带来一股清新之气。其教育方法更是开岭南先河，从广雅山长朱一新的《无邪堂答问》的记载来看，当时的师生已能平等、开放、自由地进行讨论，老师在这里传道、授业、解惑，学生在这里审问、慎思、明辨，师生默契配合，教学相长，士君子"有实而善韬"，学子"广博而雅正"。

所谓"一切景语皆情语",当看到荷花池的香莲出泥不染时,学生会明白做人要品格纯正,行为端雅;当看到山长楼的榕树根深叶茂时,学生会明白成长必须扎实根基,吸收养分;当看到湖心亭的金竹迎风挺拔时,学生会明白遇挫要不屈不挠,坚忍不拔;当看到昭明楼旁的玉兰争妍斗艳时,学生会明白竞争要芬芳自强,不断向上。

环境之优美,不只在于有景,更应有情、有心。校园人文空间并非仅仅是其中的亭台楼阁、花草树木,更是由多种社会力量精心熔铸的一种人文精神的力量。在学校的场域之中,人与环境、人与人的积极互动所形成的人文空间是校园之"魅",也是学校之"魂"。这就是我们常说的令人向往的校风、氛围、气场。在这当中,师生、生生的交互环境往往是充满智慧和温情的。

最近,有两件事情让我非常有感触:

第一件事情,是有一位家长写了一封信交给我,让我一定要在全校表扬他孩子的班主任。这位班主任带学生军训,关爱着这些孩子,引领着这些孩子,鼓励着这些孩子,让孩子产生了很大的变化。家长们非常感动,这位家长在信中写道:我们本想收获一缕清风,但他却给了我们整个春天,为这些孩子的心注入了温暖,不仅柔软了孩子的心,还柔软了家长的心。柔软的心是最有力量的!很多时候,我们会疑惑为什么孩子的心是那么冷,我们给了孩子这么多,他还是觉得无所谓。那是因为他的心门没有打开,阳光照不进来。只有当他的心注入了这种柔软,他才会充满热情的力量。

第二件事情,是《广州日报》《羊城晚报》在头版刊登了一位刚刚从广雅毕业的学生写给父亲的一封信。这个学生成长于一个离异的家庭,她为什么能够对父亲怀着一种感恩之情?一定是在她成长的时候,无论是家庭、学校,还是老师、同学,都在她的心田里面注入了温情,让她有这种温度,充满感恩之情和前行的力量。

我们要坚守创设文化的信念。其实广雅也不是一开始就有这样的文化,而是历任山长和历任校长对自己的文化有自信，能坚守自己的理念的结果。当你坚守时，文化就会慢慢积淀下来。

文化是应该养气的，养"宁静之气""浩然之气""通达之气"。正所谓"有境界，则自有高格"，志存高远，自会产生绵绵动力。

文化是应该养心的。面对学生的成长，创设优雅的空间和积极的交互氛围，能把学生的心养活，养出丰盛、从容、豁达的内心，以心力运行万物，以心力济世。把心养活了，就可让我们的心柔软起来，无论今后处于人生顺境或逆境，都能心存感恩，用一颗柔软的心包容世界。因为，柔软的心最有力量。

我们坚信，所有的文化，当它能够实现物境、情境和心境的和谐时，这种文化是一定能够滋养生命，能够濡染人心的。

谢谢大家！

做"有料"的教育

广东实验中学校长　全汉炎

首先感谢主持人，也感谢"山长讲坛"给我这样一个机会，让我得以和各位分享我对教育的一点体会和心得。

广东省中小学校长联合会公众号曾推送了一篇文章，文章对我的评价很高，归纳为两个词——"低调"和"有料"。我经常提醒自己，不能太低调，因为我是校长，是学校的一张名片，你太低调了，这个学校就没有人去关注。但是过了两年以后，我回头看我当校长这两年，其实还是很低调的，可能这是一种性格，也许也是一种能力。但是说到"有料"，我还是很高兴的，因为我知道"有料"千万不能从自己口里说出来，应该由别人说出来。"有料"更多的是一种积淀和后期的努力，这是要经过时间去验证的，时间长了，你自然就能看得出来。因为"低调"和"有料"非常符合我个人对教育的理解，所以我今天演讲的题目就是"做'有料'的教育"。我们谈起教育，会想起很多的词，如"春风化雨""润物细无声"……这其实就告诉我们，我们的教育需要低调、宁静和高尚。但是在目前的社会环境中，在人们普遍追求短期的效益和功利时，我

扫一扫，
观看现场演讲

013

们的学校还能不能做到这种低调？我认为很难。

举个例子，大概几年前，安徽的某所学校在校园里打出了这样的一则广告——"热烈祝贺我校女婿某某某获得了2014年诺贝尔奖"。他们高兴的是什么？是自己的学生获奖，还是培养出一个能够嫁给诺贝尔奖获得者的女儿？我觉得学校在宣传方面确实做得很高调，人无我有。但是我觉得高调也好，低调也罢，其实并不重要，关键是学校要有料。如果你的宣传有真材实料，那才是真正的有料；如果你的宣传无真材实料，那就是瞎叫。

宣传很重要，我们生一个孩子，都希望起一个很响亮的名字，让大家记得住。我们开一瓶酒的时候，也能够知道酒香，知道这个酒很好。

所以今天我和大家分享的是"有料"的教育。什么是"有料"的教育？我的认识有两点：

第一，最关键的一点就是我们要认识教育的意义和本质是什么。20世纪80年代，大学生的口号是"为中华民族崛起而读书"，这极大地激励了我们这一代人努力学习，报效祖国，也成就了我们这一代人。但是在80年代之后，我们开始关注人，提出了"以人为本"，为学生的终生幸福奠基。

全汉炎

第二，我们必须认识到学生是什么。学生是我们教育的主体，而不是我们教育的工具。学生是人，是发展中的人，也是一个有差异的人，我们要把学生当作人来看待。

我很欣赏同行的两句话，第一句是"教育就是要保护人的天性、个性和发展他的社会性"，第二句是"我们的教育一定要有三个底——底线、底色和底蕴"。我们懂得遵循做人做事的基本底线，对社会要有亮丽温暖的底色，我们要获得走进文明世界的工具，我们要学会学习、探索和实践。对国家来讲，我们的教育要培养学生的核心素养。

如何做有料的教育？我们要做好两件事情：我们要保证学生有充分选择的权利；我们要为学生的自我发展提供平台。

省实高一一位的学生给父母写了一封信，我摘录其中一段："关于人生，你们对我说的话以及提出的问题当中，全部表现出一个共同点，那就是好工作。什么是好工作？你们的答案就是薪水高，我相信这也是你们大多数人在追求的。然而，薪水高的工作就是好的工作吗？为了追求利益，为了活而活，这样有意义吗？其次，关于我们的学习是不是迫不得已的选择。这个观点非常危险，我这里所说的'学习'不仅仅是指学生阶段的学习，而是指普遍意义上的所有学习。学习是什么？学习就是让你成为你想成为的那个人的方式，只有你从正面承认它的意义，只有你主动地想去学习，你才能学好。那么这就涉及另一个问题，你想成为什么样的人？也就是学习的本质是什么？当你认识到你想成为什么样的人的时候，你才能去学习。"

这是孩子写给父母的一封信，这封信透露出的信息告诉我们，我们一定要相信孩子的思考能力，一定要保护他们这种思考的能力和选择的权利，一定要帮助他们发展思考和选择的能力，帮助他们保持对未来的好奇、希望和对未来幸福生活的追求。

我们这个时代是一个充满着挑战和能量的时代，是一个好的时代。好在哪里？随着社会的进步，经济的发展和"互联网＋"教育的学习，我们离世界越来越近。我们的政府部门对教育特别重视，比如天河区政府一次性投入50亿建了几所学校。今天是周六，大家依然牺牲休息的时间在这里探讨教育，家长们提问的水平也非常高，说明我们对教育的理解也非常深入，所以我想这是一个好的时代。但是，打个不恰当的比方，我们的教育有时候就像中国足球，它背负了老百姓太多的希望，但是它又没办法承受。所以每个人都可能会指责和批评它，每个人都可以成为它的"教练"。

对于我们学校来讲，学校有生存的压力，有竞争的压力，有发展的压力。这关系到老百姓的切身利益，我们不得不重视。

教育是为了什么？我们是为中华民族的崛起而读书吗？我们是为学校的发展而读书吗？这样的过程无论是对学校还是对校长来说都很困难。在这种生态之下，需要校长们能够平衡各种关系，但是我想最重要的是作为教育人、作为校长，一定要有自己的理想和想法。

在校长的诸多角色中，最重要的不是管理者，而是思考者、思想者，更是引领者。我们的校长不需要有教育家的头衔，但是我们必须要有教育家的情怀。我觉得只有这样，我们才能扮演好引领的角色，才能真正协调好现实与理想的关系，才能真正摆脱功利对我们的束缚。

我谈谈广东实验中学。我告诉我的学生和家长，省实有80%是学霸，20%不是学霸。那么这20%是什么？是歌神、是舞王、是大名家。不一样的孩子一样有光辉的前程。这几年我们的素质教育能坚持下来，关键就是做好两件事情：我们为学生的自我发展提供平台；我们要想尽一切办法把选择权交给学生，促使他们自我发展。

省实有学生毕业以后给学校写了一段留言，我觉得这代表了他们对学校的一种认可，我跟大家分享一下："任何特点，任何兴趣，省实总能提供一个在广州市、广东省、国内，乃至国际上都有名气、有实力的平台帮助你的发展。省实把学生作为人来尊重，省实最伟大的地方是它给了学生选择的权利，正因为如此，我们才会生活在学术大牛、运动天才、文艺青年和种种奇葩之间，才会过上和中国其他中学生有所不同的生活，才会对我们的绿校裤如此地热爱。不管你在省实是多么平凡，那都只是因为省实优秀的人太多，大家都散发着耀眼的光芒，而你分不清哪些是你的，哪些是他人的罢了。但，走出省实后，你就是众人眼中那一个绽放出万丈光芒耀眼夺目的人。"

省实今天的发展离不开政府的关心，也离不开各位家长和社会各界的支持，更重要的是省实有得天独厚的办学资源和办学条件。但是这并不意味着我们就一帆风顺。我们一路走过来，经历了很多困惑，我们也很艰难。我们选择的就是这么一条路，这条路我称之为现实的理想主义。什么是现实的理想主义？

现实的理想主义就是，我们的教育不能脱离现状，不能忽略当下。我们要关注我们现实的条件，但是我们的教育不能没有理想，我们要着眼于长远的发展，这点是非常重要的。在这个过程中，我们也有焦虑。没有分数，就没有今天；只有分数，就没有明天。没有升学的学校，可能真的不是一个有料的学校，所以我们一样很关注我们的升学率。

我们也做了一些作为教育工作者来说不得不做的事情，但是有一点是很重要的，就是我们不能触及教育本质的底线。比如说每年初三毕业生当中，近两年的第一名都去了华附，我就和我们的老师说你要做两个事情：

第一，挽留他，但是绝不能强留。如果学生要走，你让他高高兴兴地走，学生可以选择，说明我们的教育是成功的，我们送他走。他如果获得了优秀毕业生，我们一样颁给他，让他觉得他是三年省实人，有一世省实情。

第二，在每年的招生工作当中，作为校长，我也要出场。我觉得我一点都不低调，曝光率非常高，为什么？为学校。但是不管怎么样，在宣传的角度上，我始终要坚守一点，我要看到我的校园，我要看到我的学生，我希望我们的校园是干净的、充满书香的校园，我希望我们的校园不会成为一个争名夺利的地方，这是对学生最好的教育。

我认为教育的意义在于让生命有温度，唤醒自我，发展自我，真正的教育能够激发孩子的自我发展，成为最好的自己。我觉得一所有料的学校一定要为全体学生的发展创造条件，为学生全面的发展提供机会，为学生个体的发展提供选择，为拔尖创新人才的发展提供跑道，为学生的终身学习夯实基础，为学生一生的幸福播下种子。

其实教育有没有料，最后做评价的还是我们的学生、我们的孩子。他们走出这个校门以后，可能很多东西都会丢失、会忘掉，剩下来的才是他们真正学到的东西，而这些剩下的东西将陪伴他们一生，那它能不能帮助他们在未来的人生当中继续成长？这才是我们的教育应有之义。

教育是什么？培养人、发展人，一定是以人为本。教育需要时间，需要耐心，讲求的是发展，而不是加工；讲求的是个性，而不是整齐划一。

我一直有这么一个教育理想和愿景，我和我们的老师讲，我希望我们的学校一定是一个和谐的、人性化的校园，我们每个孩子都能够享受到教育给他们带来的快乐，学校设置多元的、立体化的精品课程，让每个孩子的个性都可以得到发展。在这里，我们的孩子应该有良好的品格、出众的能力和健康的体魄，为未来的发展和终生幸福打下基础。在这里，我们作为一名老师，作为一名教育工作者，我们一定要体会到幸福，一定要将教育者的终极目的真正实现。

师者，行者

珠海市第一中学校长　韩延辉

尊敬的各位领导，各位嘉宾，大家好！

我想大家肯定喜欢去旅行，我也跟大家一样，在闲暇的时间经常到外面去走一走。随着时间的推移，我到过很多地方，但过后再把当时的照片或者记录拿出来的时候，却感觉好像很陌生，甚至好像没有到过这个地方一样。然而十年前的一次旅行，有一个场景却让我终生难忘。

2009年，我随珠海教育团到西藏去慰问援藏的工作队。在高原公路上，我发现路边有一些人背着行囊，有的推着车子，有的开着手扶拖拉机，有的是一个人，有的是几个人，有的是拖家带口。他们在路上行走，这就是所谓的"行者"。

我们下车跟他们聊天的时候，看到他们满脸的风尘，脸上被风吹日晒得黑亮黑亮，而且沾满灰尘，但他们的神情却是坚毅的，特别刚强。他们的眼睛被风沙吹成一条缝，但是透出的目光是那么执着。我想这些行者一定怀揣着沉甸甸的使命。

看到这些行者，我想，从事教育工作的

扫一扫，
观看现场演讲

人，不也是怀揣着沉甸甸的使命在不断地行走吗？所以，我今天演讲的题目就叫"师者，行者"。

在我看来，校长作为行者，一要做共行者，二要做先行者，三要做独行者，四要做让行者，五要做慢行者，六要做有品行者，七要做能行者。

第一，共行。首先，我们要做与时代共行的行者，与团队共行的行者，与社会、家长共行的行者。首先，与时代共行。我们做教育一定要做与时代共行的教育，要紧跟时代。大家都知道，有一种学校叫现代私塾，对现行的教育制度不满意，学生老师都穿着什么长袍大褂，读着《四书》《五经》，或者是朝暮劳作。其实这种教育完全跟时代的发展脱节。还有一些学校，为了所谓的高考升学率，拼命地加班加点，只顾学生的成绩，不顾其他，完全忽视青少年的身心健康发展，这种教育也是与时代相悖的，无论从教育的理想价值还是现实价值来看都不适合，所以我们不能办这种教育。邓小平同志当年讲得非常好，教育要面向现代化，面向世界，面向未来。我们应该培养乐于求知，勤于实践，善于交流，勇于担当，具有科学精神和民族素养，具有国家情怀和国际视野，具有强健体魄和健全人格的社会主义建设者和接班人。校长一定要不断更新观念，要紧跟时代的步伐，与时代同行。

韩延辉

其次，同行。在一个学校，团队有两方面：第一个是管理团队，第二个是整个教职员工的团队。我们不管是在管理团队，还是做教师队伍建设，都要注重与他们同行，只有同行，团队才有凝聚力，才有战斗力，才能促进学校可持续发展，使学校成为高质量、有品位的学校。团队建设一定要注意同步，把握节奏和步伐，校长一定要跟学校领导班子一起，与大家打成一片，同甘共苦、同舟共济、以心相对、将心比心、以诚相待，只有这样，老师才会觉得校长是跟他们一起的，而不是高高在上的，他们才会认同你，我们整个团队才会形成一种很好的合力。

鲁迅说过一句话，无尽的远方，无数的人们，都与我有关。其实我们做教育的行者，在整个职业生涯过程当中，有无数的远方，无数的人们，无数的学生家长，他们都跟我们有关。因此，我们学校实施任何一个教育方略、教育步骤、措施和方案，都要得到家长和社会的认同，否则我们将寸步难行。

第二，先行。我们要做先行者。在办学的过程中，校长一定要办学理念先行，一定要贴近时代的发展和学校的实际。另外，我们的意识一定要先行。在办学过程当中出现的任何一个前进的步骤，我们都需要意识到它对学校发展的影响。我们要不断发掘师生的闪光点，要不断挖掘发展过程当中存在的缺点和毛病，只有这样，我们才能做到携手共进。另外，策划要先行。对于未来的发展，一定要策划在先，否则我们就会做工作上的后手。我们要做先行者，要具有预见和前瞻性，我们要预测未来，同时要创造未来。

第三，独行。我们要做一个独行的行者。我讲的独行是特立独行，校长要造就学校的特色和风格。有人说，一流的学校是一流的设备、一流的师资、一流的学生、一流的评价。其实还有一点，一定要有一个有个性的校长。有个性的校长应该有自己特色的办学思想，有良好的个人品质和理论修养，还有正确的办学目标和独特的办学风格，这样才能办出有质量、有特色、有品位的学校。

第四，让行。我们要做一个让行的行者。我们在学校，跟教职员工在一起工作、学习、生活，需要彼此"通畅"。特别是在目前，我们国家在校长的专业发展方面没有一个单独的专业技术职称，但是校长也要评职称，评职称就需要有资料、有材料、有业绩、有荣誉。而目前，评荣誉的时候都是有名额比例的，在这种情况下，校长一定要心胸坦荡，包容他人，高风亮节，把一些重要的奖励和评审机会让给教师，将重心放在学校发展大局上。校长要发挥示范作用，带好头，做好表率，带动整个教师队伍的发展。

我在这里建议，在校长的专业发展上，要建立一个学校管理专业技术职称系列，这样校长在自己的专业发展方面就不会再跟老师们争车道。比如说校长是教数学的，他要评数学职称了，这就容易跟老师发生冲突。但是，如果我们有学校管理方面的技术职称，就可以解决这个问题，同时也会为校长队伍的建设和发展创造长效的机制。

第五，慢行，做一个慢行的校长。什么叫做慢行的校长呢？学校的发展是不可逆的，校长在制定学校发展规划和具体办学思路时，一定要稳中求进，条件不成熟的一定要慢下来，条件成熟时也要慢慢动。我们经常听说这样的事情，一个新校长到一个学校，要求全体中层干部重新竞聘，过不了几天，这个学校可能就乱套了，这样做是不能实现持续性发展的。条件不成熟，我们不能快走，一定要慢行。校长应该具有慢的思维，在反思中不断地总结，要做到静如处子，动如脱兔。

第六，品行，做一个有品行的行者。品行太重要了，大家都说"师者，人之模范也"，这个定位很高。教师是人类灵魂的工程师，学生眼里的我们"吐辞为经，举足为法"，所以做教师，特别是做校长，一定要不断地加强自我修养，不断地提升自己的品行，做一个有品行的行者，育有品质的学生，办有品位的学校。

第七，能行。中华人民共和国70年来基础教育的发展，我觉得足以证明，作为中国基础教育的行者，我们的教师，我们的校长能行。在新时代下，我们这个教育的行者一定会把党和人民赋予的历史使命和责任担当，怀揣在身上，肩负在肩上，不断地向前行进，为中国特色的社会主义事业，为中华民族的伟大复兴履行好我们的职责，完成好我们的使命，相信我们自己一定能行！

　　谢谢大家！

学校文化是校长构建的共同价值

东莞市东华高级中学校长　简期颐

扫一扫，
观看现场演讲

各位尊敬的领导、各位专家、各位同仁，大家好！

刚才主持人提到东华高级中学尖子生多、学霸多。大家的聚焦点都在高考，但是我今天不说高考，我要说的主题是"学校文化是校长构建的共同价值"。我认为，要办好一所学校，设备设施是基础，教师队伍是关键，办学理念是灵魂，教育教学质量是实力。但是，有实力不等于有魅力。那么，一所学校的魅力在哪里呢？就在这所学校的文化里。

那么学校文化是怎样构建的呢？文化其实是校长的愿景、教育信念、价值观。以色列作家尤瓦尔·赫拉利在《人类简史》中写道，为何人类能登上食物链的顶端，最终成为地球的主宰？秘诀在于人类能创造并且相信某些"虚构的故事"，故事构建的秩序提升了人与人的合作效率，打造出了各种组织和经济形态，强大的虚构故事往往具备了普世特征和推广特质，无论是个人还是学校和企业的发展都要具备讲好虚构故事的能力。

面对着多元文化、经济全球化、信息时

代、学习化社会等一系列时代发展的全球挑战，中小学教育的人才培养模式乃至整个教育文化都面临着挑战。一场以学校文化变革为核心的静悄悄的革命，正在大湾区蓬勃展开。

现在，凭经验治校，凭指令治校，用旧方式治校的还大有人在。学校的某些经验在改革当中反而成为负累，阻碍着改革的发展和优秀文化的形成。优秀的学校文化不是自动形成的，它需要校长带领学校的所有人有意识、多层次地建构。我认为学校的文化建构应该从理念的引领、课程的改革、活动的开展和校友的成长等方面来构建和提升。

一、理念创新为引领

校长的理念是学校发展的核心和灵魂。有人说学校文化即是校长文化，因为从根本上说学校文化总是反映了校长本人的价值观念和领导风格。校长理念的创新与否及能否一以贯之，对学校文化建设影响很大，起着学校文化符号的辐射作用。

我们学校的办学宗旨是：立足教育，奉献社会。办学思路是：德育为先，特色为翼，质量为根，树人为本。

我们的办学特色是：公民教育、感恩教育、赏识教

简期颐

育、课堂创新。我们教育追求的目标和衡量的标准应该是心有善意，我们的行为应该关怀人心，这也是我们教育工作的着力点。

我们的校训是：心止于善，行止于美。公民教育：教育应该为社会做点事，我从自律与和谐的公德意识、民主与法制的法治意识、权利与义务的责任意识、科学的理性思维四个方面去推进公民教育。感恩教育：当年我们学校的孩子存在"四不"现象——对人不感激、对物不爱惜、对己不克制、对事不努力，所以我要推行感恩教育，让学生学会感恩父母、感恩老师、感恩社会、感恩大自然。赏识教育：学生在不同方面的表现参差不齐，我希望让他们每一个人都能感觉到在团队里有存在的价值。

育人目标：培养"心中有祖国，眼中有目标，肩上有责任，身上有正气"，以及具有创新精神、国际视野的现代公民。这是我们十几年前定下的育人目标，当时没想到会与当今立德树人的根本任务不谋而合。

在团队管理上，我们的团队理念是：为他人着想，向对手学习，与高手合作，对能人感激。在对学生的培养上，我们注重三个质量，讲究两个负责。三个质量是：生命质量、品格质量和学业质量。"身体是革命的本钱"，我认为首先要身心健康，其次是学会做人，最后才是成绩。两个负责是：对学生的学业前途负责、对学生的终身发展负责。作为教育人不能光看成绩，我们不仅要对学生的学业前途负责，更要对学生的终身发展负责。

二、课程改革为主线

课程是学校最重要的教育活动，也是学校文化的主体和载体。文化建设必须以课程改革为主线，探索以课堂教学改革为先导，以课程体系构建为动力的新型课程文化。在创新和探索中不断丰富和提升其内涵，进而为文化建设提供更多的活力和动力。

不一样的课堂，不一样的塑造。东莞东华高级中学的课程有国家课程、行美课程、活动课程。这里我介绍一下我们学校的国家课程是怎样改革的。

从传统课堂到有效课堂应该怎么改革？我对老师提出了一个简单的要求，就是上课不要讲"废话"。在有效课堂的基础上提出了"四精"：精选、精讲、精练、精批。有的老师认为作业量不够会影响成绩，于是暗地里增加作业，根据这点我又提出了"有发必收，有收必改，有改必评，有错必纠"。后来，老师还是按照"四精"的方向教学。

我还提出了"先学后教，以学定教"，以发挥学生的主观能动性。现在一说到排名，学生就容易感到忧虑并相互比较，缺少合作精神和团队精神。所以，我又提出了"小组合作，自主学习"，课堂上学生围坐上课、小组讨论，一个小组由不同层次的学生组成，在学的过程中，先学会的学生教还没学会的学生，学完了还要讲，好学生上台演讲得一分，中等学生上台演讲得两分，平时成绩较差的学生上台演讲得三分，以团队小组为主，鼓励每一个学生都积极主动上台分享，以此来培养团队精神和带动各个层次学生的共同进步。

有的学生家长不满意，认为"我的孩子成绩好老是教别的孩子，会不会耽误我孩子的成绩？"我说心理学研究表明，听懂了只掌握10%，学会了掌握50%，学会了还能把别人教会就能够掌握90%，所以家长也理解和支持我们的做法。事实证明我们的做法是正确的，成绩好的学生保持成绩优异，成绩差的学生也得到了提升。

同时，在课堂上，我们还导入思维导图教学，培养学生的好思维。

三、活动开设为手段

以活动课程为载体培养学生的好习惯，提升学生的综合素质；通过公民教育，感恩教育，赏识教育，培养学生的好品质。

我们学校的活动丰富多彩，有摄影书画器乐比赛、歌舞比赛、十佳主持人比赛、十佳歌手比赛、十佳运动员评选、朗诵比赛、演讲比赛、课本剧比赛、英语剧比赛、班级辩论赛，还有体育艺术节、科技节、女生节、社团活动节、美食节、读书节、运动会、各种晚会等。除了以上活动，我们还开展了研学旅行课程以及对外拓展训练和野外生存训练，等等。再举个例子，我们学校还通过要求学生一天走42公里来培养刻苦的精神。

我们的物质文化实而不华，我们没有那么多高大上的建筑和设备，但是我们要把每一个空间都用起来。

我们的制度文化是以人为本，我的治校方略是：让每一种制度都规范化且具有可操作性；让每一种要求和措施都具有人文关怀；让每一项评价指标都具有可信度和可效度；让每一位教职工都具有创业的激情和成就感，无限接近一个目标，让每个人都说东华好。

师生的行为文化是展现学校风采的窗口。我提出教师要有"三有"：有梦想、有激情、有品位；学生要有"三好"：好习惯、好思维、好品质。当一个人具备了好习惯、好思维、好品质这"三好"，就能为其终身发展打下坚实的基础。在校园里，我们提倡快乐学习、快乐工作、健康生活的校园风尚。对于教师，我们要求，让守时成为一道风景，让勤奋成为一种习惯，让优秀成为一种品质，让快乐成为一种素养。教师对学校要做到爱校如家，对学生要做到爱生如子，对同事要做到人文关怀，对上下级要做到顾全大局，对外交流要做到维护东华的形象，打造风险利益命运共同体。所谓"风险"就是我们的教师放弃了在家乡的稳定工作，来到这里创业，显然带着风险；所谓"利益"就是我们共同努力，获得了老百姓的口碑，使学校进入良性循环，也就是说，校兴我荣，校衰我耻，校兴我富，校衰我穷。

总结来说，我们东华的精神就是：艰苦创业的拼搏精神，精诚合作的团队精神，润物无声的奉献精神，敢为人先的创新精神。东莞东华高级中学的老师和学生来自祖国的四面八方，所以北方人的豪放，南方人的聪慧，西北人的粗犷，江南人的细腻都融汇在一起，可以说是既有"豪情万丈天地精神冲霄汉"，也有"柔情似水温馨爱意满校园"。各种各样的文化都在东华融合、创新、升华。我们的孩子在校园就可以感受全国各地的人的性格和文化，我们提出的共同成长是永恒不变的诺言。

四、校友成长为检阅

学校文化建设不是刻意的、流于表象的面子工程，而是发乎自然、极具内涵的学校生命的再造。文化建设必须以学生的终身发展为目标，以校友的成长为检阅。活跃在社会各界的校友群体是人数庞大且不断成长的文化资源，校友的精神是树立母校品牌和弘扬母校文化的主要力量。

我们的学生在东华中学各个方面的素质都得到了很好的锻炼，到了大学以后基本上都是学生班干部。例如，我们的课堂就让学生自己演讲，他们的演讲有逻辑、台风好、有感染力，所以当他们到了大学竞选班干部的时候就可以很轻松地当选。我们的毕业生有在清华北大读书的、有在国外顶尖大学读博的，校友们除了学习成绩优秀外，其他方面也很出色，有拍电影的，拍的电影还到美国奥斯卡参演；也有在广东电视台当主播的……

每届学生都会给学校留下一个雕塑礼物，雕塑是学生请人设计的，都有知识产权。命名为"行者"的雕塑是2017、2018届校友捐赠的，"行者"的意思是东华高级中学已经取得了一定的成绩，但是没有最好只有更好，我们一直在路上，今天我们的校园文化再出发也一直在路上。

第二章

让课堂成为学生核心素养生根的地方

核心素养背景下课堂的三个维度/徐洪

让课程栖息于温厚的人文土壤里/陈志斌

和美课堂培育和美人/赵晓芸

聚焦核心素养的课程变革/唐晓勇

核心素养背景下课堂的三个维度

佛山市顺德区玉成小学校长　徐洪

大家好，我是本原小学的校长徐洪。今天我发言的题目是"核心素养背景下课堂的三个维度"，关键词是核心素养和课堂。关于核心素养，众说纷纭，我们见识了也参与了很多关于核心素养的讨论。

我先提出两点。第一，核心素养的培养一直在发生和进行着。我们今天谈核心素养不意味着我们昨天没有进行核心素养的培养，我们今天谈核心素养是为了明白以后的路怎么走，怎样才能够走得更好。

第二，核心素养是建立在全面素养的基础上的。我们今天谈核心素养，不能忘了学生的全面发展，它是相对于全面素养而言的，这是一个深度和广度的问题。在这种大的背景下面，我们应该把核心素养和课堂紧密地联系在一起。

我认为在基础教育阶段有三个方面是需要我们高度关注的，即"人文素养""思维能力"和"学习兴趣"。我们谈学生核心素养的

扫一扫，
观看现场演讲

徐洪，发表该演讲时任佛山市顺德区本原小学校长。

培养，就是在谈学生的发展，学生的发展和学校的发展是一脉相承的。我喜欢看武侠小说，郭靖、张无忌想要武功突飞猛进，必须要打通任督二脉。一所学校的发展也要打通"任督二脉"。那么我们先要知道这任督二脉在哪里。我认为学校发展的"任督二脉"在课程和课堂。如何进行课程的改革，追求课堂的高效，这是非常重要的问题。我们说学校的特色看课程，学校的质量看课堂，课堂是课程实施的过程和载体。在这样的情况下，要促进学生的发展、学校的发展，让核心素养能够落地生根，就要从课堂开始。

关于课堂，我们一直在探究，我们看到有"翻转课堂""小组合作"等等一些实践，给我们提供了很好的范例，打开了我们的思路。今天我要跟大家沟通交流的是课堂的一些基本内涵和要素。要通过课堂让学生的核心素养落地生根，我觉得需要具备三个维度——温度、广度和梯度。

一、有温度的课堂

在说有温度的课堂之前，我想先说说一个孩子。这个孩子患有注意力缺陷多动障碍，俗称多动症。

有一天，我突然接到区教育局的电话，要我立即赶到区

徐洪

教育局会议室。我到达教育局后，看到顺德区教育局副局长温联洲先生也在，这个孩子班上的十几个家长围着温局长，表达着诉求，要求这个孩子休学转学，家长们很激动，眼泪都流出来了。其实我也很激动，我也很焦虑，我理解这样一个孩子给家长、老师还有班级带来的困惑和麻烦。我还记得这个孩子的家长也同样地焦虑，同样地流过泪。

后来，我的校长室多了一个编外的人，我和这个孩子组成了两个人的课堂。我们还带着这个孩子去找广东省乃至全国权威的儿童行为专家进行咨询和治疗。我自己也查了很多的资料，我觉得我都成了半个专家了。我知道了患有这种病的孩子的情况是怎样的，我也知道了这个孩子在目前这个阶段可能是最不稳定的，熬一熬或许就过去了。后来，在老师们的鼓励下，其他学生的家长接受了这个孩子，这个孩子也逐渐变得和其他普通的孩子一样。这就是我要说的，有温度的课堂。

我常说："我宁愿要一个温暖的、闻起来有阳光味道的九十分，也不要一个冰冷的、生硬的一百分。"有温度的课堂，这是师生之间的默契，情感之间的尊重和关怀。我觉得这种温度是促使我们课堂培养孩子的人文素养的最基本的要素，是一切美好和希望的所在。课堂的温度，从我们的心出发。

二、有广度的课堂

关于课堂的广度，我们现在会发现，基础教育、学科之间的界限越来越模糊，但与此同时，学科下课程的分类，却越来越精细化。

以前"教材是我们的世界"，现在"世界是我们的教材"。社会的发展给我们的课程、给我们的课堂提出了新的要求。衡量一个孩子的素质和水平的时候，我们最终会发现素质的结构取决于课程结构，素质的水平取决于课堂的水平。学校有围墙，但是课堂不能有围墙。

我是一个围棋爱好者，在阿尔法狗（AlphaGo）挑战人类高手之前，我不信阿尔法狗能赢，但是李世石输了。又过了不到一年，阿尔法狗升级为马斯特（Master），柯洁输了。我真的惊呆了，马斯特横扫人类高手，一个新的时代来临了。我们回头看看阿尔法狗，这样一个包含关于概率、统计、函数、算法、价值神经网络、策略神经网络等等综合性人工智能的结晶，给了我们很多很多的启示。

在我们的课堂上，我们要勤思考，追求课堂的广度。学生的思维能力一定是建立在认知的广度上的，有广度的课堂能够促进孩子的思维发展。我不想看到我们的老师带着我们的孩子坐在一个学科的井里，看着我们头上的天。

三、有梯度的课堂

好的课程和课堂都遵循着几个原则：基于学生兴趣、立足学生身心、面向全体学生。多元发展是学生成长的客观存在和基本规律。学生的差异性决定了课堂难以追求模式性、统一性、标准性。

要满足不同的孩子，让孩子的核心素养能够在课堂上得到培养、得到发展，课堂就需要我们从内容、形式、手段、结构上有梯度地去展现。

2017年10月28日，在北京举办的"未来科学"论坛上，中国科学院院士施一公教授在谈到中国教育的时候，说了这么一句话："中国的教育均值很高，方差很小。"我们简单地去理解，均值牵涉整体，方差牵涉个体。他说到美国之所以有很多的科技发展在全球起着引领作用，是因为他们的教育和我们目前所存在的状况是相反的。美国教育方差很大，均值很低。这给我们教育者很多的思考，我们可以看到中国的课堂教育对于学生个体差异性的挖掘是不足的。

学生的个体差异性源于不同的认知特点、性格特点以及兴趣爱好，对这样的差异，我们在课堂上怎么去适应和引导？

现在的社会发展进入了智能时代：人工智能、经济智能、交通智能、军事智能……这个社会从数字走向数据，从智力走向智能，那么教育在这个时代的发展上处于一个什么样的位置？我个人觉得教育还没有进入智能的时代。我自己把它定义为后标准化时代。为什么这么说？我认为在后标准化时代，标准要求和条例内容需要想办法靠近我们每一个孩子。

有梯度的课堂是一个动态的概念，我们在完成知识点传授的同时也要注重学生的兴趣培养。课程的丰富性体现在哪里？体现在它的可选择性。这个可选择性就是立足于学生的兴趣。没有了学习的兴趣和乐趣的话，一堂课就不能切入孩子的需求点，我们很难说这堂课是有效的。从老师的角度看，学生的学习兴趣是一切课堂得以延伸和拓展的基础，没有了兴趣点，不要说课堂，连课程本身都难以维持。所以说核心素养的培养在课堂，体现在三个维度，这三个维度和我们所提倡的核心素养，无论是内涵还是外延，都是互相映射的，是有交集的。

说完了温度、广度和梯度，最后再说一个渡——渡口的"渡"，渡舟的"渡"。我始终觉得课堂就是一叶叶的小舟，老师带着自己的孩子出发，这种"渡"有中流击水的"渡"，有直挂云帆济沧海的"渡"，有风正一帆悬的"渡"，老师和孩子从此岸到彼岸，从风雨到彩虹，从挫折到成功，从梦想到未来。那么让我们一起启航出发！谢谢大家。

让课程栖息于温厚的人文土壤里

佛山市顺德区西山小学校长　陈志斌

　　我们先由一粒种子说起。在我从事教育30多年的生涯里，我一直笃信教育就是农业，就是一个生命影响另一个生命。前面一个生命指的是园丁、是老师，另外一个生命指的是自然，是我们的孩子。孩子就是一颗带着生命的独一无二的种子，就是一颗即将发芽、即将破土而出，随后绿意盎然、生机无限、充盈着生命的，带着人类希望和梦想的种子。基于这种信念，我对种子的关注有了宗教般的虔诚。

　　十年前我参加了联合国教工委组织的一个关于绿色可持续发展的课题研讨。在那次活动中我关注到一段视频，大意是人类有一个伟大的梦想，希望全面地掌握种子的自然生长规律。美国科学家开始了一项疯狂的"乌托邦"式的科研计划。这是一个什么样的科研计划呢？就是在火星上研究如何构建封闭的生态系统，运用各种让种子生长的技术，最终火星种植计划成了美好的现实。对此，我惊叹不已。火星是一个什么样的星球？它荧荧如火，位置、亮度时常变动，地表被赤铁矿覆盖，沙丘、砾石遍布，没有稳定的液态水体，以二氧化碳为主的大气既稀薄又寒冷，常年温度为零

扫一扫，
观看现场演讲

下六十摄氏度，沙尘悬浮其中，每年经常有沙尘暴发生。在这般恶劣的环境下，竟能让一粒种子茁壮生长？这是什么黑色科技？

两年前，由于种子的情缘，我到一个农业创客公司参观。这个农业创客公司对农业的探索、研究和创新已长达十年。这十年里，他们引进了美国的火星种植技术，引进了世界上最先进的光控、环控技术，设计出了世界上第一台智能控制的全封闭的植物生长箱，实现了在一个封闭的空间里种植蔬菜、水果的可能。他们还率先利用互联网技术，可以模拟太阳光，模拟各种自然条件，通过全景遥感和一切智能手段调节植物生长箱里的温度、湿度以及人工日照的强度。他们还可以调整天然营养液的配方，针对不同的作物配置不同配方的营养液，并在营养液中添加微量元素，不仅增强了作物的口感，丰富了其营养，同时也使微量元素通过植物的吸收，从无机转向有机，更利于人体吸收。见证着植物生长箱里面的那些植物，最后生成多种色彩的花卉，多种口味的水果，还有各种形状的蔬菜，然后直接进入我们的家庭，为我们提供了绿色生态食品，我彻底折服了。

好客的农业科学家将从植物成长箱里采摘出来的新鲜生菜放于锅中煮熟，我竟然吃出了巧克力和牛奶的味道，

陈志斌

这就是现代科技。但是我当初想得最多的不是吃，而是如何把现代科技引进我们的教育体系里，融入我们学校的校本课程，让现代科技走进我们学校的课堂，让孩子们亲身感受大自然的魅力，见证生命的成长，从而对未来有更多的创想和憧憬。

为了孩子们的明天，我跟志同道合的教育者一起去研究微课程。我们设立了这个小目标后，还有一个大目标，就是创建全国第一家农业创客中心，在流行的STEAM课程环境下，别出心裁地设计出农业创客课程！让独一无二的校本课程在种子里找到灵感，在创想中实现可能。

我真的不是在说教育童话。西山小学已经建立了"种子旅行馆"，十几排植物成长箱已分类安放，能够陈列一千多种种子的种子银行正在装修，种子课程的设计正在如火如荼地进行。

不远的将来会有一门叫"种子"的课程出现在西山小学的课程体系里。我想把这个课程分成三大板块。第一大板块是"种子的奥秘"，在种子静态展示区存放许许多多种子，让孩子们认识种子，这些种子可以是语文书里提到的植物的种子，也可以是孩子们从家乡带回来的种子，当然我们还会有一些新奇的种子，比如种子最大的植物种子——复椰树的种子，还有一种特别的种子——青蒿的种子，而且在青蒿种子的旁边，我还会放一张屠呦呦获得诺贝尔医学奖的照片，当作是对孩子们的一种鞭策……对于种子静态展示区整体设计如何体现科学性与人文性，我们将征询华南农业大学教授的意见；参观的解说词由师生共同设计，每次"导游"都让学生组织安排，自主创编解说词。

第二大板块是"种子的实验"。我在学校里成立农业创客社团，让农业科学家指导学生进行种子生育的实验。如果有一天西山小学某一位天才少年种出一个正方形的西瓜，我想这也不是不可能的事情。

第三大板块是"种子的旅行"。这里讲的种子的旅行不是种子的一个生命周期，而是一个大型的、每个孩子都要参与的种子种植体验课程。每到开学，校长和班主任发给每个孩子一个信封，里面装有植物的种子，孩子回到家里以后把种子种到花盆里，根据我们的种子的公约、种子的注意事项等把种子种好，呵护其成长，然后用画笔、用文字把它记录下来，等它成长好之后，把它搬回学校里，装点校园。当然我们还会设计一些微课程，把孩子们关于种子种植的一些美画、美照放到网上，一一展现出来。我们还会把这些体验课程里面的种植技术与文学、艺术、科学等元素以及对生命的呵护与敬仰契合在一起。

有人说教育是一种同情，是一种悲悯，是一种担当，是一个生命对另外一个生命的呵护、关爱与包容，我觉得这是对的。也有人说课程与课堂重要的不是对知识的识记与积累，而是对人格的训练与精神的涵养，我认为说得太好了。我们种子课程的设计灵感来源于什么？来源于日积月累，也来源于西山小学老师对核心素养的集体智慧，更重要的来源是我们对自身课程转化为核心素养的内在人文土壤的关注。

学生的核心素养关键在课程中孕育，在课堂中生长。我记得广东省中小学校长联合会常务副会长、华南师范大学博士生导师王红教授问过我一个问题：哈佛大学医学院为什么要开设充满人文气息的课程？为什么一位医生要去学文学、艺术、音乐、美术，学这些有意义吗？我觉得她这个问题其实是在启迪我，哈佛大学的学生除了学医学技术之外，还有更重要的东西要学，那就是人文底蕴，医生要学会敬畏生命、关爱生命、尊重生命、呵护生命，并且要悲悯在病痛中煎熬中的那些患者。悲天悯人对医生来说是何等的重要！

我们的种子课程的人文性休现在哪里？除了与种了有关的知识和思维训练以外，最重要的是什么东西？是它在课程中蕴含的人文底蕴。"人文底蕴"包括学生对自然的好奇，对探索的热情，对美好事物的分享，对伟大科学家的尊重……前面提到将西山学子从家乡带回的植物种子在种子银行里展示出来，我们为什么要这么做？因为我们有68%的学生是非顺德籍的学生，他们的家乡遍布广东省外的33个省级行政单位，以湖南、江西、湖北等地居多。因父母工作，孩子到顺德求学，顺德成了他们的第二故乡，他们当然要热爱顺德。但是对他们的第一故乡呢？我们要通过种子去提及它，让他们想起故乡的亲人，想起故乡的爷爷奶奶，最关键的要留存那份美好的、令人魂牵梦绕的乡愁。因为那份乡愁是孩子父母的根，也是孩子父母的魂。

有记者在采访中问道："小学教材里面为什么要增加这么多优秀中国传统文化的元素？"教育部的专家铿锵有力地回答："这样做的原因就是要给无数的青少年打好'中国底色'，要让我们的孩子做堂堂正正的中国人！"那么我们种子课程的底色在哪？我想，种子课程除了让种子引导孩子们去贴近自然之外，让他们回到生命最开始的地方之外，还有就是给它包裹上一层厚厚的人文土壤作为课程底蕴。这份人文土壤指的是什么？指的就是刚才提到的好奇、乐趣、分享，但又不只是这些，还有公平、公正、善良、厚道、诚信，等等。这些人文土壤对课程来说非常重要。人文土壤是孩子们生命的根基，是支持幼小生命持久前行的力量。我还想说人文土壤是激发学生无穷潜能的"孵化器"，而且种子课程完全吻合百年西山倡导的"绿色教育"的核心——健康、可持续，种子课程最大的价值在于它充分散发着人文的光芒。

如今的西山小学，课程完全实现校本化、体系化，已经有了完整的绿化生态课程群，它包括充分高度校本化的国家基础课程、满足学生多元化发展的社团类拓展性课程、创想丰富的探究课程如创客课程与梦想课程三个有机组成部分。这些课程同样栖息在温厚的"人文土壤"之中，正以强大的力量温暖着每个孩子，提升着学生的全面素养。其中，学校研究的拓展课程很有特色，如在广府话流行的地区我们还设计了"粤语诵经典"课程。在顺德，37%的居民为原顺德居民，使用粤语是约定俗成的一种氛围和默契。新顺德人扎根本地，为顺德的经济建设贡献了不可磨灭的力量，他们更需要的是融入这个地方，有一份自己的归属感。他们的子女在顺德出生，在顺德成长，语言相通是孩子们成长过程中最需要的一份归属感。"入乡随俗"，新顺德人的子女更需要适当了解和学习顺德本土的优秀文化和人文精神，这有利于他们融入大集体，使他们更具幸福感。相信这类课程对增强学生爱国爱乡的情感、提高其文化素养和扩大其国际视野都将起到积极的作用。

从一粒有生命力的种子，引发出用生命去影响另一个生命的教育思想，设计出推动孩子自然成长、积极探究的种子课程，把握到要提升学生核心素养的最重要一环——课程必须栖息在温厚的"人文土壤"之中。设计这些有创意的课程的动机是什么？是我们西山所有老师庄严的教育使命——为孩子们的健康、幸福成长，裹上厚重的温暖的底色。谢谢大家！

和美课堂培育和美人

佛山市顺德区大良街道教育局督导组组长　赵晓芸

　　尊敬的各位领导、各位专家、各位教育同行，大家上午好！我是来自顺峰初级中学的校长赵晓芸。我非常荣幸今天能参加如此高端的论坛。今天我和大家分享的主题是"和美课堂培育和美人"。

　　我想先从几年前毕业于我校的冯庆生的故事讲起。他有什么特别吗？用他自己的话来说："逆袭成学霸，我以高出重本线80分的成绩考入了名校！"这个冯同学小时候沉迷网络游戏，成绩当然是一落千丈，但来到顺峰初级中学之后，他发生了很大的改变，后来考上了暨南大学，成为暨南大学的本科生。大家一定会很好奇，为什么他会有如此巨大的变化？

　　冯庆生同学进入我们顺峰初级中学之后，参加了WER（World Educational Robot Contest）机器人活动课程，这个课程激发了他对机器人的学习热情和钻研的劲头，在初中阶段他三次获得世界教育机器人大赛的冠军。三年的初中生活让他从一个后进生转变为高材

扫一扫，
观看现场演讲

赵晓芸，发表该演讲时任佛山市顺德区顺峰初级中学校长。

生，后来还顺利地考入了暨南大学。

我们不妨做一个简单的假设：如果没有WER机器人课程，我们的冯同学今天可能会是什么样？像他这样有着个性化发展需求的孩子，在我们顺峰初级中学以及其他学校里还有很多。那么我们应该如何去满足这些孩子的个性化发展需求呢？我想需要回到课程上面去，需要思考我们的课程是为谁而开设的，又应该开设哪些课程。要回答这些问题，我认为需要回归到学校教育的终极目标上来思考。

学校是干什么的？学校是培养人的地方。那么作为校长，我们要回答的第一个问题是，我们想培养什么样的人。"核心素养育人目标校本化"是我提出的第一个观点。作为倡导和美文化理念的顺峰初级中学，我们始终把培养"和美人"作为我们的育人目标，多年来我们坚持不懈地把和美人这一育人目标核心素养化。我很欣赏顺德机关幼儿园园长提出的一个概念：把唯一的童年留给孩子。

我也很想把唯一的少年时期还给每一个学生，因此顺峰初级中学创办之初所提出的办学理念——践行和美教育成就和美人生，就是基于这一方面的考虑。我们希望把属于学生的美好时光都还给每一个学生，着力培养他们的和美人格，成就他们的和美人生。所以我们努力创设一切机会，为学生们提供丰富多彩的学习资源和搭建更多成长的平台，我们希望孩子能够从这些活动里面走出千篇一律的

赵晓芸

学习，找到自己万千的可能性。

自从《中国学生发展核心素养》公布以后，顺峰初级中学就基于学校的实际，提出了顺峰和美人的核心素养。顺峰和美人必须具备四大核心目标素养，即身心健康、友善互助、责任关怀、实践创新，并且它综合表现为八大标准。"和美顺峰"的核心素养跟国家层面的核心素养是保持着高度一致的，同时更多体现顺峰人对核心素养的共同愿景，可以说核心素养校本化是落实核心素养育人目标的第一步，也是关键的一步。那么当我们确定要培养什么样的人之后，就要思考靠什么来培养出这样的人。

"核心素养目标课程化"是我提出的第二个观点。在顺峰初级中学原来丰富多彩的活动资源的基础上，我们进一步系统规划设计，提出了"和馨""和善""美心""美行"四大系列课程。这四大系列课程的目的是培养身心健康的和美人。那么，这四大课程体系有什么特点？最大的特点就是跨学科和学科之间的融合。我们的整个课程结构呈一个相互交融的网状结构，也就是说某一个具体素养的培养不是单靠某一种类型的课程来完成的，而是某一类型的课程主导，多个类型的课程共同作用的结果。我们顺峰学子的核心素养就是在这些特色和美课程里面培养起来的。

如果说课程是学校育人的核心载体，那么课程的核心载体又是什么？那就是课堂。课堂是学生学习的主阵地，"核心素养课堂化"是我提出的第三个观点，也是我着重想阐述的观点。我们顺峰和美人的核心素养生根落地之处就在课堂，那怎么进入课堂？不同的教学方法会培养出不同的人，比如说你喜欢孩子听你讲的，那么孩子可能就会成为乖乖的执行者；如果你喜欢孩子主动发问，那么孩子可能就会成为积极的创新者。那么我们如何构建课堂，才能实现和美人的培养目标？

我们设置了五大主导性，即躬行、审美、自理、互助、思辨，这五大价值观是我们和美课程主题思想的深化和拓展，同时也是我们课堂老师实施的具体的价值导向和评价方案，这五大价值观都渗透在我们和美课堂里面。在我们的和美课堂里面，老师和同学们友好互动，共同研究反思，搭建师生共同发展的学习桥梁；老师和同学们一起审美创造，共同培养审美情趣，共同分享成长的美好。我们就在这样的课堂理念下把核心素养落到实处。

我们回过头再来看看冯庆生同学的成长经历。冯同学所参与的WER机器人课程是我们的美行课程之一，我们把美行课程植入冯同学的素养培养里面去，为他搭建平台，鼓励他动手实践，最后实现他在实践中合作，在实践中创新，在实践中反思提升的目标。冯同学逆袭的案例如何才能不只是个案？作为教育工作者，我们期待有千千万万的"冯同学"在我们的学校里面出现，这就需要我们在教育教学实践中不断地思考和反思。

那些具有发展潜力的项目课程，用社团的形式来开展，的确有它的局限性。怎么办？怎么走出这些困境？就拿机器人课程来说，我们顺峰初级中学有的老师就提出对机器人社团进行普及教学的建议，并从计算机课里面拿出一节来进行，这个建议得到了采纳。这样在日常的课堂里面，我们就可以发现更多的好苗子，扩充了我们的机器人社团，让冯庆生同学的这个个案向小众发展。后来，创客意识在我们的老师和同学当中越来越强，参与的同学也越来越多，我们就把这些课程整合到课堂，开展基础教育课程教学，包括APP制作、动漫创作、电子创客还有3D打印等等，形成了"校本课程、项目研究、创客分享"三位一体的创客教育实施模式。因为学的都是同学们爱学的和感兴趣的东西，所以他们的学习能量就得到了激发，他们自身的内驱力就得到了加强，我们通过这些课程帮助孩子们找到了潜在的创造力。

至今，顺峰初级中学已经连续五年获得了WER初中组省赛、全国赛所有冠军，我们的创客作品、动漫作品等屡次在省赛、全国赛获奖，顺峰初级中学也被各种权威部门授予各种荣誉称号，这是值得我们顺峰人自豪的事情。

此外，我们也在思考，课堂对课程的实施不是被动的，我们应该怎样建设课堂才能更有利于课程的实施呢？我认为课堂应注重交互性，增强交互性是课堂建设的关键。互联网是交互性极强的信息技术，基于互联网+教学，我们顺峰初级中学将信息化技术引用到课堂中，开辟了智慧课堂，为学生抢得发展的先机，让他们走得更快、更远。

顺峰初级中学还加入了千校共建项目，借助互联网平台，通过异地直播课的形式，实现了优质课程的常态化共享，把教育交流落实到日常的课堂里面去。至今为止，我们已经跟香港、新疆、重庆、云南、江苏等地进行了最多达四地同步课堂的活动。现在我们顺峰初级中学的学子不单单可以享受顺峰初级中学雄厚的师资力量，还可以享受到来自全国各地不同区域的优质的教育资源。

另外，我们还为顺峰学子创设了丰富多彩的关于节假日的直播课，这些课堂交互性强，可以通过网络随时随地进行学习，极大地促进了学生们的学习主动性，使学生的潜能得到了发挥，学生的核心素养也在潜移默化中得到了培养。

最后，我想说，核心素养是育人目标。第一，我们要做的是把核心素养校本化，而每个学校的实际情况不一样，实施的过程中要结合自己的校情进行。第二，作为校长，要科学地搭建课程，课程最终都要走向课堂，因为课堂是学生生命成长和全面发展的主阵地，是核心素养生根的地方。和美课堂培育和美人，我们始终在路上。谢谢大家！

聚焦核心素养的课程变革

南方科技大学教育集团第二实验小学校长　唐晓勇

面对不确定的未来以及迅猛变革的时代，我们应该重新思考教育。我们的知识、学生、学习、老师，我们的课程、技术、空间、场景，都应该重新思考。正如泰戈尔在《昨天的名字》里说的一句话，不要用自己的学识限制孩子，因为他们出生的时代有所不同。因此我们需要重新思考教育。

我们从课程的视角重构学习，让学习与生活联结，让技术成为学习的底层支撑。我们重新来设计教育。我们的行动是构建统整项目课程有两大核心元素：互联网+，突出互联网的思想和精神；STEM+，强调学科融合、跨学科学习。让学习和生活联结，让学生在开放的学习环境中使核心素养得到浸润式的培养。阅读非常重要，我们把阅读贯穿统整项目课程学习的全过程。我们的课程成果很多，最值得骄傲的是我们老师团队边实践、边阅读、边写作。不到三年的时间，我们的老师在核心期刊发表了110多篇研究论文。

接下来我和大家分享五个关键词：缘起，为什么这样做；目标，我们的方向在哪里；内

扫一扫，
观看现场演讲

涵，它是什么；设计，具体做什么，怎么做到；反思，面对未来，我们在座的校长，我们的老师，我们的专家教授应该如何来面对。

缘起。我们为什么要做统整项目课程？从儿童认知世界的视角出发，儿童认知世界是整体的、完整的、探究的、多维的。我们注重多元智能的课堂设计，让老师把多元智能的九大智能融合到教学设计中去，让孩子认识到自己在哪一方面的智能比较突出。因此，我们从二年级开始开设多元智能课程。脑科学研究表明知识必须放在真实的情境当中，学生才容易理解。目前课堂教学的主要形态是分科教学，语文是语文，数学是数学，我们应该融合不同学科开展跨学科学习。分科教学让我们变得专业，跨学科教学让我们变得完整，我们要做专业而完整的人，所以分科教学应该和跨学科学习相互融合。同时我们要了解世界课程改革的主流趋势是什么，那就是基于主题的项目型课程，所有的学科围绕某个主题进行学习。因此我们要让学生置身真实的情境中去解决真实的问题。

目标。我们的课程目标是聚焦面向未来的核心素养培养，方向对了，就应该坚定地走下去。

内涵。统整项目课程的内涵可以用三个关键词概括：统整、项目、技术。统整就是跨学科对教学内容、学习内容进行重新组合。美国国家赫尔巴特学会在1895年就提出

唐晓勇

课程统整的概念，主张儿童有能力联结不同的知识领域。我国台湾在2001年起就在全面推动课程统整改革。我们2001年的新课程改革也重点推进具有统整特质的综合实践活动课程全面实施。项目化学习已成为发达国家学校课程的主流形态。我们学校的课程形态就是项目型的。技术是师生学习的底层支撑，让学习与技术直接联结。技术就像空气一样浸润课程学习的全过程。

设计。我们是如何来设计统整项目的课程的？

对学习工具的设计。面对未知的世界，我们如何重新选择学习工具？我认为要用数字化思维对学习工具进行重新设计，让学习工具具备互动性、可视化、信息源的特征。

对学习空间的设计。我们如何来重构学习空间？在当前传统的教室里，排排坐依然是主流。在一个排排坐的教室里，要想进行真正的课程改革是很难的。在我们学校的教室，桌椅的摆放也不是传统课堂中的"排排坐"，而是根据学生学习的需求而自由组合，教室里已经没有了传统的讲台。

对学习场景的设计。我们的学习是不是仅仅停留在封闭的教室里？在教室内学习，我们只能感受到封闭的空间。我们的老师要打开教室的门窗，让孩子们看看校园内的美丽鲜花；我们的校长要打开校门，让孩子们到大千世界去看一看。

对课程的设计。课程设计要突出流程再造、开发视角与运行机制三个方面。流程再造是用互联网＋的核心思想将我们传统的线性课程和跨学科统整课程两者相容。开发视角包括学科视角和主题视角。运行机制，由于当前的老师普遍不具备跨学科教学能力，我们要采用教师合作制和项目负责制推进统整项目课程改革。我们学校推行项目负责制，项目负责人权力很大。我们用课程超越课堂的视角来进行统整项目课程设计，让孩子们实现浸润式学习。我们从"学科"和"主题"两个视角进行课程设计。基于学科，聚焦学科素养以及学科本身的任务；基于主题，聚焦综合素养，学科和主题两者应该互相融合，互相补充。目前我们基于学科，有学科内部的横向与纵向统整以及跨学科的统整。基于主题，我们主要做了超越学科的项目统整。

目前我们学校1到7年级有13个课程，主要以绿色STEM的角度设计，每个课程之间都有一定的内在联系。我们还大胆地开展研学课程，引进跨学科课程。我们基于一个主题把语文、数学、英语、音乐、科学、社会等学科融入课程，并在课程里解决学科问题。我们在进行课程统整、项目推进、技术支持时，力图打破课程、班级、教师、时空的边界，以学生为中心，尊重每一个人，发展每一个人。

目前，我校使用的学习工具已有很大的变化。我们学校每一位孩子都自带移动设备学习终端，学校已经实现了无线网络全覆盖。我们把移动终端技术定位为"沟通媒介"和"脚手架"，"脚手架"就是用技术来解决问题。

我认为技术工具运用的理想境界是：我们眼里看到的是"人"和"课程"，聚焦人的发展和构建培养学生面向核心素养的课程体系。数字技术是什么？它应该像空气一样自然地浸润到学习者的整个学习过程中，凸显人的发展和课程的构建。

我们看不见技术，但技术很重要。技术并不等于变革。现在很多人都在讲人工智能，有人说人工智能会摧毁现代教育技术。我想，无论是用什么样的先进技术，我们首先要思考教育本身，然后再来思考技术。如果教育本身没得到改变，我们的课室还是排排坐，还是单向的传授模式，我们拿什么技术都改变不了，包括像翻转课堂、微课等等，能改变什么？什么都没有改变。因为这些教育模式并没有改变教育的本质，很多实践仅仅是形式上的改变。

学习空间的改变将引发课程结构的变革，空间改变了，人与人之间的关联、关系也就改变了，叫无边界。在我们学校，我们设计了移动互联空间、课程学习空间、阅读交流空间等等，我们的教室随时可以进行调整，相对于传统的"排排坐"，这是学习空间的变革，老师根据学习需要调整课桌的摆放，有时是U字形，有时是V字形……

充分运用好每一个空间。

在学习场景方面，我们把所有的课程和场景联系起来，比如一年级下学期的"全球六大生态系统与世界文化探索"课程，我们的教室将呈现与课程内容相关的场景；二年级的"美丽中国"课程，我们将带领孩子们走到户外去学习，寒、暑假还会有与"美丽中国"内容深度关联的游学课程，等等，为学生创设真实的学习场景，让孩子们在真实的世界中发现问题，解决问题。

反思。最后，我们对未来的教育应该有自己的思考，我认为作为校长要有开放的心态，要具备一定的信息化领导力。作为教师，专业素养不能仅仅局限于单一的学科，更应该是各种素养共同发展。我们需要正确认识学生，当前的学生是数字时代的儿童，他们的学习方式和我们小时候的学习方式是不一样的，因此我们要改变我们的教学。总之，在数字化时代，课程、学习空间、教育模式、管理方式、教育思维等等都需要改变。在这样一个移动互联网时代，在跨界融合的时代，我们需要用跨学科的方式来进行教育，先思考教育本身，再思考外围的技术、空间。谢谢大家！

第三章　聚焦学生思维能力的培养

思维成就课堂，

小组合作学习：最美课堂进行时

佛山市顺德养正学校校长　林中坚

尊敬的各位领导、各位来宾、各位教育同行，大家上午好！我是顺德养正学校的校长林中坚，非常高兴在这里和大家分享我的课改历程，我分享的主题是"小组合作学习：最美课堂进行时"。

"一支粉笔捏在手，一沓作业在案头，一本教材烂在心，一套经验用终身。"请问在座各位，在当今这个时代，这样的老师还有吗？我认为在我们大良没有，我们顺德也没有，但是放眼全国还是有的。大家可能听说过，国内某城市有一位52岁的教师被学生家长集体赶下讲台。传统的教学方式已经不适应当下。我们教师要做一个为学生打开窗户的人，让学生多看看窗外的风景、看看校外的大千世界。

作为校长，我们要寻找一种新的课堂样态，引导学生走向深度学习的思维课堂，这是时代赋予我们校长的使命。那么，我们应该怎么做？我想下面四个词可以概括我在育贤实验学校和养正学校十几年校长生涯中所走过的课堂改革之路：破局出击、蓄势待发、修练"内功"、笃信成功。

扫一扫，
观看现场演讲

一、破局出击，课堂改革初探索

传统教学方式过于强调接受学习、学生死记硬背和机械训练。可是对老师来说，这是一直在使用的教学套路，课堂的一切都在自己的掌控之中。尽管老师也知道这种教学套路有很多弊端，但是用起来已经驾轻就熟，老师还觉得自己讲得深、讲得透、讲得好，但是课堂教学质量并不理想。

这是一个困局，唯有出击才有赢的机会。因此，2002年我坚决推进教育部实施的新课程改革，大力转变教学方式，大力倡导自主、合作、探究的学习方式，大力培养学生获取新知识的能力。

改革后的课堂有了变化，课堂有活力了，学生感兴趣了，学得扎实了，成绩也有提升。可是通过大量的课堂观察，我和教学团队慢慢发现了众多问题：有的课堂片面追求热闹，有时出现满堂问的现象；有的课堂片面追求自主学习，结果变成了自流式学习；有的课堂教师出现了假合作、假讨论的现象；有的课堂教师讲得还是太多，课堂效率并不够高。

出现这样的现象，接下来该怎么办？这个问题困扰着我，我一直在思考，有时候甚至寝食难安。我知道，没有

林中坚

一条改革道路会是一马平川的，我们既然有了破局出击的第一步，就一定要坚定信念，将这条课堂改革之路走下去。

二、蓄势待发，小组合作显奇效

针对接踵而来的困局，我不禁回想起在英国进修期间看到的小组合作学习课堂。当时我对这种不一样的课堂特别感兴趣，还做了一定的研究。回国后，我专门请来几位专家对我校的课堂进行问诊，经过反复论证，最后我和我的班子成员决定全面实行小组合作学习，以小组合作的课堂教学形式来改变现状。

我下定决心要让小组合作学习在我的学校生根发芽，发扬光大。实践证明，我们的路走对了！

高质量的合作学习，远胜过个人学习。学习不仅伴随认知与思维，也伴随着情感与心理。当情感投入、心理共鸣时，思维会更加活跃，伙伴式的共同学习及互相的讨论和鼓励，也更容易攻克学习的难题。

为了更加扎实高效地推进小组合作学习的课堂教学改革工作，我们组织了100多场课改研讨公开课和课改沙龙，为突破课改瓶颈提供了大量的有效信息资源，攻克了一个又一个课改难题。

我们不断挖掘学习小组的功能，全力调动学生"自管""他管""管他人"，使三者之间相互激活。我们根据自主学习与学习小组建设的需要，完成了三个重建：一是重建教室环境，二是重建教与学的关系，三是重建教学内容。

在此基础上，我们制定了《顺德养正学校课堂操作规范手册》，在操作层面上为老师们更加高效地开展课堂教学提供了有力的指导。另外，我们先后做了四个课题的研究，我自己作为主持人也专门申报了课题《小组合作学习课堂教学的实践与研究》。我将课改中出现的问题以小课题的形式提炼、研究、攻克，真正使课改工作进一步深化，逐步构建了较为完善的课堂教学模式。

经过不懈的努力，新的课堂更具生命力，也更具活力，课堂体现着独学、对学、群学、领学，体现着独立思考、合作探究、补充质疑、师生辩论。同时，老师在课堂上充分利用展示、评价，很好地解决了学生学习的内驱力问题。

课堂实现了由以教为主变为以学为主，由个体学习为主变为合作学习为主，课堂不再是教师讲授表演的舞台，而是学生自主学习、研究、交流的场所，先生的"讲堂"也变成了学生的"学堂"。

三、修练"内功"，最美课堂露头角

我们的课改成果很丰硕，但仍有提升空间，如课堂效率还不够高、学习小组的作用没有完全发挥出来、学生思维深度不够、课堂结构不够理想等，这样的课堂还不是我希望看到的课堂，还不是最美的课堂。

多种研究表明，高质量的合作学习课堂必须重视提升学生思维层面的合作，必须重视课内和课外、个体和群体的互通式学习，必须重视学生对学习成果的自由表达，必须重视学习的再创造与新思考。

所以，我们的课堂必须再次作出改变，我又在认真地思考，和同行探讨，向专家讨教。经过深入研究和反复思索，我决定启动以学生为主体、以导学案为载体的新一轮课堂教学改革，经过积极筹备，这一次我们建立了四大体系：文化体系、生训体系、导学体系、评价体系，并成立了研究团队。

通过班级公约、班级口号、组名、组训等文化体系的建立，让学生有更强的价值认同感，更加热爱自己的小组和班级；通过生训体系的推进，让学生有更好的小组合作学习的基础；通过导学体系的实施，让学生学会如何自主学习、如何合作学习，提升学习目标的达成度；通过评价体系的落实，进一步激发学生持续的学习激情。

同时，我们把学校脑科学研究中心的研究成果运用到日常教学之中，将最佳记忆方法渗透到各学科的课堂，比如形象记忆法、理解记忆法、联想记忆法、图表记忆法、思维导图等方法，极大地提升学生的思维水平和记忆水平，让学习更加高效。

课改有了四大体系的支撑，有了整体的系统和布局，我们构建了小组合作学习的基本流程：独立自学、组内合学、组间分享、互动深化、检测小结。课堂结构更加优化了，学生合作交流的时间更加充足了，学生的思考更有深度了，学生思维的碰撞更加激烈了，学生更加容易突破知识的重难点。我们经常可以看到学生在交流、在探讨、在辩论、在补充、在质疑、在总结、在反思，学生成了学习的主人，成了学习的探索者和问题的发现者，学生在真正地走向深度学习。

四、笃信成功，师生素养展风采

课堂上我们常常会听到学生在说："我来说一下我的思路"；"对于第三小组同学的观点，我有质疑"；"我同意你的看法，但是我还有补充"；"我不同意你的观点，我认为……"；"对于这道数学题，我有不同的方法"……在家里，家长听到的是："妈妈，我刚刚学了《论语》，我来讲给你听"；"爸爸，我负责策划这次出行的路线和攻略"……学生在实现自我发展的同时，还实现了高分高能，学出了自信。学生的口头表达能力、沟通能力、组织能力、合作能力、学习能力和创新能力等综合素养得到了进一步提高。

顺德养正学校的毕业生能力强，在高中学校深受欢迎，不少学生还成为高中学校的学生领袖，更有丰盛同学荣获佛山市高考理科状元，何子晴同学获顺德一中的高考文科状元。

课改同时也促进了教师专业的快速成长，先进的教学理念和娴熟的课堂技巧让我校教师自信满满，仅在2018年，我们就有两位教师获得了广东省青年教师课堂教学比赛一等奖，其中朱焘老师还以广东省第一名的成绩参加全国"中语杯"初中语文教学比赛并获得最高一等奖。

　　践行新的合作学习，课堂将呈现何种景象？我一直畅想着最美的课堂：教师是牧马人，要把缰绳放开，带领学生找到水草丰美的地方尽情吃草，在铺满阳光的跑道上，学生在教师的引领下朝前方尽情奔跑……

　　我相信，这是我们教师最终的奋斗目标，也是我们校长的期盼。只要我们坚持，只要我们努力，我坚信实现这个目标的日子一定会到来！

思维成就课堂，关于心灵、角色、对话的三场革命

佛山市顺德区本原小学校长　肖荣华

　　我们先回顾一下，2017年教师节前夕，教育部部长陈宝生曾在《人民日报》发表文章《努力办好人民满意的教育》。他在文章中吹响了"课堂革命"的号角。两年多以来，全国各地的学校纷纷开始课堂改革。

　　课堂上的确发生了一些变化，比如老师们大都能遵循预习、展示、反馈三个基本的教学模块完成教学任务，老师讲得少了，小组合作学习得到广泛运用，现代信息技术融入教学，赋能课堂。以学生为中心的新课堂样态不断呈现。

　　但进一步深入观察、了解会发现，这种形式层面的创新和变化背后，不少课堂上学生表达多了，但说来说去还是被老师牵着鼻子走，一部分学生依然是课堂的"观光游客"，没有主动参与，没有对话交流，更没有深度思考。

　　课堂是培养学生思维能力的主阵地。没有激活思维的课堂，形式层面的花样再多，也无法焕发出生命的活力。

　　打造思维课堂，激发思维潜能，必须从转变教师观念开始。而作为校长，也必须引领教

扫一扫，
观看现场演讲

师开展一场深刻的思想变革。

一、课堂革命是一场心灵的革命

课堂革命首先是一场心灵的革命。教师要以温暖的心灵润泽与唤醒孩子们内心的渴望，从教师乐意转变为学生乐意。

孩子如果说我愿意学，这节课就一定能上得很好。为什么我们有的孩子并不愿意？我想其根本原因是他们在课堂上缺乏存在感与归属感。于是，教师在激发学生兴趣上费尽了心思。比如，有教师为了吸引学生，总是过多使用图片、音乐、动画来充当学习材料，或以滑稽、另类的方式来呈现教学内容。这种为形式而形式的做法，看似给学生带来了乐趣，但只是给予了学生感官上的刺激，难以引发他们有深层次的思考。出现这种现象的主要原因在于教师没有从促进学生主动学习、发展思维的角度出发去考虑学生的内在需求。

站在课堂上的教师要真正地研究孩子，读懂孩子，才能从内心唤醒孩子的求知欲。

我们要用真爱唤醒课堂。师生之间充满"爱意"，才会互相尊重和理解，教师不必将自己的观点强塞给学生，

肖荣华

学生也不必小心翼翼地"揣摩"教师的想法；教师不会将目光仅仅局限于知识的传授上，而是更多地关注学生作为一个生命体的存在。在教师暖暖的爱意中，学生往往能产生积极向上的情感体验，从而激发学习的内在动力。

我们要用智慧唤醒课堂。孩子之间存在着个性差异、智力差异、基础差异，教师要善于关注每个孩子的状态，对他们的积极表现，无论对错，都给予正面回应，课堂只有真正做到不以对错论英雄，才能最大化地凸显知识对学生成长的意义。

只有唤醒和启动了思维，雅斯贝尔斯所说的"一个灵魂唤醒另一个灵魂"才会成真。

二、课堂革命是一场角色的革命

课堂革命也是一场角色的革命。课堂的最终目标是培养学生自主学习的精神和能力，课堂关注的焦点应从"教师教"转变为"学生学"，转换师生角色自然也就成为必然。

我们看到，课堂上一些孩子目光茫然，嘴巴只是机械地跟着大家说"是"，但为了完成教学任务，教师无暇顾及于此，仍然按照预设的教学活动一项项进行。有些老师即使主观上想放手，但心里总是担心开放的课堂能否真正落实教学内容，是否会影响教学质量，有时还是会不自觉地站出来主宰课堂。有些教师甚至会感觉自己的讲授远比学生的自我发现和解决来得踏实，来得全面。

还有些教师设计了有趣的活动，并想方设法让学生来参与。然而很多时候，学生只是对活动有兴趣，而不是对活动中蕴含的知识有兴趣。还有的开展问题大讨论，气氛虽然活跃起来了，但是思维含量不够，思维生成不足。

我想，学生坐在课堂里不会关注教师的细节，他不会考虑老师的过渡语言怎么不自然，老师的问题怎么问得这么巧妙。所以在课堂上，我们应该关注学生的表现。老师讲得好不是真的好，学生学得好才是真的好。

如何才能更好地让学生学？这就要回归教育的常识与本分，一切为了学生的学。教师不再是课堂主角，要退到幕后做学生学习活动的设计者和引导者。以学生的现有能力和已有经验为起点，设计适合学生发展的学习活动；要关注活动的过程，并根据学生实际情况调整教学活动。

只有让学生成为课堂上真正的主角，给学生充分的自主学习的时间，给学生适当的引导和帮助，学生才有获得发展思维的机会。

三、课堂革命是一场对话的革命

课堂革命还是一场对话的革命。课堂是一个师生间思维上相互转向、心灵上相互回应的场域，是一种开放、自由探究的理性思维碰撞、升华的过程。

传统课堂都是老师讲，学生听。到今天，学生讲的机会多了，可是很多教师拒绝倾听，甚至误听、偏听，敷衍学生的回答。点亮思维，就要从学生倾听转变为教师倾听。

我听过这样一个案例。在上《坐井观天》这节课时，教师提问："青蛙来到井外会怎么样？"一学生答："青蛙会很高兴，不停地跳。"老师微微一笑，鼓励地问："为什么呀？"学生说："因为它看见了蔚蓝的天空，碧绿的草地，还有花儿散发着芳香，鸟儿不停地欢唱，多美啊！"老师带头鼓掌，学生得意地坐了下去。随后其他学生纷纷仿效，表示青蛙很快乐、很幸福、很兴奋，大都雷同。

一个学生举手说："我觉得青蛙会很害怕，跳回井里去。"这个学生的声音很小，可能觉得自己的想法与别人不一样。老师也收敛了笑容，勉强说了一句："你的想法也不错。"这回没有再问为什么。学生嘴张了张，见老师没有继续让他说，只好一脸落寞地坐了下去。在课后的续写作业里，老师看到这个学生写着：青蛙看到河水被污染了，鱼虾被毒死，还有人在捕食青蛙，于是害怕地跳回了井里。这位老师意识到自己剥夺了孩子表达独特思维的机会，她在教学后记中写道：我一定要学会倾听。

学会倾听，才能建立新型对话课堂。这里的倾听不是单纯地用耳朵听，而是要"察言观色"，全身心地去感受学生在言语中表达的情绪和想法。

教师要放弃自己的"话语霸权"，首先，要以学生为伙伴，与学生之间建立起平等对话的机制，不能只倾听符合自己心意的声音，或将"标准答案"强加给学生，或曲解学生的回答，这些并非学生发自内心的声音，甚至充满了欺骗和谎言，这不仅会扭曲教学的真实，还会扭曲师生的心理。

其次，教师需要一份耐心，要放下自己的权威和高姿态，不能因为学生的"吞吞吐吐"而毫无顾忌地打断学生的发言。只有当教师以关注生命价值的人文情怀面对学生在学习中的每一个新发现、新见解，并给予积极评价和热情赏识时，学生才能展现出更高的创造力和问题解决能力，才能学会用自己的立场说话。

当学生那些被压抑在潜意识中的能量冲破意识阀门而释放出来的时候，课堂必将闪现出智慧的火花。

老师们只有对心灵进行革命，才能唤醒孩子们内心真正的渴望；只有转变了角色，才能回归到课堂教学的常识和本分；只有建立了对话，才能实现"共享式"的课堂教学新境界。

从心灵革命到角色革命，再到对话革命，全面解放思维的枷锁，学生的想象才会插上翅膀。当每一个学科、每一节课都可以促进学生思维重构的时候，我们便能找到核心素养落地的力量。

课堂革命既然是"革命"，就不只是对旧范式和旧观念的简单改变，而是一种颠覆式的革新。教育管理者要站在高处，做勇于打破旧观念的领导者和挑战过去的先行者。只有思想与观念彻底革命了，才有科学方法的真正运用，才能使课堂教学改革迎来新曙光。

期待我们的课堂情感真实、思维灵动、关系和谐，有温度，有生命力，它呈现的将不仅仅是知识，更是思维的流光溢彩！

思维能力：未来人才核心竞争力

佛山市顺德区第一中学外国语学校执行校长　曾祥明

尊敬的各位领导、各位来宾、各位教育同行，大家早上好。我今天与大家分享的主题是"思维能力：未来人才核心竞争力"。

在2011年美国教改峰会上，媒体大鳄默多克说过："我们的学校是唯一不受科技革命影响的地方，今天的教室与维多利亚时代的设计没有什么两样。"

我这里有一张维多利亚时期教室的图片，从图片可以看出，的确，无论是教室的布局、老师讲课的方式、学生听课的神情，甚至连那个犯了错误被罚，站在教室前面的那个学生，都与我们今天的情况没有什么差别。

相对于科技的飞速发展，教育的发展的确有它的滞后性，而这种滞后性又会给我们带来一种担忧，那就是我们还在用过去的知识和方法来教育我们的学生，那么这样培养出来的学生，他们能够适应未来的世界吗？我们是否会剥夺学生的未来？

扫一扫，
观看现场演讲

一、未来世界将会怎样

作为一名教育工作者，我们的确应该静下心来好好地思考这样一个问题：如何才能让我们的学生做好面对未来世界的准备。接下来我将从未来的世界将会怎样、教育需要做哪些改变、我们学校所做的一些探索和实践三个方面，来谈一谈我们学校对这个问题的思考。

未来的世界将会怎样？这里有一个短片，我们一起来感受一下。从这个短片中我们可以知道，在未来的世界，人工智能的飞速发展将给我们的生活带来极大的便利。但是与此同时，我们也要付出相应的代价。在未来，有很多职业将会被取代，我们当中很多人将会失去工作的机会。

这里有一张图片，说明了人工智能将通过怎样的途径去代替我们人类的职业。从图片中我们可以看出，人工智能将逐步代替那些简单的、重复性的、机械性的、不需要情感和价值判断介入的工作。那么我们要怎样才不会被人工智能所淘汰？

我想，我们要把优势凸显出来，与人工智能相比，我们具有创造力、想象力，能够进行批判性思考。这些属于我们思维范畴的能力，是人工智能所无法比拟的。所以思

曾祥明

维能力是未来人才的核心竞争力。

二、教育需作出哪些改变

思维能力在未来的世界至关重要，那我们的教育需要作出哪些改变？很多科学家和教育家已经给出了他们的答案。早在1921年，爱因斯坦在第一次访问美国的时候就说过"大学教育的价值不在于学习很多事实，而在于训练大脑会思考"；原哈佛校长吉尔平·福斯特（Drew Faust）也曾经提出过类似的观点，他说："教育的重点不在于熟记多少具体的知识，而在于教会学生模拟思维的工具。"所以教育要作出以下转变：由原来的注重知识的讲授转变为现在的注重学生思维能力的培养。

而学生思维能力的培养，又恰恰是我们中国教育的短板所在。当然这个短板的造成和中国的传统观念以及家庭教育有一定的关系。比如说，中国的学生放学回到家，家长会问他："今天你在学校学到了什么知识？"如果这个学生可以倒背如流地把当天所学的知识跟家长复述一遍，那么家长将会非常满意。但是，犹太人的小孩放学回到家之后，家长都会问他："今天你在学校提出了怎样的一些问题？有没有哪些问题是你的老师也无法回答的？"如果他在学校提出了老师不能回答的问题，那么家长将会非常满意。

通过对比，我们可以看出中国学生思维能力和创造力的培养是比较欠缺的。当然，中国学生并非一无是处，我们有很强的应试能力，比如说在考试当中可以拿到很高的分数。

但是，清华大学钱颖一教授在最近的一篇文章当中指出，"人工智能将使中国教育仅存的优势荡然无存"，所以中国的教育面临着非常严峻的形势，而教育的变革也势在必行，否则我们真的很有可能会剥夺学生的未来。

三、我们的探索和实践

为了更好地培养学生的思维能力，让他们做好面对未来的准备，我们学校做了一些尝试和实践。首先我们倡导深度学习，构建思维课堂。那么什么是深度学习？这里我借助布鲁姆学习能力金字塔进行简单的说明。

这个金字塔一共有六个层次，下面的层次是低阶的学习能力，越往上学习能力越高阶。我们把培养和训练学生低阶学习能力的学习活动称为"浅表学习"，把能够培养和训练学生高阶学习能力的学习活动定义为"深度学习"。

基于对深度学习的认识，我们学校从课前的规范教学设计、课中的优化提问方式、课后的改变评价标准三个方面入手，积极地引导老师构建深度学习的课堂，训练学生的高阶思维。

教学设计是指导老师有效教学的蓝图，如果我们的老师在教学设计时不能渗透深度学习的意识，不能融入思维训练的元素，那么在教学的过程当中进行思维能力的培养就无从谈起。

为此我们借助了"思维碰撞"课堂研究所崔成林教授的逆向教学设计方法，重新构建了我们学校的目标、活动、评价一体化教学设计的模板，要求我们的老师用这样的模板来进行教学设计。

在教学设计的阶段，我们的老师就需要列明哪些学习目标是浅表的学习目标，通过什么样的教学活动来达成，哪些学习目标是深度学习的教学目标，又需要通过哪些学习活动来达成。与此同时，我们也把本应该作为教学设计最后一个环节的评价嵌入到学习目标的设置和学习活动的设计当中来，让我们的老师提前对自己的教学设计有一个客观的评价和深度的认识，从而更好地开展教学活动。

提问是教学活动的重要形式之一，有效的问题能够激发学生的学习兴趣，能够培养学生的思维能力，而一个无效的问题，不仅浪费了时间，还有可能会抑制学生思维的发展。所以，我们也给老师列明十大类无效问题，避免老师在课堂提出如只强调低层次或收敛型的问题，依赖于学生自愿回答的问题等无效问题。

那么什么样的问题才是有效的问题？我们可以借助《灰姑娘》的教学提问来进行分析。以下我将为大家展示两类问题。A类问题如下：第一问：《灰姑娘》的作者是谁？哪年出生？第二问：这个故事的重大意义是什么？第三问：这句话是个比喻句，是明喻还是暗喻？B类问题如下：第一问：在这个故事里你最喜欢谁，最不喜欢谁？为什么？第二问：假如你是灰姑娘的后妈，你会愿意灰姑娘参加王子的舞会吗？第三问：在这个故事中，你有没有读出一些不合理的地方？请说明自己的理由。大家想一想，以上哪一类问题更加有利于学生思维的训练，更有利于我们开展深度学习？很明显是B类问题。我们可以看出，A类问题大多是记忆类的、有统一标准答案的问题，这一类问题指向的都是比较低层次的学习能力。而B类问题更多的是开放性的、没有统一答案的、多角度的问题，这些问题更多地指向深度学习。所以，我们在学校倡导老师多提B类问题，少提A类问题。

学校的课堂评价是学校课堂教学的风向标和指挥棒，学校倡导什么样的课堂，就需要建立什么样的课堂评价标准。为了更好地推动深度学习的课堂，我们学校重点关注了课堂评价当中的两个维度——"参与度"和"思维量"，并且我们根据这两个维度，把课堂分成四种类型。

第一种课堂类型的特点是高参与度、高思维量，学生上完这样的一节课之后，他会觉得非常有意思，非常有收获。第二种课堂类型的特点是低参与度、高思维量，学生上完这样的一节课，可能会觉得这节课不太有意思，比较枯燥，但还是有所收获的。我们也不提倡这样的课堂，因为久而久之学生会失去对课堂的兴趣，从而影响课堂教学效果。第三种课堂类型的特点是低参与度、低思维量，学生上完这样的一节课之后，不仅觉得没有意思，而且一无所获，这样的课堂我们要尽量避免。而第四种课堂类型的特点是高参与度与低思维量，表面看起来非常热闹，但是学完之后，学生发现自己什么收获也没有。

以上是我们学校在深度学习方面做的一些尝试。在这个过程当中，我们也遇到了很多的困难，比如学生在面临一些开放性问题的时候，不知道该如何回答。

为了更加深入和全面地了解学情，我们学校也进行了相应的问卷调查，这里有三个最典型、最有代表性的问题。第一个问题是学生是否敢于质疑教科书。从调查结果我们可以看到，将近90%的学生是不敢质疑我们的教科书的。第二个问题是学生是否能够积极地发言、主动地提问。从调查结果也可以看出，将近70%的学生是没有积极发言、主动提问的习惯的。第三个问题是学生在学习中遇到困难时会选择怎么做。从调查结果可以看出，将近60%的学生在遇到困难之后，第一时间选择的是向老师和同学求助，而不是先独立思考。通过问卷调查，我们得出了一个结果，就是我们的学生相对缺乏批判性思维。

批判性思维是最高级最核心的思维能力，也是创造思维和深度学习的基础，是核心素养的重要组成部分。基于这样的认识，我们在平时的教学当中，应该有意识地去增强学生批判性思维的培养。

批判性思维的培养主要有两种方式：第一种是开设专门的课程来培养，第二种是与学科相结合来培养。根据我们学校的实际情况和学生的年龄特点，我们选择了以语文和英语的阅读课作为切入点，进行批判性阅读教育，提升学生的批判性思维能力。

要如何才能进行批判性阅读教育？首先我们要清楚批判性思维、批判性阅读和传统的阅读有什么区别。在传统的阅读课中，我们是引导学生去理解和体会预设的结论，而批判性阅读则需要引导学生形成个性化的观点，真正做到"一百个人读《红楼梦》有一百个林黛玉"。

其次是阅读过程的不同。在传统的阅读教学中，阅读过程以教师的分析为主，而在批判性阅读的课程中是以学生的自主探究为主。

第三个不同是对文本的态度不同。在传统的阅读教学当中，我们会先暗示学生，接下来我们要读一篇非常精彩的文章，那么学生会带着一种鉴赏的态度去阅读。而批判性阅读则需要我们要求学生不设任何预先的立场，等读完文本之后，再形成自己的立场和观点。

最后是思维特点的不同。在传统的阅读课当中，我们会更加倾向于让学生形成一种聚合性的思维，而在批判性的阅读教学当中，我们会更加倾向于让学生形成一种发散性的思维。

为了更好地规范老师对批判性阅读课的设计，我们对这个课的流程做了以下四个关键环节的设置。首先是图文的唤醒，然后是老师引导学生进行文本的解构，再进行甄别和判断，最后是在以上三个基础上，让学生来进行模仿和创生。以上是我们学校在批判性思维阅读方面做的一些尝试。

各位同行，未来已来，为了让我们的学生能够做好面对未来的准备，教育的变革势在必行，这条变革之路肯定会充满困难，可谓道阻且长，但是我们坚信行则将至，只要我们开始改变，就已经成功了一半。

夯实核心基础，打造思维课堂

华南师范大学教师教育学部学校发展与领导科学系主任　童宏保

今天，我演讲的主题是"夯实核心基础，打造思维课堂"。围绕这个主题，我想与大家分享四个观点。

一、夯实核心基础需要奠定学生发展的基石

（一）核心基础的内涵

核心基础的形成需要学习核心知识、养成核心素养和形成核心能力。它是知识的核心、素养的核心和能力的核心，三位一体奠定学生发展的基石。

核心知识是具有较强迁移性和建构性的知识，不只是"是什么"的知识。核心素养是立足未来、面向团队、走向实践的素养。核心素养注重认知素养、合作素养和表达素养，强调的是口头表达能力、团队精神和书面表达能力等方面。核心能力不只是识记能力，而是面对任何困难都能想办法去解决的能力，涵盖了审辩思维能力、问题解决能力和创新实践能力三个方面。

扫一扫，
观看现场演讲

核心基础有四个维度的表征。第一，高关联度。如果核心基础缺少高关联度，就不是核心基础。第二，高被依存度。核心基础与其他的知识、素养和能力之间具有很高的依存度，就像一所大楼，上面所有的建筑都需要依靠下面的基座。第三，高持久度。也就是说核心基础的持久时间比较强。第四，高迁移性。比如我们具备了开车的能力，不光只会开丰田车，也会开劳斯莱斯。

（二）核心基础思维课堂的国外教育依据

1961年，美国全美教育学会在《美国教育的中心目的》中提出：强化并贯穿于所有各种教育的中心目的——教育的基本思路，就是要培养思维能力。

1991年，美国国家教育目标制定小组又将思维能力、交际能力和解决问题的能力列为21世纪大学生的培养目标。

二、夯实核心基础需要对课程进行净化与整合

课程净化指向学科的核心素养，而课程整合是培养学生的关键能力。核心基础不仅需要净化知识，需要沉淀素养，更需要践行能力。

核心知识指的是学习的内容，强调的是课程体系的整

童宏保

合，包括知识净化基础上的课程体系，核心知识和非智力性活动课程。

核心素养指的是学习的结果，可以理解为学习个体成效沉淀、学习全过程的中间结果，简单来说它应该就是潜在的能力、还没有挖掘出来的能力，也就是潜在的素质。

核心能力是我们学习的逻辑终点，是核心素养在情景化的问题解决过程中所表现出来的行为特征，也就是我们讲的关键能力，即学习效果。

（一）净化知识

要净化知识，我们应该找到核心的部分，让知识体系变得环保、变得绿色。我们应该从六个方面思考：

（1）究竟学什么知识？

（2）怎样让学生保持浓厚的学习兴趣？

（3）知识是手段还是目的？

（4）知识就是力量还是思维才是力量？

（5）怎样才能真正地让学生减轻负担？

（6）从为进一步的教育作准备的角度，基础教育阶段知识的学习的"度"在哪里？学多少才够用？

现在是一个信息大爆炸的时代，知识非常多，我们真正要做的是"减负"，掌握核心知识，强调思维课堂，思维才是我们真正要掌握的力量。

我认为减轻学生负担，要从课堂出发，从课程出发，让课程整合净化，让课堂不断地促进学生动脑筋，这才是真正的减负。从为进一步的教育作准备的角度来说，比如让孩子升中学、升大学、考研究生、读博士，基础教育阶段的学习，它的度在哪里？我们到底要学习多少知识才够用？这都是我们在整合、净化知识过程中需要思考的问题。

在知识净化的过程中，我们应从早学转化到适时地学，从多学转为适量地学，从快学转为适当地学。

知识和思维在某种程度上是互为手段和目的的。核心基础知识是促进思维发展的手段，思维发展的手段也会成为我们学习知识的目的，它们互为因果。要净化知识，形成绿色的教育。我们总说学校里所学的知识只有20%是有用的，那么我们如何才能做到把握住这20%，把更多的时间还给孩子们，让他们自己去思考和探究呢？首先，要对所教的知识进行分析；其次，只有把知识教学弄"干净"了，才能真正减轻学生的负担；最后，要明白专家真正的价值在于帮助大家进行知识的分析，而不仅仅是进行教学技巧的分析。

在进行知识净化的时候，我们可以从知识体系的三个层面来考虑：陈述性知识——是什么，策略性知识——为什么做，程序性知识——怎么做。在目前的教学中，陈述性知识的教授占据了大部分，学生的思考空间很少。我们应该更多地考虑策略性知识的教授，引导学生思考。北京教育学院季萍教授告诉我们，教学的过程应该是各种适当的活动和过程的有机结合。她把知识分为四个层面：事实性知识、概念性知识、方法性知识和价值性知识，在一节课当中，老师要从不同的程度用不同的知识促进学生的思维发展。

（二）沉淀核心素养

哪一些核心素养需要我们沉淀？答案是文化、情义、关系、合作、认知。我们需要文化，现在有些学生，尤其某些学霸，分数考得很高，有知识，但是没有文化。另外，有一些学生考试考得好，但是缺少情感和正确的价值观，情义的修养不够。有的学生缺乏与人合作团结的精神，有的学生学习的能力、方法、意识不太强。所以我们需要沉淀核心素养。

新时代的基础教育需要服务美好生活追求的素质教育，素质教育应该聚焦学生发展的核心素养，而核心素养的落实需要核心基础和思维课堂策略，核心基础和思维课堂策略的落实最终能够促进我们培养全面发展的人。

美好生活需要素质教育。美好生活是什么？美好生活需要美好的政治生活、经济生活、社会生活、文化生活，还需要美好的生态环境。这一切的美好都要通过美好的教育来保障。

（三）素质教育聚焦学科核心素养

素质教育是实现美好生活追求的最好保障，而且聚焦学科核心素养，我们应该从教育目的和教育方法两个方面来看待这个问题。从教育的目的出发，我们要思考：我们想培养什么样的人？为谁培养人？答案是培养德智体美劳全面发展的人，担当民族复兴大任的时代新人，合格的建设者和可靠的接班人。我们以前说德智体美劳全面发展的人，现在加了担当民族复兴大任的时代新人，同时培养社会主义建设者和接班人前面加了修饰语——"合格的"建设者和"可靠的"接班人。

从教育的方法出发，我们应思考怎么培养人。我们应通过打造让学生动脑筋的思维课堂促进学生思维的发展。

核心素养的落实需要核心基础思维课堂策略。我们比较一下以前的应试教育，应试教育的目的是追求利益的，策略主要是知识点的教育，老师把教学变成了不断地刷题、刷题再刷题，追求的是考分——"分分分，学生的命根；考考考，老师的法宝"。

现在要追求培养全面发展的人，我们的策略是通过核心基础、思维课堂来实现，目标是指向德智体美劳全面发展。当下我们要培养能担当民族复兴大任的时代新人，要培养社会主义建设合格的建设者、可靠的接班人。

从核心素养到课程目标落实、培养全面发展的人，要从三个层面出发："三个要素"，包括正确的价值观、必备品格、关键能力；"三层目标"，包括教育目标、学科目标和教学目标；"三层指向"，包括教育方针、学生素养和情境教育。

新特色的核心素养强调正确的价值观、必备品格和关键能力。正确的价值观在个人层面上包括爱国、敬业、诚信、友善。必备品格实际上是品德与人格，品德又分为自我、他人、社会三个方面，自我品德指自重，他人品德指尊重他人，社会品德指作为社会的人就要有社会责任和担当。人格指个性，每一个人都有自己的个性，比如说班上有50个孩子，每一个孩子有自己的模样，不是千篇一律的。

教育部的文件从认知能力、合作能力、创新能力、职业能力四个方面来解读"关键能力"，我们团队提出的核心基础思维课堂在某种程度上是与之高度吻合的。

（四）从学科核心素养到学生发展核心素养

为什么国家的政策不表述中国学生的核心素养呢？这里分享一下我的看法。因为在中国，有不同版本的核心素养：一个是北师大林崇德教授版的，一个是北师大刘坚教授版的，还有一个是中国台湾版的。中国台湾版的核心素养是2014年发布的，林崇德版的核心素养是2016年发布的，刘坚版的核心素养是2018年发布的。三个版本可能会给教育工作者带来困扰，我们到底要追求哪一版的核心素养？

从我个人来说，我觉得刘坚版的核心素养有他的创新性，他将文化理解与传承放在核心位置，某种程度上与我们国家的社会主义核心价值观有高度的契合，同时也与我国当下教育层面要提倡发扬中华优秀传统文化，进行革命教育、法制教育、国家认同教育等等，都具有高度的契合。虽然教育政策层面没有一个统一版的中国学生发展核心素养，但是有学科核心素养。教育部发布的《普通高中课程方案和课程标准（2017年版）》中提出：学科核心素养是学科育人价值的集中体现，是学生通过学科学习而逐步形成正确价值观念、必备品格和关键能力。

新时代学校领导力重在践行正确的价值观，养成学科的核心素养，形成关键能力，而我们团队提的核心基础思维课堂是实现素养的有效策略。

每个学科的核心素养都是与思维发展有关系的，也就是每一个学科都强调思维发展。只有体育和健康方面没有找到思维发展的关键词，其他的每个学科都有思维发展的关键词出现。

三、打造思维课堂需要每一堂课都开动脑筋

思维课堂就是激发学生动脑筋的课堂，要促进学生从低阶思维向高阶思维发展。动脑筋的课堂不是习得性愚蠢的课堂，不当的教育能让学生变得越来越愚蠢，有一种习得是通过学习获得的，不是智慧的，而是愚蠢的。比如家庭习得性愚蠢：愚昧无知；社会习得性愚蠢：社会的陋习；学校习得性愚蠢：惩罚作业。

举个例子，当学生犯了错，老师罚学生做作业，本来学生认为做作业是一件开心的事，他对学习很感兴趣，但是老师的这种举动让学生认为原来做作业是不好的事情，是当我犯了错误时老师拿来惩罚我的工具，这时候学生还能对学习感兴趣吗？他只会对学习越来越不感兴趣。

还有一些老师在布置作业的时候，让学生不断地抄作业，一个单词抄写50遍。你想想，孩子如果只写一遍两遍还可能有兴致，写50遍还有兴致吗？又比如小孩很喜欢吃鸡蛋，聪明的妈妈和愚蠢的妈妈的行为是不一样的。聪明的妈妈怎么做？今天给孩子煮一个鸡蛋，明天给孩子炒鸡蛋，后天给孩子做鸡蛋蛋糕、韭菜鸡蛋、西红柿鸡蛋，那孩子会觉得鸡蛋怎么这么好吃！愚蠢的妈妈通常是今天给孩子煮一个鸡蛋，明天给孩子煮两个鸡蛋，后天给孩子煮三个鸡蛋，当孩子一天吃四个、五个煮鸡蛋的时候，他还会喜欢吃鸡蛋吗？这个愚蠢的妈妈就像我刚才说的不懂规律的老师用作业去惩罚学生一样，道理是一样的。

所以有一种愚蠢不是天生的，不是爹妈给的，而是不懂规律的教育给的，这种愚蠢叫习得性愚蠢。王安石曾经写过一篇小短文，叫《伤仲永》，仲永小时候很聪明，为什么长大了不聪明？其实就是我讲的，习得性愚蠢。大人们把聪明的孩子变得不聪明了，他的不聪明是通过习得获得的，而不是通过遗传获得的。

传统教育到现代教育的思维发展是从线性发展到立体

发展。从赫尔巴特的四环节、杜威的五环节到布卢姆的六阶思维，再到马扎诺的三个系统，都是从线性到立体展开的。赫尔巴特传统教育中思维训练的四环节包括明了、联想、系统、方法，很多老师把它用在课堂教学中。杜威的现代教学思维训练的五环节包含暗示、问题、假设、推理、检验，这是学理性的思维。

布卢姆的六阶思维在小学老师的教学当中广为流传。哪六阶呢？就是低阶的了解、理解、运用和高阶的分析、评价、创造。老师的思维课堂就应该让孩子的思维从低阶思维向高阶思维发展。打造六阶思维的提问是不断上升的。有些老师上课时也有提问，但是提问的水平永远停留在低阶阶段，提问的方式都是"是不是""对不对""好不好""会不会"，最后把我们的孩子训练成傻瓜型。老师的提问应该有层次性、有梯度，如果你提的第一个问题是简单的问题，那么应该循序渐进，到最后应该是比较复杂的问题。比如，在一堂课快结束的时候向学生提问："你能用自己的话复述今天学到的内容吗？"我们要引导孩子用自己的话去构思、去创造、去复述，而不是用课本的话。美国当代教育学家马扎诺提出思维的三个系统：一是认知系统，二是元认知系统，三是自我系统。元认知系统就是对认知的认知，类似于前面我讲的策略性的知识。

四、打造思维课堂需要教师有效的提问

教师有效的提问需要具有层次性和连续性，要提适应素质教育发展的好问题，要对应思维各层级和结构特征。

应试教育通常是把知识点当作教育目的的，缺少思维发展，教学模式是老师进行知识点的灌输，学生进行知识点的学习，我们把这种学习模式叫做输入型学习，而不是输出型学习。

老师应该进行有效提问，促进学生思维发展。老师提问应该掌握的核心技术包括提问技术和激发学生提问的技术。什么样的问题是好问题？我认为好问题有以下几个特点：书本上找不到答案；需要综合运用以前的知识；

有适度的挑战性；能引发可观测的系列学习行为，如引发思考、合作、相互辩论等。能够促进学生思维发展的问题才是好问题，提问需要与布鲁姆提出的六阶思维发展相对应。我们称简单的不需要太多思考的问题为基础的问题，需要进行应用、分析的问题为中阶的问题，需要进行创造、评价的问题为高阶的问题。

提问要明确思维发展的三个侧重点：思维的品质、思维的方法和思维的能力。另外，提问要紧扣思维课堂特征，包括力度、深度、广度、梯度。

有效提问应该引导课堂成为自主的课堂，成为合作的课堂，成为探究的课堂，让自主、合作、探究成为课堂常态。为此，我们要培养学生自主学习的好习惯，千万不能让学生养成只带着耳朵学习的习惯，而一定要让学生动脑筋，先学后教，以学定教。我们要引导学生自己提问，因为学生提出来的问题肯定是他不懂的问题。我们要让教师进行有层次的提问，而不是平面的提问、简单线性的提问。最后，我们要让教师和学生共同探究成为课堂常态。

我的分享到此结束。谢谢大家。

构建利于创新人才培养的课堂文化

深圳市南山区前海港湾学校校长　罗朝宣

尊敬的教育同仁，大家好！今天我想与大家分享我作为一名校长对课程、课堂、教学的一些思考，也希望得到更多同仁的指导。

一、逻辑起点——利于未来人才培养的学习生态

有一句流行的话说得好："为未知而教，为未来而学。"今天的教育都是为未来的社会培养人才，也是为孩子的未来做好知识、能力的储备。面向未来，我们怎样培养创新人才？未来的社会生态到底是怎样的？我想我们每个人都难以准确地描述，但我们可以坚信的是，20年后的社会一定是更发达的。那么人工智能时代到底需要什么样的人才？

这是一个终身学习的时代，学无止境，学无边界。联合国教科文组织界定的"未来的文盲"是不会学习的人。为此，我们要让一切成为学习的资源，让学习不仅在课堂上发生。

我特别重视学生终身学习的能力、创新的能力和跨领域学习的能力等等。我们要思考今天学校的学习生态到底应该包括哪些元素？我

扫一扫，
观看现场演讲

认为不管是过去、现在、未来，学习生态始终离不开这些要素：学什么（课程内容）、怎么学（学习方式）、在哪学（学习空间）、和谁学（学习社群）、学得如何（评价体系）。

一所学校一定是在一定的目标的导引下开发课程体系的，我们学校根据"培养有根的现代特区小公民"的培养目标来展开我们的课程体系。课程体系定了以后，关键在课堂，关键在教师。

面向未来的关键能力怎样在课堂上落地？在我们的目标导向、课程定位的基础上，关键是要深耕课程、精耕课堂。2017年9月中共中央办公厅、国务院办公厅印发的《关于深化教育体制机制改革的意见》指出关键能力包括认知能力、合作能力、创新能力、职业能力的培养，是我们每一个教育工作者都必须思考和执行的目标。

我认为，思维是认知能力的核心基础。课堂教学的重要任务就是培养学生的认知能力。其中，思维培养是关键。

罗朝宣

二、课堂文化定调——打造"信·趣"思维课堂

校长应该怎样导引老师建构课堂文化？首先要进行课堂文化定调。深圳市南山区前海港湾学校是一所新办的学校，我们在课程定位的基础上，打造"信·趣"思维课堂。"信"是信心的信，"趣"是趣味的趣。我们课堂的价值观是要保证孩子学习的信心，让孩子进入课堂后，通过不断的学习，对人生和对学习有更多坚定的信心，相信"我能、我可以"。但是我们悲哀地看到，学生虽然在小时候充满无限的信心和好奇，但随着年龄的增长，却变成不会提问题的人，更可怕的是灌输型的教学模式让孩子形成了习得性满足，使孩子的思维封闭了。

爱因斯坦说："我没有特殊的才能，我只有激情般的好奇。"真正的学习都是从好奇开始的。好奇才能好问，好问才能好思，这是一个基本的逻辑。

因此我从学校的顶层核心价值设计给学风和教风定下这样的调性：教风就是"激趣启思，培养能力"，学风就是"乐学善问，实践创新"。老师的授课，首先考虑的是培养学生的四大关键能力，让学生能乐学善问，实践创新。

在课堂文化定调以后，我们就应该创设课堂情境，激发学生的信心和兴趣，促进深度学习。让一切成为学习的资源，通过学习，获取数据，将数据转化为信息，信息提炼成知识，知识升华成智慧，这就是我们学校打造思维课堂的逻辑路线。

兴趣从哪里来？我认为，游戏是人的天性，尤其是儿童，他们在课堂上特别喜欢游戏。我们来看看这个视频。这是一堂小学二年级的复习课，复习往往是枯燥的，但是老师采用了游戏化的方式上课，让课堂生动起来。改变学习模式以后，看看学生们专注的表情，我们就应该明白，教育的起点来源于信心和兴趣。传统的学习就是反复地背、记，现在我们用掷骰子的形式让孩子去比赛，看谁先到达终点，让孩子的思维真正动起来。

三、重视过程——提倡在自主探究的过程中培养思维

课堂是一个过程，我们说把时间还给学生、把课堂还给学生，最主要的是把思考过程、操作过程和练习过程还给学生。因为只有在自主探究的过程当中，才能够培养学生的思维。

拉尔夫·泰勒在《课程与教学的基本原理》中提到：学生应该在自己解决问题的经验中学会思考，若只是由教师来解决问题，学生只是旁观，那么他就无法学会思考。

基于这样的认知，我们的课堂必须要注重"过程四头"：手头、心头、口头、笔头。"手头"就是在操作实验过程中培养思维，"心头"是在发现和思考过程中培养思维，"口头"是在分享交流过程当中培养思维，"笔头"是在书面习题练习过程中培养思维。今天我们有一个弊端，一说到操作，就仅仅是动手做实验，但不要忘了，要习得知识，必须有笔头练习。

我们以三角形的面积教学为例，传统课堂上老师直接告诉孩子们三角形面积怎么计算的。我们新的观念是，让孩子们去经历知识产生的过程。我们一般是给孩子们两个一样的三角形拼一拼，让学生找到两个三角形以及平行四边形底和高的关系，从而推导出三角形的面积公式。但是我觉得这还不够，如果从思维培养的角度出发，我们还可以更进一步。我们还可以尝试让学生用一个三角形拼成一个平行四边形，甚至用一个三角形拼成一个长方形，推导出三角形的面积公式。这个推导的过程要花更多的时间，它的价值在哪里？如果仅仅从学知识的角度或者浅层的思维的角度来说，我们只要采用第一种方法就可以了，学生用两个一样的三角形拼成一个平行四边形，已经能够感知推导的过程。但它解决问题的方式还不够多元化，从培养思维的角度来说，我们应该让孩子尽可能采用不同的方法，多角度地思考和解决问题。

在课堂上老师可以通过让学生合作、交流、探究来培

养思维、转化思维。孩子们在课堂中通过操作，经由观察、比较、分析、抽象、概括的思维过程，像科学家一样发现、研究、解决问题，形成一个完整的创造知识的过程，而不仅仅是学习知识的结果，在这个过程当中，学生的发散思维、综合思维也得到了培养。

知识是要巩固的，思维也是要训练的。我们要让孩子们在独立思考、自主解答的笔头练习当中培养思维。我们对练习的设计必须要有思维爬坡步步高的理念，先是巩固基础知识，然后是提高解决基本问题的能力，最后是高阶思维的训练。我们要设计题组训练，提供变式习题，培养学生的比较和辨别能力；一题多解，培养发散思维，从对比中训练优化思维，让孩子们学会判断哪种方法最优；多题一解，设计开放性题目，培养思维的广阔性和独创性。所以我说要把时间还给学生，把口头、笔头、心头的思维过程都交给孩子。

四、重视情境——提倡链接真实的生活情境来培养思维

校长要明白孩子们的认知规律必须和他的生活经验产生链接，要让学生在与现实生活链接的真实情境当中解决问题，产生思维。我们前海港湾学校特别强调将学习和课堂与现实生活的真实情境链接，增强学生思考的兴趣，体会学习的意义和价值，培养学生多元思考、解决真实问题的能力。

我们学校自主开发了基于数学课程的财商教育，将理财和数学课进行融合。老师将生活化的话题抛给学生以后，学生的思维就活跃起来。它虽然不是纯粹的数学，但是这种策略也是一种思维。从兴趣链接生活，同时也感知到数学的意义，好玩、有趣。真正的学习应该来源于生活，再用我们学习到的知识去解决生活问题，经由认知、实践、再认知，不断地飞跃。

五、思维可视化——提倡使用脑图培养思维

前海港湾学校提倡使用脑图（mind map）培养学生的思维能力。我们常用的脑图有八种。圆图解决概念抽象的问题、包含的问题。树状图在单元知识归纳、知识分类的过程中很有用。流程图有助于弄清先后顺序。多重流程图有助于找到不同的因果关系。气泡图对一个事物外缘特征的可视化有助于分析事物性质和特征。双气泡图有助于进行比较和对照。括号图有助于分析整体和部分的关系。桥状图有助于类比与类推。

我们通过脑图将思维课程和知识点可视化，让孩子们能够明确地看出思维产生的过程。课堂上，我们应在何时使用脑图？我们可参考心理学的首因效应和近因效应。首因效应就是我们对最先遇到的事物、接触的知识印象深刻，近因就是对刚刚遇到的事情印象深刻。因此，我们可以重点将脑图运用于课前和课尾。课前让学生绘制脑图，有助于理清知识的关系与线索；课末让学生绘制脑图，有助于学生归纳整理知识点，形成知识系统。

我们通过这样的思维可视化，重点培养孩子们的思维品质。思维品质主要有思维清晰度、流畅性、系统性、深刻性，这就是我们现代特别提倡的结构化思维。我们说孩子们记不住，往往是缺乏结构化的思维，他记住的知识缺乏系统性、条理性，所以不能很清晰地提取和使用。因此我们在课堂上要重视思维可视化，脑图就是非常好的工具。

六、重视习惯——提倡在课堂上强化思维习惯的培养

思维习惯非常重要，那么思维习惯有多少种？不同的学者有不同的描述，我推荐一位美国学者在《思维习惯》中列出的16种思维习惯。

在课堂上，尤其在小学阶段，我们会发现一个现象，老师的问题，最后一个字还没说出来，孩子就举起手来。

其实这是没有在课堂上培养思维习惯的表现。如果是教研员、校长、主任去听课，他们就会明白，这些孩子举手的目的不外乎是为了得表扬，那么老师要明确告诉孩子们，先把问题听清楚，然后再举手。

在思维状态、思维习惯、认知操作和思维技能的体系当中，思维习惯是为有策略的、巧妙的思维提供动力，因此我们在强调思维训练的过程当中，形成思维习惯尤其重要。

我们前海港湾学校强调这三种思维习惯：理解和共情的倾听、对思考的思考（元认知）、提问和质疑。很多心理学家认为，倾听他人的能力，共情并理解他人的观点是智慧的最高形式之一。所以我给我们学校的老师说了这么一句话：静下来，仔细听，想明白，说清楚。

如果你不静下来，思维就没办法发生。思维需要在概念的基础下进行判断和推理。我认为我们的课堂不是热热闹闹就好，有时候要安安静静地仔细听。听是人类好几十万年的习惯，在文字没有产生之前，学习主要靠听，而且孩子从出生起也是从听开始，所以听特别重要。仔细听，听明白了，才有思维加工的材料；想明白了，最后才能说清楚。语言思维的外化，往往说不清楚就是没想清楚，我们要通过这样一个过程，来检验孩子们是否听明白了，是否想清楚了。

另外，在进行课堂环节的设计时，我们应该怎样引导学生进行元认知？我们必须在每节课的课堂结构和环节上留有机会让学生对自己的思维过程进行反思。因此，我们要设计课堂回顾小结和回归评价。在课堂回顾小结当中要结合思维导图，思考"学了什么"，回顾解决问题的过程是如何解决问题的，解决问题用了什么策略。这样的设计是形式和内容的相通。回归评价环节，我们要引导学生反思"我学到了什么？我还有什么疑问？我还有什么新发现？"

最后，学会提问和质疑。以色列的教育十分关注学生有没有提问题，从家长到老师，每天都会问孩子"今天提出了几个问题"，这是有道理的，因为所有的思维都是从疑问开始的，发现了问题等于解决问题的过程完成了一半，提出问题比发现问题更重要，质疑是辩证思维、创新思维中非常重要的品质。

七、重视技术——提倡在技术支持的混合式学习中培养思维

今天是信息技术时代，我们为未来培养人才。面向未来，我们必须提倡在技术支持下的混合式学习当中培养思维。采用混合式学习方式，不外乎这几种形式：翻转课堂，课前自主预习，课上实践、巩固和拓宽；基于实验室模式，包括分组，实验室+课堂，面对面师生互动；线上线下学习混合模式，每位学生定制课程表，在线+面对面交流。

前海港湾学校老师总结出了港湾ITC面授与数字化的学习模式，"I"是指"Individual assessment"个性化测评，"C"是指"Conclusion"师生总结，"T"是指"Team assessment"小组测评。老师在课前对学生进行测试，了解学生的学习情况，课上老师根据学生的疑问进行讲解和分组，接着进行小组学习和测评，其后进行总结和分层作业，最后再通过微课进行复习。微课有两种形式，一种是复习，一种是预习，这样形成闭环的结构。

我们来看一个例子。有个班的老师利用ITC学习模式进行线上授课，开课时间47分钟，76人观看，当然有些可能是反复看的。最近还不停有学生去看和点赞，活跃度和参与度非常高。

这个班一个学期以后接受测试，英语平均成绩提高了10分。这个班大部分学生的家庭没有英语环境，也没有人进行辅导，这说明了用微课的形式，通过课前预习和课后辅导，再进行测评，效果非常好。

ITC模式让学习更科学，我们可以通过数据精准地知道孩子对知识点掌握得如何，哪方面掌握得不好，高频错题有哪些，以便于老师进行有针对性的教学。同时，根据每个人

参与学习的情况，老师可以实时了解学生们的学习状态。

ITC授课模式有几个必备条件。首先要求一个信息化环境，即能上网。其次，要求学生具备信息化素养。第三，要求教师敢于挑战、灵活，有优秀的设计能力和卓越的管理能力。

我们要把学习的过程还给学生，让学生先学先练，教师后帮后检，让学生积极主动探究思考，在课堂上有充分的时间和机会去交流。我把它总结为一句话："让学生装着问题进课堂，带着思考出课堂。"

八、重视创新——提倡在创客式学习中培养思维

我们的逻辑起点是培养未来的创新人才。很多专家学者和朋友把前海港湾学校称为"创客学校"。我提出了"创客式学习"的理念，那么到底什么是创客式学习？我认为创客式学习就是基于发现与探索，体验设计与创造，从而主动建构知识的学习过程。像刚才三角形面积的推导过程，学生通过操作、比较、分析和概括，从不同的角度找到关系，推导出三角形面积公式，这就是创造。

前海港湾学校提出，港湾人的课堂学习应该在问题中学，在探索中学，在思考中学，在兴趣中学，在做中学。走向未来的人才需要具备一定的创造力、自我学习能力、创作与沟通能力以及信息素养、审美素养、工匠精神、人文内涵等。由此，我们强调培养未来思维，即创新思维、计算思维、合作思维、跨界与融合思维以及成长思维等。

让上好每堂课成为教师自己的追求

广州市天河区侨乐小学校长　陈丽霞

习近平总书记多次强调："发展是第一要务，人才是第一资源，创新是第一动力。"这是习总书记对我们国家高瞻远瞩的战略思考。对我们每所学校的办学而言，道理也同样如此。人才是第一资源，许多校长都把教师发展作为学校的第一工程。结合在天河区华阳小学担任副校长和在侨乐小学担任校长期间的探索，我认为，建设教师发展的第一工程，关键是要让上好每堂课成为教师自己的追求。

一、上好每堂课是时代的召唤和孩子的渴求

世界格局的变化和时代的发展，赋予了教育以更深层次的责任和使命。这一点我们每位校长都深有体会。我们要培养什么样的人，我们要如何培养人，关键在落实，核心是课堂。

以小学为例，在小学期间，每位学生大致要上7000节课。要培养德智体美劳全面发展的社会主义建设者和接班人，我们的培养目标要落实到每一天的每一堂课中。上好每一堂课，促进每个孩子的发展，践行教育报国，每一位

扫一扫，
观看现场演讲

老师都肩负着责任，每一堂课都承载着使命。

然而放眼当前，学生的负担普遍太重，多少孩子睡眠不足？多少孩子疲于课后辅导？多少孩子感受不到学习的快乐？除了社会大环境的因素，我们的课堂教学也亟待改革。

过于强调知识传授，过多看重应试技巧的课堂不能再继续下去了！我们怎能以知识之重压倒孩子美好的童年？从高考改革到教材统编，从核心素养到综合评价，国家正在启动一系列的举措。作为校长、作为老师，我们可以做什么？上好课，上好每一堂课，这是我们应该给出的承诺！

二、上好每堂课要有好课的标准

什么样的课才是好课？不同的专家有不同的提法。华南师范大学王红教授团队提出了"核心基础、思维课堂"的理念，符合教育改革发展的规律，我们非常认同。

核心基础，就是通过获得核心知识，养成核心素养，形成核心能力。核心能力，主要包括思维能力和问题解决能力，而思维能力又是核心能力中的核心。要把课上好，我们得净化知识，抓住核心和关键，给学生腾出空间和时

陈丽霞

间。腾出空间才能发展学生的思维能力，腾出时间才能在实践中提升学生解决问题的能力。

一堂好课，一定是目标聚焦、紧扣核心的课。而这核心中的核心，就是学生的思维。我们提出了"一堂好课思维要有六度"：有广度、有深度、有灵活度、有创新度、有交互度，还要有热度。广度、深度、灵活度、创新度大家经常提及，但我们提出了课堂上思维要有交互度和热度。

思维有交互度的课堂不能是老师的一言堂，不能是优秀学生的独角戏，而应该有师生与生生之间充分的互动与生成；思维有热度的课堂应该是学生兴趣盎然、充满学习热情的，而唯有发自内心的喜爱和投入才能让思维有热度。

思维是个抽象的概念，在教学中并不容易评价。我们尝试着开发了便于操作的"六度思维"观察表，采用星级评价的方式，结合学生在课堂中的思维情况来观察，重在使大家明确努力的方向。

三、上好每堂课要有团队为成长助力

一堂好课的核心理念需要变成老师们共同的价值追求，一堂课要上好还需要老师们掌握一系列方法和技术。如何更好地助力教师的成长？"一刀切"的培训并不能很好地满足教师的需求，宏大而高深的理论也很难带来课堂教学实际的改进。如何让教师的成长更加主动、有更好的路径？

我们学习了教师专业发展阶段理论，了解了"有机会与其他教师联系；获得对自己课堂工作结果进行反思的支持"是对所有发展阶段的教师都非常关键的两项活动。

我们学习了彼得·圣吉的"学习型组织理论"，明白了学习型组织是一个生命机体，组织内成员的学习不是个人的单纯学习，而是为了一个共同的愿望，有意识、系统地和持续式的学习。这样的组织才能汇聚所有资源形成巨大的合力，从而不断征服一个又一个新目标，创造出新成绩。

我们更深入地学习了王红教授团队关于核心基础、思维课堂的论述，明确了核心基础应该具有高持久度、高迁移度、高关联度和高被依存度等特征，思维课堂需要教师掌握核心技术。

2015年，作为华阳小学的副校长，我非常荣幸参与了华南师范大学的专家团队，开始了共同研究的合作。我们努力探索一种立足课堂改进的教师研修模式——学校创新微团队协同培育研究，于2015年申报广东省教育厅"十二五"规划课题并获"强师专项"重点课题的立项。

我们根据"双微机制"理论，将微团队与微任务有机结合，根据管理学规律组建微团队，建设小规模、高效能、异质化的学习共同体。聚焦"核心基础、思维课堂"的主题，以"微任务"的形式分割系列小目标，沿着"构建团队——形成愿景——诊断分析——研讨反思——评价提升"这一路径，层层推进。

我们组建了华阳小学微团队，一共有10人，以自愿为原则，大家来自不同的学科，形成了微团队建设的共同愿景和个人成长规划书。我们对微团队成员的课堂教学情况进行全面诊断，并形成了针对每位成员情况的分析报告。我们通过微阅读、微课堂和微课题等系列微任务，引领教师聚焦"核心基础、思维课堂"进行改革和创新，形成兼具本校和个人特色的教学模式，在所执教班级中进行实践和调整。我们开发了课堂观察量表，不同学科的老师组织在一起，重点关注学生思维的情况，并给出有效的提升策略。短短两年的时间，微团队成员围绕《有效教学》《教什么知识》和《思维教学：培养聪明的学习者》等书目举办了十几场读书分享会；微团队每位成员都确立了自己的研究课题，在专家的指导下历经三轮修改。五位老师第一次申报课题就获得了市、区规划课题立项，每位成员定期面向微团队及学科组开展研讨课。我们还走出校园，到顺德、深圳等地，分语、数、英、专四个学科举行了微团队成员与名师同课异构的活动。

英语学科罗艳文老师说："与微团队共同学习的这几年无疑是我教学生涯的一个转折点，感恩团队中各位老师的指导和帮助。我深深感到，只有理论联系实际，不断实践，才能提升教学的能力与艺术。微团队给我带来了一系列的成长，课堂上我更关注学生的思维，学生更喜欢我的课了。我还有幸主持了市级课题，成为广州市基础教育系统新一轮'百千万人才培养工程'第三批名教师。无限感恩微团队！"

在一个相互联系的系统中，一个很小的初始能量就可能产生一系列的连锁反应，人们把这种现象称为"多米诺骨牌效应"。微团队、微任务的开展给学校带来了一系列积极的变化：老师们在团队中找到了成长的感觉，越来越感受到课堂教学的魅力，生命越来越舒展，孩子们也越来越受益！

四、上好每堂课，让理念生信念，使要求变追求

2017年8月，我被任命为天河区侨乐小学校长。这是一所位于城乡接合部的学校，这里的办学条件无法与华阳小学相比，但教育的规律是相通的。我们紧扣学校"巧随童需、乐焕童彩"的办学理念，同样通过"构建团队——形成愿景——诊断分析——研讨反思——评价提升"这一路径，为教师搭建成长的阶梯。

我们分类别、有侧重地组建了"巧玲珑"读书会、"巧乐"班主任工作室、"巧乐课程"研发队、正面教育工作坊等不同的微团队，将学校发展目标分解为一个个微任务，研制"巧乐课堂"评价标准、开发"巧乐德育"礼仪课程、明确"巧乐优师"评选标准等，专家和行政参与其中，大家共同学习、相伴成长。

当工作有了抓手，当身边有了团队，当成长有了路径，老师们的状态越来越好。让我们特别感动的是，不仅新教师积极参与，我们的老教师也充满了活力！

华东师范大学终身教授叶澜先生说："真正促进教师的发展，是他对自己的实践，不断地研究、反思、重建，

越来越对自己的工作有一个系统的、整体的、深刻的认识，知道怎么去做才是有意义和有效的。"上好课虽然无法一蹴而就，但理念能够生发信念，要求可以变成追求，我们可以努力，让上好每堂课成为教师自己的追求！

　　教育的魅力是创造的魅力，是创造生命发展的魅力。一个个教师、一群群教师，都在这样的创造、这样的追求中时，课堂就有了不同的样态，学生的成长也必将会有更好的姿态！让上好每堂课成为教师自己的追求，这也是学校应有的样子。让我们一起努力！

第四章 为教师的成长助力

独行速，共行远——做教师远行的陪伴者/王 红

教师强则学校强/何 勇

教师发展，学校的『第一工程』/彭建平

从管控到赋能/陈泽芳

让教师站在学校的中央/欧阳琪

教育呼唤守正而有远见的教师/王海林

教师强则学校强

广州市执信中学校长　何勇

非常高兴这一次的"山长讲坛"能够在执信中学进行，今天有这么多位校长莅临执信中学，让执信中学蓬荜生辉。我也深感压力山大，希望今天的演讲能够达到预期，在这里我代表执信中学3000多位教职员工欢迎大家！

我的演讲题目是"教师强则学校强"。在执信中学的历史上，有一段时间名师荟萃。执信中学曾率先推荐新学制，20世纪20年代，执信中学已是国内37所重点中学之一。九十多年来，执信中学一直保持着中国名校的地位。

今天我想分享三个话题：第一，要让学生走向成功，先让教师走向成功。第二，如何让教师走向成功。第三，我的感悟与反思。

"一位好校长就是一个好学校"，我相信大家都听说过这句话。从主谓宾来说校长就是学校，这是有语病的，但是从教育的意义上来说，校长对学校的发展确实非常重要的。

2013年，执信中学承办了全国教育家论坛。陈建华市长出席了这个会议，并即兴做了演讲。他讲了这么一段话："校长强则教师强，

扫一扫，
观看现场演讲

教师强则学校强，学校强则教育强。"我想这句话对"一位好校长就是一个好学校"做了诠释。那么，为什么一个好校长是一个好学校？好校长首先要成就好的教师。很多人问"名校是怎么炼成的"，往往会听到这样的答案："抢生源、挖教师、要政策"是很多学校快速成长的途径。现实中也确实有一些学校是通过这个途径发展起来的，但是我可以说绝大多数学校没有这样的可能性。为什么？第一，生源不掌握在学校手上，我们没有选择学生的权利，只有学生有选择学校的权利。第二，我们没有政策，我们唯一能掌握的就是教师队伍。所以我今天谈的是我们学校能够做到事情——加强教师队伍的建设，帮助教师成长。

有人说，教育是培养人的活动，学校很多工作的出发点和归宿点都应该以学生的健康成长为目的。教育的目的是为了学生的健康成长、成人成才，那么谁来做这个工作？我们的教育政策、校长的办学理念，谁来把这些东西落到具体的教育教学实践过程中？是教师。没有教师，一切都是空的。

以前教师很受尊重，因为没有教师教，学生就没法学。但是，现在互联网技术以及信息技术发达，学生随时随地都可以获得知识，甚至有人说学校在不久的将来会

何勇

消亡，教师这个职业可能被机器人替代。如果仅仅从教育是为了学习有限知识的角度来看，我认为这样的说法有一定的道理。但是我们知道，教育不仅仅是传授知识这么简单，它还要"育人"，我们要让学生身心健康、人格健全、情趣高雅、品格端正，要懂得生活、懂得发展。我想这些目标是虚拟的互联网世界无法达到的，唯有人、唯有教师才能达成这样的目的。

我们听听教育家苏霍姆林斯基是怎么说的："教育是人和人心灵上最微妙的相互接触""学校是人们心灵相互接触的世界"。所以，学校教育应该是言传身教，甚至身教重于言传，我们要以行为来影响行为，用品德来培养品德，用情操来陶冶情操，以人格塑造人格。一个教师走在校园里面，他的一举一动都会潜移默化地影响孩子，孩子们可以是"近朱者赤"，也可以是"近墨者黑"。我们的孩子就是在这样的环境下耳濡目染地成长起来的，所以说教师是学校教育的"第一环节"。我们要用幸福塑造幸福，用美好塑造美好。

在这里和大家分享一个故事。美国有一个著名的旅游公司，这个曾经只有几十个人的公司后来做到了全世界第三。它对"顾客至上"的理解是只有发自内心的服务才是最高级别的服务。那么谁能带来"发自内心"的最高级别的服务？公司的员工。所以只有把员工放在第一位，员工才会把顾客放在第一位。我想，做教育也是一样，只有学校重视教师，教师才能够重视学生。教师发展应该是手段，学生发展是最终目的，或者说教师发展是阶段性目的，通过教师发展促进学生发展，最终促进学校的发展。

那么如何让教师走向成功？我们先来分析，阻碍教师走向成功的障碍是什么？是教育倦怠。一般一个教师在工作岗位上工作了十多年，就会产生职业倦怠，会失去动力。为什么？这里面有社会的压力、学校的压力，当然也有教师的专业和精神追求。人们把教师称为"人类灵魂的工程师"，认为教师是天底下最光辉的职业，把教师的职业拔得太高，认为教师应该是完美的，完全忽略了教师也是一个普通的人，除了教育还有自己的生活。我们一直说教育"以人为本"，强调的一直是学生，完全忽略了教师。所以我提出"还原师生完整的教育生活"，学校除了关注教师的职业成功和成就，还要关注教师的生活、发展，你要让学生幸福，就要让教师幸福。

那么教师的职业倦怠怎么驱除？我提出两点：第一，要培养教师的教育情怀。教师既是员工，也是一个"人"，我们要把他看成一个"人"，从一般的角色来说，员工要追求利益最大化，人也可以追求价值的最大化。我记得上次陈建华市长讲课的时候说过，教育的回报率是1比12，但教育的回报是回报给社会，不是回报给教育的从业者。它跟其他行业不一样，其他行业是直接回报给从业者。教育本身就是一种奉献，所以教师必须有教育的情怀才能保有持续的教育动力。什么是教育的情怀？就是对教育的感情、激情、抱负、理解、尊重。要让教师有持续的教育动力，必须要培养教师的情怀。第二，提高教师的职业成就感和幸福感。任何职业都一样，员工能够在这里继续工作，需要职业成就感和幸福感的支撑。教师的职业成就感在哪里？教师要通过学生的成长、成才、成功体现自身的价值，这是需要比较长时间的。但是在我们这样的学校，这一点是比较容易体现的。在我们学校的评价体制上，很多数据都可以说明我们的学生是很成功的，教师自己很有成就感。

那么教师可以幸福吗？教师的社会地位、待遇能让教师幸福吗？我们要对幸福有一个定义。1957年，哈佛大学开始对英国人的"幸福感"做调查研究，结果显示英国人认为自己很幸福的占57%，到2005年只占35%。但是在这段时间里面，英国的人均收入提高了三倍。这说明人的幸福和物质关系并不是有密切、必然的联系。那么，教师的幸福在哪里？我认为，我们要提供一个好的工作环境，营造和谐的人际关系，有民主的作风、公正公平的评价，教师可以在这里安心地工作，学生可以在这里静下心来读书。

要提高教师的幸福感，我认为要做到以下几个方面：

第一，营造人文的校园。十年来，执信中学的校园建设，包括很多硬件设施的改善，目标就是营造一个精神家园，一个教师能够安心工作、学生安心学习的家园。

第二，为教师搭建各种各样的平台，鼓励教师的发展。教师的管理有三个层次：管理教师、培训教师、发展教师。站在发展教师的角度上，我鼓励教师主动发展自己的专业，主动学习，所以我要做的事情就是为教师搭建学习、教育、科研、展现的平台。而我就做他们的后勤督导，只要教师提出要去学习，只要符合国家的规定，我都支持。包括我们教师个性化的研修，有教师说要去北京大学附属中学跟一个教师进行研修，大概一个星期，他只要提交研修计划，在不影响上课的前提下，我肯定批准他去；语文学科组的教师觉得哪个学校的学科组比较好，希望整个科组去交流，我能安排得过来也会同意老师们去；有的教师说要到国外去学习，如果有机会、条件符合，我也同意。我只是做他们发展的支撑，为他们搭建平台。

第三，打造教师团队。一个教师强不能使一个学校强，整个教师团队强学校才能强。我觉得团队应当分工合作、互相支持、互相帮助、人人平等，我要为教师们做的就是提供有利于教师专业发展的各种各样的支持，助力团队的齐头并进。

第四，关注教师的身心健康和精神生活。我们学校每年为教师提供一次体检的机会，我们请医生过来，教师要体检哪一项就体检哪一项，检查结果会作为健康档案一直保存。除此之外，我们还经常请医生为教师做健康方面的讲座、为教师举办各种各样的沙龙。我们学校有教职工合唱团、教职工足球队、教职工羽毛球队等等。我也支持教师们开展各种活动，丰富他们的精神生活。

第五，建立共同的价值观。执信中学在教育价值观上取得比较大的共识，为学生的终身幸福发展奠定基础，这个理念已经完全贯彻到我们学校所有工作的细节当中，这是我觉得我们做得比较成功的一点。

以上就是我认为应该做到的可以提高老师幸福感的几个方面。

最后，我认为教育是要依靠教师的。要人人有事干，事事有人管。我的理念是：学校不是我的，也不是你的，学校是校长、教师、学生共同成长的家园，也是我们实现人生价值的平台。我们在一条船上"一荣俱荣，一损俱损"。我要做的就是相信教师、依靠教师、发展教师、成就教师，最终达到成全学生的目的。

现在执信中学有一批教师成了知名的教师，国家、省、市骨干教师有20多名，还有20多名教师是各个省市学科教研会的常务理事，18名教师是学校的名教师，还有13名教师担任市教研员。这些年执信中学的教学水平很稳定，有90%以上的学生能够考上一流的大学，每年还有100多位同学能够上世界一流的大学。

执信中学的学生在各个学科都取得了比较优异的成绩，比如我们的科技教育，连续几年在广州市获一等奖，获奖数目也是最多的；我们有两个项目代表广东省去参加全国比赛，获得过金奖和银奖；我们的合唱团连续几年参加国际合唱节比赛，获得银奖；管乐团几次参加国家的艺术展演；舞蹈团几次参加美国常春藤大学举办的中国文化交流活动。

执信中学之所以能够一直不断发展，处于中国名校的地位，是因为有一批优秀的教师。正是因为有这些优秀的老师，他们带领我们的团队不断向前进步，才能给予我们的学生更加充盈的生活。身负教育下一代的神圣使命，每一位有责任感的教师，必能有目的、积极主动并快乐地投入教育教学工作，使自己的工作更加富有意义和效率。

教师强则学校强！

独行速，共行远——做教师远行的陪伴者

华南师范大学教师教育学部常务副部长、博士生导师　王红

我今天跟大家分享的题目叫做"独行速、共行远——做教师远行的陪伴者"。"独行速、共行远"英文翻译叫"Go alone faster, go together further"。这句话是我这几年来经常说的一句话，也是我感受非常深的一句话，这源自我的一次徒步登山经历。

本人并不是一个登山爱好者，但曾经参加过几次徒步登山活动。在登山的过程当中，我有一些非常深刻的感受。刚开始的时候，我跟着我的好朋友，广州市天河区教育局副调研员张伟春登山。伟春是个老资格的驴友，常年徒步，每次他都远远地把我甩在后面。但是，我是个不服输的人，所以每次都拼了命地紧追他，尽管每次都要落后不少距离，但是我也总能看到他在前面晃动的身影，所以，我也就一直咬牙跟着，心里还挺得意，觉得我还不赖，还能跟上老驴友的步伐。

但是有一次，我跟伟春一起去登山，他的步伐节奏比任何一次都快，很快我就跟不上了，他的身影也在我的眼前彻底消失了！开始的时候我还努力拼命往前赶，但是走着走着我

扫一扫，
观看现场演讲

开始泄气了，我眼巴巴地望着前面无限延伸的山路，周边偶尔有一两个不认识的人在走，但是伟春的影子却怎么也望不到了，我失去了一个参照系，前面的路一下子变得更加遥远了，心里开始动摇，突然间觉得啥时才是尽头啊！

我原本鼓足了干劲，现在一下子泄了气，心想反正我也是赶不上他了，干脆也就不赶了，还是找个地方歇歇吧！于是，我便就近找个地方，一屁股坐下，再也不想动了！一直坐到伟春在前面等不到我，回来找我！看到伟春回来找我，我马上和伟春说："你走得那么快，反正我也追不上，我就干脆不追了！"

与此同时，我也和他分享了我这次登山的两点深刻感受。

第一，远行是需要有人陪伴的。当我们在远行的过程当中，即使同伴们的身影在很远的地方，只要能看到他们，我们就会觉得有希望，就觉得不孤独，就有力量一直追着同伴的身影。但是，如果他们消失得无影无踪，当感觉周围根本没有人陪伴的时候，我们就失去了继续"追"的勇气，因此，远行是需要有人陪伴的。

王红

103

第二，作为领导者不能一个人跑得太快。当你一个人跑得太快的时候，你可能会突然发现后面没有人了，大家都没有跟上。在这个时候，如果你继续往前走，没有人跟上你，最后你怎么办？你要么停下来等，要么还要回头找大家。所以作为领导者不能一个人跑得太快，而必须在远行和前行的过程当中时时回望，看看大家是否跟上了你的步伐，只有这样我们才能一起往前冲，一起达到我们想要到达的目的地。

　　不知道大家是否有过相似的经历，反正我是从这次经历中深深感悟到了这样一个道理：不能追求一个人跑得更快，而要在前行中时时回望，让同伴都跟上，这样才能让更多的人一起走得更远！这就是我一直强调"独行速，共行远"的缘由！

　　就我今天的演讲而言，我把"独行速，共行远"的道理演绎到教师专业发展，我是想说给教师成长中三类关键的人听——校长、从事培训的专家学者、教师同伴们。

　　校长要成为教师远行的陪伴者，因为校长在学校管理中的首要工作是促进教师的专业发展。专家教授要成为教师远行的陪伴者，教师自己也要成为教师远行的陪伴者。在促进教师专业发展的前行过程当中，有三个关键问题："速与远"的关系；"独与共"的关系；"如何陪伴"。我的观点也是围绕这三个关键问题阐述的。

　　第一，在促进教师成长中"速与远"的关系问题上，我认为走得远比走得快更重要。"走得远"与"走得快"谁更重要在教育实践中一直都是很纠结的。在培养学生的过程当中，究竟是要让学生走得更快还是走得更远？在实践中，我们往往希望学生能够走得更快，但对于学生来说，他们的成长与发展不是百米冲刺，而是马拉松。

　　如果从马拉松的角度来说，你见过哪一个马拉松冠军是从一开始就在最前面？如果要让学生走得更远，就要让学生在马拉松式的人生成长的过程当中能够得到教师的指导，我们的教师实际上也不是在百米冲刺，而是在做马拉松的"陪伴者"。对于教师来说，如果我们要让学生跑马拉松，那么教师的成长、教师陪伴学生的过程也是一次马拉松。对于教师而言也是一样的，教师的成长不是要走得更快，而是要走得更远，这样教师才能更好地陪伴学生。

不管是年轻教师还是有经验的成熟教师，我们都要让他们能够走得更远。对于年轻老师来说，有一个经验值得我们借鉴。我曾经去新加坡南洋理工大学学习，他们有一个非常好的制度，即所有的年轻教师一律不允许多上课，一律不允许兼行政工作。只有当这些教师在不断地观摩学习和进行了一段时间的基础研究工作后，学校觉得教师们的基础足够扎实了，才让他们更多地去上课，才让他们担当更多的行政工作。这种教师专业发展制度非常值得我们借鉴。南洋理工大学并不是一所历史很悠久的大学，但却可以很快地成为世界一流大学，就是因为它有这样一种教师专业发展机制。

除了年轻老师之外，对于有经验的、成熟的教师而言也一样，应该要让教师停下来，出去学习。有些校长往往不希望教师花太多的时间外出学习，总觉得培训、学习太花时间。但如果校长希望教师走得更远，就需要牺牲一点老师在工作当中的速度，让他将来能够有机会走得更远、飞得更远。所以我认为"走得远"比"走得快"更重要。

第二，在教师成长中，"独进与共进"的关系，我认为"在一起"才能走得更远。大家要一起进步才能走得更远，对于这一点，相信大家都有着非常切身的体会。教师在专业发展的过程当中，发展速度参差不齐，有的教师进步得快，有的进步得稍微慢一点；但是在整个教师发展过程当中，我们相信如果一所学校想取得更好的发展和进步，想走得更远，仅靠少数教师的卓越表现是不够的，我们需要让更多的人成为优秀的教师。

同时，在一个团队当中，如果一个教师非常优秀，在这个团队中很拔尖，但是没有更多的伙伴跟得上他的步伐，能够陪他一起往前走，我相信：第一，其他的人可能会拖他的后腿；第二，这个教师也会遇到我在爬山时遇到的情况，虽然自己走得很快，但是回头一看没人跟上的时候，自己有的时候也会觉得泄气。

对于校长们来说尤其如此，校长在自己前行的过程当中更要注意，不能自己一个人跑得太快，当你一个人跑得太快的时候，没有人跟得上你，你总不能把所有的工作都给自己做，因此我们一定要让更多的人跟我们共同往前，而不是自己一个人快速前行。如果校长要带领学校走得更远，就需要"共进"，让大家有"在一起"的感觉，这样才能走得持久、走得高远！

第三，对于校长、教师以及从事教师、校长培训的专家学者而言，这三种人在教师成长当中应该发挥的作用与功能是什么？我认为是"陪伴"。因为我相信陪伴就能带来远行的力量！更多人可能会用"引领"这个词，为什么我用"陪伴"？

其一，我认为陪伴是温暖的。当我们在前行的过程当中，有同伴陪着我们，他不用喋喋不休地说太多道理，只要在我们觉得沮丧的时候能够给予我们一个无言的拥抱，或者简单地拍拍肩膀，就足以让人内心温暖。

其二，我认为陪伴是平等的。因为在陪伴的过程中，不存在谁上谁下，谁主谁次，而是我陪伴你，你也陪伴我。在这样一种平等的关系中，教师、校长、专家学者在共同前行的过程中，才能觉得这是一个愉悦的、快乐的、平等友好的团队。只有在这样一种平等友好的团队当中，我们每个人的心情才能更加的愉悦。

其三，陪伴是一种用心。陪伴需要花时间，我们总说时间都去哪儿了，毫无疑问，时间都花在了你认为最重要的事情上。在教师的专业成长当中，如果校长、专家学者、教师同伴都愿意花时间陪伴对方，就会给对方带来一种无形的影响。在这个方面我特别愿意花时间，在座的有很多都是我的学员，你们不仅在过年过节的时候都会收到我的短信，有时候在不经意的一天也会收到，因为我想告诉你们，我对你们的爱是在每天每时每刻，在普普通通的每一天。

有时候我会在大年初二给大家发短信，因为在北方这一天是回娘家的日子，我想告诉你，在这一天娘家人给你送来了温暖，你随时随地都要记住你有一个娘家人。我的学员曾经跟我说过不相信短信是我发的，因为他们算了一下："王老师，你有几百上千学员，你要发短信，就算群发也要花四五个小时。"没错，我的确是群发，但我不是简单地群发，我是一个班一个班地群发。我跟他们说："对不起，实在太多人，我只能一个班一个班地发。"但即便这样，我每一次发短信仍然要花四到五个小时。有的学员问："王老师，这真是你发的吗？"我说："那真是我发的。"因为我觉得在这方面花时间值得，当我发了短信，我的学员认为我一直在陪着他们，从我这里感受到温暖，那么接下来我再要求他们多做作业的时候，他们就会欣然去做，这就是为什么华南师范大学的校长培训、教师培训作业特别多，但是大家毫无怨言，就是因为这种温暖的陪伴！

其四，陪伴能够激发自主性。作为专家学者或者领导者，也许更多地使用"引领"这个词，但是我却依然喜欢"陪伴"。因为对于教师专业发展而言，"引领"往往把教师摆在一个相对被动的地位，而我更希望教师是自主发展的，而不是被"引领"的。就像我们总说对于孩子的成长与发展，我们更多的是发现孩子的潜能，然后创造条件让他自主生长。对于教师也是一样。教师有着更多的个体经验和潜在能力，我们需要的并不是太多的引领，而是激发他们内在的发展动力，让他们内在的种子成长起来。

不管是校长也好、专家也好、同伴也好，只要能够去陪伴，就足够了。所以，我在培训中设计了一个"对话助产"的模式，其实质就是一种陪伴。我始终相信，思想的种子就在你的心中，作为培训者的作用就是陪着你、陪你说话、陪你聊天，让你的思想自己长出来，而不是靠外力挖出来。当你认同这种观点的时候，你就会发现，自己其实是有思想的，只不过那些思想还在自己心里和头脑里处于休眠状态。当有人陪伴的时候，你不是依靠别人，而是靠自己的力量进行自我唤醒，自信和思想就都会来到你的身边！

其五，陪伴是一种感恩心态。我这里的感恩是特别针对校长和专家学者而言的。无论是校长的理念，还是专家学者的理论，最终都需要靠教师去落地、去践行，如果没有教师的实践，所有的理念和理论都只能悬在半空。因此，校长要感恩老师们愿意接受、认同并践行你的理念，专家学者要感恩老师们（当然也包括校长）愿意聆听、愿意把理论在实践中加以试验。实践没有理论是走不远的，但理论若离开了实践则是没有生命的。因此，我们要感恩那些让我们的理念落地、让我们的理论有了生命的人。所以，怀着感恩之心，我从来不说自己是个"引领者"，而更愿意自己是个"陪伴者"。

因此，作为一个专业从事校长和教师专业发展的学者，我对自己的定位一直是"校长和教师专业成长的精神陪伴者"，我坚定地相信，陪伴就能带来远行途中的温暖，就能带来远行途中的力量。让我们相互陪伴，走得更远！谢谢大家！

教师发展，学校的"第一工程"

广州中学执行校长　彭建平

　　各位尊敬的校长，一个月之前我随广州教育家班去浙江一带参观学习，内心特别高兴，我想一定有很多东西学。有一天，我去到当地一所很有影响力的学校参观学习，校长在介绍经验的时候提到的一个问题很值得思考：他们学校教师的平均年龄达到了40岁，获得高级职称的教师所占的比例也大，他们的人生经验、教学经验都十分丰富，但普遍缺乏继续努力学习的精神。

　　我在思考，为什么我身边的吴颖民校长年近70岁了，却仍然有如此旺盛的精力，还带领着大家继续努力？我又在想，为什么我们身边有许多的教师不再继续去学习，去自我成长呢？这也许是我们在座的每一位校长要面对的具有共性的问题。

　　在教师们的成长过程中，总是有许多问题左右着他们，他们的内心都有一定的价值标准在激励着他们。在学校办学过程中，要让学校办得越来越好，需要许许多多的因素，有生源、场地、设备等因素，但是我们都知道，最重要的是什么呢？是教师！在广州中学，我们

扫一扫，
观看现场演讲

109

把教师队伍的建设作为学校的"第一工程"。

"第一工程"在我们的学校是怎么去做、怎么去落实的呢？我觉得要让"第一工程"落地，就要把教师内心的价值标准建立好。

纵观大部分教师，大致可以分为三类：第一类，谋生型，他们教书只为解决衣食的问题。第二类，知识本位型，他们有知识，能不断地提高素质，教好孩子们，帮助孩子们考上大学。第三类，生命型，他们在追求良好教育质量的同时，也要让自己的生命有价值；同时要让学生的生命更加有意义，他们要成为学生精神生命的缔造者。

当一位教师关注自己的生命，关注学生生命的时候，其在教育教学的过程中，在课程观、实践观、评价观等诸多方面中，都会将生命放在极其重要的位置。当教师有埋怨时，其埋怨也会在实践中潜移默化地扼杀孩子们生命的潜能和求知的欲望。

一、校长价值观，生发教师成长的原动力

歌德曾说过，流水在遇到抵触的时候，才把它的活力解放。当我们的教师像流水遇到抵触不知如何是好的时候，校长就应该帮助他找到解决抵触的动力源。这样的动

彭建平

力源在哪里？我想第一是校长内心的价值标准。学校的价值思想很多来源于校长的价值理念和价值追求。

当我们的校长建立了一种正确的价值标准时，它会潜移默化地影响着教师朝着这个标准去成长。在我们学校，校长和教师们一起来探讨未来学校是怎样的，要办成一所什么样的学校，这所学校将来在这个地域要有什么样的影响。校长与师生们一起描绘蓝图，在他们的内心建立起新的学校标准。通过探讨，我们形成了广州中学的文化理念："激扬生命，成就梦想"，是我们的办学理念；"让每一个生命都绽放精彩"，是我们的愿景；"脚踏实地，仰望星空"，是我们的校训。在这样的探讨过程中，让教师们知道学校需要什么，我们要为谁培养人，我们要培养什么样的人。要先建立起大家内心的价值标准，我们才能继续朝着正确的方向努力。

校长的价值观和愿景也体现在校长日常的生活姿态和生活状态之中。校长的生活状态和姿态潜移默化地影响着教师，一位对生活充满向往、充满激情的校长会对教师们产生积极的影响。

教师是一份影响学生的职业，是一份让世界和人类还有自己更加美好的职业。作为校长，我们应该去影响我们的教师，引导他们在职业发展过程中成为美好的人。

二、全方位激励，增强教师主动成长的内驱力

想将学校的价值理念、价值标准落实到教师们的行动中，除了校长的影响，还需要有更加全面的影响——来自学校的全面激励机制。

我们学校有各种不同层次的奖励。我们通过省、市、区以及校级各种荣誉，月度人物、年度人物，党员风采、魅力班主任、最美教师，教学教研的成果展示让教师们的优秀事迹得到张扬。通过学生、工作团队的宣讲、推荐，增进学生对教师的理解和热爱，触发其他教师对价值观、人生观的思考，加强对"美"的内涵的理解，推动教师对自己责任的重新定位，明白社会对自己的要求和期待。通

过"校园奥斯卡"颁奖礼，颁发最佳教学奖、最漂亮(帅)的教师奖、最令学校自豪的教师奖、最幽默的教师奖、最具影响力奖……我们让每一位教师都在不同层面、不同方式、不同范围地受到赞美、受到鼓励，让教师们享受教育的幸福。

当教师心中洋溢着幸福美好的情愫时，他们的脸上才会有灿烂的阳光，才会照亮和温暖学生的心房。

三、多平台分享，唤醒教师主动成长的内动力

我们通过建立多个分享平台，引领每位教师自我发展，让教师们在平台上去分享他们的经验，分享他们的成功，去展示他们的困惑。

我们通过"五山大讲坛""凤凰大讲坛"，通过举办教师研究成果学术年会，管理存在问题的沙龙、教师高层的阅读沙龙等，让每一位教师去分享自己的教育思想、教育理念和教育行动。2018年，我们举行声势浩大的教师全员比武活动。按照年龄组别分为"山鹰杯"和"凤凰杯"。不同年龄组别的教师比武的内容各有侧重，如青年教师参加基本功比赛，有十年教龄的教师则是上一堂有创意的公开课、开一场讲座等等。我们通过比武，以赛促学，以赛选优。

为教师们搭建这些平台，他们不一定每一项都去实施，但当他们浸润在一个很好的环境之中时，他们会慢慢地受这种环境的积极影响。

四、课程研发，提升教师主动成长的持续力

很多人强调，站在学校的角度，希望有官方的奖励来给予教师们肯定。在我看来，官方的肯定只是促进教师发展的其中一个方法。我们应该有更多非官方的群体，例如民间组织，让教师们展示他们所研究的成果、肯定他们所创造的教育教学成绩。除了这些，我们更应该引领教师们提高课程研发的能力，从而提升教师主动成长的持续力。

苏霍姆林斯基曾经说过这么一句话，你应当引导每一

位教师走上从事研究的幸福道路。我这里说研究，并没有说教师们要从事很多的研究活动。我所说的研究，就是要把教师们引导到课程资源的开发研究上。广泛的资源开发、资源研究可以让教师们站在新的位置去判断自己的价值标准，去丰富自己的知识，去拓展自己的知识视野，去开拓研究领域。在课程资源的研发中，教师们不仅能力得到进一步的展现，还能发现自己潜能的新领域。

在广州中学，我们开发了第三学期课程、研学旅行课程等等。第三学期课程没有现成的课程标准，没有现成的课本，但我们依然坚持每个学期都开，到目前有将近70门课程，涉及不同的领域，不同的方向。在课程的研发中，教师们得到了锻炼，得到了成长，在新的领域认识了新的自己，实现了自己的价值。

为了让教师成为真正的研究者，我们在全校范围内推动"小课题"研究，要求"人人有课题"，打破课题研究的神秘性。同时，我们完善了学校"小课题"管理的机制，积极创设小课题研究的氛围。鼓励和引导教师从教学、听课、评课以及学生发展中发现问题，形成小课题。通过理论论证、科学实践，加以改进，克服教育教学中的难点问题。我们根据教师研究能力的差异，引入多样化的成果评价方式，以激发教师开展研究的兴趣，提高其积极性。

当教师把自身价值的体现锁定在工作本身，而不是为了任何外在东西时，他就会持续不懈地朝着一个目标努力。

五、暴露需求，保障教师主动成长的生命力

新教师入校后，我们也要做好对他们的引领工作。我们通过建立一个暴露需求的平台，让教师们去展示他们的困惑，展示自己存在的问题和亟需解决的问题。

我们通过跟教师们在宽松的环境中闲聊，探讨他们在教育教学工作中的问题，发现他们的专业成长问题，识别他们的专业发展需求，从而激扬他们的专业自觉内力。

这样我们就能够让学校的理念落实到这一批新的教师队伍之中。

我们知道，任何一所学校不仅要提高学生的分数，更要提高教育质量。这种分数与质量之间并不是直接的关系，在我们看来，学校的质量不仅是分数，更是师生生命的质量，在学校价值标准建立的过程中，我们应该帮助教师勇敢地去追求生命的质量。

我们的教育不仅要关注今天，更要关注明天；不仅要关注教育价值的理性追求，更要关注生命、精神、信仰、理想、信念，培养学生敬畏生命，热爱生命，使他们拥有善良的心灵，找到自己的生命方式，自由呼吸，茁壮成长！

从管控到赋能

辰美国际艺术高中荣誉校长　陈泽芳

　　23年体制内的发展，5年民办教育的工作经历，我是从所谓的"深井"跳到了现在的"江湖大海"，是从"甲方"变成了"乙方"。非常感谢这个平台，不断地给我鼓励和赋能。在体制内，在成都，我收获了很多的情谊和成长；在体制外，在广州，我结识了更多亦师亦友的教育前辈和同伴。正是由于他们每一天坚实地向前走，教会我一点一点地从公办学校的老师、校长逐渐适应成为一名合格的民办学校的教育工作者。对此我非常感恩，正是他们给予我这样的力量，才使我感受到民办教育还可以做得更好。

　　"赋能"是未来管理的方向。我们只有不断地去帮助更多的教师，使他们像我们自己一样去成长、去学习，去见自己，去见天地，去见众生，才能让他们的生命更富有意义和价值。

陈泽芳，演讲时任华南师范大学附属外国语学校校长。

扫一扫，
观看现场演讲

一、教育理念为学校赋能

教育的两个根本问题：一是培养什么样的人？二是怎样培养人？

培养什么样的人决定了学校教育的价值选择和发展方向。华南师范大学附属外国语学校是于2015年由华南师范大学与广州岭南同文教育投资管理有限公司联合创办的一所现代化、国际化的民办外国语学校。学校秉承更中国、更世界的办学理念，以学习者为中心，希望培养秀外慧中、卓尔不群的终身学习者和世界公民。华师外校运用美国教育大师威廉柏奇（Dr.William Purkey）创立的IE启发潜能教育（Invitation Education）思想作为态度和文化，同时把国家课程和国际教育理念进行融合，支持每位师生成为自我、成就自我。

关于怎样培养人的问题，提供支持与保障的关键在于课程和师资。在课程体系上，学校通过"1+X"课程体系来助力所有学生的个性化成长。"1"指中外融合的必修课程。"X"是满足不同学生发展需求的选修课程。学校提供超过200门选修课，学生根据自身的发展需求、兴趣爱好、未来方向自主选择。"X"变量帮助学生成为更好的自己。学校有多少名学生，就有多少张课表，一人一张

陈泽芳

课表。学生们根据自己的课表行走在不同的班级中，认识更多的同学、更多的老师，了解和接触更多的课程，建构自我。

依据学校课程设置需求，教师团队背景多元，主要由三部分组成：拥有优秀教育背景的高素质外教；拥有海外留学背景及学历的教师；既有丰富的教育经验，又愿厉行教育改革的高素质本土教师。学校师资构成从中外教比例上看，外籍教师占20%，海归教师占25%，本土教师占55%。学校将通识性培训与专业性培训相结合，对教师进行分类培养，促进教师专业发展。

二、当下的教育要为未来赋能

时代需要怎样的老师？我国教师年龄结构不断优化，中青年教师成为主体。中小学教师中40岁以下的占56%，高校教师中45岁以下的占71%。未来的趋势又是怎样呢？麦肯锡全球研究院（McKinsey Global Institute）在去年年末发布的报告中称，随着科技的进步，未来全球大概有3.75亿人口将面临重新就业。随着岗位能力要求进一步提升，中国创意人员（艺术家、设计师、娱乐业从业者、媒体工作者）的岗位需求将新增85%；技术专家（计算机工程师）的岗位需求将增长50%；教师大类的岗位需求将增长119%。

对于未来世界的判断成为学生教育重要的话题。我们对于未来世界的信念，就是最重要的教育信念。我们的教育要面向未来，首先要知道未来需要什么样的人才。我认为决胜未来的关键技能有以下十类：学会如何学习；有效沟通；与他人富有成效地协作；用创造力解决问题的能力；失败管理；在组织和社会中发起变革；做出明智的决策；设定目标、管理项目；毅力和决心；利用自己的激情和才华让世界更美好。

师高才有弟子强，如果我们没有掌握这些关键技能，那么我们就无法造就决胜未来的下一代。《一代宗师》里说到，习武之人有三个阶段：见自己、见天地、见众生。见自己是认清自我，是真诚；见天地，是看清世界，是谦卑；见众生，是悲悯天下，是传道授业解惑。教师也有五重境界：教知识、教方法、教状态、教人生、教自己。教育不是说教，而是影响，是感染，是熏陶。教师这个职业它本身不是教而是学，教师首先要成为终身的学习者。

三、项目制管理为教师发展赋能

庆幸的是，越来越多的年轻教师对实现自我成长，实现自我价值的需求日益强烈。我今天和大家分享几个教师的故事。

泽龙大学毕业两年后加入我们学校，成为一位数学老师。作为一年级班主任的他会趴在地上跟孩子们一起做游戏，很快就成了孩子们和家长特别信任和喜欢的"孩子王"。他非常喜欢信息技术，也非常喜欢学习。但是，当他逐步胜任数学教学后，他眼神中的光芒开始淡化了，这是我比较担心的。我希望教师在工作和发展时，眼中始终透着光。

于是我建议他牵头成立一个BYOD（Bring Your Own Device，携带移动智能终端设备）项目组，把更多志同道合的小伙伴们组织起来。学习小组成立后，教师们自愿参与，自主研习。实施初期，很多家长对该项目抱着怀疑的态度，孩子的视力、自制力等问题困扰着家长。为此，学校积极采取应对措施，让教师、学生和家长三方签订《iPad使用公约》，对学生在课堂、课间和家庭使用平板电脑的时间进行自我管理、民主监督，同时也保证学生有足够的户外运动时间。随着课堂效率的提高，学生学业负担减轻，成绩提升，这个项目得到越来越多家长的支持。

短短几年间，信息技术项目组从组建到开展培训，到设立网站，再到在全国各地进行分享交流；由1个教师到8个教师，到十几个教师，到现在的88个教师；由一两个班级开始，到12个班级，再到40多个班级，1000多名学生参与，效果显著。

在项目制成长和管理的过程中，我们引导项目负责人遵循1个理念、2个原则、3F步骤、4个关键、5个W。

2个原则要求教师一方面要具备成长型思维原则，要相信自己有变得更好的力量，成为更好的自己；另一方面是要遵守走出舒适区的原则，突破边界，融合创新，只有在舒适区以外的学习才能叫成长。3F步骤要求：第一，专注于行动，在做中学，在行动中研究；第二，及时反馈，解决过程中的问题；第三，修正优化。4个关键是指目标导向，选择重于培训；任务驱动，行胜于言；团队激励重于个人竞争；持续赋能，"输入"变"输出"。同时，项目负责人还应学会使用5W，即"为什么？是什么？什么时候？在哪里？谁参与？"的方式，更高效地管理项目。

这一切都源自一个理念——IE启发潜能教育。我们深信每个人都是有价值、有能力和负责任的，并通过乐观、信任、尊重、关怀的态度，用看得见的行动为每个人的终身发展持续赋能，启发所有教师的潜能，让他们相信自己。学校为他们的成长营造一种氛围，让每一个教师都知道他可以绽放自己的精彩。

秋香老师从改变自己开始，从做好每一件小事做起，现已成为英语组的骨干教师。

冬梅老师已经超过50岁了，但是她依然不断地发现自我，不断地学习进步。她一年阅读了100多本书，进入了职业发展新的高光时期。我们还有很多这样的案例。我们所有的教师都有一个共同的愿望，"孩子先于内容、爱先于一切"，所有教师的成长都是指向孩子们能够真正成为"秀外慧中、卓尔不群"的终身学习者和世界公民。

因为教育的本质在于人。但凡真正沉下心来做教育的人，都必怀有一颗敬畏之心。优秀的教育者面临的终极"瓶颈"既不是技术，也不是知识，而是教育者自身对世界和自我的认知的深度和高度。

"独行速，众行远"，在这样的一个群体智慧能够为更多人赋能的过程之中，我们相信，大家一起来，可以帮助更多的教师，让他们有更强大的能力去完成他们想要完成的教育梦想。谢谢大家！

让教师站在学校的中央

广州市天河区天府路小学校长　欧阳琪

　　各位领导，各位同行，大家好！回顾一下我的教育生涯，我担任副校长和校长的13年间，先后在7所学校工作过，如果把这7所学校的学生数和教师数做成一个折线图，那就是几座曼妙的山峰。长时间在办学规模迥异、生源状况和师资队伍结构完全不同的学校工作，我一直在思考，什么样的教师队伍最充满活力，什么样的教师可以培养出面向未来的人才，什么样的学校生态可以助力教师可持续的精神成长和专业成长。

　　今天我最想跟大家分享的是我追求的学校生态中最好的模样，就是让教师站在学校的中央。要让教师站在学校的中央，除了我们传统的师资队伍建设的策略以及路径之外，我想它可能至少还需要包含以下几个基本要素。首先学校的各项制度和决策要以激发教师的活力为出发点；此外要全面打通与教师对话的渠道，那么可能还意味着教师的身影不仅仅是出现在办学行为的执行当中，还可以出现在学校文化的讨论与决策当中，或许还意味着教师的成功必须成为可能。我们在考虑教师的评价维度与方式的时候，设置可以更多元化。如果给它归

扫一扫，
观看现场演讲

类，会发现它包含以下三个关键词：一是倾听，二是参与，三是平台。

倾听，倾听教师的声音。教师的声音可能好听，也可能不好听，但是全部都要听。参与，让每一位教师尽可能地参与学校的制度设计、执行与评价。尽管这有可能会在短期内让我们的效率没有那么高。平台，我们要最大限度地为教师的成长打造全方位的平台，并且帮助他们获得成功，因为成功是最好的催化剂。让教师站在学校中央，必须培育与激发教师的价值感与归属感。

天府路小学第二任校长王晓芳校长提出的"美人之美、和而不同"的办学理念一直得到大家的高度认可。当我从曾建辉校长手中接过接力棒的时候，我就在思考，我该怎样传承天小十几年办学历史中的积极文化，我该怎样让和美文化在天府路小学继续精彩绽放。为此，我在关注课程设置的同时，同样关注教师队伍的活力建设，思考着怎样让教师的主体地位得以落实，也关注着教师专业发展的组织形式，更重要的是如何才算是让教师站在学校的中央。

非常幸运，我遇到了一个很棒的团队，今天他们也来到了会场，我以他们为傲。

我们学校从校长团队，到行政团队，到教师团队，每一天都在自觉和不自觉地传递着正能量，每一天我们都在

欧阳琪

践行着"各美其美、美人之美、和而不同"的理念，进行着"分享、倾听、教师自组织"三大行动。

有人说学生的成长是有"成长场"的，那么学校就是一个"育人场"，在这里"场"的概念可能不仅仅是物理学意义上的，它更是一种感觉，感觉好才能做得好，感觉好才能学得好。所以在倾听行动当中，我们传达的是一种尊重，告诉每一位教师，你的意见很重要。所以在分享行动当中，我们传递的是一种信任，告诉每一位教师，你的成功极有可能。在教师自组织行动当中，我们支持的是一种发展，因为教师的专业成长，绝不仅仅是学校的事、教师个体的事，更是时代的需求。别人都在发展，你敢不发展吗？

从学校清晨入校的铃声到学生午休方式的优化，从学校的课程设置到班级设备的报修方案等等，在学校大大小小的改变中，教师们能看到自己的智慧；在学校发展蓝图的描绘当中，教师们能看到自己的建议。

于是，我们听到，教师们在讲着和美大家庭的爱和温暖的故事。这些故事其实很普通，可能是你遇到困难的时候我给的一个建议，可能是你需要调课的时候我来帮助你，也可能是你需要时的一杯热茶、一张纸巾，我们就这样传递着温暖，并且在温暖中获取着新的力量。

记得有一位教师专门来找我，跟我分享，他说他当初在写"金点子"的时候，以为这不过是个形式，没想到真的入围了，而且还获了奖。最让他们高兴的是竟然这么快就落实了、执行了。于是我们发现，教育自组织行动最大限度地释放了教师们的潜能，教师们都在自发地实现专业成长。

在三大行动当中，我们把发展权还给教师，努力重建教师的主体地位，让教师站在学校的中央，我们看到学校最好的生态。"生态"一词本来是指生物在自然界的生存状态。那么在学校，学校生态就是教师和学生的生存姿态和状态。教师的成长离不开学校的生态，当教师站在学校的中央，学校的发展就不再是校长一个人的事。当教师拥有成功感和归属感，他会反哺到学校的其他人、其他事中。事情做好了，人际关系和谐了，教师们有幸福感了，学校的这种生态的良性循环也必将形成。这种良性的生态最终助力的是我们孩子们的成长。

我在想，或许有一日，像这两幅画当中的这种生态也可以形成。第一幅是拉斐尔的《雅典学院》，这是一幅壁画，以柏拉图创建雅典学院这一事件为题材进行创作，在这幅画当中哲学、天文、数学、音乐等不同领域的学者能人齐聚一堂，分享自己的学术思想。

而另一幅是国画，韦辛夷先生创作的《稷下学宫》，展现了战国时期齐国稷下学宫学术自由、百家争鸣的盛况，令人震撼和感动。在我看来，这两幅画体现的是同一种生态，那就是蔚为壮观的百家争鸣，空前强大的师资队伍和充分的选课自由。在这里，学生可以主动求知，因需求知，在自由中有统一的规则，平凡与崇高在这里和谐共生。

在这样的生态当中，教师是站在中央的，而学校是组织者、支持者和保障者。人工智能的发展，5G时代的来临，教联网的概念，工业4.0是最近颇受热议的几个关键词。我常常想，我们的教育将来可能要面临的挑战，或许并非我们现在所能想象的。所以高等教育已经提出更要让学生的思维引擎重新适应，要用创造性心态和成长型思维去发现、去发明、去创造对社会有价值的东西。而对小学教育而言，科技带给我们的除了更快的网络速度，更丰富的学习资源，课堂上更便捷的师生互动之外，还有更大的挑战。

我经常跟朋友们探讨一个问题：我们要用怎样的教学方式，去培养16年以后走进社会的人才。我觉得我们只有拥抱变化，并且乐于拥抱变化，大胆地去实践、去创新，才有可能让我们培养的人才在未来的社会占有一席之地。我希望我能创设积极而和谐，灵动而有活力的学校生态，希望我的学校能够成为教师和学生生命成长的精神家园。最后我还想说，让教师站在学校的中央，受益的是孩子们，幸福的是教师们，而最最幸福的是校长。谢谢大家！

教育呼唤守正而有远见的教师

深圳小学校长　王海林

　　我们已有这样的共识，教育的最终目的是为人的终身幸福奠基，所以教育不仅要解决当下的问题，更要着眼于未来。从小处说，教育是为了培养学生面向未来社会拥有幸福生活的能力；从大处说，教育是国家培养德智体美劳全面发展的社会主义建设者和接班人。

　　深圳小学始建于1911年3月，由当时深圳墟张氏"雍睦堂"发展而来，几经风雨变迁，至今已逾百年。在近代深圳教育史上，深圳小学留下了浓墨重彩的印记。在多年的办学实践中，学校形成了以"做小事，成大器"为校训，以"快乐童年，幸福一生"为办学理念，以"身心舒张、乐学有为"为育人目标，以"与未来结伴同行"为核心表达的校园文化体系。

　　"与未来结伴同行"可以让我们尊重教育规律，尊重儿童的成长规律；"与未来结伴同行"可以让我们处变不惊，避免急功近利；"与未来结伴同行"可以让我们精耕细作，写好立德树人这篇大文章。中华民族伟大复兴的核心寄望于一流的教育，一流的教育又有赖于一流的师资队伍。因此，新时代教育呼唤守正

扫一扫，
观看现场演讲

而有远见的教师。

下面我将从"使命与担当""新的教育观""自我发展意愿""外部环境友好"四个方面阐述什么才是守正而有远见的教师。

一、使命与担当

教师承担着传播知识、传播思想、传播真理的历史使命，肩负着塑造灵魂、塑造生命、塑造人的时代重任，教师是教育发展的第一资源，是国家富强、民族振兴、人民幸福的重要基石，这是我们始终要坚守的使命，也是我们每一个教育人必要的担当。

二、新的教育观

我们应当有新的教育观，包括新的人才观、课程观、师生观、学习观、家校观。我们认为在学生核心素养当中最重要的是创新能力、合作能力和身心素养。作为一名好的教师，不但要认真执行国家课程，还应当做课程的建构者。我们在建构课程的同时，不但要深刻理解课程的内涵，还要知道课程的外延与生活的外延相等。

我们相信师生是相互促进、共同成长的生命共同体。

王海林

在学生的学习中，我们特别关注深度学习，注重培养学生的思维，还关注学生终身学习的兴趣与能力的培养，鼓励教师通过新技术、新媒体支持学生开展泛在学习。在家校观方面，我们倡导一种相互信赖、相互合作的家校关系。

下面以深圳小学为例，谈一谈我们是如何践行这一新的教育观的。在学生培养方面，我们首先是面向每一个孩子的全面发展，这是底线；同时我们又关注两头：一是优才培养，二是特殊学生的帮助。

（一）新的人才观

在创新能力培养方面，我们认为科学课是一块重要阵地。大约10年前，深圳小学就把科学课列入核心课程，高年级每周三节科学课，所有课程都由科班出身的专业老师任教。我们的校本课程当中有四分之一是创客类课程，每年的4月份是学校特别隆重的科创节，我们会搭建大大小小各种形式的舞台，让每一个孩子都能充分参与，让他们在这些活动当中培养对科学的兴趣，鼓励他们去动手参与，从而发展他们的能力。

关于学生合作能力的培养，渠道很多。仅以运动会为例，这些年来我们运动会的方式不断改进，不断减少个人竞技项目，增加团队项目，在这些团队项目当中培养孩子们合作的意识、合作的能力。

在特殊学生教育方面，深圳小学于2012年开始实施"彩虹计划"。针对因身体发育和家庭原因所导致的，在心理方面有较严重问题的学生，专门对他们进行跟踪、研究、帮助。我们还通过跟家长沟通，改善亲子关系，改善他们的养育方式，一起来帮助他们，几年下来效果非常明显。我们学校所有教师都拿到了心理C证，现在正在进行B证的培训。我们学校有一位专业心理教师，还有两位专业心理社工，在学生的心理教育方面我们有足够的力量和保障。

（二）新的课程观

在课程建设方面，这些年来我们不断完善学校课程生态，逐步形成了学生课程群、教师研修营、家长学院三位一体的课程生态。我们的学生课程群命名为"小种子"课程。课程框架包括三大方面：扎根课程群、生长课程群和好奇课程群；国家课程与地方课程；同时还包括探究学堂、认知学堂、养成学堂、个性化学堂、行走学堂、创客学堂。我们相信每一个孩子都是一粒充满希望、有着无限可能的"小种子"。

我们学校从2011年开始，每周二下午都是校本课程时间，三到六年级跨班跨年级走班上课，一二年级在本班上课。我们学校研发的"启程"课程针对一、二年级的学生开设，侧重学生学习习惯、行为习惯、个性品质、礼仪等方面的教育。另外我们还有大量学生自己组建的社团，以及丰富的研学旅行课程。

（三）新的师生观

在新的师生观方面，我们积极倡导教师与学生一起成长。

以我们学校2011年成立的朗艺团为例。当时我校首次参加深圳市读书月的朗诵比赛，两位指导老师心里完全没底。后来通过朗艺团师生的努力，把朗诵变成学校课程，在几年的发展过程当中，他们不断刷新自己的成绩，连续五年获得深圳市读书月朗诵比赛的冠军。这两位指导老师非常有体会，她们说这个活动、这门课程成就了她们自己，也成就了那么多的学生。

我自己一直坚持在学校开设校本课程，最初是上书法课程，前两年我挑战自己，开设了一门跨门类的，综合性非常强的"我爱国粹"。为了能够让学生更喜欢，更有收获，我摒弃了传统的教学方式，带领学生一起收集资料、筛选资料，分小组去研讨，画思维导图，制作PPT。由学生讲，教师点拨，学生点评，效果非常好。我也希望借这样一门课程和我们学生一起成长。

（四）新的学习观

在学习环节的把控中，我们特别关注课堂质量。2016年我们做了许多改变，为了让每个班级每天都有一节体育课，我们把一节课40分钟变为35分钟，保证了学校三年来每个班每天都有一节体育课。我们的科学课也比别的学校多，也是因为我们调整了课的时长，增加了课的节数。那么35分钟的课堂如何保证质量？我们从两个方面入手：第一是在课堂上推广深度学习，第二是基于新技术、新媒体，进行智慧课堂的推进，并且是全员全学科推进。

（五）新的家校观

在家校合作方面，特别值得一提的是我校的家长义工队伍。我们用10年的时间打造了一支全国闻名的家长义工队伍。这支家长义工队伍管理非常规范，参与学校各个方面的事务，比如校本课程的研发与实施，比如正在推进的学校午餐午休工程，以及我们学校所有大型活动的管理，包括一些重大事项的决策，他们都有参与。

这么多年，家长义工队伍在学校一直拥有一间最大的办公室，有两间教室那么大，学校给予他们很多支持，他们给予学校的回报则更多。他们还随时为我们化解家校矛盾，因此这么多年来我们家校关系一直非常和谐，学校几乎没有被家长投诉的情况。

三、自我发展意愿

培养守正而有远见的教师，光有新的教育观还不行，我觉得还有一点特别重要，那就是教师的自我发展意愿。纵观我们现当代教育史，所有优秀教育人，包括教育家，都是几十年如一日，有强烈的自我发展意愿的。在自我管理，比如说时间管理、任务管理、情绪管理上，他们严格要求自己；在自我建构方面，他们始终关注自己的专业素养和师德素养，同时不断地去建构、丰富、完善自己的精神宇宙。

（一）自我管理

在深小智慧校园推广过程当中，其实阻力最大的是老师。为了解决这一难题，我们学校成立了以青年教师为骨干的新技术共享者联盟，他们经常开展一些小型沙龙，切磋交流，成了新技术的有力的推广者。正因为有这个组织，我们的智慧校园建设进展非常顺利。

在基层党建建设的过程当中，我们没有让书记和支部书记霸占讲台。这两年来，我们把这个讲台让给了更多的青年党员，让青年党员自己组成小团队，选择专题，集体备课，然后让他们自己讲课。

我们还经常组织不同类型的团队拓展训练，激发教师个人发展的动能。

（二）自我构建

除了对教师高质量完成教学任务的要求外，我们激励教师对自己有更高要求，包括趣味、才艺、价值观、人生的丰富性等方面。此外，在人工智能与新产业革命时代，深小还要求教师们不断提升新技术的素养。我们要求学校工会、妇委会、团支部等要多成立教师社团，多开展一些有趣味的活动。同时我们经常开展各种形式的读书分享会。我个人认为，读书是最经济，也是最快捷，同时也是最高雅的一种自我成长之道。我们学校不但有两个图书馆，还把选书、买书的权利交给教师，教师可以买自己心仪的图书，然后拿到图书馆登记。

四、外部环境友好

呼唤守正而有远见的教师，友好的外部环境也必不可少，比如说和谐的人际关系，付出得到尊重，享有公平的发展机遇等，这些也非常重要。

为了给教师成长营造良好的环境，深圳小学开设教师研修营，帮助教师提升专业素养，并在成长中创造自我，提高职业幸福感。教师研修营包括五大块：职初教师研修、班主任研修、学科进阶营、教师幸福力、跨界思维。这几年做得非常好，我们不管哪一个学科的新教师来到学校，都要求他先从助理班主任做起。也就是说，你即便不当班主任，也要具备做班主任的能力，否则将来没有办法落实全员育人。

我们借2011年百年校庆的机遇，成立了百年深小专项基金，奖励教职工，奖励学生，奖励家长。我们的教职工奖比南粤优秀教师奖的吸引力还大，南粤优秀教师奖奖励2000块钱，而且要一年多才到账，我们学校的教职工奖是5000块钱，马上现金到手。我们鼓励老师自己申报去上支教帮扶课和展示课，因为我们学校每年接待参访的全国各地的团队特别多，赴外支教的任务非常重，我们把这个计作老师的劳动和荣誉，教师们非常踊跃参加。

百年大计教育为本，教育大计教师为本。我相信我们善待教师，教师才会善待学生；我们成全教师，教师才会成全学生。在新时期，培养守正而有远见的教师，可谓既迫在眉睫而又任重道远。作为基层校长，我们应当披荆斩棘，排除万难，尽我们的所能，为中国教育高质量地可持续发展贡献自己的才情，承担自己应有的责任。谢谢大家！

第五章　教育·家

尊重孩子的独立"江湖"

顺德碧桂园实验学校校长　陈钱林

每一个孩子都有自己独立的"江湖"，我们做教育的不是代替孩子发展，不是指导孩子发展，而是应该尊重孩子独立的"江湖"，引领孩子幸福生长。所以，我今天发言的主题是：尊重孩子的独立"江湖"。

最近，教育系统有一个词非常热门——核心素养，国家也出台了核心素养的一些标准。我常常想，作为家长、作为老师，我们怎么知道孩子有哪些素养最核心？我有一个办法：把教育拉长、把教育拓宽。怎么拉长？比如说，钢琴重要吗？书法重要吗？奥数重要吗？都重要，但是不意味着什么都要学。我们把教育拉长，拉到50岁、拉到80岁，想想什么最重要，我觉得那才是最核心的。孩子做人的素养什么最重要？我觉得是人格。所以说，教育就是要培养孩子的健全人格。

什么是人格？怎么培养？我看了关于人格的很多文章，看来看去搞不清楚，都是理论搬来搬去。后来我想出了人格坐标图：横坐标为人格基础，纵坐标为独立人格。

每个人都是自然人，对自然人来说，健康

扫一扫，
观看现场演讲

最重要。我们每个人又是社会人。作为社会人，要追求在社会上得到别人的尊重。怎么样才能得到别人的尊重？你要把自己的品行做得更美，弘扬人性之美。每个人的幸福是由精神决定的，我们又是精神人，精神人就要求教育要培养孩子的灵性，不断学习，培养智慧。

纵坐标是独立人格。我们的教育在纵坐标上出了点问题。孩子在家里，爸爸妈妈经常是"你给我……"；在学校里，老师布置的作业必须做，上课必须上，都是"必须"。那孩子的独立人格怎么办？而在孩子的"江湖"里，他们有自己独特的情感体验和是非标准，大人不如宏观一点。我们可以对孩子提出要求，但是具体怎么做？"孩子，你说呢？"让孩子自己想想，是不是更好？

我非常关注孩子的健全人格。在我的家庭教育中，我就尝试往这方面做。我也非常感谢华南师范大学主办的《中小学德育》杂志在2012年和2013年连载我的文章，我把这些文章总结成一本书，目前也是畅销书，这么厚的书的核心思想就是六个字："自律，自学，自立"。

自律，就是抓孩子的习惯。孩子要变成社会人，就要懂得社会的规矩。所以大人要去教育。教育有很多方法，我选择了把他律变成孩子的自律。我家里有家规，不是

陈钱林

我想当然想出来的，是孩子提出问题而讨论出来的。孩子爬楼梯摔倒了，我问孩子，"以后走楼梯应该怎么样？"孩子答"以后我们两个人手拉手走"，这就是家规。我管的是，家规定出来，你做到了吗？我家里的家规是动态的，孩子觉得是自己应该怎么做，不是爸爸妈妈逼我做。

自学，是我家孩子特立独行的一种学习方式。现在的教育现状是孩子的负担太重，我对孩子有点溺爱，我不忍心让孩子生活在作业堆里。我儿子小学开始自学，慢慢获得自学能力。他从初一开始，上午在学校读书，下午在家里自学，一直到高考，考上中科大少年班。我女儿初中开始自学，也慢慢地掌握了自学能力。她高一是一天读书一天在家里自学，高二是一周在学校读书一周在家里自学，后来也考上了南方科技大学。我的这种引导不一定值得推广，但是让孩子有了轻松愉快的童年和高效的自学能力，特别是在这个学习过程里，孩子是极其幸福的。

自立，孩子的人生路要由自己走。尽管孩子的成长要由大人帮扶，但大人仅仅是帮扶而已，我们不能以任何理由剥夺孩子的自主权。所以我的孩子在成长的过程中问我问题时，我都会说："你问得很好，你说呢？"孩子说的时候，我们在旁边引导。

自律、自学、自立都有一个"自"，我觉得自主教育是最好的也是最高效的教育。在这个过程里，我的孩子成绩也可以，更重要的是他们很独立。

家庭教育和学校教育是相通的。在学校里，我们要尊重每一位孩子的人格尊严。对一个孩子来说，横坐标是培养孩子健康、美丽、智慧的素养，纵坐标就是培养孩子的独立人格，听听孩子的意见。教育部门非常关注学校的安全常规、德育常规、教学常规。这三个常规就是为人格服务的：安全常规保障健康，德育常规保障品行，教学常规保障智慧。

我曾在杭州师范大学附属学校任校长。杭师大创校校长经亨颐是民国时的教育家，他的核心思想就是"人格为先、五育并举"。作为杭师大附属学校，我们把老校长的精华挖了出来。后来我去接任的时候，感觉学校的校训还值得推敲。我认为人格包括三个方面：自然人格，尊重天性；社会人格，弘扬人性；精神人格，培育灵性。我们的理念就改为天性、人性、灵性。我们的校训改为"健、美、智"，身体要求健康、品行要求美、学习要求智，学生也听得懂。我还在"健、美、智"的框架下构建了以健、美、智为灵魂的课程体系。

去年，我加盟碧桂园教育，负责的是双语学校，任碧桂园实验学校校长。集团提出要把我们的双语学校打造成双语标杆学校。什么标杆？抓分数的标杆还是其他哪个方面的标杆？我想最核心的教育就是人格教育，所以我们提出要办一所追求健康生活、精神成长、个性化学习的双语标杆学校。精神和人格是一对双胞胎，人格是一种相对稳定的心理特征，精神是一种人格表现出来的动态的心理因素，所以人格是精神的源泉，精神能够推动人格的发展。我说的要推动精神发展就是要从教育的角度最终实现孩子的健全人格。

我们学校整理出一套针对学生成绩、特长之外的评价制度。在我们学校，二到五年级实施星卡评价。孩子表现好，就得一张绿星卡。我们的绿星卡着重评价孩子的成绩与特长之外的素养，我觉得在学校里不一定成绩好、有特长才能称为优秀。10张绿星卡换1张红星卡，3张红星卡换"自强少年"奖章。凡是获得"少年奖章"的孩子都上台接受表彰，校长拉手祝贺，每个班从获奖的孩子里抽1个和校长一起吃中餐，教育就是这么好玩。

六到九年级采用自律卡、自学卡、自立卡进行评价，每月评一次。自律卡考察健康习惯、做人习惯和学习习惯。自学卡考查学生是否有进行超前学习、拓展学习、探究学习。自立卡考查学生是否有立言、立德、立志。期末的时候有"少年奖章""少年明星勋章"。我们的目的是每一个孩子轮流做英雄。

个性化学习也是我们的一个大胆探索，从作业开始。老师布置的作业，有的做有的不做，叫半自主；都不做，叫全自主；都做，并自己增加一点，叫加自主。每个孩子可以对自己的学科作业进行选择。初中有月考，月考的成绩给孩子自主作业做参考。如果你不做作业，成绩依然很好，那你只管不做；如果你不做作业，成绩就不行，你抓紧做。我们的用意是什么？让孩子从选择和设计作业中慢慢获得自学的能力，最终走向走班自学。我们的个性化学习指向的就是孩子的健全人格。

最近，我非常荣幸应邀去广州市教育局组织的"家教论坛"做一些家庭教育的报告，有一句话大家比较喜欢听："最称职的家长不只是知识的传播者，不只是特长的培育者，而应该是孩子健全人格的呵护者，是孩子精神成长的引领者。"今天在座的有家长，也有教育界的同仁，我想把"家长"改成"教育者"，最好的、最称职的教育者是培养孩子健全的人格。因为健全的人格是教育最本质的东西，培养孩子健全的人格是教育永恒的追求。谢谢！

别逗我，寒门和贵子可不是仇敌

广州市天河区华景小学校长　黄瑞萍

尊敬的各位来宾、各位家长、各位媒体朋友们，以及在线上观看直播的各位观众，大家下午好！非常开心有机会在这里跟大家分享"寒门与贵子"这样一个话题。

教育就像一场龟兔赛跑，兔子在睡觉，乌龟却必须努力地跑。但是兔子也必须努力跑，否则乌龟也能把你追上。教育又像很多人喜欢玩的手游"王者荣耀"一样，学生必须要一路打怪晋级，才能够在竞争中胜出。

比你优秀的人都在努力，你凭什么不努力？但是当单个竞争变成家庭竞争，再上升到阶层竞争的时候，大部分孩子的努力被压榨到极致的时候，我们的家长就开始有所行动了。广州妈妈说月薪三万块钱都撑不起一个孩子的暑假，她们一方面说让孩子自由学习，一方面又悄悄地去打听哪个补习班好。我们的家长真是谋略大师，她们把增负和产出做了函数：如果大家都增负，那么大家都是一样的；如果你增负我减负，那我就处于弱势；如果我增负你减负，那我就处于优势。看到这里我深深地思考：这是教育吗？这是我们想要的教育吗？这

扫一扫，
观看现场演讲

137

是孩子们想要的生活吗？

国家对促进教育公平进行了要求和部署。教育公平是社会公平的重要基础，政府的主要职能是要守住底线，补齐短板，让寒门学子有机会通过教育，特别是义务教育来改变他们的命运，阻断贫困的代际传播。所以不管是从教育本身来说，还是从政府的导向来说，寒门出贵子都是必须的，也是应该的。

无论你出身如何，只要通过教育和自身努力，你还是可以获得成功的。这是我们想看到的教育，也是我们教育要给社会带来的正能量。

我觉得我们不能把教育的成功简单地定义在小学的分数和长大以后的"钱数"上。近几年，我们在打造特色学校，不断思考学校的办学理念是什么，办什么样的学校，为谁而办，培养什么人，怎么培养人。家长们都特别聪明，马上把学校的特色作为择校的重要依据。虽然也是无奈，但我觉得是一个非常好的无奈，起码让我们的家长从简单的看分数上升到关心孩子的终身成长上。我建议家长们应该从一个人一生的成长，从大的角度去考虑应该怎样去培养自己的孩子。

别逗我
寒门和贵子可不是仇敌

黄瑞萍

华景小学有一位盲童学生何宇轩，他曾经被很多媒体追捧，也成了很多孩子学习的榜样。他在我们学校成长的经历，让所有的家长、老师和孩子深刻地感受到"赠人玫瑰、手留余香"的快乐。我们在和家长共同探讨教育理念时，我一直认为要让我们的孩子成为最好的自己，所以"着力六年、着眼一生，学优则才，品正为雅，培养优势化思维，培养成长性思维"成为我们学校的办学理念。

对华景小学的办学，我常常基于两点进行思考：第一，人均GDP在七千美元和七百美元的时候，我们的培养目标有什么不同？第二，公立学校的办学和民办学校以及社会培训机构有什么不同？

第一点就是决定我们学校起点的问题，第二点是看我们的培养目标。我们学校是1996年开办的，当时只有六十多个学生，现在已经有三千五百多个学生了。这二十多年来，房价从每平方米四千多元涨到了每平方米七万多元。家长们花了那么多的钱来买房子，我们也要提供相应价值的教育教学质量。

当然大家都知道教育是一个慢的事业，教育质量很难在短时间内里面提高上百倍。房价涨了、GDP涨了，这体现了社会现代化水平在提升，在我们的办学理念、管理理念、教育方法和教育环境上面也应该有所体现。我认为最重要的是学校办学理念的现代化，我们应站在终身教育的立场开展教学，而不是简单地看小时候的分数和长大以后的钱数。

富裕家庭或是寒门的学子都应该享受同样的学习资源，学生在学习、知识和未来面前都是平等的。成长不是个体的赛跑，而是一场团体的共进。我们要让孩子们在学习中发现自己、提高自己、成为自己、成就自己。

前面是我对寒门贵子的一些粗浅的看法，其实还在完善之中，下面我想谈谈我们的做法。

我们正处在一个互联网时代，获得知识十分便利，知识也变得碎片化，在这种背景下，我们的学习已经从记忆层面转化为参与创新的深度学习。深度学习让学习从以前的阶段性变成了终身性，从而完成了个体的自我超越以及价值的提升。如果从传统的学习来看，寒门学子是处于劣势的，但是从深度学习来看，他们并没有输在起跑线上。

很多媒体在报道高价欧美学生团去游学的情况时说，当导游在博物馆给他们介绍的时候，他们显得特别安静、提不出问题，但是导游跟他们说现在开始购物时，他们的眼睛却是发亮的；当导游介绍相关国家的历史时，他们也是沉闷、沉默的，但是一上车，又拿起手机拼命玩游戏。

我认为，这种游学不仅没有达到增加体验、扩展视野的目标，反而为孩子们的炫耀和攀比增加了资本，所以我给各位家长的建议是，给孩子们买学位房、买高价课只是教育的"开始"，教育离不开钱，但很多时候不仅仅是钱的问题。

有人把家长分为以下五个境界：第一个境界，家长舍得给孩子花钱，认为这就是全部爱的表达。第二个境界，家长舍得给孩子花时间，陪在孩子的身边，见证孩子的成长。第三个境界，家长在思考教育的目标问题，他已经知道他想教出一个什么样的孩子。第四个境界，家长为了教育，自己还去学习。第五个境界，家长为了教育好孩子，去提升完善自己，因为他们明白"你是谁比要求孩子成为谁更重要"。

教育是孩子跟家长共同进步的过程。基于这样的思考，华景小学成立了家校融合研究中心，不仅把家长引入学校，而且还把专家也引入学校。我们设立了心理研究部以及课程研究室等，通过课程的开发、成果的提炼以及政策的建立，让家校从合作走向共育和创新。

在课程开发上，我们基于主题，开发了二十四节气课程，以此培养孩子的阅读素养。基于项目，把广东省的重大课题"海上丝绸之路"的研究成果引入德育中，开拓孩子们的海洋视野。基于问题，我们把戏剧教育引入到学校德育之中，培养孩子和家长的成长性思维。我们通过打开学科、打开学校，全方位提升我们的教育教学质量。

"海上丝绸之路"的课程主要通过春游、秋游，以课程形式去实践。我们通过田野调查的方式，将历史人类学中的知识融入课程学习中，家长和孩子一起到黄埔古港等地进行跨学科的探究学习。小到从窗花、神像的从细微之处了解一个地区的民族记忆，大到从海洋、国家的整体进程上把握每个细节的历史张力，我们把枯燥的知识演化成灵动的游戏和培训。

我们具体是这样做的：

第一阶段，对这个研究成果进行了二次开发，选定了五个主题：花草满墙、古港对联、寻仙记、导游古港、穿越古港。我们希望孩子们尽可能多地收集墙上的花草，找到墙上花草的不同含义，看看建筑上有什么，想想设计的原因是什么，不同的建筑为什么呈现不同的花草？我们看到很多家长把孩子带到寺庙，只会让他拜，但是我们会让孩子寻找更多的神仙，让他知道不同神仙的出处和职责。如果给孩子们设置这样的问题，他们会不感兴趣吗？第二阶段，我们请专家给老师和家长进行培训，培训完后由老师和家长共同设计现场学习任务单。第三阶段，每五个小孩有一个家长导师带领他们进行田野学习，完成设计任务单的问题。我们在现场还配备了研究生顾问，老师在现场起到组织、协调的作用。第四阶段，让孩子们在学习过程中进行分析整理，然后用他们所喜欢的视角进行深度学习。

今年六月我们进行了成果汇报，孩子们用原创歌曲、调查报告等方式来展示他们的成果。除了这些成果之外，我作为校长最开心的是，很多家长告诉我，通过这个活动，他们学会了怎么跟孩子沟通，许多家长还学会了怎么从第一境界逐步达到第五境界。

我们通过家校融合研究中心的课程实施，实现以学生为中心的课堂，以课堂为中心的家庭，以教师为中心的学校，以学校为中心的社区，让无论出身贵门还是出身寒门的学子都能够在公立学校里面享受最好的教育。而且我们现在处在获得知识无限便利的互联网时代，在这个地球村里面，只要你的观念改变了，只要你有学习的意识，其实进行深度学习并不是一件很难的事情。

我们都知道未来教育是民主的、公平的、共享的，让我们挥挥手跟应试教育告别，携手共进，一起拥抱更美好的明天。谢谢！

父子蓬窗共一灯

广州市番禺区市桥中心小学校长 柯中明

刚才黄校长把家长分了五种境界，也有人把家长分为三种类型，第一，做榜样；第二，做教练；第三，做保姆。

我的分法有两种。一种是无奈的家长。这种无奈的家长跟你的出生、地位、财富毫无关系。例如我们大家都很熟悉的成龙大哥，他无奈、哭，为什么？因为儿子不争气，他就哭。我告诉大家，不但今人哭，古人也是如此。我给大家举一个古人的例子。

陶渊明先生有一首诗，他说"白发被两鬓，肌肤不复实"，老了，"虽有五男儿，总不好纸笔"。大诗人有五个孩子，"阿舒已二八，懒惰故无匹。阿宣行志学，而不爱文术。雍端年十三，不识六与七。通子垂九龄，但觅梨与栗。天运苟如此，且进杯中物。"每个孩子都不争气，父亲感觉到很无奈。

有一种父母是很幸福、很成功的，他们是半夜笑到醒的。他们为什么幸福？不是因为工作幸福，也不是因为他挣了多少钱，而是因为他生了一个好儿子，养了一个好女儿，他开心到晚上睡不着。陆游说"自怜未废诗中业，父

扫一扫，
观看现场演讲

143

子蓬窗共一灯"，这首诗写的就是我今天要讲的主题。

大家都知道诗人陆游，他写了一首《示儿》，被称为古代最早的遗书，"王师北定中原日，家祭无忘告乃翁"。陆游的孩子是怎样的？他的另一首《示儿》中写道："读书习气扫未尽，灯前简牍纷朱黄。"他整个家是书香家庭，"吾儿从旁论治乱，每使老子喜欲狂"。他为什么喜到发狂？他两个孩子在旁边议论天下大事，将治国之道说得头头是道。他"不须饮酒径自醉，取书相和声琅琅"。儿子表现出众，做父亲的十分陶醉。他对儿子提出了教诲与希望："人生百病有已时，独有书癖不可医。愿儿力耕足衣食，读书万卷真何益。"书中自有道化在，说得很对。这就是他描绘的一种境界。

陆游跟他的儿子说："古人学问无遗力，少壮工夫老始成。纸上得来终觉浅，绝知此事要躬行。"现在很多父母都想成为优秀的父母，都想让自己的孩子成功，都想找捷径。聪明的人和愚钝的人的区别就在于，愚蠢的人总在找捷径，聪明的人在下笨功夫，做父母尤其如此。

我们再看看习总书记的父亲是如何教导孩子的。2001年10月15日是习总书记父亲的米寿，也就是88岁生日。习总书记没有时间去祝寿，但是他写了一封生日贺信，这

柯中明

144

封信写得情真意切，感人至深。我把主要观点摘抄下来了，大概意思是说，习总书记对父母的认知和对父母的感情一样，久而弥深，他要从父亲身上继承和学习的高尚品质有很多，如爸爸的做人不说假话，做事不张扬，爸爸的赤子情怀、俭朴生活等。

据习总书记的母亲回忆，习总书记的姐姐桥桥考中学时，分数距离101中学的录取分数线差0.5分。习总书记的父亲当时任副总理。101中学表示也可接收。但是他父亲找桥桥谈话："差了0.5分去101中学不合适，河北北京中学（第二志愿）也不错。"桥桥表示会去河北北京中学就读时，父亲很高兴。

那我们平常人怎么做父母？很多家长望子成龙，望女成凤，我的观点是我们做父母的或者做老师的一定要认识到，人的成长有一定的规律。陈忠实先生曾说过，创作就像蒸馍，馍没熟之前都不能揭盖，一揭盖就会撒气。我们做父母的也是这样，不能总是"揭盖"，去打扰孩子的成长，因为你不懂其中的规律，最终是达不到想要的效果的。

有数据表明，学生的发展，100分是满分，身体和精神各分一半，再往下分，精神分智力因素和非智力因素，智力又分为知识和能力，后面再到价值观。知识又分考的知识和不考的知识，所以单纯凭试卷上的分数来评价你的孩子是不全面的。

我有这么几个建议。首先要让你的孩子睡好。上天给每个人的身体细胞都一样，凡是睡眠不好的，长期睡眠不足的，他的神经元发育一定不好。所以我对我们学校的孩子以及我自己的孩子，首先就要求他们要把觉睡好，每天要保证10小时睡眠。睡眠充足了，你的孩子不会差到哪去。如果他没睡好，他就会"蒙"，学东西也学不进去。所以我的观点是，先睡好。

第二，就是要孩子吃好。以前在农村的时候，把孩子喂得白白胖胖就好，现在这样看则是错的。"白白"可以，千万别"胖胖"的。我们学校有个五年级的孩子的嘌吟高、尿酸高，校医把这个数据拿给我看，把我吓一跳。所以，家长要注意孩子的营养均衡。

假如我说现在考1500米长跑，中学生肯定"哗啦"倒一片，很多人不及格。前两年清华大学入学考试时，体育全优的只有一个，考1500米绝对不行。所以吃好和身体好是有很密切联系的。

第一个睡好，第二个吃好，第三个玩好。玩，是一门学问。第四才是习惯。什么习惯？小学里面讲的习惯、规矩，就是把该完成的作业完成好，不能不写作业。

2014年，习总书记在北京大学跟年轻人说过这么一句话："青年有着大好机遇，关键是要迈稳步子、夯实根基、久久为功。心浮气躁，朝三暮四，学一门丢一门，干一行弃一行，无论为学还是创业，都是最忌讳的。"各位父母，孩子兴趣广泛，喜欢学什么都可以，但是要做到"坚持"。我想说的是，久久为功真的很关键。做父母简单不简单？可以很简单，我们那个年代，父母把我们"散养"，我们照样健康成长，多简单。但是，做父母简单不简单？也不简单。做父母就是一门学问。怎么学？我要向你们学。谢谢！

你的人生你做主

美国正面管教协会认证家长导师、学校导师　高广方

在儿子小学的时候，我跟他说过这样的话："你就做一个中等生，不要追求前三名，因为前三名的尖子生有两种情况。第一种是天生学霸，但是你不属于那一种。第二种是苦学出来的学霸，拼命学习。你没必要做那样的学霸，你把苦学成为学霸的时间，用于做你喜欢做的事情，或者你认为有价值的事情，你出门到草地上趴一会都行。""你就做成绩中等偏上一点的中等生，超过平均分，因为不超过平均分我担心老师会找你，也找我。"排名不重要，什么重要？品格重要。决定一个人的人生是否幸福、成功的不是他的成绩，不是他考一个什么样的大学，甚至也不是他的能力，而是他的品格。

什么是幸福人生、成功人生？我认为幸福和成功的人生有两点：第一，你自己是一个快乐的人，你满意自己的生活状况。第二，你对社会、他人能够作出自己的贡献。这就是成功的人生和幸福的人生。这样成功幸福的人生也是平平凡凡的人生。

在培养孩子的过程中，我们应该看重孩子

扫一扫，
观看现场演讲

的品格，品格的核心是爱和责任。爱有两方面，一是让孩子得到足够的爱，建构他内在的安全感。二是孩子能够给出爱，他能够去爱自己，爱身边的人，爱社会。那么，孩子的爱从哪里来？唯有由家长给到孩子无条件的爱，他才有能力去爱他人和爱社会。有了爱才有责任。我说的"责任"有两方面的含义。一个是对自己的责任，一定要好好爱自己，照顾好自己，这是基础。照顾不好自己，谈何爱别人和对他人负责？所以先要对自己负责。其次才是对他人和对社会负责。

爱和责任是一个人品格最核心、最重要的，也是我培养儿子过程中最看重的。在儿子小的时候，我从来没有给他报过补习班，我也不管他的作业，甚至早上我还没起床他已经上学了。在潜移默化中，我慢慢培养他的核心品格，并且有了一定的成效。

我不看重分数、排名，不给他报补习班，那我做什么？我和他聊天。我每天晚上都会和他散步聊天，了解他的情况。在这个过程中，让他感受到我的爱，让他学会爱自己和爱他人，并且学会承担社会的责任。

高广方

什么是爱？你爱你的孩子吗？100%的家长都会说爱自己的孩子。但是我们再从孩子的角度想一想，你爱孩子的方法对吗？孩子真的接收到你的爱了吗？有个教育家说过这样一句话："爱孩子，是动物都有的本能。但会不会爱，是需要智慧的。"

其实我们很多时候，打着爱的旗号，但是孩子感受到的却是伤害，因为爱的方法不对。在我这三年做正面管教的过程中，我看到了太多这样的例子，父母以为给孩子的是爱，但是这"爱"最终给孩子带来的是伤害。

究竟什么样的爱才是智慧的爱，如何才是"慧爱"？我的观点是，最好的爱就是带着信任放手，让孩子自己的人生自己做主，并且学会承担责任。

所以我儿子的事情，我都放手让他一个人做主。我传递给我儿子的观念是你在成长阶段没有失败，也没有错误。为什么没有失败？因为做一件事情有两种结果：一种是做成，一种是没做成。很多人说做成了才叫成功，做不成就叫失败。但我的观点不一样，我跟我儿子说："你做不成，你从中是不是有所学习，有所收获？有。那就是成功，关键是你要去做。"

至于犯错，谁没有犯错？我们每一个人都会犯错。正面管教有一个理念叫"错误是最好的成长机会"，只有犯了错，你才能从中学习。如此说来错还叫错吗？根本不叫错。所以我鼓励我儿子尽管去做，先不管成功或失败，只要去做，就一定是成功的。经历就是经验，犯错谁都会经历，重要的是学会在犯错的过程中不断成长。

作为家长，在孩子的人生中，你在哪里？是不是有很多家长"横"在孩子的人生中间？家长总是以为：第一，我爱你；第二，我比你有经验。基于这两个理由，孩子要听我的，不要再走爸爸妈妈曾经所走过的弯路。照我说的做，人生就一定会很好。所以，不少家长要求孩子要听话，要按照父母说的去做。

但是，人生是这么成长的吗？我认为孩子一定要经历他自己的人生，间接经验不是他的经验。家长应该对孩子放手。当然，我说的放手不是放纵，更不是放任不管，而是站在孩子人生的边上，让孩子和他的人生直接连接。

站在孩子的边上，不是说家长对孩子的事情置之不理，而是当孩子需要帮助的时候，我们告诉孩子："你放心，你只管往前走，爸爸妈妈在这里，你什么时候需要帮助，你到我这里来就可以，我一定会倾尽全力帮助你。"但是，这里有一个前提，家长们要记住，那就是只有孩子需要帮助的时候才去帮助。

我在这里特别想跟大家分享一下我儿子成长过程中点点滴滴的故事。我记得在他小学的时候，我们每个星期都一起去购书中心，他看他的书，我看我的书，他选一些他喜欢的书，然后他会拿过来给我看，说："妈妈你看一看我这些书好不好？可不可以买？"我检查一下，认为适合，就购买。有一些书我认为不太合适的，就会建议说"这本书不太适合你"。

有一次他选了一本《七侠五义》，他问我这是一本什么书，我说是一本关于包青天的书。当时正好电视也放包青天，他说他要看，我说："这本书写得真的很不好，你看了三国演义的书再看这样的书就是浪费你的时间。"他说："我就是想看。"我坚持跟他说真的浪费时间，但他就是想看。最后，我尊重他的意见，买了这本书。结果，他看到一半的时候来找我："妈妈，我发现你说得真对，这本书的确写得不怎么样，越到后面写得越差。"我问他有没有收获？他说："有的时候发现你的话应该听一听。"从这件事中，我告诉儿子，你有两个收获：第一，你能够分辨出一本书不好，说明你有判断力，能判断哪一本书是好的。第二，有的时候妈妈的话你也是应该听一听的。所以明明看到孩子犯错，或者他要做一件我们家长不认同的事情，我还是让他自己去经历，这样他才有认识，才有提高和成长。

初中的时候，他经历了人生的一段小风波。他那时候对学校生活很不满意。我就跟他说："你可以做选择，你不一定非要在学校待着，如果你有足够的勇气，你想清楚，我们可以读万卷书，行万里路，也就是离开学校，过这样的生活。但是你想清楚，想清楚以后再做决定，你做的任何决定妈妈都支持你。"后来，我们在一起探讨，在学校发展的好处是什么，坏处是什么。最后他决定还是留在学校。

儿子初中毕业想去新加坡。那时候，我们一起收集资料，一起探讨：去新加坡挑战是什么？收获是什么？留在国内的挑战和收获又是什么？我没有规定他的人生，依然是由他来决定，最后他决定去新加坡，我当然支持他。不过，作为一个还不到15岁的少年，一个人去到一个完全陌生的地方，挑战是可想而知的，我也是有所担心的。

在他留学新加坡期间，我们是通过写信的方式沟通和交流的。我跟儿子说："我们不用打电话，因为打电话很难深入地沟通，咱们写信，你有空就给我写，写了妈妈一定会回你。"在那一年的时间里，他写了151封信，三十多万字。我每天最重要的事情，就是打开邮箱读他的信，回他的信。后来他决定回国，理由是1、2、3、4、5，列举得非常充分，我支持他回来。在这个过程中，我依然站在他的人生边上，在他需要的时候给他支持和帮助，任何事情都是经过商量后，由他自己去决定。

后来读大学，他申请美国的大学，他问我该选择什么专业的时候，我就说："选你喜欢的。你不用考虑这个专业将来好不好找工作，只要你足够优秀，任何专业都能找到工作。还有，你不用思考这个专业将来挣钱多不多，钱跟幸福、成功一点关系都没有。人生最难得的就是，你能够从事一份职业，而这份职业不但能让你养家糊口，还能让你发自内心地热爱它。"结果他就选了一个专业：新闻。

我们知道对一个留学生来说，选新闻专业是很大的挑战，因为需要有大量的阅读和写作。我儿子到了学校之后，当了校报记者，我听后惊呆了。我想，作为一个国际生，他怎么能够做到这些事情？他除了在新加坡待了一年以外，没有出过国，这是一个莫大的挑战。但是他做到了。他不但做到了，后来还到福克斯新闻台和经济台实习。福克斯是美国最大的一个新闻媒体。在福克斯新闻台实习时，他主动申请写文章，后来他写的文章也发在了福克斯的网站上。

后来我问他："你要做这么多事，要读这么多的书，要写这么多的文章，还有这么繁重的功课，累不累？苦不苦？"他说："当然累，但是不苦。这些全都是我喜欢做的事情，做自己喜欢做的事情，累而不苦。"

回顾我儿子的成长经历，生活中的很多事情，我都让他自己做主。他做什么我也心中有数，所以，当我了解所有的情况后，他无论怎么选择我都支持，而且我内心确定的是这对他的成长是有好处的。我一直认为，无论他做什么，或者不做什么，都不重要，重要的是他确信爸爸妈妈的爱，他确信自己的事情可以自己做主，能够为自己负起责任，这就够了。

在儿子小的时候我就站在他的旁边，我可以是他的顾问、参谋，但我一定不是他的决定者。随着孩子年龄、阅历、能力的增长，他开始慢慢地走得比我快，我开始站在他的背后，因为我跟不上他。再往前走，我发现儿子留给我的是一个远远的背影。

当初"放手"的时候，我并不知道他能够走多远，我只是确认他的人生一定要让他自己做主。当他自己做主的时候，他给我的是不断的意外惊喜。我现在对他不再有什么特别的影响力，我想唯一的影响就是情感上的，让他能够感受到我的爱，在他的人生路上，就算远望着他渐行渐远的背影，我也觉得心里充满喜悦和幸福。

阿德勒说过："对于家庭教育的弊端，学校只能起着显示器的作用，学校只不过引发了家庭教育的潜在问题而已。"所以，我们不能把孩子的成长全然交给学校。学校当然重要，但是孩子人生的根基在于父母、家长，父母才是孩子成长过程中最重要的人。

我现在成为正面管教的导师，我发现我对儿子的教育理念和方法跟正面管教是不谋而合的，只是我以前是凭借经验，现在我知道，原来我的做法是有根有基的。最后祝福大家享受和孩子在一起的时光，享受和孩子一起成长的过程。谢谢大家！

勇于犯错

李成蹊

非常荣幸能够有机会和各位校长同台演讲，这是我这个晚辈莫大的荣幸。我倍感荣幸的同时，也感觉到压力很大，毕竟我资历也比较浅。我想，如果大家能够从我个人的经历当中有一些体会，我就心满意足了。

我今天的演讲主题是"勇于犯错，才能成长"，还有一个副标题——"我在犯错的旅程上越走越远"。我说的"犯错"并不是说故意去犯一些后果严重的错误，而是说要敢于尝试。犯错有两种后果，一种是正确的，一种是错误的。但是犯错的时候你要比较有自信，不要害怕犯错，才能够敢于尝试。

接下来我想讲一下我小时候的经历。曾经我认为，犯错是一件挺可怕的事情，因为生活不喜欢给失败者第二次机会。我总觉得中考如果考砸了，就上不了高中，接下来可能人生就会受到比较大的影响，我就非常担心、害怕。所以从小时候开始，我每做一个决定都会过度思考，思考着这个决定会不会犯错，是不是一

扫一扫，
观看现场演讲

李成蹊，前文演讲者高广方的儿子。

个错误，如果是错误的话，后果会不会很严重。我非常害怕犯错，在学校里也是表现得中规中矩，从来不会做一些叛逆性的行为。

我妈妈对我的表现比较不满，她说我这么小不必要这么中规中矩，要勇于犯错，勇于尝试。当然，我并不是建议在座的各位家长效仿，这样会给学校的老师和校长带来很多的困扰。我在小的时候心里就非常清楚，如果我犯错，妈妈是不会对我破口大骂的，只要我犯的不是原则性的错误，而是一种勇敢的尝试，是对循规蹈矩的挑战，爸爸妈妈就会在我的身边支持我，给我引导，这也是为什么我之后敢于做出一些大的尝试的原因。所以说，"犯错"的前提是不必担心犯错的后果，并且要有理解和支持你的家人。

到我18岁的时候，我选择到美国伊萨卡学院读新闻。请问在座有哪个家长听说过伊萨卡学院？现场没有人举手，那就是没有家长知道这个学校。是不是有人听到这个大学的名字，还以为它是野鸡大学？这所学校在国内没有什么知名度，我偏偏就决定到这所学院就读。我心里有没有挣扎过、恐慌过？其实是有的。比如说，我刚到学校的头两天就经常会想，我是不是做了一个错误的决定？是

李成蹊

155

不是应该选择去一个可以接触到各种各样的人、能够有更多社交机会的、能够建立更多人脉关系的城市？其实我一直有这种思考。突然有一天，我特别后悔来到这个学院就读。我记得很清楚，那天是感恩节，当时很多美国的同学都回家了。我一个人在学校里，整栋楼都是空的。我往窗外一看，有五只梅花鹿在吃草，我就想，我怎么来到了一个鹿都比人多的城市上学？当时心里真的特别后悔。

虽然我经常有这种想法，但我知道这也于事无补，最重要的是我应该如何弥补。我知道我不应该纠结于这个"错误"的本身，我思考的是怎么样才能够把这个"错误"最小化，怎么样从这个"错误"里面给自己谋求到最大的利益。经过一年半的艰苦思考，我得出的结论是：第一，是停止纠结错误本身。第二，最大限度地减少错误带来的不良后果。

伊萨卡学院所在的这个城市很小，学新闻的话很难找到实习的机会。如果在上学的时候没有实习的机会，毕业后基本上是比较难找到工作的。我当时就想，没有实习机会的话我该怎么办？有一天，我在校园里看到公告栏上有各种各样的校园俱乐部的信息，有的还可以给人提供搭建社交网络关系的机会。我看到上面有一个关于辩论会的信息，我们学校从英国请了两个辩手和我们学校的两个辩手进行一场辩论。后来，我去看了这场辩论赛。看了之后，我非常吃惊，因为英国来的辩手非常厉害，把我们学校最厉害的两个辩手辩得哑口无言。我觉得辩论是一件很困难的事，可能不适合我。我准备走的时候，辩论教练走了过来，还记得他的名字叫做汤姆斯，他是我人生当中一个比较重要的人。他说："你好，你叫什么名字？"我说："我叫李成蹊，我是来参观一下，体验一下，我从来没有参加过辩论赛。"他说："没有辩论过，那太好了，你是一个可塑之才，这个周末在波士顿有一场全国的辩论锦标赛，你要不要来？费用全免，吃住全包，来玩一趟也可以。"听起来也很好，但是我害怕给学校丢脸，因为学校最厉害的两个辩手都被辩得体无完肤，我去一个全国锦标赛，我会被辩成什么样子？他说："没关系，不用担心给学校丢脸的问题，这个不是问题。学校开辩论会有很重要的原因是帮助学生发展自己的兴趣，给学生体验和锻炼，目的不是为了给学校争荣誉，你不用担心这点，只要来就行了。"我就去尝试了，下场的确比较惨，但这是我大学当中非常重要的一个转折点。这个转折点让我树立了一些自信，我体会到在美国大学里面，很多情况下你只需要尝试，勇敢地迈出第一步，后面的结果怎么样并不是那么重要。

现在回看这场辩论赛，它的确为我打开了很多扇门，因为参加这个辩论赛，我得知有一个进入美国南部的某杂志社参与训练的机会，但是竞争非常激烈，只收十个人。我尝试申请，结果也申请上了。

刚才我妈妈也提到，福克斯新闻台是美国一个非常有名的媒体。我在福克斯实习的本职工作是制作视频，但我跟老板说我非常喜欢写作，能不能给我一两次写作的机会？他说可以，没问题。到了实习最后一周的时候，老板说："你说想尝试写作，是不是？这里有一篇文章，你尝试写，争取在你离开之前发表。"最后，这篇文章，也被发表了。其实，发表那篇文章有多大的作用，我当时也不知道，直到后来才知道，这篇文章使我得到在联合国国际原子能机构新闻部的面试机会，面试官正是因为看到我在福克斯有发表文章的经历，所以决定面试我。当然，这个职位我之后并没有得到，不过面试官对我的表现比较满意，觉得比较出色，只是她认为我的兴趣在写作而不是舆情监控，于是把我的简历递给我后来的老板，我后来的老板就把我招了过去，这就是一个非常大的连锁反应。

因为我勇于尝试，一开始做了一件我自己有兴趣但是完全没有信心的事情，它产生了连锁效应，把我从一个地方带到了另一个地方，给了我各种各样的机会，我也非常的感恩。最后，我发现这些都不是"错误"，而是人生非常宝贵的经历。

错误和正确，两个对立的形容词是谁确定的？没有绝对的界定，尤其是一个错误，在刚刚发生错误本身的时候，你可能会觉得是一个错误，但是你几年之后再看可能是一个非常大的机会并带来成功。

最后我想说，为什么我能够勇敢地追求这些机会，尝试一些我以前不敢尝试的事情？首先，在我小的时候爸爸妈妈给我很深的体会，爸爸妈妈给我培养了非常好的信心，并给我很多的支持，他们让我明白犯错误并不可怕，而是一个非常宝贵的学习机会。他们告诉我，只要勇于去尝试，就算是犯错，你也只是一个小孩子，后果也不会那么严重，小时候犯错总比长大后犯错要好。

第二，我的父母以身作则，他们非常敢于尝试，追求自己感兴趣的事情。我记得有一次在家收拾东西的时候看到了我爸爸的名片盒，我翻出了25张名片，全部都是不同的公司，他今年才49岁，已经换过了25个不同的职业。所以你看，他是一个多么勇于尝试的人。还有我妈妈，她在2015年离开了从事多年的体制内的工作，自己去创业。所以说，家长的言传身教是最重要的，家长的榜样影响是最大的。

最后，我想说，一个人如果没有犯过错误，没有尝试过任何新鲜的事物，这样的人生我觉得是枯燥无味的。

第六章 让科技为教育赋能

智慧教室，让学习真正发生

东莞市松山湖实验中学校长　万飞

各位专家、各位同仁，大家下午好！我今天跟大家报告的题目是"智慧教室，让学习真正发生"。

一、对于智慧教室的理解

首先讲讲我对智慧教室的理解。对于智慧教室，现在实际上还找不到一个非常明确的定义，我个人的理解是，所谓的智慧教室，就是充分把现代信息技术切入教学的全过程的一种新型的教育教学形式，它让我们的课堂学习更加简单、更加高效，也更加智能。智慧教室实际上有广义和狭义的区别：广义的智慧教室，我认为应该放在一切智慧教学的环境中，包括我们的教学系统、管理系统中。狭义的智慧教室，个人理解专指智慧教学。

二、教育是为什么而教

我从事教育工作22年了，作为一个教育工作者，我经常问自己这几个问题：

第一个问题，我们的学校是为何而存在的？它是为老师的教而存在？还是为学生的发

扫一扫，
观看现场演讲

展而存在？还是为学校的发展而存在？

第二个问题，在学校中，学生的学习究竟是怎样发生的？他是主动的还是被动的？

第三个问题，作为教育，我们到底应该怎样促进人的全面而个性化的发展？

两年前，我非常有幸创办了一所新学校。这两年来，我带领着大家充分运用信息技术，为构建智慧教室做了积极的探索，学校给所有学生配备了一台平板电脑作为学习工具，也实行了小班制和走班制教学，目前学校开设的校本课程已有168门，引起了广泛的关注。我在这里想跟大家分享三个故事。

第一个故事：我为什么要被老师约束学习？

我们有一个学生叫邓天宁，属于比较聪明、天赋比较高的孩子，他在小学就写了一本书——《会唱歌的石头》。五年级的时候，他跟着均为博士的父母去了美国，所以英语口语水平也非常高。他初中到我们学校学习，到了初一下学期，他对我说："校长，我不喜欢在教室里学习。"我问他为什么，他说："我为什么要被老师约束学习？"因为他的学习进度已经远远超过了同班同学的学习进度。

万飞

初一的时候，他就向我申请给其他的同学讲课。他花了一个多月准备了190张PPT，而且讲的是关于游戏的内容，一开始我有点担心，但后来他讲的效果非常好，学生很爱听，现场掌声不断。他的规划能力、自律能力很强，而且特别喜欢计算机，他还跟一些大学毕业生一起做项目。后来，我同意他选择自己喜欢的课室和自己喜欢的方式学习。前几天，他跟我报喜，说他考上了深圳国际交流学院，这是一个名校，进了这所学校就等于半只脚迈进了哈佛、牛津、剑桥这些著名大学。

这个案例实际上促使我在思考，像他这样的学生绝对不是个案，我们每个班的学生都是不一样的。我们让学生学习，到底是让他被动学还是主动学呢？我们老师的教学到底应该是整齐划一还是应该因材施教呢？答案是不言而喻的。在以前，传统课堂要做到这一点很难，但现在有了信息技术以后，面对大数据时代的学习者，我们可以做到，因为我们可以用数字化的学习方式来促使学生主动学习。

第二个故事：老师，这是什么花？

广东这边的天气比较好，我们校园里每一个季节都有很多花，有些学生特别喜欢花。有一个叫袁玥的同学是学生会的学习部长，她很喜欢拍花。有一天她看到我，就来问我："老师，这是什么花？"说实话，我不是学生物的，这些花我不认识，怎么办？我告诉她有一个软件，微信里现在都有识花的软件，把软件一打开，把图片放进去以后，它就会自动告诉你这是什么花、属于什么科、药用价值是什么等等。有了这种移动终端以后，我们可以开展很多探究性学习。

这些信息技术终端可以为我们的教育教学以及智慧校园的打造带来很多的可能性。所以，我们现在也给老师们装了很多软件，特别是基于思维的可视化学习、基于AR的订阅学习、基于增强现实的情境学习等软件。我们现在还做了两件事情，一个是消防安全的空间体验，一个是地震安全的教育活动空间。这两个都是应用了VR和AR的技术，完全按照学生的课程来设计，学生确实学到很多。

第三个故事：被美国校长高度赞扬的学生。

我们有一个学生叫于桐，她在一次学校艺术节晚会上表演舞蹈，她体形比较胖，但表演得非常好，跳得特别灵动，我印象非常深刻。后来，她申请去了美国的一个公立学校读书，虽然她在班上的分数处于中等，但是她情商比较高，英语口语也不错，同时也有舞蹈特长，所以她申请成功了。

3个月后，我收到她的美国校长发来的一封信，对她大加赞扬。如果仅仅是按分数去评价这个学生，她可能只是一个很普通的学生，但是她去美国以后，学习动力很足，还代表学校参加了很多比赛，个性得到了很好的张扬，特长也得到了很好的发展。

通过以上三个故事，我是想说明，我们的教育应该充分尊重学生，发展学生的个性，同时面对大数据时代的学习者，我们要利用现代化的新技术融入课堂、融入教学，用数字化的学习方式来促使学生主动学习。

三、建立智慧评价平台

我们学校开办一个学期以后，我就发现，把技术融入课堂，应用得好的话，对于学生分数的提高是很有帮助的。年前，教育局领导看到我，问我学校搞得怎么样，我说我不知道，等春节过后再看。后来数据一对比，发现真的很不错。我希望搭建一个全面评价的平台，一方面能够促进学生全面发展，另一方面又能够促进学生的个性发展，还可以全程呈现动态轨迹，并且能够自动生成评价。我后来跟我们的老师花了差不多两个月的时间，整理了一份评价指标，有10大模块、53个观测点，现在从国家到省都在推综合素质评价，我们早走了两年，现在我看广东省发布的评价是5大模块，我们设置的有10大模块。

我们学校的学生配备手环，有了手环可以收集很多数据，包括答题的情况、小组合作的情况等，自动导入到这个系统里，生成一个雷达图，班主任可以看到学生的横向对比。系统还可以自动生成一个评语，学生和家长可以查到。到了信息化时代，老师轻松很多，这些评语一旦设置好之后，就可以自动生成，老师也可以设计一些评语放进去。

四、建立云平台的教研管理系统

经过两年半的发展，作为新学校，我们取得了一点点成绩。比如学校的管理者经常会遇到一个问题：到了学期中或者学期末，会发一个通知，要求老师们第二天上午九点交平时听课的笔记，当天晚上有很多老师都在赶这个笔记，为什么？因为平时没有真正把教研落到实处。有的时候你开展的一些研究、写的一些论文和案例是有价值的，但是最后发现素材没有了，怎么办？所以我们建立了一个云平台管理系统，老师带着手机去听课，课上拍的很多素材就自动上传到这个系统里去，当天就提交，实时递交。那么到开展教研的时候，素材也有了。

受市教育局的委托，我们还托管了一个低收费的民办学校，当时也是希望通过补短板来提升教育质量、促进教育的均衡化和优质化。那所学校离我们学校很远，开车过去都要一个多小时，我们通过信息化技术实现远程同步会议、同步课堂，这方面我们做得很到位的，学校的教学效率也提升很快，我还专门指导他们搭建了这样一个平台。我记得当时他们的董事长请我过去，问了两个棘手的问题：第一个是收费怎么弄比较好，原来都要家长、银行交点费用到那里排队，排队还得打架。我说很简单，可以用网络支付。第二个是校车安全问题，校车到哪里怎么知道？后来我们搭建了相关平台，效果非常不错。现在这所学校的学生和家长对学校的认可度逐渐提高，学生和家长评价：很喜欢学校的氛围，学校平时做的和说的一致，家长觉得老师有爱心、学校课程丰富、信息化应用得非常到位等。

经过一段时间的实践和创新，我们也取得了一定的成果，例如，我们获得了广东省教育创新成果一等奖，获得了"国家教育信息化产业技术创新实验学校""全国创客教育实验学校"等称号。学校师生两年来获得市级以上的奖励达到400多人次、学校接待来自省内外6000多名嘉宾参观学习，由我主持的《基于信息技术的智慧学习环境的构建与实践研究》获得了省重点课题等等。

最后我想说，未来已来，我相信信息技术一定会改变教育，给教育带来更积极的变化。

创新者课程体系建构的思考与实践

深圳市南山区香山里小学校长　李红霞

　　各位前辈、各位同仁、各位技术界的专家，大家下午好！我今天主要从逻辑起点、结构与内容、课程实施、学习评价这四方面谈一谈我们深圳市南山区香山里小学的教育创新实践。

一、逻辑起点

　　我们学校在筹备之初就考虑要培养什么样的人，这是最核心的问题。在现代，我们创建一所新学校，是不是还像原来一样，一步一步地朝着既定的能看得见的目标去培养人？我们认为，现在的小学生要十几二十年之后才能走向社会，那么教育的前瞻性就体现在我们要为未来办教育，所以我们的逻辑起点就是要办一所为未来而教的学校，要培养为未来而学的人。

　　我们把学校的办学理念确定为"创新·未来"。我认为应该有三个层次：第一，创新链接未来；第二、我们要以积极主动的态度去拥抱未来；第三、用创新创造未来。我们的育人目标是培养具有中国文化基因、有领袖气质和非凡创造力的未来世界公民。我们给孩子不断强化的概念是"我能改变世界"，我们希望孩

扫一扫，
观看现场演讲

子们树立这样的信念，改变世界从改变自己开始，我们一定能够通过改变自己、改变身边的每个人，来实现改变世界的壮志。

落实到课程上，首先，我们这个课程体系是结构化和系统性的；其次，我们的课程要在广度和深度（梯度）上有一个全覆盖。广度主要来自加德纳的多元智能理论，梯度就是指从技术能力到高级的能力逐层培养。课程目标就是根据学生自身能力、发展倾向使学生发展成为最好的自己。

二、结构与内容

我们学校的课程体系主要由三大类和34门课程构成，方式有分科教学和项目式学习，编班有自然年龄班和混龄班，就是我们所说的选课和走课，评价包括前测、过程性评价和结果性评价。

三大类课程以国家课程为主干、拓展课程和艺体强化课程为两翼。在育人功能上，国家课程主要培养基本的学科知识、技能和素养，拓展类主要指向社会性发展、智能发展的进一步强化，艺体等强化课程主要解决体质体能和人文底蕴的问题。

李红霞

创建这样一套课程体系主要是为了解决学生的个性化发展的需求和课程的统一标准化之间的矛盾。具体课程内容的筛选有两个原则：一是满足儿童某种或多种智能发展的需求，二是课程开设时段与儿童身心发展规律相匹配。

我们的课程注重基础知识和基本技能的开发，如果没有掌握一定的知识量，创造性的思维也是不能发生的。你首先要具备一定的知识基础，然后才能够做出有创造力的一些活动。没有坚实的知识和技能作基础，学生不可能在生活和学习的情境当中创造性地解决问题。

三、课程实施

我们的学习方式主要是分科学习和项目式学习。分科学习针对低学段的学生，加强他们的基础知识与技能。项目式学习针对中、高学段的学生，培养他们的高阶思维与综合能力。

我们借助了信息化的手段开展课程，包括针对写作能力的提升平台，针对数学的游戏化的线上学习和线下学习平台，还有英语的自然拼读VR教学，以及多学科的3D资源包等等，资源相当丰富。我们在课程的实施中，从学生的真实需求出发，匹配恰当的教育技术，使课堂教学质量与效率大大提升。

四、学习评价

我们学校设置的这个测评功能一方面用于掌握学生的学习情况，另一方面是作为重要的教学工具。测评也是帮助学生学习的重要方式，当学生再遇到曾经测试过的知识时，无论当时考试时是会还是不会，大脑都会处于更加兴奋的状态。所以，我认为适量的频度测试还是很有必要的，但我们在做测试的时候要掌握好"度"。我们的测评是多种形式的，包括学前的、学中的、学后的、章节回顾的、结果性的、纸质档案的、电子档案的等。综合性的评价也有很多，如表现性评价、综合结果性评价。简而言之，香山里小学采用多元智能的测评，是以多元智能理论为基石，使用游戏化的测试任务，以机器人、平板电脑为辅助工具，对课程质量、效果进行评价。

定制式课程配置有四个步骤：基于多元理论创设的课程库、对学生实施科学测评、完成人与个性化课程包的匹配、个性化教学方案的具体实施。创新者课程体系的构建要从需求出发，为学生量身定制，实现持续迭代。

谢谢大家！欢迎大家来深圳市南山区香山里小学作进一步的交流！

技术+课程的融合与创新

广州市农林下路小学校长　吴琼

　　大家好，非常高兴来到凤城，在品尝了凤城的美食以后，在这里跟我们凤城的教育同行分享和交流我们的教育心得，我觉得非常的荣幸。

　　广州市农林下路小学是地处老城区的一所小学校，我们学校的占地面积只有四千多平方米，目前为止有36个教学班，在校学生超过1500人，可以说是一所名副其实的小学校。学校虽小，但我们的教育情怀不能小。我们一直怀揣着要做大教育的梦想和情怀，探索着信息技术与学生课程整合的高效减负的有效课堂。十多年来，我们一直在孜孜不倦地探索着。直到2010年，我们通过一个偶然的契机接触到了项目式学习这样一种非常好的教与学的方式。于是我们把项目式学习和国家课程融合起来，进行项目式课程的开发与实践的研究。几年下来，我们感觉项目式课程的确是一种实现技术+课程融合创新的比较理想的方式。所以，我今天在这里跟同行们分享一下我们的教学成果。

扫一扫，
观看现场演讲

一、学习即探究

学习即是探究的过程。项目式课程是用项目或者项目管理的理念，让学生在探索真实世界的问题的过程中设计和实施项目，然后在设计和制作项目作品的过程中学到知识，提高能力。

老师们在进行项目课程设计的过程中，首先会寻找一个与学生实际生活息息相关的真实问题作为一个项目的驱动问题，让孩子们带着这个问题，以解决问题为目的，去进行自主学习和小组合作的探究。在探究过程中，学生可以在开放的互联网上查找各种资料，然后以小组为单位探究怎么去解决这个问题，以作品的方式来呈现他们探究的结果。

在这个过程中，我们的项目课程涉及跨学科、跨年级的学习内容的整合。不管是哪一种整合，都与信息技术紧密联系，可以说技术贯穿着我们整个的学习过程，它是我们在这个学习过程里面必不可少的一种工具或手段。

二、成果即作品

学生学习的成果就是作品。学生在探究问题的过程中以各种适合解决问题的方式来设计他们的成果。比如说他

吴琼

们可以呈现一种解决问题的设计方案，也可以制作和拍摄微电影，制作手抄报，或者制作一个思维导图，甚至制作一些模型。这些都是我们的孩子们制作的各种各样的作品，也是他们的学习成果的呈现方式。这种方式可以说是一改我们过去只是用一张试卷来评价学生的学习方式。孩子们做的微电影、手抄报、模型等，都是他们在学习过程中非常乐意去完成的作品。我们从2010年开始就已经实施无作业假期、无作业周末这样的教育方式。所谓的无作业其实只是不布置学生做书面的机械练习的作业，但是动手操作的实践性的作业是依然有的。

三、成效即发展

经过几年的实践以后，我们发现项目式课程带给我们的不仅是学校的发展、教师的发展，更重要的是学生在这个过程中得到了非常好的发展。学生在学习的过程中始终保持着非常高的学习热情、良好的学习态度，因此他们在学习的过程中，能力和水平一直持续地提高。这几年来，我们学校的毕业生可以说受到了广州市不少名校，像执信、省实、广雅、华师附中、广大附中等学校的欢迎。这些中学普遍反映我们的学生到了中学以后，后续发展能力非常强。

老师和学生在教与学的过程中互相成长。老师在指导项目式课程的过程中，观念得到了非常大的转变。而且通过信息技术进行学习，老师们也在不断地提高自己的信息技术应用能力，提高自己认识世界的能力，不断地拓宽自己的知识面，以适应这种极为开放的学习方式。近几年来我们老师的观念得到了很大的变化，专业水平得到了很大的提高，我们有七位老师被评为副高级教师，其中获得省、市、区优秀学科带头人称号的就有15位。

在这个过程中，学校也得到了发展。2016年和2017年，我们连续两年作为接待教育部厅局长教育信息化培训班的现场教学点，展示了信息化应用的课堂。2018年，我们参加了教育部信息化专题调研广东省座谈会，做了小学信息化应用的汇报。我们这个基于国家课程开发与实践的学习项目获得了广东省教育成果二等奖。同年5月，我们学校作为广东省唯一一所代表学校参加了教育部举办的全国中小学教学信息化应用展览。学校近几年的发展，得到了社会各界和上级主管部门的认可。

2010年刚开始进行研究时，我们是感觉非常孤独的。近几年来，有了上级、同行们的支持和认可，越来越多的学校参与到我们的实践当中。近几年，我们接待了来自全国各地以及新加坡的同行，进行了项目式课程的分享。所以，我想在研究的道路上，我们是越来越不孤独了。

四、研究即改革，改革即创新

接下来我跟大家分享一下我们这几年来研究的过程。研究即改革，改革必须有创新。在这几年里，我们从课程改革到教学改革再到协同创新，走过了一条自我发展的道路。前两年，我们的研究已经整合成了一本项目式课程的理论性专著，今年我们又开发了语文、数学和英文三本校本教材，可以供同行交流、借鉴。

在教学改革的过程中，我们也进行了一些有益的探索。我们搭建了一个课程研究的框架。我们实施课程的时候，首先建立了由专家和管理者、专家和教师、教师和学生三个团队组成的项目团队。团队在技术的支持下进行课程的改造。我们老师在现有国家课程的基础上，研究国家的课程标准，然后把课程进行项目化改造，把它变成一个个适合项目式学习的项目包，并进行教学设计。

在项目设计的过程中，我们有几种不同类型的项目，最常见的就是以学科主题为主的一些小项目，比如语文和英语的单元学习。因为一些单元的课程学习本身就是一些相近的主题，所以我们直接把它设计成一些小项目。也有一些贯穿整个学期或整个学年的大项目，聚焦真实问题的解决，例如我们语文科五年级老师们设计的古典经典名著的鉴赏项目就是贯穿了整个五年级一个学年来进行的。

我们在教学过程中遇到的一些教学难点或重点比较难以突破的时候，老师根据这些难点和重点去设计一些与生活实际相关联的真实问题，让学生在一节课或者半节课里面去完成，这样的项目叫做微项目。项目实施的过程中以问题为驱动让学生进行探究活动，最后形成项目的成果，然后通过多个维度的项目评价，完成我们整个项目的实施。

在这个过程中，我们也探索了项目式课程的一个简单模式，也是项目式学习的流程。流程分为启动阶段、探究阶段和评价阶段。在启动阶段我们主要是以问题引领、搭建框架为主。探究阶段是学生自主研究、讨论。在评价的阶段是学生进行成果的展示，互评共进，每一次学生在形成了成果以后，会以小组合作的方式进行汇报，展示他们的成果。

几年下来，我们感受到了项目式学习的几个明显的优势。首先它把以讲授为主的传统课堂变为现在以学生的自主合作为主的课堂，这样一来学生的兴趣就提高了。传授的知识也从单一学科的知识转变成跨学科整合的知识，开阔了学生的视野。从知识的传授到问题的解决的过程，活跃了学生的思维；从记忆应用到创意物化的过程，激发了学生的创造力。

五、协同创新

在项目实施的过程中，我们也需要借助各方面的力量。首先是与高校合作，开展协同研究。在研究的过程中，我们跟华南师范大学、陕西师范大学进行了合作，还借助一些教育行政部门的优势，包括广东省电教馆在内的这些指导单位，跟我们一起开展每个学期学习主题的制定，由专家到学校来引领师生这样的方式进行协同研究。另外我们把各方面的资源，比如社区的资源、家长的资源、学生的资源等各方面的资源整合在一起，作为我们这个协同研究的方式。

最后一点是跟企业进行合作，研发我们的学习平台。在我们这个项目式学习里面，一个非常重要的技术手段就是学习平台。学校跟企业合作，我们提出需求，企业根据我们的需求来进行搭建。每一个项目的学习过程中，参与项目的老师和学生会组建成一个项目学习圈。在这个学习圈里面老师会发布驱动性问题以及支架性的问题，然后观测学生整个学习的过程。

老师们会在学生学习的过程中不断地发布学习情况的资料，发布讨论圈的结果，然后学生们会进行一些互评，浏览其他学生学习的情况。在这个过程中可以做到师生的互动，另外家长也可以进入这个学习圈里面，实时地看到自己的孩子和其他孩子在学习过程中的情况，也可以通过对比了解自己孩子的学习状态以及孩子的学习水平在班级里或者在这个学习圈里处于一种怎么样的水平。

今天跟大家分享的是我们在这几年里进行项目式课程开发的情况。经过这几年的探索，我们感觉到我们所走的路径应该是正确的，符合我们21世纪人才发展、人才培养的需求，也符合我们信息时代对教育改革的要求。所以我们非常有信心在接下来的日子携手共进，把我们的研究继续进行下去。谢谢大家！

智慧管理的迭代与更新

佛山市顺德德胜小学校长　刘宇平

各位好，我演讲的题目是"智慧管理的迭代与更新"。我将分三个阶段与大家一起分享。我把我的管理界定为三个阶段，分别是智慧管理1.0，2.0以及3.0时代。

一、回顾智慧管理1.0时代

时光倒流，我们回到16年前，2002年的9月，嘉信西山小学，也就是现在的德胜小学正式开办。作为一所全寄宿的民办学校，当时我们作为管理团队是相当有压力的。我一直都记得这样一个画面：每天傍晚，我们值周的行政人员都会在一块大黑板上面满满地写上明天的工作安排，第二天一早，我们的老师就会匆匆忙忙地来到这块黑板前面查看工作安排，效率非常低。

每天傍晚都有很多家长来学校看自己的小孩，影响了我们的管理秩序。每天都有很多家长打电话给我们的老师，询问孩子在校的情况，严重地影响了教学秩序。看到这一切，我想必须要改，必须要借助信息技术手段去改变我们学校的管理，去实现跨越式的发展。

扫一扫，
观看现场演讲

想法很多，怎么改？2002年，我有缘认识了当时北京师范大学信息学院的黄荣怀老师，黄老师的想法和我们的思路不谋而合。2003年2月，我们与北京师范大学合作签约，建立了嘉信西山小学虚拟学习社区。

学习社区给我们带来了怎样的变化？首先，它改变了学校的管理模式；其次，它改变了教学方式；再次，它架起了家校共建的桥梁。

第一，学习社区改变了学校的管理模式。曾经有一位新加盟的老师在给我的邮件上面写道：工作了17年，第一次碰到您这样的校长，一学期只开两次会，话也不多，但大家都很默契，学校的一切都能够高效、良性地运作。也许他背后的潜台词是这个校长有点懒，但是正是信息技术给了我偷懒的理由。从15年前开始一直到现在，我们的老师每天回到学校第一件事就是打开电脑查看学校的工作，包括每天的工作安排、网上报餐的情况，以及查阅当天收到的邮件。维修组的同事也会上网查看当天的维修任务，各个部门都可以从网上找到他需要的材料。每天值日的行政工作人员在下班前都会把一天的值班情况做一个小结，然后把突出的重点问题打在公告上，并加以引导。就这样慢慢地，一天一天，一点一滴，把学校的办学思想都渗透到里面去，让老师们都认同学校的办学理念，朝着一个方

刘宇平

向共同努力。

第二，学习社区改变了教学方式。首先，它拓宽了学生的学习方式。15年前，我们的老师已经习惯了在网上布置作业，当学生完成作业以后，老师可以在网上进行评价，还可以让学生之间进行互评。评价的主体从以老师为主导转变为师生之间平等的互评，更全面地反映了学生的全面素质。

此外，平台还策动了老师的教学反思。15年前我们已经要求老师把在教育教学过程中的一些心得体会写成博客发表在平台上，其他老师可以在上面加以评论，达到智慧共享、共同提高的目的。这个习惯我们一直坚持了15年，到现在老师们每个月还要完成各自的博客，然后分享到平台上面。

第三，学习社区还架起了家校共建的桥梁。15年前，QQ只有四岁，离微信的诞生还有8年，但是我们已经建立了家校共建的互动平台。我们给每个家长一个固定的账号，家长可以进入学校的平台查看学生在校的生活情况和作业的完成情况，也可以与学生、老师沟通，与其他家长分享自己的家教理念。虚拟学习社区的诞生为家校互动开辟了一个新的天地，为寄宿学校打开了一个家校互动的新模式。

有一位家长曾经在学习社区平台上发表过一首小诗，我在这里与大家分享其中的几句："如果你已经习惯了每天上班第一时间就是打开电脑／如果你习惯了发邮件而不是跑邮局／如果你习惯了逛网上商城／而不是去逛步行街／既然你已经习惯了把咫尺变成天涯／为什么不多养成几个习惯／上学校的平台与老师沟通／上学校的平台与学生沟通／上学校的平台与其他家长沟通／还可以完成你的博客。"这首小诗是2006年写的，它是我们智慧管理1.0时代的一个美好的回忆。

二、发展智慧管理2.0时代

随着时间的推移，我们的智慧管理进入2.0时代。这个时期QQ、微信群已经被广泛地使用，而我们的学习社区也在不断地推陈出新。我们借助信息化技术手段，进一步优化我们的教学管理。

我们自主开发了很多个手机软件应用于教学管理中。例如，1.0时代的选修课报名需要家长和学生报了名以后，班主任再上网输入资料，然后教导处才能够进行分班。这几年我们尝试通过手机去操作。头一两年会碰到因为网络堵车而造成服务器瘫痪的情况，但是这两年经过不断的修改和完善，我们的手机选课系统已经很成熟了。今年学校为每个年级安排了二十多节选修课，在系统开放选课时间后的五秒钟之内，大部分的学生和家长都能够顺利地选上课，这就归功于我们的技术。

我们的英语老师自主开发了英语王国学习平台，在1.0时代只能通过电脑使用，但是现在我们把它升级成手机版。只要有一台手机，无论何时何地，学生都能够进行个性化的英语学习。

在2.0时代，我们还致力于打造智慧课堂实验室的开发与应用。我们引入了全息记录技术，老师进入录播教室，只要一键式操作，系统就能把一节课完整地记录下来。课后，平台就能够生成分析数据，老师们可以把课程视频调出来进行切片分析，集体修改后再授课。

三、展望智慧管理3.0时代

智慧管理2.0，我们还在路上，还有很多的小目标等着我们一个一个去实现。展望3.0，我们能做些什么？我们应该做些什么？这是我一直在思考的问题，也是一个让人困惑的问题。我想也许会有以下五方面的改变。

第一，学校的转型——计划将学校打造成更灵活，更开放的个性教育空间。第二，管理的转型——将由经验型的管理转向基于智慧、科技的管理。第三，教师的转型——将由课堂的授课者向学习活动的设计者去转变。第四，课程的转型——课程将越来越多地变成线上和线下的融合。第五，评价的转型——将借助信息化手段，对学生进行更多样化的评价，跟踪采集学生的知识能力水平，为学生的成长提供更多的可能性。

人工智能时代会有更多的不可想象的东西出现，我们生活在这样一个大时代，我觉得非常幸运。科技进步一日千里，我们作为学校的管理者，要把握好这个时代，不论是现在的山长还是未来的山长，我希望我们都能通过人工智能的协助培育英才，不辜负这个美好的时代。

我的演讲完毕。谢谢！

信息技术赋能下的教与学

佛山市顺德区梁开中学校长　李贤锡

　　各位领导、各位同仁，上午好！今天我和大家交流的主题是"信息技术赋能下的教与学"。三尺讲台，三支粉笔，三千桃李，这是大家再熟悉不过的场景。老师也很有才，凭着一肚子墨水就可以把一个个的知识点、一道道的难题讲得清清楚楚、明明白白。这里所说的一肚子的墨水，是指老师必须具备相应的人格魅力、知识储备以及教学基本功。作为老师，在教学的过程当中，做到这些是应该的。多少年来，教育都是这么走过来了。到了今天，一台电脑、一部手机连起了整个世界，在这样的历史背景下，单凭老师的一肚子墨水以及黑板加粉笔的组合，能不能大幅度地提升学生的学习能力呢？答案不言而喻。梁开中学也在思考，在当今的时代背景下应该选择怎么样的手段来连接教与学。

一、"玩出来"的积极课堂

　　2016年9月，梁开中学开始使用云教学平台，打造智慧课堂，助力师生的发展。这是2017年我们学校承办的广东省初三数学复习课信息技术创新教学研讨会活动上吴冰老师执教的多

扫一扫，
观看现场演讲

181

边形与平行四边形一课。课室里面除了常规的教具，还有人手一台的平板电脑。吴老师点开云教学平台，同学的平板电脑上就显示出每一个同学预习的情况，包括任务完成情况统计、用时统计、得分情况统计等等。在每个同学的名字旁，还有平台对每一个同学预习情况的分层评价。上课了，吴老师根据同学们在预习中所出现的问题进行了授课调整，有侧重地进行了相关讲解，而且利用数字化的教学资源，帮助同学们掌握重点，突破难点。

听课的老师纷纷表示大开眼界，但是心里面也有疑虑，这一节课下来，学生究竟学得怎么样？这时候课堂的检测开始了，吴老师把这一节课的检测题在平台里面推送给学生。时间一分一秒地过去，课室的屏幕上显示出每一个同学所提交的检测结果，而且从这个检测结果可以看到每一个同学的答题情况。下课铃即将响起，吴老师把这节课的微课推送给学生，让还没有完全掌握的同学在下课后还可以继续学习。

这节课我们的学生表现非常棒，在"学"里面"玩"出了精彩。我们看一下同学们所展现的课堂状况：目光炯炯，这是兴趣盎然的眼神；侧耳倾听，这是聚精会神的姿势；全神贯注，这是全情投入的风采。我们利用平板电脑推送习题，学生在课堂里面争先展示。学生的自豪溢满心底，笑容写在脸上。

李贤锡

通过这节课，我们看到信息技术在教学中改变了知识的呈现方式，重构了课堂和教学，支持了差异化的自主学习，及时检测反馈，促进学生掌握重点，突破难点。

二、"玩出来"的创新素养

在梁开中学，信息技术除了与学科教学深度融合之外，还有力地促进了学生创新素养的培养。我们学校长期坚持开展丰富多彩的第二课堂活动。在电脑室里，老师用心地辅导着同学。有的同学在学习趣味编程，他们面前的屏幕不断地跳跃着各种公式和代码；有的同学在学习动漫创作，他们面前的屏幕五彩缤纷，一个个的卡通人物活灵活现。一天天、一月月、一年年，我们的同学都坚持下来了，这种坚持不仅是因为每年能取得不俗的成果，更多的是因为同学们对这项活动的热爱。

幸福来得很突然，顺德区将组队参加国际中学生资讯科技大赛，我们的学生也很想跟外国的高手比一比，检验一下自己坚持了那么久之后，现在的水平究竟是怎么样的。很幸运，我们的作品通过层层筛选，获得了上级部门的认可，得到了大赛组委会的青睐。我们的同学踏上了征程，远赴罗马尼亚参加现场的比赛。作为学校，我们当然也希望同学们能在比赛当中争金夺银，但更为重要的是，我们希望同学能够通过这次比赛去感受信息技术怎样促进创新，了解信息技术怎样影响未来。在赛场中，我们的同学通过现场作品的展示以及答辩，尽力地展示中国学子的风采，静静地等待比赛结果的到来。非常开心，最终我们获得了梦寐以求的金牌，扬威国际。

成绩永远属于过去，我们不会停止追求的脚步。在同期举行的全国中小学生电脑作品制作比赛中，我们的同学获得了四个一等奖，创了顺德区学校的新高。这一切都源于我们利用信息技术培养了学生的创新素养，让同学们在坚持中"玩"出了精彩。

三、在"变"与"不变"中展望未来

当下教育面临的一个问题是"不变"与"变"，不变的是学校的功能、老师的职责，还有我们所追求的公平与品质。我们所教的内容，教的方式、方法则一直都在变。在互联网+时代，信息技术的发展为这种"变"提供了技术的支撑，目的是获得更好的"不变"。

展望未来，我们认为信息技术不能代替老师的教与学生的学，但一定能更好地助力教学，促进学校的发展。在互联网+时代，技术一定会成为推动教育发展的推手，最起码能够为解决目前教育所遇到的困难、问题，提供一个有效的解决方案。希望在不久的将来，我们能够利用信息技术实现差异化的"教"，个性化的"学"，智能化的"管"。梁开中学在信息化的道路上已经走了很长的一段路，信息技术与教学的深度融合，凝聚着开中人的深深思考和勇于实践。我们也正乘着信息化这朵美丽的云，坚定地走向未来。谢谢！

创慧世纪，为成长插上翅膀

佛山市顺德区世纪小学校长　孟宪萍

　　各位领导、专家、同行们，大家上午好。刚才听了几位校长的分享，我很受启发。的确，智慧校园的建设要素非常多，我们可以系统地推进，打组合拳，我们也可以因人、因时、因地，去找准切入点重点突破。但我相信大家应该有一个共识，那就是智慧校园的建设最终的目标导向一直都应该是回归教育的本源。

一、机器人项目的"三多"和"三不多"

　　科技赋能下，我们聚焦的仍然是人的可能、人的发展、人的成长。在世纪小学，我们选择的切入点是智能技术的学习，并构建相关的课程。我们的主阵地是创客中心，我们在这里开设6门基于普及的、进入课表的普惠课程，开设15门基于特长、促进提高的社团课程，开设3门基于持续发展的、与初高中合作的共建课程。这三个课程让我们2383名世纪的孩子全员、全面地参与到学习当中去。当教育同行到我们这里来交流、参观时，总有人会这样问我："信息化建设的点这么多，在当下大家都在想

扫一扫，
观看现场演讲

185

大数据，想互联网，为什么你们还在做这个点？"也有人问："这些项目我们也在搞，我们会组织孩子们搞第二课堂，我对你们的普惠课和共建课很感兴趣，能说说你们是怎么设计、怎么开展的吗？"所以今天我也想借这个机会跟大家分享和交流一下。

我们先来说第一个问题，为什么选这个点？我们基于两个方面。首先是对校情的调研和分析，第二是对"新时代培养什么样的人"这个问题进行了思考。三年前我来到世纪，首要的任务就是做校情的分析，要找到学校的最近发展区。在信息技术科我发现了机器人这个项目，我也同时发现了它的三多、三不多。

哪"三多"？第一，开展的年头多。2006年我们的崔中红老师就已经在研究足球机器人和灭火机器人了。第二，获得的奖项多，国家级的奖状贴了一墙。第三，培养的孩子很多是冠军，而且他们全面优秀的也非常多。哪"三不多"？场地不多、设施设备不多，孩子们的受惠面不多。我了解到，当时每年只有8到10个孩子参与到机器人项目研究中。大家看，这"三多"让我们感受到、看到的是这个项目之前的发展非常地扎实，我们的老师非常优秀，很棒，最重要的是通过多年的实践证明了智能技术的学习项目对于孩子的成长是有积极的作用的。第一，提高

孟宪萍

了孩子们对智能技术的掌握和应用，让孩子们会用和善用智能设备。第二，能够提升孩子们的智能水平，包括认知智能、情感智能、秩序智能等等。第三，我们发现智能技术的学习可以培养孩子们良好的品性和远大的理想。这一切不正是我们新时代要培养的人才的方向吗？所以经过论证，我们发现这"三多"可以成为我们的切入点。

那"三不多"呢？"三不多"也很有价值，它让我们看到我们发展下去的方向和路径，就是要让更多的孩子参与到学习当中来，进而我们有了普惠课和共建课的思路。说到这儿，我们就来谈一谈普惠课和共建课建设的情况。我想这个问题应该是在思考新时代教育该怎样培养人的问题。我们先说说普惠课。我们是抓住三个方面来开展的，第一个是根据学生的年龄和认知特点，第二个是抓住国家课程的相关设置，第三个是充分地思考学校的场室等资源的现有情况。我们可以看一下，一、二年级的孩子们年龄小，能够使用的设施设备是很有限的，但是我们可以帮助孩子们从一支笔、一张纸、一个手掌印的轮廓开启无限的美术创想。二年级简单的科学方面的小设施，可以让孩子们走进创想的世界。我们再看三、四年级。在座的教育同行都知道，三年级信息技术课已经开了。我们开设了电脑绘画课，孩子们取得的成效也是不错的。四年级开设动漫制作课。这个要作为重点来提，因为动漫是我们大良街道的地方性课程，支持和推进很有力度，孩子们也很喜欢，我们根据实际情况还编写了一套属于世纪小学的动漫校本教材。五年级开展的是之前提到的机器人项目。为什么选五年级开设？因为经过两年信息技术的学习，孩子们可以去摸、去玩机器人了。其实，这个项目的难度非常大，因为涉及场地、器材等问题，我们非常荣幸得到了我们的主管部门的大力支持，主管部门也鼓励我们跟专业的研发团队、高校的实验室取得联系。在大家的共同努力之下，我们有了一间专门的教室，可以容纳50个孩子同时开展机器人学习，实在是太好了。在六年级，我们开设了影视与制作课程。

二、普惠课、共建课的创新与展望

开设了普惠课后，我们就一路走下去，发现孩子们有时会"吃不饱"，很多孩子展现出超前的天赋和潜能。所以我们又在思考跟更专业的团队，比如广工大的数控研究院引进很多项目，我们跟热心公益的企业去谈，给我们资金支持。就这样我们引进了无人机、3D打印、开源硬件、AR、VR等等新的技术，使之成为我们的社团课程，就这样我们走了下来。

坚持下来的六个普惠课程以及不断拓展的社团课程，让我们在实践当中有很多的体会，而这些体会往往来自我们之前的担忧和疑惑。比如说有的老师会问我，校长，我们开普惠课，那些没什么天分的小孩感兴趣吗？听得进去吗？跟得上吗？实践证明，只要我们为孩子们提供好的课程和资源，每一个孩子都会成长，都会成为更好的自己。再比如，我们对国家课程进行整合，我们要编校本教材，我们增设了一些内容，老师们消化得了吗？实践证明，只要给老师们有价值的课程，给老师们可以操作的方法和明确的目标，老师们就会全身心地投入。他们会不断地去学习，去提升和成长，成为更加优秀乃至卓越的老师。再如，我们的课程设置严谨吗？科学吗？经得起论证吗？实践证明，边实践边优化，课程也会成长。最重要的是我们不断地在践行，为每一个阶段的孩子搭建成长的阶梯。这一点太重要了，所以我们一路走了下来。

再说一说共建课。我很关注这方面的资料，比如德国的创新人才培养是阶梯状的，又如2017年5月比尔·盖茨的夫人牵引创新课程计划，把高中生带到大学去学习。各国都在思考人才培养序列的问题，我们现在跟初中以及高中合作共建课程，就是基于这样的一个角度。我们希望，虽然我们是小学，但我们要成为创新人才培养序列里基础但重要的一环。现在我跟大家说的把智能技术当作课程内容，只是1.0时代的一种应用，但是我们清晰地看到它促进了学生、老师和学校的成长。在未来，我们要走向融合创新的2.0时代，我们要做什么？我们在深入地思考创新技术在学科方面，在学生成长方面的融合和应用，我们的思路是想做创客和STEM课程。我们要去展望，相信这一切的展望能够让充满着创新和智慧的世纪校园更加地蓬勃，也希望这一切的探索能够为世纪校园里学生的每一分成长插上一双翅膀，让他们成长得更快，成长得更好，飞得更高。

希望技术的赋能可以推动教育行业的腾飞。我的分享完了。谢谢大家！

智慧学习生态系统的构建

深圳市龙岗区平安里学校校长　毛展煜

　　尊敬的各位教育同仁，非常荣幸能够在这里分享我对智慧教育的一些理解。每个人对智慧校园可能有不同的理解，不同的专家也曾经做过很多不同的论述。从2012年开始，有关智慧校园建设的维度在不断地变化。我们做了文献对比之后发现，专家们最后都聚焦在这六个方面：智慧的学校管理、智慧的校园环境、智慧的评价模式、智慧的学习发展、智慧的课程管理，还有智慧的教师队伍。

　　我认为智慧校园要借助现代信息技术手段，充分感知师生的教学行为和学习发展，通过数据的收集和分析，个性化、智能化、精准地配置学习资源、学习方式和管理模式，从而形成最佳的智慧人才培养效果，达到最大的管理效能。今天我将从以下四个方面来讲一讲我对构建智慧校园生态系统的一些理解。

扫一扫，
观看现场演讲

一、资源的整合和管理

首先是资源的整合。国家已经出台了关于智慧校园的国家标准，对"什么是智慧校园"在硬件上已经有了一个初步的、比较科学的评判。根据国家标准，智慧校园框架主要分为四个层面：基础设施层、支撑平台层、应用层、应用终端。那么一定是对这四个层级进行整合和管理才能够最终形成我们的智慧校园。我相信今天来参会的老师、校长所在的学校，不一定是所有层面都能够运作得很好，但是一定已经达到了某一层次。特别是基础层，我相信顺德的学校、我们广东的学校基本上都没问题，但是在支撑平台层和应用层大家的理解和所做的事情不太一样。

我问一下大家，在学校的管理中，是不是用了很多软件？有学籍系统管理软件、财务管理软件、教师职称评定的软件、学生的评价软件，家校联系软件，学生考勤、成绩分析软件，等等。我们每个人的手机里面也会有很多软件。那么对于一个智慧校园来说，最难的是什么？我觉得最难的是软件的背后能发生什么。

举个例子，我作为一个校长跟A公司签了协议，做了一套学习分析系统，可能若干年以后这个公司倒闭了，或者因为各种原因不合作了，我们换了B公司，那么A公司

毛展煜

的数据能不能留给B公司用？我们与不同的平台合作，不同平台之间的数据是要反复地从这个公司到那个公司，不断地去和很多人对接，还是它可以自动地生成？所以我认为在资源整合方面，最重要的就是要做到平台的打通和数据的共享，这样才能够真正产生有效的大数据，而大数据是未来智慧校园、智慧学习最重要的一个基础。

我们数据的收集可以有很多种，比如从日常平板电脑的使用，人脸识别、情绪识别等等很多先进的软件，包括我们的社会性的大数据，我认为对这些数据进行融合才是关键。又如现在我们各个教师可能也会用各种手机端的教学平台，但是这个平台的数据永远是这家公司的，学校很难完整地调用，而将来需要把它打通，这样才能够真正形成大数据，才能够用于我们的智慧教学和智慧管理。我们上面展示的是我们所理解的智慧教学的场景和智慧管理的场景，由于时间关系我就不细细地讲了。

我们学校目前在做的，是打通了数据交换平台，实现了各个平台数据的统一、实时交换。比如说我们的办公系统、人事管理系统，一卡通考评系统、图书借阅系统等等，大家可以在一个平台上进行数据的共享。我们有36个班用了平板电脑教学，每天在发生的一些事情，学生的学习行为、教师的学习效果是什么样子的，背后都有数据可供统计和分析。

二、教师教学方法的改革、创新

第二个方面是教学的变革。应该说在当今的时代下我们的教和学的整个方式，实际上已经从知识传递走上了认知的建构。原来可能以教师为中心，教师不断地去传播知识，现在我们是希望能够更多地借助学生的自主和我们的信息技术能力，让学生达到一个认知的建构。可能有些教师也知道，曾经有过一个对比实验，有个中学让一个教师和AI（人工智能）教师进行教学比赛，最后是AI教师赢了，人工智能辅助下的教学在后面的测试里面是赢了我们教师的教学。

我觉得在这个时代，我们更多的是要让学生掌握、适应信息时代的学习方法。我问一下各位，大家有没有订阅公众号？当初怎么订阅的？我往往是看到一篇文章，或者有时候别人推荐，我就订阅了。刚订阅的时候，觉得很好，我天天会翻它，后来关注的公众号越来越多，你们有没有发现自己关注的公众号看不完？我的公众号永远都看不完。

现在是处于一个什么时代？是处于一个信息或者知识过剩、海量的时代，如果你被动接受的话，永远都没办法吸收完。为此，我们需要培养学生的专注力，培养学生的搜索能力。曾经有人提出要培养学生的"搜商"，就是搜索信息这种能力的智商和情商。此外，我们要倡导学生的整体学习、深度思考，还有基于实际的发现问题和解决问题的能力。

作为一个学校，教和学的方式一定是围绕着课程的。我们学校的课程项目是深圳市13个课程体系优化项目之一，一年有50万经费资助，连续三年。同时深圳市开展了两轮"好课程"的遴选，我们学校一共有15门"好课程"，而且全部通过了深圳市的验收，每门课程可以获得5万到8万块钱的资助，而且可以面向全市推广。我们也在想，课程应该跟我们的学习方式产生一些连接。所以我们在构建课程体系的时候，基于我们的学习方式做了一个课程体系的重新梳理和构建，形成了"和·融·慧·雅"的课程体系。

同时，我们也注重培养学生的自主学习能力。目前，我们学校有36个班使用平板电脑教学，但是使用平板方面，我最反感的是为了"用"而用。我认为能够不用的，普通教学手段能解决的，就没有必要用平板电脑。不是所有的教学都一定要用平板电脑，比如，在平板电脑上抢答和我们现场举手相比，相信老师们会觉得现场举手更有气氛，而像一些分享、调查、自主、个性的学习，普通教学方式做不到的才需要用平板电脑去做。我们开展了许多探索，比如建立了个性化学习系统，每一年提供很多的课程给学生选择，学生都是通过手机端来进行选课报名的。

三、学校管理平台的优化

第三个方面主要分享的是管理的优化。一个学校的管理分为很多方面，包括教务管理、学生管理、教师管理、后勤管理等等。我们当初就碰到过和饭堂合作的饭卡公司换了，竟然连老师吃饭都会成为问题，因为那个公司换了之后后面的很多数据就不通了。所以，我们在智慧管理中，管理优化的前提是要架构一个平台。在我们学校，学校上课使用了数字化教育综合管理平台来进行数字教学，背后有全区的教育云。我们办公有自动化办公系统，有门户网、一卡通、电子班牌、考务系统、评价系统等等。我们进行家校的互动也有专门的软件。最关键的是所有这些都可用同一个账号登录，所有数据是随时可以调用的。我们是统一的身份认证，统一的应用入口，教师们在这个里面就可以做很多工作。

同时我们开发了学生综合素养评价系统，每个教师都可以通过手机端随时随地地给学生做鉴定和记录，进行奖励评价，形成月、学期、学年的综合素质评价报告。学生使用一卡通，在图书馆凭卡自助借阅，借阅的数据会反馈回来，这个学生喜欢借什么书，他每个月或者每个学期的读书量有多少，他看了什么主题的书，都会在后台有数据的跟踪。学生的考勤也是通过刷一卡通来完成的。我们学校有很多选修课，选修课的考勤是一个难点，我们通过让学生刷卡来实行选修课的考勤。如果学生缺勤，我们跟家长、学校、管理人员之间会有一个互动，会有一个提醒。

我们为全校多个班配备了电子班牌，除了把班牌作为一个文化的展示，我们还做了更丰富的运用，比如我们监考的座次表不再贴纸，全部都在班牌上展示。我们搞科技节的比赛，比赛项目的介绍，每个班里面的比赛，也都在班牌里面展示。

学校管理中，教师的职称评定工作一直是一个难点和痛点。我们学校建立了电子化的教师成长档案，实现教师任课、获奖、论文、培训、教学成果等信息的电子化，为教师的综合评估及职称评定提供准确依据。我们教师所有的信息，包括任课量都可以在这个平台上看到，他们平时的调课、请假都可以在线上进行。这样我们在对教师进行综合评估和职称的评定时就可以很准确地看到每个教师一共上了多少节课，一个学期请假多少节课，不需要每个教师站出来说，不用述职，在评价之前看一下就清清楚楚了。

四、智慧教师的作用

最后讲智慧教师。我们刚才讲到，如果AI辅助教学能够比一个真人教师教的班的成绩还好，那教师是不是会觉得很有危机感？但是事实上，我认为老师是不会被替代的，因为教师在智慧环境下已经不仅仅是一个知识的传授者。我们看一下，教师担任了很多职务，这些职务是人工智能做不了的，比如学习设计师、学习指导师、教学评估师、教育活动师，这些永远不是一个机器人或者人工智能程序能简单做到的事情。在我们学校，我们鼓励教师勇于开直播课，全国全球的学生和家长都可以看得见。我们还开展了普及培训，让种子教师来做引领。同时我们还及时给予教师一定的奖励，很好地提高了教师的积极性。

归纳一下今天跟大家分享的四个观点，我们在打造智慧校园的时候要注意这四个方面。一是资源的整合。资源的整合最主要是一个平台，要打造全方位的整合平台，丰富的资源必须采用合适的标签与应用层进行匹配，资源不是越多越好，而要清晰，要精选，要有用。现在我们上网搜，有时候只想搜一个东西，但搜到的东西太多了，多到我们都不知道哪个是真哪个是假，哪个材料才有用。二是教学的变革，要实现我们在技术支持下的育人模式以及教与学的方式的深层变革，更加关注学生的主动探究、动手实践、深层思考、意义构建和创新创造的能力。第三个方面是管理优化，主要就是要让日常和教学的管理能够自动化、智能化，同时也希望家长和社会能够成为数据共享的对象和学校建设的支持力量。最后一点，智慧教师，要让教师成为专业素养和人格魅力齐备的智慧教育者，要通过提升自身的全面素养来影响和引导学生。我相信将来有机会的话，还可以再和大家交流。我今天的分享就到这里。谢谢大家！

为学习而变："AI+"时代的学习空间重构

广州市越秀区东风东路小学校长　彭娅

为学习而变，技术将改变传统的教育，重构我们学习的空间。互联网大数据、人工智能逐步进入了教育领域，影响着教育生态和教育环境。广州市越秀区东风东路小学信息化发展已走过了五个五年的历程，每一个五年都是基于课题来开展的。

多媒体教育1.0，"九五"实验期，以网络学习、打破课堂格局、转变教师教育观念为主。

网络教育2.0，"十五"推广期，以网络教学重构学习空间，革新学习方式为主；"十一五"普及期，我们将技术的优势和传统教学的优势结合，寻求最佳绩效。

互联网教育3.0，"十二五"深化期，我们结合技术优势，从关注技术的转变到关注人的发展。

AI+4.0，"十三五"融合创新期，我们成功申报了国家教育科学"十三五"规划2018年度教育部重点课题"信息技术支撑下的TRSP课堂研究"，我们通过对小、中、大三类课堂的研究，打破时空壁垒，重构学习空间，培养孩

扫一扫，
观看现场演讲

子们的关键能力。

一、学习空间的含义

学习空间以学习者为实践主体，是学习活动的客观存在场域，具有广延性和伸张性。孩子们在学校的学习空间不仅仅停留在课室，还包括由课内到课外的延伸，线上学习和线下学习的整合，正式学习和非正式学习的交融。

二、"AI+"时代学习空间的新特征

"AI+"时代，我们要将教育目标、学习者和学习空间三者作为整体进行思考，要打破传统的将知识碎片化进行教学的格局。东风东路小学通过学习空间的打造，提出了"办有大格局的教育"。

东风东路小学是一所多学区的学校，学习空间的四个特征在学校的组织管理、跨校区学习、建设教育新生态等方面体现得非常明显。

第一个特征：灵动，创新物理布局，重组学习区域。我们的智慧教室设计了可以自由组合的课桌椅，孩子们根据自己学习的需求重组学习区域，进行自主、合作、探究性学习。

彭娅

第二个特征：个性，智能技术支撑，物联感知。在技术的支持下，我们根据孩子们自主学习的需要，设计了分层推送练习，让孩子们可以根据自己的学习情况，选择学习内容，实现大数据的精准教育和深度学习。

第三个特征：开放，我们将智慧教室、创新学习空间和泛在式进行优化融合，实现技术支撑下空间的延展和伸张。

第四个特征：生态，各空间维度融合创新，重建教育格局。无论是线上线下、校内校外、学习者与环境和技术等各个要素和谐共生。

三、"AI+"时代，重构学习空间的路径

（一）从物理空间到虚拟空间的优化融合

1. 构建云端式个性化智慧学习空间。

目前全校共建成76个BYOD（Bring Your Own Device，携带移动智能终端设备）智慧课室，全校所有的课室均是基于云端环境的个性化学习空间。通过自主开发和共享共建，学校形成以国家课程为基础的资源"智库"。

我们开展学科思维课堂，老师通过面向真实生活创设问题情境，开启整节课的学习。学校在云环境下进行自主合作探索的研究，培养孩子们的整体性思维能力，通过思维导图等工具提升孩子们的高阶思维能力。

我们获得国家立项的TRSP三类课堂分别对应三类学习空间：基于问题解决的思维（Thinking）课堂、基于跨学科融合的研学（Research Study）课堂、基于社会现象的实践（Practice）课堂。其中基于问题解决的思维课堂是国家课程，国家课程中的音体美是以课程超市的形式来开展的，孩子们在网上选课，然后进行走班教学。

2. 探索"创客梦工厂"。

我们学校有"创客梦工厂"，如劳作室、机器人室、

智能图书馆等等。"创客梦工厂"所使用的"智能学习拼桌"是由我们学校的陈柄吏同学设计的，已申请了国家专利。陈柄吏同学在上创客课的时候发现桌面的东西太多太杂了，不方便操作，于是他就设计了具有收纳显示屏和其他物品的功能的桌子。这种桌子还可以进行重组。在创客课程上，教师引导孩子们在做中学，玩中学。

3．建设智能"共享"图书馆。

我们建立了广州市儿童图书馆的分馆，借用了广州市通借通用的平台，同时通过刷脸识别、语音识别等方式来提高孩子们的好奇心和兴趣，孩子们愿意借阅图书，这就大大提高了图书借阅的阅读量。同时我们还通过AI技术记录了孩子们的阅读轨迹，并以此为基础进行智能的书单推送。

（二）学习空间从学校到社会的拓展延伸

1．研学课程突破学校空间边界。

东风东路小学的研学课程是如何突破学习空间的？我们将每周两节的综合实践课程集中到一周进行教学，根据孩子们感兴趣的社会现象和生活现象，师生一起研究，定出主题，比如已开展的从一年级到六年级的研学主题有：可爱的我，岭南佳果历险记、垃圾变形记、坐上地铁去旅行、奇妙的建筑、神秘的星空"北斗"。

研学课通过小、中、大不同的课时，以及老师相互之间的合作教学、跨学科融合，培养学生爱科学、学科学、用科学的精神，同时培养学生认识自我的能力。研学课程主要是落实核心素养的自我发展方向。

2．实践课程展开社会对话。

我们开展了诚信进课堂、健康进课堂、职业进课堂、法制进课堂，把社会专业人士请到学校来给学生授课。另外，我们还带领学生到何镜堂院士工作室、海格通信、科大讯飞开展研学。

3．建立"三位一体"的创新机制。

我们还建立了校内、校外、互联网"三位一体"的创新学习机制和学习空间。

（三）从认知到情意的螺旋式发展

学习者意识的自我建构与发展实则是发生于学习者的头脑里，即精神场域当中。从认知到情意是呈现一种螺旋式上升状态的。老师教给学生知识后，学生在老师的指导和要求下会去记忆、去行动，那么如果上升到情意的状态，学生就会自发主动地去学习，而不是在外力的推动下去开展。

我们构建了支撑小学生"伴随式"德育评价的平台，运用大数据实时记录成长轨迹，正向引导孩子们养成好习惯，培养良好品德。"伴随式"德育评价平台围绕围绕"爱国、诚实、勤奋、尊重、自信、创新"六大品质，构建东风东路小学学生评价指标体系，生成学生行为的"雷达图"，根据雷达图反映的情况，学校和家长配合帮助孩子们取长补短。建立学生德育档案，学生从自己的轨迹中进行自我观察和自我判断，进而自我反应，在知、行、情、意的品德形成过程中，德育行为最终实现从他律走向自律。

AI+时代，我们通过信息技术在德育领域进行融合创新，实现"立德树人"的根本目标。我们的目标是五育并举，培养尊重、自信、创新的优秀东风东人！在全校师生的共同努力下，东风东路小学获得了诸多荣誉。我们出版了专著《AI+学校——面向2035的学习空间与教育创新》，教师团队撰写并发表60余篇相关论文。2015年起，东风东路小学信息化教学成果推广辐射区域分布于广东、江苏、陕西等省份，惠及学校18所，直接受益教师约2300名、学生约43000名。

"变革已至 未来已来"，让我们共同携手，共同创造教育的美好未来！

人工智能陪伴成长

广州市荔湾区西关培正小学校长　简建锋

2017年，对于已经拥有128年办学历史的西关培正小学来说，有了一个新的起点——凯粤湾新校区。新的校舍、新的校区如何在深厚的文化底蕴中，把西关培正小学推上新的征程？这引发了我的深思。

这是一所未来的学校。关于未来学校有很多好的办学观念、办学思想可供借鉴，比如新加坡、台湾地区，他们对于未来学校着眼于把校舍建设得更人性化，孩子们去到学校就可以体验到家的感觉。又比如美国、英国，从课程体系、教学内容当中改革，倡导未来学校的创新和人文关怀。对于我们的未来学校，我思考得更多的是这样一个主题——"家"的一种感觉。

我们很多家庭的孩子都是独生子女，比较孤单。他们需要有陪伴、有朋友，所以我想将来的学校要带给孩子们的是陪伴和成长。关于如何建设未来学校，有两个新的概念。一个是阿里巴巴集团的马云说的"未来30年是一个超速的时代，如果我们在教学方法中不改变，我可以保证，30年后，我们的孩子毕业后是找不到工作的"。这给我的思考提供了一个信息。

扫一扫，
观看现场演讲

另一个是教育部印发了有关新一代人工智能发展规划，里面提到了教育要引进人工智能，这已经是不可逆转的方向。"人工智能"是一个新的概念，为我们教育未来的发展提供了新的机遇和挑战。

人工智能陪伴成长需要有一些条件和基础。首先，每位孩子必须有一个ID身份，就像我们的身份证一样，确认他是独一无二的。这个ID认证的技术现在已经具备了，我们可以利用智能手环进行认证。其次，互联网。互联网是非常强大的互动平台，它能把所有的信息、所有孩子的表现都融合在里面。互联网也提供了这样的一个平台，一个发展的条件。最后，大数据平台分析。大数据平台分析可以把手机、电脑里的所有资料、所有的数据进行处理分析、进行综合的应用反馈。目前大数据平台也基本能够建立了。

以上条件都具备了，我们如何将这些条件、资源整合，变成学校未来发展的一种技术？这是学校在运用人工智能时需要解决的问题。

简建锋

在我看来，主要包括以下几个方面：

首先，人工智能帮助学校进行管理和提醒。学生佩戴智能手环，智能手环记录着学生进出校门的整个轨迹，为学校、家长了解孩子上下学的情况提供了很快的反馈和跟踪。学校有一些危险的场所，比如一些化学实验室，学生不能随便进去，需要教师陪伴才行。如果某个学生不知情跑进去了，就会有一个电子的声音及时提醒他，让他远离危险，这是一种陪伴的提醒。还有，学生想去图书馆借阅他们喜爱的书，但图书馆的书那么多，如何及时有效地借阅？这时，他们可以自己向人工智能陪伴者提出要求，他的陪伴手环就会给予提示，并提供满足要求的图书。这属于基础的应用领域。

人工智能的第二个层次，就是可以帮助和推送信息。比如在课堂上，同学们在分组讨论，人工智能手环可以把整个组中所讨论的问题传送给老师，方便老师及时反馈。如果孩子遇到困难，智能手环也可以及时给予帮助，比如孩子佩戴了这样的智能手环，回到家里学习遇到了困难，可以向手环反馈，智能手环作为陪伴者就会提供帮助和进行信息推送，孩子就像多了一位老师在身边陪伴一样。

另外，人工智能还可以提升孩子的学习能力。比如在整个学习过程当中，学生某一天到了学校的科技馆，觉得这个场所非常好，第二天、第三天继续去，之后我们可以发现，原来孩子特别喜欢科技类的项目。通过了解孩子的学习兴趣，人工智能将在孩子学习过程中推送相关的书籍和信息。如此，孩子在成长过程中就可以得到很大的帮助，获得比书本知识多得多的信息资源。

给孩子戴上手环的同时，学校还可以利用人工智能技术进行更加准确的跟踪和数据的录入。这是一个新的技术应用，只需要通过声音，就可以帮我们准备一些信息推送给对方，然后及时地把信息进行列举和呈现。这些技术很简单，现在已经有许多地方在应用了，只是深入教育领域时，我们还需要进行精细应用和深度处理。

人工智能的第三个层次，是可以通过分析和记录促进教师个性化教学。早期的传统教育是一个教师面对几个孩子，因为面对的孩子比较少，甚至可以做到一对一的教育。到了工业革命后，一位教师面对的是几十个孩子，要求每一位教师真正实现因材施教或者个性化教学，其实比较困难。如果我们有了人工智能的陪伴，所有孩子的学习情况可以作为信息进行记录，推送给教师，教师可以及时地对数据进行分析和分享，由此可以了解到孩子每一方面的情况，从而进行因材施教，对他们施加个性化教学。除此之外，这种推送、分析也可以使家长了解到孩子在学校的各种表现，从而做好相应的家庭教育和教学辅导。

有了人工智能陪伴后，我们可以及时了解信息，更好地知道孩子的具体表现，由此这种分析和记录变得更加重要。试想，这种分析和记录如果从小学一年级入学开始做，孩子所有的学习历程、过程有了这样的记录，到他成长以后，他将得到专属于自己的人生成长档案。这样一来，他上大学以后选专业或者到了找工作的时候，评价的依据就不再是某些老师的一种主观意愿的认可，或者是有些用人单位的主观的认可，而是完全可以通过数据分析。这样，我们了解到这个学生的能力所在，兴趣爱好是什么，为科学选拔人才提供了更多的信息和依据。这正是人工智能为我们带来的优势。

当然，这仅仅是教育中的一个开始，还有许多要做下去、研究下去的内容。我们有信心去迎接人工智能为未来学校带来的新的机遇和挑战。谢谢大家！

智能时代与智慧教育

广东省深圳市南山区文理实验学校（集团）总校长兼党委书记　吴希福

今天我们谈到智能教育和智能时代，一定要知道，世界发生了什么。我今天想通过五个部分和大家分享：一是智能化建设背景分析；二是智能化发展基础设施；三是智能化资源广泛应用；四是智能化人才培养策略；五是智能化探索思考与展望。

一、智能化建设背景分析

1983年邓小平同志提出的"三个面向"，其实已经奠定了中国教育的基本走向。以色列作家尤瓦尔·赫拉利写的《未来简史》提到人工智能和生物科技可能即将彻底变革人类社会和经济，甚至是人的身体和心智！

2018年的《军事瞭望》报道美国将在2020年建成太空部队。中国、日本、欧盟等开发自己的导航系统。从2015年开始，中国就发布了一系列与人工智能有关的国家政策，我们正在从4G时代走向5G时代，而未来也是智能化的时代。

我们知道人工智能（Artificial Intelligence，简称AI）正在影响我们的生活，机器学习、深度学习、大数据等人工智能相关术语也越来

扫一扫，
观看现场演讲

耳熟能详。

作为学校和教育工作者，我们一定要高度重视智能化给教育带来的影响。第四届互联网大会上有专家指出，教育在大数据技术与理念的冲击下正在发生一场静悄悄的革命，教学范式的转型成为这场革命的先导和核心。

我们再来看看技术的智能性以及教育的科学性的发展进程。在农业时代、工业时代，基本上是经验模范的教学范式；到了信息时代，是计算机辅助我们的教学范式；而进入大数据时代，是数据驱动整个教学范式。

今天的教育要思考培养什么样的人。我个人认为未来真正的核心素养有两个：一是创新能力，二是合作能力。我所在的学校的办学理念是跨界融合，这也是互联网+的六大特征之一。互联网+有以下六大特征：跨界融合、创新驱动、重塑结构、尊重人性、开放生态以及连接一切。这些特征都能在我们的教育教学生活、教育创新当中找到一些具体的阐释。

二、智能化基础环境建设

人工智能发展是需要信息化基础的，就学校的智能化教育而言，首先要有移动设备。像我们学校每个老师除了

吴希福

206

有一台个人电脑以外，还有一台iPad（平板电脑）。其次是要构建教学环境，信息技术与教室的深度融合，以构建全新的教室学习环境来提高学习质量和效率。第三是要有完善的网络设施，无线为主，有线专用，移动网络为补充，为海量资源存取提供安全高效的网络环境。第四是要有丰富的资源系统，我们学校搭建了文理云、线上错题管家、成绩云等平台，很多老师和班级有自己的公众号，各类学科数字平台实现资源的共享和大数据的收集。第五，要有人性化、精细化、高效率的管理、服务系统。

有了以上五方面的硬件设施，我们还要重视不可忽略的基础——人。如果一个学校的校长和他的团队不懂信息技术，也不知道世界发生了什么，我想这所学校的智能化教育发展是会受到制约的。所以，首先要打造智能化管理团队，这非常重要。管理团队要做好自己的定位，在观念上要跟得上信息化的发展，要为学校的智能化发展做好规划、策划、筹划。有了管理团队还不够，我们必须要建立自己的技术团队，技术团队负责引进、筛选、开发资源，给老师们提供广泛的服务。接下来就是应用团队，我们应该如何去学习、去思考、去融合、去创新，应用团队的人可以发挥非常重要的作用。最为关键的是，新信息化发展走到今天，一定要建立出信息文化、智能文化和创新文化。

三、智能化资源广泛应用

技术一定是为学校的教和学服务的，在智能化的应用体系上，我强调以下四个方面：教师、学生、校务、教务。应用的特色是去中心化，这是今天的区块链的一个最重要的特征，所以未来我们不是以校长为核心，也不是以教导主任为核心，也不是以某一个领军人物为核心，谁发挥重要作用，谁就是核心。

另外，智能化应用特色还表现为以下五个方面：首先是不可代替性。第二是增加趣味性。第三是"拿来主义"，我们学校为师生购买各类学习资源账号十余款，这些我们可以"借力"，不一定全部自己开发。第四是按需制定，互联网是开放性、多元性、自主性的，我们可以按需定制，老师们想用什么就用什么。第五是精准服务，通过大数据的采集、分析功能，助力教学精准决策。所以，智能化应用可以重构课堂文化，让技术与学科教学相结合，解决传统教学无法解决的问题。

四、智能化人才培养策略

智能化人才培养的国际发展趋势是以推动科技创新为核心，充分激发创新活力，提升信息素养，发展计算思维，强调数据意识，培养创新能力和信息社会责任感。

新的时代，国家对人才培养也提出了要求。《国务院关于印发新一代人工智能发展规划的通知》指出要实施全民智能教育项目，在中小学阶段设置人工智能相关课程，逐步推广编程教育，鼓励社会力量参与寓教于乐的编程教学软件、游戏的开发和推广。

在我看来，要进行智慧教育、信息化教育，不仅仅是依靠工具，更重要的是一种思维。现在很多学校都设置了"创客课程"，我认为这是非常好的尝试。创客也是人工智能很重要的方面，创客文化与教育的结合，是基于学生兴趣，以项目学习的方式，使用数字化工具，倡导造物，鼓励分享，培养跨学科解决问题的能力、团队协作能力和创新能力的一种素质教育。以我们学校为例，我们有3D打印社、机关王、scratch动画设计、Python编程社、C++编程社等创客课程，这些课程不仅仅是学习工具的使用，更重要的是培养学生的创造思维。

作为基础教育，在人工智能教育上，我们不需要做到多高深，我认为主要还是普及和培养学生对新科技的敏感度和创新意识。但是，学校在开展智能教育的过程中是不是这样？不见得！我作为广东省督学，在调研的过程中发现很多学校请了企业的团队帮忙搭建信息技术版块，然后去参赛、去获奖，但其实师生参与度不高。我个人认为教育一定要像陶行知说的，一定要"求真"。在发展信息化教育的过程中，我们除了要借用外力，更重要的是培养老师和孩子的智能化素养，让他们慢慢积淀，有一天他们终将爆发。

再说到一个比较有争议的话题，就是孩子们热衷于玩游戏，到底该不该禁止他们玩游戏？如果孩子们通过游戏或者一些小应用入门，学习这些技术，培养创新意识和计算思维，我们需要鼓励，但怎么发展、生成更有用的落地作品呢？可能很重要的是要培养孩子们的社会责任感，让孩子们有发现社会中存在问题的眼睛，用技术尝试解决这些问题。

五、智能化探索思考与展望

信息技术有三大重要环节。第一，融合是大趋势。全世界的高科技技术都是你中有我，我中有你，我们要不断地吸收别人先进的东西，然后创造出自己的东西。第二，应用是大道理。无论多么先进的技术和程序，我们不了解、不会用，那也谈不上创新。第三，创新是大发展，是核心。过去的学校就是以教会孩子应用为主，但我们今天的教育除了应用以外，一定要让孩子动手去做、动脑去思考。另外，我们的校长、老师、家长应该走出去看一看，了解世界发生了什么。

那么怎样做好智慧教育？我认为必须要做好教学设计，因为课堂是主阵地，教学是最主要的环节。说到教学设计的原理，我们要注意以下几个方面：教学系统导论，学习和教学的基本过程，教学的输入、输出等系统，并且要进行更深刻的探讨。一个真正研究教育的人，一个真正指向未来的人，一个真正有思考的教育工作者，必须要有系统论、信息论和控制论这三大理论来做指导，否则我们获得的知识都是碎片化的，不成系统的。最简单来讲，就是我们必须要了解国家的政策方针、课程标准、教材等等。

我们再来看看教学管理的发展进程。工业革命时代是科学管理，解决的是解放劳动生产力、提高生产效率的问题。信息革命的时代，解决的是系统化、智能化、数字化的问题。后信息化革命时代，解决的是人与人、人与物、物与物之间的关系问题。所有的这些都是靠技术在往前驱动的。

在教学范式的1.0时代，基本上是教授学＋印刷术，也叫做教刷术的时代。2.0时代是"老三样"：黑板、粉笔、课本，后面又出现了新四样：电脑、网络、白板、多媒体。这时候是以教师与知识为中心的课堂教学结构，学习者在整个教学过程中被动接受知识的地位未得到显著性改变，但相比经验模仿教学范式，学习者已经开始体验和参与知识发现与探究的过程。

进入教学范式3.0时代，我们今天的教学媒介、教学者、学习者、教学内容等要依据教育大数据分析开展，我们需要了解孩子学习的需求、学习进度、个性特征和学习过程当中遇到了什么问题，以及我们该如何去分析、去监控，这可能都是未来的趋势。

未来的教学模式应该是科学化、精准化、个性化和智能化的。真实的教学数据不会说假话，它会赋予教师"显微镜"式的观察能力，以及"望远镜"式的预测能力，这就是大数据分析给我们带来的一种判断。所以，从数据的分析、特征的发现、智能的干预，到最后才进入互联网＋时代的个性化教学。

在这里我还想和大家分享两个观点。第一，在智能化时代的智慧教育，首先要有"聪明的脑"，是指我们的老师必须要专业、专注，并且勇于创新。那么这就需要我们关注三个问题：教育科研、教学范式、教育技术，这是支撑智能教育发展必不可少的因素。第二，要有一颗"温暖的心"，这种"心"是一种尊重、一种倾听、一种激励，我认为学校要建立这种温暖的文化。

讲到这儿，我突然想到这样两个字，"人"加"山"是什么？是"仙"，"人"加"谷"是"俗"，这两个字的意思就是说，高度不够的话，看到的都是问题；格局太小的话，纠结的都是鸡毛蒜皮。所以，今天我们在探讨智能时代和智慧教育的时候，如果还为一些鸡毛蒜皮的事情耿耿于怀，浪费太多时间的话，那就说明其实我们还没有进入这个时代。

再好的教育也比不上人的内力觉醒。我们做教育要想着为了学校、教师的发展，为了孩子的成长。在我们学校，无论是教师还是学生，我们从唤醒他们的内在动机出发，让他们找到特长、兴趣、梦想，从而自觉地去地进行自我提升和总结，我想真正的教育就应该是这样子。

欲变世界，先变其身。不同地区的不同学校起步、条件、环境都不一样。也许有人会说，深圳经济实力雄厚，学校好、老师素质高，教育资源更占有优势，我认为这些固然重要，但并不是最重要的，最重要的是我们能做多少，我们就做多少，不断地往前走，我们才能够到达理想彼岸。如果我们一味地抱怨，一味地依靠，一味地懒惰，可能什么也做不到。

所以，现在凡是有学校组织老师到我们学校里参观，我就问他们三个问题：第一，你有兴趣吗？第二，你听得懂吗？第三，你回去愿不愿意实践？有的人觉得出去交流的时候，就是转一转，看一看，聊一聊，但到我们学校就不是这样的。记住这三点，参观完之后一定有收获。欢迎大家到文理实验学校（集团）来参观。谢谢大家！

基于智慧校园的教育教学改革

广东省基础教育与信息化研究院副院长　林君芬

什么是智慧？"智者，识其相，慧者，明其理"，真正有智慧的人实际上是有洞察力的人。

那我们如何用技术使教育更有洞察力呢？我给大家分享一篇孟增辉先生写的文章《知识定义及其转化研究》，这篇文章非常值得我们从事教育信息化或者智慧校园、智慧教育研究的同行们去读。

我们将更多的形式化知识传递给孩子，孩子们就会拥有更多的智慧吗？不会。我们用技术堆起来的教育体系，是不是就有了教育的智慧呢？也不是。我们现在都讲大数据时代，那所有的信息和数据能产生智慧吗？也不能。只有当形式化的知识通过信息化变成个体的知识，并且用个体的知识来改进一个人的行动，转化为个体的价值观，这时候的知识才变成你的智慧。

因此，我们在探讨智慧校园的时候，要超越技术的架构去思考，努力利用技术让知识、数据、客观世界与个体以及个体的价值观发生关联，改进人的行动，形成个人的价值观和思维方式，这就是我们做中小学智慧校园指南的

扫一扫，
观看现场演讲

基本立场和出发点。

那么智慧校园和数字校园的区别在哪？我们先来看看这两者有什么样的特点。数字校园强调以应用为导向，以系统集成为主，规模化应用，互联互通。智慧校园以服务为导向，智能泛在化了，注重的是融合创新，不再是简单的应用，而是以创造为主，另外，教育信息化把教育的封闭体系给打破了，变得更加开放协同了。所以说，智慧校园是教育的系统变革。

联合国教科文组织发布的《教育2030行动框架》里提出了五个"更加"：更加人本的、更加适合的、更加开放的、更加平等的、更加持续的教育。显然当下现有的教育想要做到这五个"更加"，还需要作出非常多的努力。那么我们如何用智慧校园来解决这些问题？

我们提出了这样一个智慧校园的建设框架，这是我们广东省本土化的智慧校园建设框架，包括以下几个部分：智慧学习环境是基础，知识共享服务体系是关键，智慧应用是核心，特色创新是标志，智慧型人才培养是目的。在这个过程当中，我们希望学校能够形成自己的教育品质。

物联感知的智慧学习环境，是可感知、可分析、可干预、可自愈的，包含智慧教室、创新空间、泛在学习中

林君芬

心、物联校园等方面。知识共享服务体系是集约、体系、开放的，这是一个个性化的网络学习空间，提供体系化的优质数字教育资源服务，是一个协作学习社群。智慧应用是一种模式的创新，包含智慧教学、智慧教研、智慧治理、智慧服务、智慧评价等各个方面。

我们这次在做智慧校园指南的时候，花了非常多的精力，希望构建广东基础教育课程改革和教学方式改革的一条路径，就是说我们智慧校园的建设要把空间、教与学方式以及课程打通、联通。

那我们就构建了这么一个体系：四类学习空间（智慧教室、智慧教室+网络学习空间、创新实验室、泛在学习中心），支持四类教与学的学习方式（互动式教学、探究式学习、创造式学习、开放式学习），以及四类课程（基础型课程、拓展型课程、创新型课程、开放型课程）。

那作为校长如何做好智慧校园的建设？我在这里提供四种解决方案的思考，也是四种可选择的路径。

第一种路径是建设面向教学质量提升的智慧校园。教育的痛点在哪？每个孩子的痛点问题在哪？怎么样才能有效解决每个孩子的痛点问题？我们得精准地找到那个人，为他提供适配的个性化学习，我认为这就是痛点。而解决痛点的方式有很多，条条大路通罗马，关键是要选择适合的那条路。目前大多数人选择的学习方式是基于学习分析的掌握式教学。这是一种被动的学习，以学科知识为基础，适应和接受周围的环境，主要的学习结果类型是掌握基本知识和技能。

技术支持下的高效智慧课堂要求我们必须要有数据思维，有了数据，课堂生态一定要改变。改变成什么样的生态？比如说老师从"你说得对，请坐下""你说得不对，请再想想"，变成"你为什么这么想？""你有什么看法"，引导学生发表自己的见解，这样的一种课堂生态也会推动学生思维品质的改变。

面向教学质量提升的智慧校园要有100%实现交互式

的智慧教室，部分一对多式的智慧教室，在知识共享服务体系里面，我们要实现国家课程的数字化的推送。另外，我们还要有一套学习分析系统，要全面实现基于学习分析的掌握式教学的互动教学。

第二种路径是建设技术赋能教育的智慧校园。赋什么能？这里我希望大家关注的是教育品质，那么教育品质的锚点是什么？我们要看到教育4.0：从三维目标到核心素养，核心素养提出来最大价值的贡献是什么？是从"把一个孩子从一个知识和技能导向、工具理性的人变成一个全面的人、全人格的人"来考虑，因此我们要从自主学习、文化基础和社会参与这三个要素来思考学生可以怎么发展。这就要求在选择学习方式的时候，应该是基于情境的体验式学习和基于问题的探究式学习，学生可以主动参与和探究，嵌入已知情境和问题情境中。这可以培养学生的技能和价值观念，培养学生的思维、能力和品格。像我们现在有的学校实行的"面向高阶思维的问题设计"实际上就是基于问题的探究式学习。

技术赋能教育的智慧校园首先需要有100%的网络学习空间，还需要逐步推广BYOD。第二，学校要在国家课程的基础型课程上，构建出自己的拓展型课程和少量的创新型课程以及互联网+课程，还可以创建基于SWOT（态势分析法）的走班选课，满足学生的锚点。学生有自己的锚点，你没有办法去回答某一个学生的锚点是什么，所以要让学生有得选择。也就是说，在技术赋能的智慧教育里面，要有选择性。

第三种路径是建设未来面向创新的智慧校园。如果说前两类更多的是关注当前能够给学生什么，那么第三类学校的教育设计应该是指向孩子的未来发展。我们需要找出教育理想的奇点。奇点是什么？在数学领域，奇点就是不可知的。我们可以看到互联网世界带来的是"知识巨塔"。两个人交互只能两个人分享，当出现第三个人的时候，就不再是平面的。大家想想，如果是十几个人一起，那能产生多少知识连接？这里面就会产生出大量的不可见的、跨界的知识。我们带给学生的到底是什么？美国心理学家霍华德·加德纳写了一本书，叫《奔向未来的人》，提出了多元智能理论。他提到5种心智能帮助你自如应对未来社会：学术专业之智、综合统筹之智、开拓创新之智、尊重包容之心、责任道德之心。

未来面向创新的智慧校园的设计，我们更多需要的是什么？是一种新的学习范式：基于项目的创造式学习，这是一种主动的学习，要培养孩子的学习能力、解决问题的能力、创新能力和合作能力，因此需要我们的课程进行结构化的调整、体系化的重组，也就是课程不再是满足选择性问题，而是着力于培养能够面向未来的创新型人才。我们的学习方式开始转向跨学科学习和基于项目的创造式学习。

未来面向创新的智慧校园要有互联网+协作社群，BYOD大面积甚至100%覆盖，在基础型课程的基础上，学校要构建出自己的拓展型课程、创新型课程和开放型课程，同时实施项目式教学，要注重跨学科学习，要有"2+多"：泛在阅读、校史中心+多个创新学习空间。

第四种路径是面向系统变革的智慧校园。对于这种智慧校园，我们需要找到教育发展的拐点，拐点指的是教育发展的思维方式。我们的教育不再局限于学校内部，而需要向社会打开，也就是说把学校的教育作为整个社会的子系统来考虑，而不仅仅是学校本身。在这里，我举一个成都一所学校的例子。这所学校的校长提出这样的一个理念，叫"10万学子上名校"。他是怎么做的？他让老师把最好的、最得意的课程上线。上线干什么？让农村的孩子们有机会观看。他要让老师用一种大的格局，用一种大教育的情怀去从事教育工作。这种大情怀、大格局会给孩子们带来什么影响？教师在共享的过程中会创生出新的教育智慧。这就是我们所说的互联网思维，共享共创共生。

还有上海的一所学校，它改变学生的学习生态，让孩子特别愿意到学校来。学校在课室的桌子、椅子上放了很多任务二维码，学生扫一扫就可以根据提示去做任务，去玩，去体验，学校就是实验室，就是博物馆。这样的学习打破了空间的界限，学习不仅仅是在教室发生。我们认为，这就是把学校变成了场景化的学习空间。上海这所学校的做法，值得我们学习。

广东省教育厅正在推动"爱种子"教学改革行动，就是用互联网的思维，聚合了政府部门、学术机构、相关产业以及名校·名师的资源，构建"爱种子"教学模式。这种模式是基于互联网时代的教学新范式和学习新范式的基础构建起来的，希望能够让学校体系化地推动教学改革，也就是要用技术思维、技术力量来撬动我们教育的供给侧改革。

而面向系统变革的智慧校园，是100%的物联网，要有100%的基础型＋拓展型＋创新型＋开放型课程，要面向社会空间的开放学习，还有就是要基于大数据的教育治理。

各位校长，技术总是向前发展的，技术发展的速度也远远超出我们的预期，而预测未来的最佳方式，就是创造未来。我们期待现在的这些孩子们不是一群注意力不持久、不会与人交往、被宠坏了的、对屏幕上瘾的年轻人，而是能够成为用革命性的新方法去思考、工作以及社交的新鲜生命，这是我们教育的使命。

第七章

尊重学生的个性化发展

学校教育当下的需求/陈　晓

在学校，遇见未来/陈秋兰

守候差异，适性发展/黄丽芳

「善正教育」激扬学生生命张力/吕　超

最美课堂在懂得/韩宜奋

学校教育当下的需求

越秀区教育局党组成员、副局长　陈晓

各位领导、各位教育同行，大家下午好！

在开讲之前，我想分享我昨天看到的新华社的一个报道：伦敦地铁推行无性别问候，把原来的"女士们，先生们"改为"大家"，其目的是为了让跨性别的人士不被排除在外。这是伦敦市市长为了表现这个城市的包容和文化的多样性所做的改变。近年来，英国学校已经倡导把原来的"男孩子"和"女孩子"改为"大家"，目的同样是尊重和包容跨性别者。

这个新闻给予我的启发是，当今的社会环境越来越尊重个体、提倡包容和个性化。在这样的大环境下，当下的教育应该做什么？我跟各位分享三个观点：学校的教育要更公平，学校的教育要更科学，学校的教育要更广阔。只有这样，学校才能培养当代社会所需要的人才。让学校教育更公平，其目的是关注个体；让学校教育更科学是为了让我们遵循规律；让学校教育更广阔是为了让我们的教育能够面向未来。

陈晓，演讲时任广东省广州市越秀区东风东路小学校长，广州市越秀区教育局党组成员、副调研员。

扫一扫，
观看现场演讲

219

为什么会分享这三个观点？因为我们的社会已经个性化和多元化，同时我一直认为这种个性化的程度能反映社会的发展程度，而教育是对人进行工作的，而人无论是长相、气质、性格，外在和内在的条件都是最具个性化的。那么，面对这种个性化，实施个性化的教育就变成教育工作者共同的主题。

第一，让学校教育更公平。其实，在两千多年前，孔子已经提出了个性化教育的目标——因材施教。但是，当下在我们这种大班教学，教材统一、教学模式统一的前提下，我们如何因材施教，如何做到教育的公平？

学校教育的公平分成两个领域：共享性的公平和差异性的公平。就东风东路小学而言，我是2009年2月任东风东路小学校长的，到2017年已经有九个年头。关于共享性公平，东风东路小学提出让每个孩子都成为优秀的东风东路人。而差异性公平，就是要尊重个体的差异和尊重他们的禀赋。

如何实现共享性公平？以东风东路小学为例，结合核心素养的架构体系，我们构建了做一名优秀的东风东路人的培养目标，从几个维度实现共享公平，在文化基础、社会参与、自主发展三个层面希望每个孩子都能成为一名优

陈晓

秀的东风东路人，希望他们在学校的六年中能培养必备的品格和关键的能力。

接下来，我想谈谈差异性公平。上个月我买了一个电子炖盅，原来用一个大炖锅，一家人只能喝一种汤品，但是现在买的电子炖盅里有几个小炖盅，每个人可以根据自己的需求来选择煲什么汤，一家三口每人都能喝不一样的盅汤。从这里，我思考在学校如何让孩子们也能享受这种个性化的服务。

微信上有两张非常火的图。第一张图中三个人的身高不一样的，我们提供相同高度的砖给他们，但是他们看到的仍是不一样的风景。第二张图是同样的三个人，根据不同的身高给他们提供了不同高度的砖，看似不平等，但是却让每个人都看到了一样的风景。

我们更容易忽略的，是学校教育中的这种差异性的公平。

实现差异性的公平要从态度上尊重差异，发掘学生的禀赋与特长，然后满足每个学生发展的需求，从而实现素质教育提到的"两全"——让全体学生全面发展。其实现在的核心素养只是素质教育的螺旋式上升，素质教育提到的是让全体学生全面发展，核心素养提到的是让所有的孩子都有必备的品格和关键的能力。

就东风东路小学而言，我们如何关注这种差异性的公平？首先，一定要植根于课程，因为孩子的成长一定是通过课程实现的，所以我们建构了在云环境下的德育课程、学科课程、超市课程，其目的就是通过课程让每个孩子成为优秀的东风东路人，最终提高其核心素养。

下面我想跟大家分享的是超市课程。一看超市，我们都很容易理解，就是你需要什么就拿什么，我们做了这样一个尝试。从2014年2月起步，一直走到2015年9月，已经实现了三大学科的课程超市开发。音乐方面，四、五、六年级的孩子每周会有2节由学生自由选择的音乐课，美术课与体育课也采取了同样的方式。这个学期开始，我们将会把科学和信息技术两个学科同样以课程超市的方式推送给孩子们，孩子们可以根据自己的兴趣爱好选取自己喜欢的课程，这种走班上课的模式，其实也扩大了孩子们的朋友圈。

另外，我们还设置了职业规划课程。2017年1月的寒假作业我们就布置了"童心看职业"，利用寒假时间让孩子了解他感兴趣的职业，用图片或者调查报告的方式呈现出来。开学第一天，我们就让孩子设计自己未来的职业的服装。4月份我们组织了"职业进课堂"，目的是让孩子们对职业的选择有一个概念。

在"职业进课堂"中，我们邀请了37位各行各业的家长代表走进了4个校区的71个班，为三千多个孩子讲课。

第二，让学校教育更科学。这里包括两个领域：一是课题的研究更科学，二是教育的实践更科学。如何让教育更科学？我认为应该以驱动力3.0的科学理论去破解教师的职业倦怠问题，在课堂上以"元认知"的理论提升教学品质。

第三，让学校教育更广阔。这包括让时空更广阔，让目标更广阔。时空是物理的时空，也是虚拟的时空。万维的空间和原来的三尺讲堂在PK，孩子们学习的空间无限，没有进教室之前，已经看到他们用各种各样的移动终端学习自己感兴趣的知识。物理空间的广阔是指教育不仅仅在学校，还包括家庭、社会、国际等等。而虚拟时空更广阔恰恰是东风东路小学的亮点。东风东路小学于2012年12月被评为国家教育部首批教育信息化试点单位，2016年12月，广东省教育厅对首批教育信息化单位做了全评，全省只有7个单位被评为优秀，其中包括中山大学、华南师范大学、深圳市南山区教育局、佛山市南海区教育局，以及一所中学和一所技工学校，唯一的一所小学就是东风东路小学。在教育部的复评中，东风东路小学再次被评为优秀，并且作为典型案例向全国推广。我们构建了云环境下的个性化学习体系，包括环境的建设、课程的构建、资源的整合、教与学活动方式的改变以及评价关系的革新。

除了空间以外，目标也更广阔。人的胸怀取决于他的视野，所以我们更多做的是让家长进课堂，包括寒暑假作业，也是要让家长更多地参与其中。

预见，方能遇见；超越，方可卓越。不同的学校有不同的土壤和不同的文化，但是只要向前走，一定有风景。谢谢！

在学校，遇见未来

广州市荔湾区教育发展研究院院长　陈秋兰

　　各位山长，大家好！我和所有的山长一样，每天都会思考很多问题，而其中最重要的问题就是我要办一所什么样的学校，如何为孩子提供更好的学习生态，让他们在学校遇见更好的自己。望向社会，互联网飞速发展的今天，技术革新、知识裂变、全球化、大数据等都在告诉我们，快速发展的社会正在到来。

　　联合国发布的《学习的一代》报告预测，随着人工智能、自动化等大潮汹涌而至，到2030年，全球大约一半的工作机会将会消失。如果目前的教育模式不改变，到2030年，全球大约有一半的年轻人没办法适应职场需要，甚至无法适应社会。当我们思考要办一所什么样的学校的时候，当我们又看到社会在对人才提出更高的要求的时候，一种危机感和使命感油然而生。我们要为在未来接受挑战的孩子们提供什么样的教育生态？

　　学校的生态孕育着孩子们的未来，孩子们的未来孕育于今天的教育。如果我们今天的教

扫一扫，
观看现场演讲

陈秋兰，演讲时任广州市真光中学校长。

育不指向未来，未来的学生可能就只能生活在过去。所以我们努力让教育不仅关注当下，更重要的是望向未来。我们的孩子在学校求学三年，我们要为他未来的三十年着想。道理虽然易懂，但行动却不易。

这是高二（七）班的冯迪隆同学，他已到真光中学求学两年，是宿舍部部长、侦探社成员、高一（七）班辅导员。他在真光的这两年和他的小伙伴们有着怎样与众不同的经历和体验？

首先，青涩而腼腆的他聆听了一场国家职业生涯规划师的讲座，他懂得了人生需要一个良好的自我设计。接着，在老师的指导下，他完成了200道题的测试，经过数据模型的分析，一份天赋才干测试数据放到了他的面前。透过这份数据，他对自己有了更深的认识，知道自己比较关注人与人之间的不同，他内心有强烈的成就欲望，他渴望超越，喜欢竞争，同时他还喜欢排难，设身处地地为别人着想，在帮助别人中享受到快乐。在学习类型的分析中，他的强项是类型智能、人际智能和逻辑数学。根据测试，他最适合的学习方式是思维导图和小组合作。有了这样的基础，他的高一生涯顺风顺水。

进入高二，他凭着良好的人际关系和组织能力成功当

陈秋兰

选学生会宿舍部部长。高二上学期，职业分享活动进校园，在28个最受关注的职业中，他因为对销售感兴趣，选择了销售经理和市场营销，聆听了学校特聘的职业导师对职业魅力、价值以及人才需求等知识的阐释。

高二的寒假，他与小伙伴们走进职场体验。在体验当中，他发现他特别享受销售的过程，他觉得他可以通过观察别人的神情、语言和说话的内容去分辨这个客户喜欢什么样的产品并进行相应的推荐。他不仅完成了工作任务，而且交到了朋友。

有了这样的经历，他对未来更加清晰。在学校模拟的职业招聘会上，他接受了职业礼仪培训，穿上正装，拿着自己设计的模拟求职简历，在10大领域、68家企业、200多个职位当中，选了其中的3家进行竞聘。他在简历上是这样介绍自己的：持续工作不会累的"机器人"，做好计划、追求完美的"诸葛亮"，勇于创新、不甘平凡的"冒险家"，同时还有人际关系的"润滑剂"。他在面试时的自我表述中说他是苹果的配置，三星的外表，同时又有小米的性价比。这个表述让面试官对他留下了深刻的印象，应聘的3家公司均表示愿意录用他。当然，模拟招聘会中被多家公司录取的同学大有人在，被评为职场精英的同学被高达6所公司录取。

在模拟招聘会中，迪隆同学最大的感受是"所谓的铁饭碗不是你在一个地方不会饿死，而是你走到哪里都有饭吃"，有的同学在职场经历当中看到了未来的影子，有的同学在这次模拟招聘中明白了高一所经历的写文案、写策划、参加合唱团的意义，一切的努力和付出不只是在当下，而在未来。他们感受到所走的每一步都会成为未来的财富，而面试官在最后也给他们一个总结："你们现在持的是未来的简历，成功的同学要努力，要把简历上的资历变成真实的竞争力。而暂时没有成功的同学要更加努力，弥补不足，提升自己的竞争力。"

迪隆和小伙伴们的这个经历正是真光中学在2015年启动实施的学业和生涯规划课程。生有涯，教须育。这个课程涵盖着与学生发展相关的学业、能力、品行和兴趣，我们希望以这个课程作为切入口努力地做致力于学生未来的教育，我们认为未来的教育应该是为唤醒而做的教育。为什么是唤醒？

苏格拉底的父亲是一个非常有名的雕刻师，苏格拉底非常善问，小时候他看见父亲在雕刻，于是问："怎么样才能成为一个好的雕刻师？"父亲捏着即将成型的狮子回答："我并不是在捏这只狮子，我只是在唤醒它，狮子本身就是在石头的禁锢当中，我只是把它唤醒而已。"这个回答颇具想象力，因为他用的词是唤醒，而不是雕刻。在他看来，石狮并不是没有灵魂的石块，只是被石头禁锢在这沉重之物中罢了。

而教师被称为人类灵魂的工程师，我们要做的不是按照我们的想象去雕刻孩子们的灵魂，我们要做的是唤醒。是的，致力于未来的教育应该是为唤醒而做的教育，我们把每个孩子视为等待被唤醒的种子，学生的内需力就深藏在他们的内心世界里，需要我们去开启。而我们的教育方式并不是把种子从土壤里拔出来，我们要做的是为他们创造合适的生态，然后唤醒、点燃和激发他们。

至于未来的教育，首先要唤醒的是孩子们对于自我的认知，我们要告诉他们，每一个生命都是宇宙的独一无二，都有自己的潜能和优势，短板理论已死，我们要做的是扬长。这是一个悦纳自己的过程。接着要唤醒的是孩子们对自我的设计：我的未来在哪里？我要往哪里去？我的实践路径是什么？我现在要做的是什么？我们还要唤醒的是自我的成就和行动。自我的认识是一种自知、自察和自信，自我的设计是一种自主、自觉和自动的过程，行动则是一种自学、自为和自能的过程。所有的都指向自己，唤醒的是自己，是自我，是自觉，是每一个孩子内在的动力。

我们的成长不是因着家长的期许，不是因着教师的目标，而是为"我"的成长，成为我理想的模样。花有花的美，叶有叶的绿，树有树的高。我们认为致力于未来的教育应该是为连接所做的教育，这个连接把教育与世界相连接，把现在与未来相连接，把自我与社会相连接。因为连接，所以我们面对的世界空间变大，视野变宽，时间变长，我们的学习不再是以书本作为世界，而是以世界作为书本。因为连接，学习不再是远离生活和社会的学习，而是建立在体验、感悟和面向未来成长上的学习；因为连接，变化会不断地发生，一切皆有可能。孩子们会在游泳当中学会游泳，会在应对变化当中提升应对未来变化的能力。

致力于未来的教育，着力于给孩子留下什么？我想要留下的就是方向和动力。方向和动力是孩子成长发展的核动力，内在的核动力被唤醒、点燃和激发，我想全世界都会为他让步。探索的过程极为艰辛，但是真光中学愿在学生走向未来的路上做脚前的灯，路上的光。

守候差异，适性发展

广州市越秀区文德路小学校长　黄丽芳

众所周知，世界上没有两片完全相同的叶子，不管是植物、动物还是人，个体的差异是一种自然的规律。既然是自然的规律，我们就得遵循规律，得关注孩子的需要，注重他们的差异，所以我们应该守候差异。

差异包括准备上的差异、学习兴趣上的差异、智力上的差异、学习风格上的差异。由于生活经验、知识储备的不同，准备上的差异对学习生活会起到重大的影响，而兴趣的差异直接影响学习过程的坚持和努力的程度，智力上的差异直接决定了学习速度，学习风格上的差异，对学生的参与和调节也会起到一定的作用。

我们的孩子就是带着这样巨大的差异进入学校，开始学习的。面对差异明显的鲜活的个体，我们要给予他们什么样的守候？孩子们身上的潜质、特异和创造力是我们无法预测、孩子们也无法知晓的，我们只有理解、欣赏孩子们的差异，主动关注和发展他们的差异，才可以让每个孩子的潜力得到最大限度的发挥，实

扫一扫，
观看现场演讲

黄丽芳，演讲时任广州市越秀区雅荷塘小学校长。

现充分发展。

教育的最大价值就是促进每个孩子的充分发展。我们学校在2012年坚定地走上了小班化教育的研究之路，确立了"立荷之品，育雅之行"的办学理念，基于"尊重个别差异，提供适性教育"的理念，提出"让每个孩子像荷花一样自然绽放"的培养目标，努力为孩子们创设个性化学习环境，满足多元化学习需求，实现每一个孩子的适性成长和适性发展。

如何让每一个孩子都能够适性发展？我们确立了尊重差异、利用差异、发展差异的教育策略。要使这些理念和策略得以实施和实行，它的着力点、立脚点在哪？肯定是在课堂。

所以我们着力于国家课程的校本化实施和校本课程的特色化开挖。关于国家课程的校本化实施，我们构建因材施教课堂，如气质差异课、双师双班、运动处方，实施多元大小课以及全面多元评价，开发适性教育课程。

气质差异课方面，我们为男孩开设武术课程，练就阳刚之气，为女孩开设形体课程，塑造优雅之质。气质差异课的目的就是塑造每朵"小荷花"的与众不同。双师双班就是把两个小班合起来，由两位老师以双师双主体的

黄丽芳

形式共同进行授课的课堂模式，不分主次，老师们根据教学风格和个人优势进行分工，从内容、学情、设计多媒体制作、授课等各个环节不断地磨合和融合。比如，有的老师思维敏捷、善于拓展，有的老师耐心细致、善于辅导，有的老师善于指导写画，有的老师善于讲评写画，那么我们就按照老师的优势进行分工，让老师直接参与到教学中去，促进老师的专业发展。通过这样的模式，学生也可以享受到双倍的优质教师资源。

我们会根据孩子的学习基础、认知特点和兴趣来分类，进行异质分组、同质分组、同质走班。我们会利用差异开展合作学习、发展差异，这样更有利于促进孩子的个性化学习。我们的双师双班有同学科的双师双班，有跨学科的双师双班，还有实践课的双师双班。探索双师双班，我们力求通过课堂组织形式的变革和学习内容的选择，保证多教学向纵深发展，希望孩子能够根据自己的学习速度和深度来理解关键的知识，并选择感兴趣的领域来拓展学习的深度，实现既能体现共同要求，又能够满足个体差异的教育，最终促进孩子的适性发展。

又比如运动处方课程。我们为每一个孩子量身定做运动处方，这是雅荷塘小学把孩子的身心健康作为第一要求而落地的策略。我们希望孩子们能够通过科学的锻炼更好地茁壮成长，使体育锻炼更加个性化、常态化、科学化。从2012年开始，我们就实施了运动处方课来提升孩子们的身体素质。怎么做？通过体质测试，然后开出属于孩子个人的运动"专属处方"。在教育局的关心指导下，现在我们进行了互联网+大数据，不仅有体质测试的数据采集，还有孩子在学校运动过程的数据采集，然后通过数据分析进行个性化教学方案匹配，再进行课题与课堂的教学改革以及家庭的锻炼指导，两方面同时促进孩子的身心健康发展。

以跳绳为例。上课的时候，孩子先戴上脚环准备测试，跳绳之后马上有数据记录，然后把脚环上的数据进行上传，老师马上就可以根据这个数据来指导下面的锻炼。具体来说，这个数据上传后，就有一个全班的综合素质分析，从五个维度进行：力量、速度、灵敏、耐力、活跃度；除了综合素质分析，还可以通过数据记录个人运动过程的情况：学生个人跳绳的次数与全班的次数的对比，整个学期跳绳成绩的记录，跳绳的次数、中断的次数、最后的分数都有数据，记录得清清楚楚。

那么运动过程是怎样的？比如说一分钟的跳绳，第一个15秒是多少下、第二个15秒是多少下……老师马上可以从这些数字当中分析，这个孩子一分钟跳绳是没有中断的，说明他的跳绳技术可好了！但是他每15秒的跳绳次数都会降低，说明他的耐力还有待提高，那么老师就可以根据数据对孩子们进行课堂上的指导。基于以上的数据分析，就可以匹配每个人的运动处方。这个运动处方既有共性，也有个性，有适合各个年龄阶段的，还有针对个人特质的个性运动处方。

运动处方不但可以指导体育课堂教学，还可以给家长提供指导孩子锻炼的正确方案。在孩子健康成长的路上，通过这样的方式，家校的融合会达到更高的统一。

不管是双师双班，还是个性化运动处方，我们都从这里面感受到，其实孩子的差异是一种财富、一种资源，我们只有从理论上深刻认识，从操作上准确把握，才能够促进孩子的适性发展，才能够给他们创设个性化的学习环境。

又比如多元大小课。体育大课体现共同的要求，总体的该怎么样去做，而小课就可以满足个体的差异，进行同质的分组、精准的指导，或者兴趣分组、选择性学习。还有书法大小课，对书法课"每周一节"和"每天午写"相结合，每天一练，让孩子们每天都能练习书法，修身养性。

遵循教育规律和学生的身心发展规律，为孩子营造个性化的学习环境，满足孩子多元化的学习需求，从而实现孩子全面而有个性的发展，这是我的教育追求。"守候差异，适性发展"，相信只要继续往前走，一定有风景。谢谢！

"善正教育"激扬学生生命张力

广州市培正中学校长　吕超

今天我将从以下两个方面展开我的演讲：作为一个校长，我是怎么去看个性化发展和个性化教育的；站在学校的角度，谈谈学校的个性化教育。

首先，我是怎么看待国际视野下学生的个性化发展的。个性化这个词来源于personal，它的对立面是共性。我们先来回顾一下19世纪末的中国教育是什么样的。当时在教育上也有一次重要的变革，那就是废私塾、建学堂，越秀区的很多百年老校都经历过。

私塾教学可以理解为私人家庭教师的教学模式，从个性化教育的角度，我认为这是最个性的。我们很熟悉的电影《唐伯虎点秋香》里的唐伯虎其实就是家庭教师。但是，随着社会的发展，这样一种教育模式满足不了社会的需求了。所以，培正中学在1889年创校的时候就已经掀起了一股热潮，即"废私塾，办学堂"。学校引进西方的先进学科课程，包括音乐和自然等学科，这是我们传统的私塾所缺乏的。

从工业革命到今天的信息化、智能化，时代进步的步伐是不可阻挡的。在这个发展的过

扫一扫，
观看现场演讲

程中，要求得到教育的人会越来越多，学堂也满足不了大家热切盼望接受教育的愿望，所以就有了学校这样一种"年级、班际"的教育组织方式，每个班四五十人，让更多人都能够接受教育。但"年级、班际"的教育组织形式意味着个性化会减少，共性的东西会增多。采用"填鸭式"教学模式，无法满足时代不断变化和发展的需要。

我们来看两个例子。上个星期，"天河二号"总设计师给我们讲课。大家知道，"天河二号"的运算速度在全世界也是数一数二的。设计师说在前段时间，他们用了六个月的时间，利用"天河二号"就把中国全年的天气状况统计完了，并且制作成了数据。这盘数据送到了国家气象局，它预测到今年华北地区会出现暖冬，可能雾霾会更加严重，华南地区也会出现暖冬。大家看看接下来几个月是不是这样，看看结果与预测实际是否对应。以往要用两年的时间进行大数据的基础分析，来分析大飞机的风洞试验，但"天河二号"用四个小时就可以完成。所以随着时代的不同，很多东西都在改变。技术在发展，行业的分工越来越细。

那么，在这样的大背景下，未来的教育该怎么去走？面对时代的变化，如果我们还不去改变过于追求分数的教育，我想教育是很难走下去的。

吕超

234

这是一个老话题，其实问题还是在于我们的体制以及我们对分数的过分追求。在这样的教育体制下，学生的创造力、想象力得不到很好的培养，因为学生所处的教育环境连想象的空间和时间都没有，又怎么去谈创新和创造呢？培正的校友丘成桐，也是世界著名的科学家之一，我跟他有过多次对话。丘成桐先生说："你的学生没有想象力，你都没办法去培养他的想象力，他哪有创造性？"

但教育怎么才能够做到开放与创新？站在学校的角度，我们该如何更好地培养学生的个性化？

下面，就以上问题谈谈我的观点。在今天早上越秀区第六届教育学术节暨专家报告会上，几位专家都在台上做了精彩的分享，其中就有上海格致中学的张志敏校长。我之前在上海也和张校长聊过，今天张校长一进培正中学的门口，我就给他介绍了学校的基本情况。张校长说了一句话，他说："一进到这个学校，我就感觉到这个学校的文化，这个学校的文化不是几栋大楼就可以形成的。"

当然大楼也有起作用，我们学校所有的大楼都是以前华侨捐建的，他们的情怀、他们的情感、他们的成就都影响着培正学子。教学楼是美洲华侨捐钱建的，宿舍楼是澳洲华侨捐钱建的。这个学校有一种开放包容的情怀，这是物质文化对学生情操的熏陶。当然，培正中学也得益于与港澳学校以及国外学校的联系，活动相当多，社团也很多。在这些活动里，对学生也是一种文化的熏陶。所以，我们学校的人文气息是非常浓郁的。

谈了学校的文化，再来谈谈我们的课堂。在整个课程框架里，国家的课程大概占了80%，还有20%的空间来做校本化的、个性化的课程，当然也可以把这个空间继续扩大一下，这样会发展得更好。我们怎么去关注课堂的个性？培正中学推行了六年的"生命化课堂"，收到了非常好的效果。

为什么要推"生命化课堂"呢？我们的课堂很多时候都是教师讲得太多，对学生的关注肯定就会少，导致教师没办法去关注到学生的个性，更别说培养学生的思维活动了，这是大环境造成的。

而"生命化课堂"是以让课堂有生命，让课堂有快乐，让课堂成为生命延续的地方为出发点，以思维发展、情感发展、潜力发展为课堂目标，运用有效教学、成功教育等方法与策略开展的一种课堂教学。通过"生命化课堂"教学，课堂教学效果有效提高，形成了学科教学特色，培育了学校教学文化。用生命定义课堂，我们的目的就是要挖掘学生的潜力。

有了前面的基础，还是要构建完整的课程体系来实现我们的这种教育理想。2017年11月29日至30日，广东省中小学特色课程建设展示暨优秀成果交流会在深圳龙华盛大举行。会议盛况空前，产生了比较大的影响。培正中学的"善正教育"高中特色课程获广东省中小学特色课程建设一等奖。广州市有华南师范大学附属中学、培正中学、华阳小学三所学校获得了特色课程建设一等奖。

培正中学在课程构建的过程中特别强调人文素养和科学素养并重。给大家讲一个小例子，我与培正中学校友、国际著名华人数学家丘成桐聊天时，他跟我说了一句话，让我印象非常深刻。他说，在整个金字塔上大概有四五百人跟他一样对数学非常热爱，数学学得很好，在数学方面的能力一点都没有差异。但是有些人在数学的大海里穷尽四十年之力，却一点成果都没有。为什么？因为缺乏人文素养。我们在关注一个人的个性的时候，不能忽略了他的人文素养。比如说一个学生数学很好，你可能拼命地关注他的数学，让他考得更好，但是事实上缺了人文，对他将来的成功是有所影响的。

什么是个性？就是他个人的、与众不同的东西，形象点说就是只有他自己才知道那双鞋合不合他的脚。我们可以指导他去设计，但是由他自己选择。他足球踢得很好，你却要他选芭蕾舞，他芭蕾舞跳得不够好，他就不会选。

在教育一线耕耘了33年，我深深地感受到我们不应该用教育选择学生，而应该让学生去选择教育，这才是最美好的，因为学生一定会选择最适合他自己的。作为教育工作者，我们也应该为学生创造这样的环境。让我们一起努力！谢谢大家！

最美课堂在懂得

中山纪念中学特级教师　韩宜奋

一、"不乖"的老师也能出好成绩

我今天要讲的话题是"最美课堂在懂得"。先向大家做一个自我介绍。如果用一个评语评价一个老师，我大概就是特别"不乖"、特别"不听话"的老师。但我这个不好的老师也能干出好成绩，我先简单地跟大家说一下我的成绩。

迄今为止我已经工作34个年头了。不说远的，我就讲最近的12年，因为刚好这12年我教了四届学生，从高一到高三。在我的这四届学生中，没有加分，没有竞赛，裸分考上清华北大的，一共有15人。

今年我们班有三位同学高考成绩被屏蔽了，这三位同学都排在全省的前24名，而且语文科全省最高分143分也在我们班。在这四届毕业班中，全省70多万高考考生，曾经有一届，不但是前三名，前六名都在我们班。我想我敢站在这里说，这个"不乖"的老师也能够出成绩。那么我怎么"不乖"？怎么又能够出成绩？

扫一扫，
观看现场演讲

二、教学的密钥：在情，在理，在懂得

我是一个特别"懒"的人，又特别"爱玩""爱舒服"，但是，在学校里成绩不好是很糟糕的，那你就要想办法，要怎么样才能够既教得舒服，学生成绩又好呢？

我想，其实人世间所有的事情用两个字就可以概括，一是"情"，二是"理"，我认为最好的事情是合情合理的，最好的人是通情达理的。如果一个班级、一个学校制定了很多制度，但它不通情达理，不讲人情、不通人性的话，学生表面上很听话，但实际上不快乐。如果师生之间能够建立深厚的感情，彼此之间能够相互懂得，那么事情会不会变得简单一点？

正因为这样，我催生了一种教育的自觉，它会让我思考我的学生在想什么，他们需要什么，他们要什么样的情和什么样的理。又因为教育教学的自觉，我走上了自由的王国。自由到什么程度？我们校长曾经这么跟我说："韩老师，你想干什么就干什么，你想怎么干就怎么干。"我在学校里是一个没人管，"无法无天"，敢说敢做，"不听话"的老师，但是我很幸福，我的学生也很快乐。刚才我故意放了很多照片，从这些照片中你们可以看到这些高中生脸上充满着微笑，这种幸福你们平时看得见吗？

韩宜奋

最美的课堂应该是事半功倍的，是温暖的，是轻松快乐的，是有成长的，而不是只考虑高考的。我要求自己要真正清楚什么叫懂得：懂自己、懂学生、懂学科、懂科学、懂时代、懂未来。正因为这样的懂得，我跟学生就走上了一条没有障碍的沟通之路。

三、己昭昭方使人昭昭（懂自己）

先说说懂自己。我发现很多老师是不懂自己的，不管是无意也好，有意也好，撞进了教师的行当，很多人就自觉地把自己变成了学校的传声筒、变成了知识的灌输器。究竟为什么要给学生灌这样的知识？其实很多老师自己是不太清楚的。更重要的一点是，我们现在评职称，要求所有的老师都要做课题，都要写论文，但我自己没有什么了不起的课题，也没有写什么了不起的论文，我工作第三年以后我就不再看教学论文，因为我发现很多内容基本没有发展，没有进步。当然，教育要与时俱进，要进行教育改革，但我认为，做教育最重要的还是要先回归教育的初心，然后再谈其他，否则，忘了初心只会"谬之千里。"

如果一个老师能够成长，喜欢学习、自愿学习，并且能在学习中获得快乐，而不是被压迫、被管制，这才是真真正正的老师。所以我就问自己，我有什么"必杀技"，我有什么短板，所谓的教改是不是我要的，我做的每一件事情是不是有意义的，不浪费青春的？尤其是现在，我还有一年就退休了，我觉得这时间尤其宝贵。如今我还在做班主任，我是主动申请要当班主任的。我很喜欢上课，铃声一响我就会激动，站在讲台上我就兴奋，包括现在，我很开心，我不会背稿子，我也从来没有稿子，我讲的每一句话都是我自己在做的事情，所以我从来不怕创新，从来不怕被领导批评。

我如今做了30多年的语文老师，最后的目标就是希望孩子们"干掉"我，孩子们不要我了，那就对了。所以我就一直要求自己有两种特质：一个是质疑的特质，一个是批判的特质。领导们要求我做什么，我都要问自己，应该吗？这样对吗？

四、满足人性真懂得（懂学生）

老师要懂学生。老师都喜欢对学生成绩不好的孩子说"你学习态度不好，你不认真学习"，但我从来不会这样说我的学生，为什么？你们知不知道，不认真的背后是不爱，学习不好的背后是他的无奈，我认为学生不会态度不好，是我们从不告诉学生怎么样才能够态度好。

我懂孩子们的天性，既然我们了解人性包含这些，一个十几岁的孩子没有办法去改，那怎么办？我就顺应而为，我满足你所有人性的弱点，34年来我从来没有批评过学生，从来没有罚过学生，因为如果两个人对立起来了，就没办法沟通了。

我和学生之间不做斗争的对立面，而是构建命运共同体。为什么说是命运的共同体？如果学生好了，我不也好了吗？我好了，学生不也好了吗？学生有表扬了我也有表扬，学生成绩提高了我也是个好老师。师生之间是相依相存的，我不能把我的共同体、"战友"给"打掉"了，让他变成我的"敌人"，所以我从来不看"班主任兵法"这种书。如果你把他当成"敌人"了，那不就是要用兵法？而我和我的学生之间都是"爱来爱去"的。

因此，我给学生做什么？满足你，不辛苦、不累、好玩，然后有爱、有情、有掌控力；教你科学的东西，那么学习就变得很简单了。所以，我们班的孩子从来不需要我逼他做什么。在高一高二的时候，我们就已经完成了整个高中三年所需要进行的思维训练、学习方法的构建等等，所以到了高三，学生会很轻松，我也会很自在。到了高三，我就会长胖，我就会"无聊"，我就会没事干，因为所有的事情学生都干了，他们上课，他们做题，他们改卷，他们讲评，我就来看看。我们的学生上课，有理论、有方法、有深度，他们已经习惯了，因为我们高一高二就是这样过来的，这就是高中的课堂，你们能想象到吗？

而且我们班是人手一台平板电脑，全方位24小时无限制的无线上网，当然这只有我们班可以这样，因为学校已经说了，就韩宜奋可以这样做。所以，我觉得一个老师，如果你有自己的本事，你有自己的东西，你就会很快乐，也很自由，你就发现你有无穷的创造力。

五、学科滋味在生活（懂学科）

再说懂学科。我举一个例子，就说高考数学，学生花了那么多时间去做题，为什么数学高考平均分才60多分？就这个问题，我也问过数学老师，数学老师说，做题没有做够。我想，这不是题没有做够，而是没有做对。学生花了那么多的时间，而回报率如此低，那就肯定是老师出问题了。你懂学科吗？你知道这个学科有什么可爱之处吗？这个学科究竟有什么美好？你是不是这个学科的代言人？今天我站在这里，我就觉得我是足够漂亮的，我是足够自信的，我也是足够可爱的，因为我是语文老师，我就是语文科的代言人，学生们就知道，一个人学了语文以后，就跟"韩旺旺"一样如此可爱。

只要科学规划，时间也会用不完。从高一到高三，我们的孩子能看70多部电影，每看完一部电影后写一篇作文。这些作文大家看看，这就是他们的作文卷子，当场写的作文，没有任何一个字的涂改，每一篇都如此。

我们全班每一个同学人人一手好字、一口好话、一篇好文章和一腔情怀。这样的文章太多了，我没有办法给你们一一展现，他们写得很好很好，好到我每次改作文都很感动，也很羡慕，羡慕他们，他们这个时候遇到了我，而我从来没有遇到过这样的老师。

六、科学在前勤殿后（懂科学）

懂科学，我们提出的是"能否少做一道题"，但前提是要有知识的存折。学生能批能评才是真正的懂，要建立学习和资源的互换。我需要学生每做一道题，都要有个悟，这个悟是顿悟也好，慢悟也好，但不能够随便做题。所以我经常问他们，你能不能以一顶十，少做一道题？那么学生慢慢地尝试，真的可以学会"悟"，做到"以一顶十，少做一道题"，我们就省出很多时间来。

七、职业生涯真规划（懂未来）

真正的懂未来是懂自己、懂世界、懂生活、懂爱、懂科学，然后才有职业规划，否则职业规划是无从谈起的。因此我的口号就是"科学在前，勤奋殿后"，从来不做盲目的勤奋。"天道酬勤"这句话是假的，因为天道从来不酬不动脑筋的勤，它只酬科学的勤，所以是科学在前，勤奋殿后，以智为翅，以勤为膀，比翼而飞，才能够一飞冲天。最后我们来看一段视频。

中山电视台对我进行了一次专访，我带着我们全班20多个学生一起去做了一档节目，叫做《"玩着玩着"过高中》，有高考任务的中学应该是没有人敢这样做的。

我给自己做一下广告，给教育做一下广告，给美好做一下广告，你们有兴趣的话可以去看看，非常好看。今天我的演讲到此结束。谢谢大家。

第八章 百年名校的传承与创新

坚守教育的信、望、爱/刘晓玲

小学校，大格局/姚 丹

从同文走向未来/孔 虹

寻根与变革/黄灿明

坚守教育的信、望、爱

广州市西关培英中学校长　刘晓玲

　　尊敬的各位校长、各位来宾，大家好！我是广州市西关培英中学的校长刘晓玲。我来自浙江，出生在一个教育世家，有三十多年的教龄，10年的校长工作经历，担任了三届市、区的人大代表、人大常委后，现在是广州市政协委员。

　　今天，我们非常荣幸地迎来了在座的各位教育界同仁，西关培英中学因各位的莅临而蓬荜生辉，各位的到来更为培英的校庆增姿添色！在此，请允许我代表西关培英中学全校师生和员工，对莅临我校的各位校长、各位来宾表示热烈的欢迎和诚挚的谢意！同时感谢广东省中小学校长联合会发起的"山长讲坛"活动走进了这所百年老校。这是西关培英中学发展史上的一件盛事，是全体培英人的光荣！

　　西关培英中学位于广州老城区，坐落在荔湾湖畔、昌华苑前，有超过百年的办学历史，是著名的培英体系中的一员。1866年，校祖那夏礼牧师带着妹妹一行，乘坐小型帆船，历经109天，从美国纽约抵达香港，随即来到广州，先帮妹妹创办了真光书院，后在1879年创办了一所男子小

扫一扫，
观看现场演讲

学堂——安和堂。这就是今天培英体系的开端。

一、培英校友遍布世界，四海之内，白绿一家

如今培英体系枝繁叶茂，全世界已有45个培英校友会。培英体系包括西关培英、广州培英、台山培英、江门培英、香港培英、香港沙田培英。四海之内，白绿一家。

四年前，我收到池元坚校友的一封来信。他是我校1954年宪社的毕业生，是一名医生，他一家三代都是培英人。这封信是他托同学捎给我的，信中说到他想回到母校教学弟学妹弹奏夏威夷吉他。弹奏夏威夷吉他是他的业余爱好，他从小跟着他父亲学的，但现在快失传了，他希望能够"薪火相传"下去。我们都被他的热情所感动，但又有些担心。考虑到他年纪大且路途远，学校决定组建夏威夷吉他社，每周二下午的4~6点，由他授课。老人家从香港来回广州，一天路上需要花8小时左右。这是一名普普通通的校友，但我们西培人，无论居于何位，身在何处，都情牵母校。

二、百年老校，人才辈出

这是一所沉淀着历史的老校。创办于1904年的坤维女学是西关培英中学的前身之一。过去，这里是培养西关小

刘晓玲

246

姐的地方。西关小姐以独立、自信、优雅而著称。同时，这也是一所英雄的母校。《刑场上的婚礼》的主角陈铁军烈士就是勇敢的西关小姐的典型代表，她完美地展现了我们广州人、西关人坚毅、忠诚、无畏的崇高品质。夏礼楼、念久楼、院士楼、英才楼、蒋光鼐楼、礼智楼、铁三楼……每一个楼名都有一个故事。如夏礼楼，用的是校祖那夏礼的名字，是为了永远纪念他筚路蓝缕、艰苦奋斗创办培英的事迹。

对于一所百年老校而言，应该传承什么？答案就是传承优秀的学校文化和办学传统。西关培英校园虽不大，却是一个英才辈出之地。在这一百多年中，西关培英涌现出许许多多的学者、艺术家、企业家和体坛明星。如中国工程院院士罗绍基，国际欧亚科学院院士何建邦，中国跳水之父梁伯熙，全国劳模罗颂平，香港著名实业家蔡建中，著名画家伍启中、叶献民等等。

明天的校庆活动，培英体系兄弟学校将一起参加，由我校承办。不同的是，我们的校庆活动除了校庆庆典以外，还有摄影展、美术作品展，特别是还有一场11支球队参加的"培英杯"排球赛。虽说这只是培英体系各校参加的排球赛，但水平却不一般，因为香港培英是香港的冠军队，台山培英也是经常夺得全省第一的球队，广州培英是广州市一流的球队。排球是培英的优秀传统项目，一百年前，广州是中国排球运动的中心，许多国球手都从广州队中选拔，其中培英的学生尤其多。当他们出征远东运动会凯旋之时，整个广州城为之沸腾。

三、校训"信、望、爱"的新时代内涵

各位来宾，进入西关培英，首先映入眼帘的就是我们的校训：信、望、爱。办学之初，我校是教会学校，校训"信、望、爱"来自《圣经》。新中国成立后，在秉承传统的前提下，我们西培人对"信、望、爱"校训的解读是与时俱进的。

信：本意是不疑，有诚信、守信、言必由衷之意。能不疑人，不被疑，方可称为"信"。古语有云"人之所助者，信也"，一个没有"信"的人是难以立足于社会的。今天我们秉承的信是：诚信，信念、自信。我们希望学子们不但要坚守诚信的品质，而且要秉承高远的信念，自强不息、自信从容地追寻生命的真谛。

望：为人所仰。从古字字形看，"望"字的上面是"臣"，像眼睛，下面是"壬"，像一个人站在土地上远望。小篆的话，又加"月"字，指望的对象。一个人脚踏大地，仰望皓月，这是一幅多么令人遐想的画面！而这种境界正是我们希望学子们能达到的澄明心境。今天我们的"望"包括了希望、守望、回望。背负着百年盛誉，脚踩着时代厚土，我们希望学子们能对未来充满希望，相信远方、相信未来，同时守望着自己的梦想，携手并肩，并学会回望过去，感恩岁月，感恩师长。

爱：仁之发也。内心有爱，才能体味世间万物之真善美，并播撒爱的种子。爱是一种感受，更是一种行动。当年的培英人养育恩慈，心怀苍生，今天我们秉承的"爱"是博爱，爱国，爱校，自爱。作为百年老校，应该有自爱的责任，有辐射的热力，也有开拓的使命，因为爱本质上是一种润泽万物的胸襟。就在上星期，广州一中的巫芷欣同学因家中煤气爆炸而大面积烧伤，生命危在旦夕，我们的学生自发组织在芳村码头举行义演筹款活动，其实很多同学和她并不相识。这就是西培人的大爱。

四、以"全人教育"理念为引领，努力不让一个孩子掉队

正如校歌所唱，"信望与爱，陶铸英才为国用，鹰扬长空，广沐化雨春风"。为了更好地传承这一教育理念，如今学校也已开设了"信、望、爱"特色课程。正是怀揣着"信、望、爱"的精神，百年培英以全人教育为办学理念。

早在1879年，校祖创办培英中学以来，就倡导全人教育的理念。全人教育的智慧来自古今中外的哲学家、教育家、政治家，他们的思想是全人教育的智慧之源。孔子、

孟子、蔡元培、陶行知、柏拉图、亚里士多德、杜威、马克思、毛泽东的教育思想，都蕴含着全人教育思想。这是一种理想的教育观念，也是中外教育家的理想追求。

一直以来，全人教育的理念强调了教育的范畴应该是整体性的、全面性的，同时考虑到受教育者的发展学习需要与顺序，这样培养出来的学习者才能在心智及体魄等方面得到健全均衡的发展。

简单地说，"全人教育"就是全面育人，育全体的人。结合学校的实际，我们将其具体阐释为以人为本、全体发展、全面发展、和谐发展、个性发展，并以弘扬白绿精神、坚持全人教育、培育现代英才为办学理念，这正与校祖提出的教育原则一脉相承，并符合当前全面推进素质教育和关注学生核心素养培养的新课程理念，为培英的教育事业奠定了发展的基石。

我们以"全人教育"理念为引领，在传承中发展，坚持德、智、体、美、劳、群、艺全面育人。学校因学生而存在，教师也因学生而存在。我们关注每一个孩子，努力不让一个孩子掉队，给每个孩子以希望与梦想。

有时候我们只为一两个孩子就开设了课程，比如，只为一个学生，学校就购置了古筝。

我们很多学生，入校园的时候因学校校园面积小而抱怨。但不到一个月，他们就会因我们优秀的师资队伍、温馨而多彩的校园文化而慢慢爱上西培。到毕业时，他们依依不舍，并说西关培英是他们永远的牵挂。一所老城区的公办学校，我没有能力去征地，但我可以打造幸福校园，让老师们愉快地生活与工作，让孩子们健康快乐全面地成长。正如一个人生在寒门，依然可以创造幸福的生活。

学校致力于培养研究型的教师，让我们的老师不但有教学的能力，还有教育研究的能力。这里有一批南粤优秀教师、市名教师、市骨干教师、市特约教研员、高级教师、拥有研究生学历的教师占35%。就在最近，我收到了美国国际教育委员会的来信，我校的赵忻老师将去美国进行历时一年的"汉语和中国文化"教学工作，这是在全国1000名申请的教师中优选出来的17名教师之一，也是广州市唯一一名入选的教师。

近六年的高考中，我们五次实现了100%上线，让"不让一个孩子掉队"的教育愿景成为现实。课堂教学改革取得丰硕的成果，"以人为本、自主合作，和谐互动，全面发展"的教学理念深入人心。老师们走出校门，奔赴清华大学、国家图书馆、北京师范大学、贵州、连州等地，推广"四合一"主体教学模式等课堂教学改革的实验成果。

为践行全人教育，致力于开发学生潜能，我们组建了30多个学生社团，那是学生发展的另一舞台。武术团在广东省中学生武术项目锦标赛中，又一次展示了培英雄风，仅2017年，就获得金牌、银牌、铜牌共计32枚奖牌。白绿摄影社、游泳队、管弦乐团、排球队、合唱团、机器人社、辩论社、烘焙社、主持人社、足球队尽显白绿儿女的英姿。"白社"邓家慧同学在高二时就完成了17万字的长篇小说《樱花的第七音符》的撰写，并由海南出版社出版，现在，她在暨南大学深造。

我们有自己的节日，如西培母亲节、西培敬师节、历时两个月的艺术节等等。这是一个师生间、同学间充满浓浓亲情的幸福校园。这就是白绿儿女弥足珍贵的精神财富。

我想，坚守教育的信、望、爱，坚持全人教育，唤醒、传承、发展学校优秀文化，并不是一种简单的传承和创新，而是坚守一种教育的信仰和良知。坚守它们，既是学校发展的使命，也是时代给予我们的命题。我将带领西关培英中学牢记历史，继往开来，开拓创新！培英有语：一日培英，一生培英。从今以后我们都是培英人！祝福各位！谢谢各位！

小学校，大格局

广州市沙面小学校长　姚丹

　　各位校长、各位嘉宾，早上好！去年毕业季的时候，我收到毕业班孩子们的信件，这些信件特别真实，那些真挚的句子印记在我的心里，很多信里都有一句特别撼动我的话："我相信，在未来，您一定可以为沙面小学付出更多，为沙面的未来创造辉煌！加油！"

　　这是孩子们在信中给我的一句话，在我给予孩子们更多期望的同时，我的学生、我的孩子们也给予了我一份期待、一份信任，这更是一份责任，这一份责任是如此地厚重，我思考着作为校长，我能为孩子们做什么？我们的老师能为孩子们做什么？我们的学校能为孩子们做什么？

一、回望——孩子的信任带给我无穷的力量

　　教育，源于生命的成长与追求，尊重生命、呵护生命、守望生命，让每一个生命成为最好的自己。2017年2月，因为脚伤，我拄着拐杖回到了阔别18年的沙面小学，久别重逢，感慨万千。相信再次的相遇、相识和相知让我和

扫一扫，
观看现场演讲

251

沙面人共同参与历史的变革，共同承担起新的使命，共同迎接和面对各种机遇和挑战。在这里，在这所学校，我感受到学校带给我的力量，感受到孩子们带给我的力量。

二、追问——支撑着沙面小学发展的力量源泉是什么

教育，不仅仅是一份职业，更是一份赋予了教育情怀、历史使命、社会责任的职业，更是教师与学生相长、相伴与相助的职业。沙面岛是一个神奇的地方，在这里，我们可以感受到这座岛上的魅力，我们可以看到过往租界的耻辱和今天城市的名片。这里既有被历史碾压的痕迹，也有社会发展的印记。

这里是中西文化的汇聚地，也是广州商贸的集散地，更是风景优美的旅游胜地。坐落在风光与古建筑林立的岛上的小学，更多地染上了一层年代久远的色彩，在华丽的古建筑群里面，显示出的更多的是深沉和稳重。我们可以看到错落有致的街道、漫天的大树，这些都成为我们沙面小学的第二校园。

环境是最好的教育资源，接受中西文化的熏陶、见证共和国的发展、亲历学校办学的辉煌，沙面学子不仅曾受

姚丹

到国家领导人的接见，历届毕业学生也蜚声海外……到底是什么一直支撑着沙面小学在近百年历史中孕育了多名优秀学子？她的力量源泉是什么呢？在社会进步和发展中，这所小学传递着、传承着中华民族友善、坚韧、向上、无惧的精神，也培育着有生命的格局。

三、抓住关键时刻——破译成就"格局"的密码

地处荔湾的沙面小学既是最小的学校，又是最大的学校。以我们的沙面校区为例，单纯以校舍面积来算，它只是一间麻雀学校。但身处中西文化交汇之地，古树底下的小鸟学生也能有大胸怀，小学校也能成就大格局。如何成就"格局"呢？成就"格局"的密码在哪里呢？下面我跟大家分享几个不可错过的关键时刻。

（一）携手成长——不错过孩子成长的关键时刻

教育，就是关键时刻成就格局。携手成长，我们不错过孩子们成长的关键时刻，在这样一个花园式的学校里面，我们的孩子快乐地成长着。一年级的孩子走入学校，和他们的爸爸妈妈共同参与入学典礼，接受校训、校风的洗礼，感受校歌中学校的温度，与老师们共同写下未来的承诺。毕业典礼的时候，我们沙面的孩子和老师、家长齐聚沙面岛，共同进行沙面星光夜里的毕业典礼，留下不舍，表彰辉煌的学习成绩。

六一儿童节这一天，我们的孩子们想到的是身边的群体，用自己排练的儿童剧做义演，为广州市盲校的孩子们筹钱建图书馆，这些募捐而来的钱承载着我们沙面学子的爱心，承载着孩子们的这份厚爱。这就是在关键的时刻，我们不错过孩子们的成长。

（二）与时代同行——不错过学校发展的关键时刻

相生相长，在学校发展的关键时刻，我们依然相伴。我们没有忘记学校发展的轨迹，在传承的过程中，沙面小学依然将小班教学、双师制和走班制全面落地，同时在教育改革的浪潮里，我们没有收线。

围绕着学生核心素养的培养，我们构建了适合学生、满足学生发展的课程，在这里，我们可以看到我们的孩子们接受了机器人课、艺术课、微工程课、博古课……在这里，孩子们学习游泳、学习科学……孩子们在课程群里面乐此不疲，享受其中。在学校发展的过程里面，我们和我们的孩子们从来没有错过。

（三）有我，更精彩——不错过城市发展的关键时刻

如今，沙面小学五个校区在教育改革的浪潮里面并驾齐驱，不错过城市发展的关键时刻。由于沙面特殊的地理位置和历史原因，沙面小学拥有得天独厚的中西文化的熏陶元素，从办学到现在，它成了广州市的一张名片。在这张名片里面，我们沙面的孩子们广泛地与各国友好团体进行交流，在这样特殊的环境里，沙面的学子见识更广、视野更宽，在城市建设过程中的关键时刻，有我在！

2017年，《财富》全球论坛期间，沙面小学承担了多项任务，我们的孩子们与苹果CEO库克在一起，在十分钟的"编程一小时"的活动里，展现了我们沙面学子的风采，令库克赞叹不已！

同时，在沙面岛上我们也承担了传承中华传统文化的任务，空竹课程为嘉宾们带来了惊喜，孩子们轻松地用英语介绍我们空竹课程的玩法和技巧，同时教外宾学习空竹。我们的孩子们不仅仅展现了他们空竹的技巧，更多的是传递中华文化，传递我们广州文化的这张名片。在《财富》论坛晚上的广州迎接酒会里，代表着西关小姐的学子用最好的形象展现了广州的这张名片，顺利地完成了这次接待外宾的重任。

四、小学校，大格局——沙面小学在传承和创新中不断前行

不错过孩子们成长的关键时刻，这就是我们所做的，也是我们沙面小学一直在传承和创新中坚守的。沙面小学

一如既往，坚持并且不断地大步前行，在学校的办学过程中不断地培养着我们沙面人的格局。

小学校，大名气；小面积，大资源；小年龄，大胸怀；小学校，大格局。这是我们沙面小学的目标。心中有他人，眼中有世界，手中有力量，脑中有思考，是我们沙面小学需要培养的学生。

我想起这样一个故事，小鹰问老鹰："我能飞多远？"老鹰说："你能看多远？"小鹰问："我能飞多高？"老鹰说："你能展翅多远？"小鹰接着问："我能飞多久？"老鹰说："地平线有多远？"小鹰接着问："我有多少成就？"老鹰说："你有多少信念？"这个故事告诉我们，当你充满了信念，也就有了无限的可能，这就是格局。

这样的一个格局让我们沙面小学一如既往地坚守着，这个格局决定了一所学校的层次、高度和成就！沙面小学在这个过程里一路前行，历久常青，我们传承着，并且前行着。是什么样的力量源泉支撑着我们走到今天？是什么样的支撑点让我们有了今天？我想说的是：有了格局，你就能海纳百川；有了格局，你就能海阔天空！谢谢！

从同文走向未来

广州市朝天小学校长　孔虹

感谢"山长讲坛"给予我机会来到广州市西关培英中学参加今天的讲坛活动。在这里，我想先揭开一个小秘密，我是广州市西关培英中学84届初中的学生，很高兴再次回到母校，进行演讲。而且，今天来到现场的还有我们朝天小学的老校长李顺松校长。欢迎李顺松校长，感谢李顺松校长！

回忆起几年前，刚走进朝小，我就感受到朝小具有非常深厚的历史和文化。那么，我们这一代人应该传承什么、继承什么？对此，我做了深入地思考。我深刻地感受到，继承有时候比创新更重要、更有价值，继承更需要有智慧和勇气。我想借着我自己对朝天小学历史的认识，和大家进行分享。

其实，我和朝小有着很深的渊源，我的实习以及我任校长前的跟岗都是在朝小，我是一直跟着我们老校长学习成长过来的。新时期走进朝小，我站在三棵榕树下，备受感动。

我也常常在想，我们的根在哪？经过深入了解，我认为朝小的根在"同文"。"同文"就是同文馆，是清政府批办的学校，当时在全

扫一扫，
观看现场演讲

国只有三家，北上广同根同宗，是最早的外国语学校。广州同文馆始建于1864年，可以说是广州乃至广东省最老的、最早的外国语学校，也是岭南第一所近代的新学堂。学校开设了外语、汉语、算学、天文以及科技等科目。

在离学校不到50米的位置，有一座怀圣寺光塔，是珠江古道航线上的一座航灯。相传这座航灯立在此地已有上千年，作为海上的航灯，它是古代海上丝绸之路的一个交通点。阿拉伯人、波斯人通过珠江口岸看到塔顶航灯的时候，就知道已经来到了广州。

这样的历史环境和地理环境，给了朝天小学很好的文化积淀。广州同文的开放、引领、包容，奠基了朝天人自信合群、思辨创新的家国心、世界情。

在这样的根基下，我们通过学校的课程让孩子们感受到同文的气息，感受到自己的同文根，感受到古代海上丝绸之路留给我们的世界情。

朝天小学的每个同学都要诵读朝天史，这是我们每一位同学每一年的学习任务。我们通过经典诵读，让孩子们用不同的形式、用自己的理解来表达对朝天小学的敬爱。我们老师也通过学习朝天的历史，把校友的成就、把学校的历史融在了学科的教学中。我们将国家课程校本化，把

孔虹

校史作为我们语文课和数学课的学习资源。我们通过广府文化项目学习，让孩子们通过了解和学习广府文化，成为传承广府文化的使者。我们还开设了粤语讲古、榄雕、广绣等课程，让孩子们在这些课程里亲身体验广府文化的魅力，孩子们越学越爱。

21世纪，"一带一路"已经启动。作为传承着古代海上丝绸之路精神的朝天人，我们有责任让广府文化走向世界。2017年，"一带一路"国际合作高峰论坛会议召开以后，我就在想，如何让孩子们感受到"一带一路"就在我们身边？我组织了老师和家长一起研讨"一带一路"的学习课程，以儿童的视角、从孩子们的认知去设计"一带一路"的研学课程。

我们把对广州中药的理解、对岭南建筑的理解、对交通工具的理解、对粤剧的学习等主题课程分布在六个年级里，利用一个学期来进行实践。孩子们在老师的引领下，开始制订研学方案、梳理研学清单、讨论研学过程，老师们充分尊重孩子们的意见，老师们和孩子们一起学习，让孩子们根据小主题来进行分组讨论，并实现了在年级里面走班讨论学习。孩子们在这样的一个研学过程里，通过具体的研学内容，深刻地认识、了解了"一带一路"，家长也从中得到了启发，增长了见识。老师和家长都说出了一句心里话："我们和孩子同成长！"

根据研究实践，我们在小学这个层面上用研学的方式来开展学习活动，是非常有成效的。这样的学习方式使孩子们亲自参与其中，发挥自己的智慧，孩子们学得很开心，也有所收获。

除了"一路一带"研学课程，我们还开设了围棋研学课程，在一、二年级普及围棋的学习，同时让孩子们进行大比赛、千人围棋赛。此外，我们还开设了外国历史的研学课程。每一年按照不同的主题，针对外国文化历史设计不同的主题进行研究。

作为对外交流的一面旗帜，朝天小学从20世纪80年代开始就是接待外宾的重点指定单位。我们每一年的开笔礼都会邀请我们的姊妹学校的校董主席、新西兰驻穗的领事馆领事来参加，每次的开笔礼上，朝小的学生都给客人留下深刻的印象。他们认为，教孩子们写好"人"字，非常重要。而我们不仅是入学写好"人"字，我们还在努力实践，期待我们的孩子能写好"仁"字，实现朝天的校训——明德归仁。

朝天人从历史中走来，在新的时代，我们还需要做更多的创新。我们朝天人一直在践行着"创新第一，示范引领"的核心价值观。期待在未来的时间，我们朝天人的道路越走越广阔。谢谢大家！

寻根与变革

东莞中学校长　黄灿明

1922年秋天，考古学家罗振玉先生在他天津的家里迎来了一位来自东莞的青年，当时这位年轻人带来了三大册、1200页的金文编手稿。罗先生一看，非常激动，说："年轻人，这个就是我一直想做但还没有做成的事情啊！"他叮嘱年轻人"务尽其诚"，后来他把这个年轻人介绍给了北京大学的马衡和沈兼士两位教授，他在推荐信里是这样写的"容庚新从广东来，治古金文，可造就也"。就这样，这位只有初中学历的年轻人被北京大学研究所国学门破格录取为研究生。

这位被国学大师王国维称赞为"古文字学四少年"之一的容庚，曾是东莞中学的一名教师。容庚15岁时，在他的舅父、书法篆刻家邓尔雅的启蒙下，对古文字产生了兴趣。1913年，容庚进入东莞中学就读，课余时间，他待在邓尔雅的家里，也就是今天东莞中学校园内的一处进士故居里，潜心研治古文字。1916年，容庚从东莞中学毕业后留校担任国文教师。

1921年发生了一件对东莞中学来说非常重要的事件。当时的广东教育委员会主任陈独秀

扫一扫，
观看现场演讲

派了一位北大毕业的学生来东莞中学担任校长，他叫黎樾廷。那一年东莞中学开始招收女生，那是破天荒的大事。以包容著称的北京大学是1920年开始招收女生的，我记得广雅中学应该也是1920年开始招收女生的，我们东莞中学是1921年。当时一大批非常顽固的士绅坚决反对，黎校长上任不到一年就被撤掉了，没再当校长了。当时容庚和弟弟容肇祖都在莞中当老师，他们非常支持黎校长的做法，所以校长被撤了以后，他们就愤怒地离开东莞中学北上求学。可以说，这个金文编是容庚在东莞中学当学生、当老师时就写出来的。

又过了60年，东莞中学又出了一个非常有名气的校友，他就是王志东。可能今天很多人特别是年轻人都不认识他了，但是我们年龄稍大的知道，新浪网的第一任总裁就是他，中文之星的软件就是他开发出来的。在他开发出中文之星软件之前，我们上网是不能用中文的。所以从某个角度来说，他解决了"从零到一"的问题，可以说他在电脑界、IT界是一个划时代的人物。

王志东在东莞中学读书时醉心于无线电研究，偏科非常厉害，但学校没有去强制矫正他的学习，反而为他专门提供了一个实验室，把当时港澳校友捐赠给学校的各种仪器与设备给他随意使用，并允许他不上数学课和物理课。

黄灿明

1984年，对王志东来说也是非常幸运的，因为那一年的高考题特别难，特别是数学，偏偏他的数学科考了130多分，数学科一拉，他就进北京大学了。

进了北大以后，他在中学打下的基础对他在北大的学习非常有利，在北大读了两年后，他觉得大学没什么东西可以学了，就去中关村开发软件。后来，王志东回到学校跟师弟师妹交流分享时，说"东莞中学宽松包容，鼓励学生个性发展的氛围给我提供了独立思考、发展创作的广阔天地"。他经常说，他之所以有今天的成就，在东莞中学求学的三年对他来说至关重要。

2001年，我回到东莞中学，担任副校长，其中一项工作就是负责筹备2002年学校的百年大庆。在回望与追溯东莞中学百年的发展历史时，我再次重温了容庚与王志东的成长经历。我忽然意识到，宽松、包容、多元，保护和鼓励学生独立思考、自主选择、个性发展，已经成为东莞中学独特的精神基因与文化气质。

也是从那个时候起，我开始认识到：不同的历史造就不同的文化，不同的文化产生不同的教育行为。要办好一所百年学校，就必须从学校历史中寻找其发展轨迹，探寻其成长历程。也只有从自己的学校历史与传统中挖掘出来的东西才能深入人心，才是学校持续发展的动力，才是学校建设的根基。所以，2004年我当了校长之后做了两件事情：第一件事情就是寻根，寻找学校历史发展的进程，挖掘学校发展的精神资源和内在动力；第二件事情就是变革，在梳理盘活历史经验过程中，努力寻找学校现实变革的抓手和路径。

一、寻找文化原乡

我记得去年11月份，华南师范大学基础教育培训与研究院有一个校长班，其中的7位校长来东莞中学挂职交流一周。在挂职交流结束的总结会上，一位来自揭阳的校长说："在东莞中学的一个星期里，我每天都被这里的人和事感动着、震撼着。我参观过不少百年老校、百年名校，但那些学校的历史和文化，要么是无迹可寻，要么就是躺在故纸堆里灰头土脸。但莞中不同，莞中的历史文化是鲜活的，是流动的，就像空气一样弥散在校园里，浸染着每一位师生甚至是外来者。"这位校长的话反映了我们这些年来在学校历史文化方面所做工作的成效。

这些年来，我们整理出版了《东莞中学前五十年史料编年》《东莞中学校史图册》《光辉历程》《尘封的璞玉》《莞中往事》《师生名录》等共十几套校史校情读本。另外，我们也做了校友墙，这个校友墙是在一百年校庆时做的，把莞中一百多年来的学生和老师的名字放在里面。当时我们的老校长说："我们的校庆怎样彰显一种人人平等的理念？"我们做一个校友墙，不管你的官有多大、你的钱有多少、你读六年还是一年，还是一天，你的名字都是一样大小的。现在这个校友墙也成了每一位校友回来首先要看的一个地方，非常有震撼力。

我们也修缮了进士故居。这位进士叫邓镜蓉，是广雅书院第四任山长，也是邓尔雅的父亲，容庚的外公。我们每年开展一期"杰出校友报告会"，包括我们又一位杰出校友何镜堂，让新老莞中人在直接对话交流中实现莞中精神的传递并提升为理性的思考。所有这些，为的就是讲好历史深处的莞中故事，让莞中师生从中触摸到有血有肉的莞中精神与传统。

在梳理莞中的历史和莞中校友的发展时，我们把莞中的做法归结为穿越学生生命历程的教育视线。只有用这样的教育视线去关注学生，我们的教育才能走得更远。这里包含两个方面的价值取向：一是要把学校教育的关怀指向在校学习和生活的每一个学生，使他们都能获得最适合于自身发展的最好教育；二是要把学校教育的视线穿越学生生命发展的全程，为学生一生的可持续发展奠定思想基础、能力基础、情感基础、生活基础。

二、构建文化新格局

前一段时间，我们学校老师的朋友圈被一封学生的信刷屏了。那是我们一个高三毕业生写给饭堂阿姨的一封信，其中有这么几句话："迈入莞中的大门，不知不觉已经三载了，这里的砖瓦草木，这里的食物器皿，这里长久而盈溢的历史，这里发生的种种故事，皆参与到我人格的塑造与成长中来，可最令我不能忘却的，终归是人的风景。"我们一个老师在他的朋友圈里说了这么一句话："因为有这样的学生，所以我们才有底气说莞中是一所令人向往的学校。"

莞中就是要对教育、对校园里每一个鲜活的生命给予无限的尊重。在我们学校里，我们创办了校友会文艺晚会，校友足球联赛、篮球联赛、排球联赛、羽毛球联赛、网球联赛，书画作品展等。我们这样做的目的就是要把学校打造成莞中人永远的精神家园。

我们还不断地提升我们的艺术节、科技节、体育节、毕业典礼、成人礼，"三节两礼"也成为莞中学生充分展示个性的重要平台。我们还把交响乐、歌剧、芭蕾舞等高雅艺术引进校园，让我们的孩子在美的享受中提升素质。我们还举办了职业博览会，让我们的孩子尽快明确目标和方向，规划人生，发展自我。

我们认为，一所好的学校应该是能让每一个从里面出去的学生在漫长生命过程中时时能够驻足回望的，能够成为其精神归属的地方。在这里，我们经常讲，我们的教育不仅仅是捧出一张张大学录取通知书，同时也要捧出一个个具有鲜活个性的学生。东莞中学就是要把学生培养成令我们骄傲的人。

"青山依旧在，砥砺踏歌行"，这是东莞中学116年来执着坚守的信念，也是我始终不渝的使命。感谢大家的聆听，谢谢！

第九章　大湾区教育的国际化发展

中国根基的国际化学校之路/陈　峰

中国教育的国际借鉴/辛　颖

讲述『古风·蓝韵』的故事/陈祥春

课程构建助推粤港澳文化深度融合/龚德万

中国根基的国际化学校之路

广州市华美英语实验学校校长　陈峰

在座的各位朋友们，如果要你们把中国的中小学分为三类，你会怎么样来分？高中、初中、小学？公立、私立、外国人子女学校？好、中、差学校？我是从课程开设的维度上来分：一是完整执行国家课程的普通中小学；二是全部开设国外课程的外国人子女学校，也叫国际学校；还有第三种，就是如华美学校这样属于"第三条道路"的学校，基于中国课程，融入西方课程的学校，叫做国际化学校。国际化学校发端于民办学校，已经延展到外国语学校和一些公办学校。国际化学校成为教育重要的发展方向。

一、从国际化学校迭代到"融创"时代

1993年，几位志同道合的归国留学生，基于为了孩子的想法，希望办一所加强英语教学、打开国际视野、全面提升学生素质的好学校。于是，改革开放后广东乃至全国的第一所国际化中小学就这样诞生了！

华美学校的国际化是从1993年聘请外教、1997年引入加拿大安大略省课程开始的，到

扫一扫，
观看现场演讲

2005年吸收来华留学生，从"单面"迭代到"双面"，走向全面。"道生之、德蓄之、物行之、势成之"，《道德经》的智慧启迪我们：国际化学校演变背后的"道"是什么呢？

我把国际化学校的发展分为三个阶段。

1.0时代，关键词是"教育搬运"。把西方的课程、教师搬到中国的校园内。从英国搬，从美国搬，从加拿大搬。这个阶段的国际化学校将来自国外的教育资源假设是优质的，忽略搬运过程之中的"掉包""缩水""变质"，忽略移植到中国后的水土不服，忽略教育部门监管。

2.0时代，关键词是"混合运算"。把搬来的课程和中国的课程"加减乘除"，组合成为新的课程体系。这是许多学校现在的做法，也呼唤着规范、升华的力量。

到2049年，中国将成为世界的教育中心，中国的教育标准将成为世界的标准。教育部陈宝生部长去年十月的这番言论，引起热议。这有可能吗？我认为有可能，国际化学校要升级到3.0。

3.0时代的国际化学校，关键词是"融创"。我们不禁要问，何为融创？为何融创？何以融创？融创成何？所

陈峰

谓"融创"，是指以中国课程和教育传统为基础，融合西方教育理念和课程资源，创造出新的教育体系。体系化的融创包含四个层面，一是在教育思想和价值观上的汲取；二是在教学、管理方法论、策略、技艺层面的兼收；三是在课程实践中的校本化整合；四是在学校文化与学生发展结果层面上的创新。

那么，国际化学校融创成何样？一句话，与IB（International Baccalaureate，国际文凭）课程（国际文凭组织为全球学生开设的课程）从幼儿园到大学预科并驾齐驱的CB（Chinese Baccalaureate，中国文凭）融创教育体系。到时候，就不是加拿大哈勃总理来广州看他的加拿大学校，而是中国领导人去境外看开中国课程的CB学校了。

总之，我们处于国际化学校三代并存的时代，主动走向融创，主动在中国教育传统基础上融创，就会生长出有中国根基的CB教育体系。

这一体系的关键、核心和底层逻辑是什么？

二、"融创"的关键是育"心"化人

小时候，父母和老师教导我们千万不要人穷志短，所以我们用心读书、升学，靠知识改变了命运。

记得我五岁的时候，身为浏阳一中老师的父亲，在一天中午饭后，掏出2分钱给我，出了一个题目：如何用这2分钱把一个房间装满？面对这样一个不可思议的问题，我苦苦尝试，答案都被爸爸一一否定。一直到吃晚饭，还是得不到肯定的答案。晚饭后，天渐渐黑了，父亲把我带到卧室，在那个黑屋子里面，掏出花了2分钱买来的火柴，划燃了一根，整个房间亮堂了起来。"这不，光线不是装满了整个房间？！"原来还可以这样想问题的呀！"遇到问题时，你的心要打开一些，要用脑子想象，要创新。"一颗好奇、创新的心就这样被打开。探索的种子就这样种植在我的心田，直到现在还在生长。育人的关键就在于"育心"！

每一个学生的生命都是由身体、智慧和心灵组成的。身体健康很重要，智慧更加珍贵。比智慧还珍贵的是心灵，是胸怀、美德、格局及其所形成的能量。所以，心好，就什么都好。如果我们错过了在孩子纯洁的心田里面种上美好种子的时光，他们的心中就可能长满杂草。如果我们种对了种子，就会种瓜得瓜、种豆得豆。

儒家说要存心，道家提倡修心，佛家希望明心。老祖宗留下的文化传统说的都是"心"的培育。因此，教育就是要帮助孩子诚意、正心、明心，以心明道，厚德载物，提升修身齐家治国平天下的心性。这样的教育就是具有中国文化根基的"心"的教育。

种树灌溉要在根上，立德树人要在心上。身为父母、教师，要先做好人师，点亮学生的心灯，化育学生的心灵，帮他们立志，帮他们辨志、明志、笃志而行。

立足于学生的百年人生，小学生在《经典诵读》中养育"天人合一"的胸襟；中学生在《豪放诗词》和"立志节"里，种下天地万物为一体的大仁之心。在6月8日刚刚过去的高三毕业典礼上，我们的同学、老师、家长、校友开始组建"华美终身学习共同体"，约定一起学习五十年。

抓住了心，道的掌握、德的熏陶、行为习惯的养成就水到渠成。这就是我国教育传统中可能走向国际舞台的教育基因：心—道—德—行。抓住了心，学生从心出发，循心—道—德—行的大道，持续地向上、向善。这就是国际化精品学校应该追求的有品位的教育质量。抓住了心—道—德—行的育人逻辑，以育心化人为核心，国际化学校的融创就有了中国根基。

那么，如何落地到学校？就是追求苟日新、日日新的成长，酿造每天更美的文化！

三、"融创"的成长文化——每天更美

在学校，20世纪出生的老师在教21世纪出生的学生，世纪的代沟横亘在师生之间。比两个世纪的代沟更严重的

问题恐怕是以考为法宝的教育制度。语、数、英、理、化、生等学科的考试如同学生们的跑道，孩子们向着1000米、750分的设定值奔跑，无暇顾及过程的享受及周边风景的美好。奔跑完之后，没有几个人愿意再跑步。人生的跑道上又何尝不是如此？好多人年纪轻轻就开始油腻了，早早地走向了人生的下坡路。

这如何破解？

教育面向未来，就要帮助孩子适应变化的未来，适应近期（3~10年）的未来、中期（10~20年）的未来、长期的未来（20~80年）！为此，学校教育要着力于三个面向：面向学生的全部身心世界、面向学生当下的学习与生活状态、面向学生未来的职业生活与终身幸福。

人生可能是一场超级马拉松。人生还可能是在河里游、海里漂、天上飞、太空行走。每一个孩子生命的长度、宽度、高度都是不一样的。

华美学校的解决方案就是在华美，每天更美！一天，几个孩子笑嘻嘻地问我："校长，今天你更美了吗？"孩子们挂在嘴巴上的，和画在墙报上的，最终会落到行动上。路遥知马力，日久见人心。有中国根基的国际化学校，一定要从"心"出发，在孩子的心上装上"永动机"，帮孩子建设好属于自己的"知行合一""每天更美"的小生态。

培育学生持续成长的心态和生态的"心"教育体系，包含立志、勤学、改过、责善的内容循环，包含自设目标、自选路径、自我监控、自我调节的过程机制，包含做人、学习、生活、做事好习惯养成的不断迭代。

带上这个自制的好心态、好生态，孩子们就会从"心"出发，在持续的每天更美中，成长为具有全球视野的终身学习者、具有家国情怀的国际化精英，并且拥有美好的生活、幸福的人生。

中国的国际化学校是一种特别的存在，在这个多形态并存的时代，世界舞台上国际化学校需要有中国的国际化学校，中国的国际化学校需要主动走向"融创"，生成有中国根基的CB教育体系，从而发出中国的教育声音，贡献出中国的教育智慧。

从"心"开始，遵循心、道、德、行的育人逻辑，应该是"融创"型国际化学校建设的中国根基，应该是具有中国教育传统特色的国际化学校建设的中国方案。建构"知行合一""每天更美"的学生个性化成长生态，是中国根基的CB教育体系"融创"的支点，也是"融创"型国际化学校建设实践的杠杆，撬动着每个学生各美其美、美美与共。

让我们一群志同道合的国际教育人，为学生百年人生的美好生活，为中国根基的国际化学校"融创"样板，为中国根基的CB教育体系的蜕变，携手起来，走得更远！

中国教育的国际借鉴

东莞市松山湖清澜山学校校长　辛颖

我今天跟大家分享的主题是"中国教育的国际借鉴",分为以下四个内容:第一、教学方法;第二、学习方法;第三、评价方式;第四、课程理念。

首先,我来讲一下背景。我在来松山湖之前,担任清华附中上地学校的校长,它是清华附中接管的一所薄弱公办学校。2017年,我又兼任了清澜山学校的校长。这两所学校有着不同的性质,清华附中上地学校是一所公办的初中,清澜山学校则是一所民办国际化学校,学制是从幼儿园一直到十二年级,学生人数和教师人数的比在3∶4之间,是一所师生比非常高的学校。

正因为我兼任这两所学校的校长,所以在工作的过程中,我经常会进行一些对比,这些对比也会引发一些思考。

一、教学方法的借鉴

在传统的课堂中,教师是要掌控课堂的。评价一个教师的课上得好不好,我们通常看他的课堂控制力好不好,是不是引领学生在进行

扫一扫,
观看现场演讲

学习。课堂以讲授为主，课堂容量很大，整个课堂知识体系非常完整。我们通常在接下来的评价过程当中就看这个教师是不是完成了他教案上所写的那些教学任务，在整个评价过程当中是不是非常关注学生思维品质的培养。

而在国际化的课堂中，教师是课堂的管理者，需要在课堂上引导学生进行思考和讨论，课堂容量较小，学生的发言较多，课堂上也较耗时，学生在一堂课内所得到的知识方面的信息是比较少的，但是十分关注学生思维品质的培养。

孔子说："学而不思则罔，思而不学则殆。"实际上，在学习和思考两方面，我们应该是一边进行学习，一边进行思考。通过思考产生新的学习欲望再去学习，学习之后再进行思考，周而复始，这应该是一个比较合理的教和学的过程。

我们的传统课堂是否能够在引发学生的思考以及思维品质的培养上更加注重一些？反过来，我们的国际化课堂在学生知识容量的学习上是不是也能更加注重一下，使得两种教学均向更好的方向发展？

辛颖

二、学习方式的借鉴

正因为教的方式不同，学的方式也会有所不同。传统的学习方式以听讲为主，学生要在课堂上掌握知识点，在课后要反复训练应用这些知识点，这样他对知识掌握的效率确实是非常高的。学生在听完一节特别优秀的教师的课之后，会觉得特别解渴，但是整个学习过程对他本身思维品质训练的效率是非常低的。

而国际化教育强调自主学习，强调小组的合作探究，学生通常在完成项目的过程中进行学习。因为完成项目是需要讨论和尝试的，所以他对知识掌握的效率就会比较低，同时可能知识的系统性也会稍微差一些，不像传统教材的第一册到第几册，第一单元、第二单元、第三单元等那样，知识系统性非常强。通过项目进行学习，很有可能会遗漏掉一系列知识当中的某一点，知识系统性低一些，但是它对学生思维品质的训练效率是非常高的。

这里我想讲一个故事。我有一个学生，是清华附中毕业的，成绩非常优秀，他被耶鲁大学录取了。他说："我在耶鲁大学的前两年真的非常痛苦，我经常在课堂上问我自己，为什么我的同学们都能问出那么有深度、那么有水平的问题，而我却只会问这是什么、那是什么、这个怎么用、那个怎么用。"他跟我讲这些的时候，我心里在想，这很有可能是因为他在过去十二年所接受的教育当中，教师在课堂上的提问通常也是这是什么、那是什么、这个怎么用、那个怎么用，所以他在学习的过程当中只能提这种水平的问题。而他的那些在国外接受教育的同学可能接受了一些更高级的思维品质的训练，所以他们在一起讨论问题时，别的同学就能提出有水平、有深度的问题，而他不能。

我们国际化学校的孩子们是要去海外与来自各个国家、接受不同教育的孩子去同台竞争的，我们拿什么去跟人家竞争？现在中国孩子比较占优势的是他们的知识水平比较高，可能数学或别的理科特别好，但我的这个学生出去后学的恰好是历史，学的是文科，所以他在思维水平上就受到了非常大的挑战。当然他最后挺过来了，他说："我们学校每年都有三分之一的中国学生或退学或休学或不能毕业。"

尽管他们进入好的大学，我们应该欣喜，但是我们更应该关注的是他接下来的发展，乃至他整个人生的发展。

三、评价方式的借鉴

传统的评价是结果导向的，是用成绩给学生做一个终结性的评价，我们的大学录取也主要是靠最终的考试成绩，手段非常单一。只有当我们的大学在录取学生时能够考虑学生的综合素质时，我们的整个教和学的方式才会发生改变。我们教和学的方式是受评价方式影响的，因为你这样考，我才需要这样教、这样学。

综合素质评价在中国刚刚起步，清华附中曾做了综合素质评价系统，我们这个课题还获得了北京市特等奖的第一名，我也是研究团队里的一员。但是也不能说我们就取得了一定的成果。我们只是有了综合素质评价系统，但是没有多少人用、还没有被大学所采纳，所以我说我们的综合素质评价刚刚起步。而国际化的评价是过程导向的，非常注重孩子们平时的表现，是过程和考试相结合的综合的考察。在海外，大学的录取中综合评价已经是主流。

在这里，我想讲讲我们清澜山学校学生的成绩组成。我们一学年的成绩分为上下两个学期的评价，各占50%。上学期的成绩分为期中和期末的评价，50%的期中评价加上50%的期末评价构成了学期成绩。每一次期中、期末的成绩中平时成绩占80%，考试成绩只占20%。那么一个学年有4次测验的成绩，分别是上学期的期中、期末，下学期的期中、期末，而4次测验成绩的平均分占到整个评价的20%。举个例子，比如在某一次测试，我考了0分，你考了100分，在总评里你只比我多5分，这就使得考试的成绩被弱化了。它的理念就是，如果这个孩子平时认认真真地跟着教师走，每一个任务都能完成、每一次作业都能按时交、每一次小的项目都能做好，那么我相信他的考试成绩就不会差，万一考差了、失误了，他也不应该承担那么严重的后果。这就是我们整个评价的指导思想。因此，学生在考试之前，并不需要特别紧张地去准备、去应付。

在公办学校，有的学生每到考试就生病，这是心理原因导致的。因为考试对他们来说太重要了，比平时的表现重要得多。我认为国际化评价更注重过程，我们的学生提交给海外大学的成绩就是我们综合评价之后的成绩，海外大学参考托福的成绩以及综合评价的成绩来确定是否录取。

四、课程理念的借鉴

传统的课程体系是比较刚性的，必修课占据主要的部分。当然，经过一次一次的课改，选修课的比例正在逐渐增加，这是一个好的现象。它对学生都有统一的要求，不管你的基础好坏，最后整体划一条线来作为统一的要求。

比如说有的学生本身就很会跑步，体育很擅长，可是有的孩子确实是不够协调，但是100米及格的分数线是一样的，不管你平时多么苦练，你只要100米不是这个秒数，你的体育就不及格，这其实就是评价的一种。而国际化评价是自己跟自己比，要看的是你的增量。传统的课程体系的优点是非常系统和完整，毕竟是举国家之力编制的课程体系，而国际化的课程体系非常丰富。我们现在有IB的，有AP（全美大学预修课程）的，有A-level（英国大学入学考试课程）的，还有中加课程，给学生提供了多样化的选择。国际化的课程体系里有相当一部分比例是选修课程，即使是必修课程，也是分层次的，分为标准课程和荣誉课程。国际化课程的综合性和自由多元既是优点，也是缺点，会导致有的课程还不是那么成熟。

我们认为每个人身边都有好的教师，有的好教师其实根本没有出过国。所以我认为好的教育应该是殊途同归的，不见得非得有海外留学经历的老师或者外国人创办的学校才是国际化的学校。民办教育和国际教育就好比中国教育的两个翅膀，只有相互扶持、共同发展，中国的教育才能腾飞。谢谢大家！

讲述"古风·蓝韵"的故事

广州市南武中学校长　陈祥春

　　首先祝贺广州市华美英语实验学校25年华诞。我今天演讲主题的是"讲述'古风·蓝韵'的故事"。

　　我校这几年就是按照"古风·蓝韵"的特色定位来发展我们的国际教育基因，按照"古风·蓝韵"的主题来传承、蜕变南武的内涵发展的。"古风"指古朴典雅之风。百年南武习尚质朴淳古，文化底蕴深厚独特。以"古风"为办学特色，意为绵延南武的传统文化特色。"蓝韵"指中西合璧之韵。以"蓝韵"为办学特色，意味着百年南武融合中西，扬长补短，发展自我，超越自我。所以，"古风·蓝韵"是我校教育国际化的一种南武表述。

　　一百多年前，南武中学的前身南武公学会的会歌最后一句话是"携手同登世界大舞台，增吾南武之璀玮"，足以看出百年之前，南武人已经描绘出了南武的世纪梦想。同时，1905年南武两等小学堂开办，办学方针是"中学为体，西学为用"，而且专门引《诗经·大雅·下武》里的一句话"昭兹来许，绳厥祖武"古训，告诫我们的后人勿忘始祖。

扫一扫，
观看现场演讲

南武中学以"古风·蓝韵"为发展特色，让学生传承南武的深厚文化，激发学生的爱国精神和民族情怀；借中西合璧的教育风韵，拓展每个学生的潜能，扩大学生的国际视野；培养既饱含民族情怀、又具有国际视野的文雅南武学子。

2012年10月，广州市大力提倡普通高中要创办特色学校，广州的特色学校跟其他地区的特色学校相比，最大的不同就是学校的特色建设一定要基于学校的文脉及发展定位，而且要求每个特色学校要有特色课程作为支撑。所以，我们就定位为"古风·蓝韵"，并进行"古风·蓝韵"的特色课程体系的建设。

对于语文学科，我们强调阅读，对一般的语文进行改造和提升，创设了图书馆语文。对于英语学科，我们强调跨文化的理解，英语不仅仅是语言工具，而更应该是一种交流工具，是一种文化的理解、包容和认同，为此我们创设了蓝韵英语。而数学强调的是数学四大能力的培养，基于此，我们开设了逻辑数学。此外，我们想推行政、史、地、理、化、生跨学科学习，用一个主题来进行整合，我们设计了相关课程，并出版了教材。

2013年，我们到美国去考察，参观了一些非营利教育

陈祥春

机构，遇到了齐红老师，她给我们介绍了一个在美国得到大力推广的课程，这个课程就是STEM课程。在齐红老师的推荐下，经过两年的运作，2015年，广州市南武中学完整地、全版地引进了STEM课程。我们建了三间教室作为学创空间，按照美国STEM课程教室的样子来建，可以同时满足100个人上课，而且还完整地引进了STEM课程的6大类、80多门课程，作为选修课。

开展STEM课程，最主要的是教师，目前在中国的公立学校最紧缺的是具有这方面教学能力的教师。为了培养这样一支教师队伍，我们从各学科抽了1到2个教师组成STEM课程的导师团队，共13人，把他们送到美国去培训，他们回来又组织研究探讨，再学习，研究怎么样把这个课程上好。

正是因为我们有STEM课程，建立了学创空间，所以我们学校的学习方式跟上了国际的步伐。在STEM的基础上，我们有了项目学习，也有了跨学科综合学习的完整的学习理念。也正是因为有了STEM课程，我们学校的教学内容、学生学习的知识应该说贴近了当今世界科技的最前沿。

于是接下来我们就有了和斯坦福大学的合作机会，有了斯坦福创新人才培养联动实验室课程；和北京大学合作，我们有了无人机与北斗导航创新实验室课程；我们还引进了机器人和人工智能课程等一系列科技含量较高的、紧跟国际科技教育潮流与步伐的课程。

正是因为有了这几年对课程国际化的探索，我们建立起了具有南武特色的课程体系。这是国际借鉴的本土化，或者说叫中国课程的国际化，国际课程的本土化。南武在这几年形成了这样一个课程体系——南武GLT（'古风·蓝韵'拓潜），我认为这个课程兼具国际视野、中国传统、南武特色，为学生的选择和发展打下了坚实的基础。

这个课程有几个特色：第一，坚持了中国的教育必须重视国家课程标准，必须要上好，还要优化。第二，对国家课程进行二次开发，对学生思维能力的训练是我们的一个落脚点，必须坚守。第三，就是我们的特色课程。第四，就是我们的荣誉课程。我们的课程理念是通过开设百年南武、古风蓝韵的课程，培养有灵魂的文雅南武人，培养"善、思、雅、新"的南武人。南武为每一个学生定制了南武中学"古风·蓝韵"拓潜课程手册，每个学生一本，从高一开始，指导学生进入高中以后进行选课。

这可以说是课程融合给我们学校带来的最大的一个蜕变。在这个过程中，我提出：要有中国教育的自信心，要坚守"立德树人"的党性，要坚定"培养建设者和接班人"的方向性，要坚持"文化滋养有灵魂教育"的民族性。我们可以引进一些国际课程，但我们必须要有自己的课程标准。教育部部长陈宝生说："2049年，中国教育将稳稳地立于世界教育的中心，引领世界教育发展的潮流。到那个时候，中国的标准将成为世界的标准。"

我们做的第二个探索是课堂。南武最大的特色是国际交流活动比较多，我们把我校课堂中最难上的内容与外国课堂教学进行比较，看看大家各自有什么不同的借鉴，有什么不同的处理。通过比较，我们发现这些理念值得借鉴和学习：学知识，悟智慧，重探究，重过程，重思考、思想、思维，这是中外课堂共同追求的一种价值观，或者说是一种优秀的理念。我们开设了思维课堂，培养学生的学习习惯和良好的思维品质。最后一个探索就是CCAE（即中美高中教育融合英语）班。关于这个班的理念，王红教授给我们的定位是：你不一定要出国，但你必须具备国际视野！所以我们这个班就是以上课程建设的试验田，是思维课堂教学的样板田。

经过了这几年的探索及国际化的基因的传承，我把它归纳为这三句话：第一，学生不一定出国，但必须具备国际视野。第二，创建有思考的力度，有思想的深度，有思维的高度的课堂。第三，坚守"古风·蓝韵"，拓展潜能的南武办学特色。

教育国际化重在"化"，理念学习、文化理解、价值借鉴。教育国际化，我们一定要守住底线，它是"使我们教育具有……特色""彰显……特色""突出……特色"，而不是"成为什么""为了什么"，更不是"输出""引入"的问题。

最后，引用柳斌主任的一句话：现在我们国际化教育都要培养世界公民，但是，从来没有"世界公民"这一说法。所以，中国的教育到底要培养什么样的人，我们应该理直气壮地提出来，要培养体格、心智健全的中国公民。如果我们连这个目标都忘记了，还谈什么教育，还谈什么中国的教育？

谢谢各位！

课程构建助推粤港澳文化深度融合

珠海市香洲区教育局副局长　龚德万

一、课题研究的萌芽和高规格启航

2019年2月18日，中共中央、国务院印发了《粤港澳大湾区发展规划纲要》，纲要中明确要求打造教育高地和人才高地，体现了中共中央对教育优先发展的殷切希望。同时纲要还提出要加强基础教育的交流与合作，也体现了教育在经济发展过程中的支撑和保障地位。

北京师范大学－香港浸会大学联合国际学院的前校长吴清辉指出，"粤港澳大湾区经济腾飞，人才是关键，教育是基础"。任正非先生也说，"教育才是未来"。《光明日报》直接阐述为"抓住了教育和人才，就是牢牢抓住了粤港澳大湾区的未来"。

在湾区建设的过程中，香洲教育人能做什么？香洲在粤港澳大湾区中所处的地位是什么？香洲区地处珠江口西岸，地理位置优越，是珠海市主城区，常年承担着全市一半以上的基础教育重任。全区现有中小学校81所，幼教机构175所，在校学生约18万人，教职员工1.4万余人。

扫一扫，
观看现场演讲

近年来，在党中央优先发展教育的号召下，珠海市香洲区区委区政府高度重视教育事业，近年来更是着力于将教育打造成"美丽香洲"的第一品牌，也让作为香洲教育人的我们立足大湾区建设这个大背景，有了更充分的自信，也有了更强的责任感与担当意识。

我们将充分发挥区位优势和资源优势，在更高起点、更高层次、更高目标上谋划香洲教育发展新蓝图，"向最好的学、跟最优的比"，积极创建现代化教育示范区，形成与大湾区功能相匹配的高水平、有特色、开放式、现代化、市场化、国际化的教育新格局，打造能够服务于大湾区未来发展的人才高地。

我们反复研读《粤港澳大湾区发展规划纲要》，探索教育问题，瞄准教育融合中文化融合背景下的课程研究。同时，对标教育部可持续发展的研究目的，打造香洲优质均衡的教育先行示范区，我们有以下三点思考。

第一，文化融合是大湾区建设和发展的必然趋势。

粤港澳大湾区中香港、澳门、广州同根同源，地缘相近，血脉相继。大家拥有共同的语言——粤语。暨南大学澳门研究院院长叶农认为，粤语是粤港澳地区居民相互认同的基本纽带。多位学者呼吁：要大力推动大湾区文化融

龚德万

合，让文化融合充当经济合作的"润滑剂"。

第二，香洲在大湾区文化融合上具有独特优势。

教育是经济的保障和支撑。香洲在文化融合中能够起到什么作用？香洲区有它独特的优势，地理上东桥连香港，南壤接澳门，是内地唯一与港澳水陆相连的城区。港珠澳大桥通车后，香洲在开展交流与合作方面更是有着得天独厚的优势，以及广阔的前景和丰富的内涵。可以说，香洲就是粤港澳文化融合的"桥头堡"。

第三，教育是大湾区文化融合的最有力抓手。

习总书记指出教育要回答"培养什么人、怎样培养人、为谁培养人"的根本问题。而学校教育的重任就是传承文化、培养技能，教学内容的选择说到底是一种文化的选择。香洲的各个学校作为传承发展的重要基地，文化传承的主战场，应当承担起大湾区文化融合的历史使命。

所以说基于以上三点考虑，2019年4月，在教育部绿色可持续发展课题珠海研讨会上，我们对"粤港澳文化融合背景下课程建设的研究"项目作了专题汇报，得到了国家教育咨询委员会委员谈松华、上海市基础教育国际课程比较研究所所长唐盛昌等专家的高度认可。

专家们在点评交流环节中提出，这个依托粤港澳文化融合的选题立意深远，含金量非常高，过程有意义，研究的成果更是让人期待。

二、课题研究的谋划与大力推进

我们的基本逻辑是顺应文化融合的"接触—撞击和筛选—整合"步骤开展研究。

首先是缔结姊妹学校、组织联谊活动、开展协同教研等活动，与香港、澳门教育界进行亲密接触，在这个过程中，很多思想、文化、技术差异会逐步呈现，在不同中撞击，在不同中融合，在不同中完善，再通过多方沙龙、圆桌会议等形式，整合生成完整的课程结构。

课题组先后召开了120余场多层次的研讨会。全区27所学校先后与香港、澳门的学校亲密接触，缔结"姊妹学校"，并进行了珠港澳文化融合课程的初步尝试。香洲区各中小学幼儿园目前已有37个子项目在"粤港澳文化融合背景下课程建设的研究"总课题的引领下开展研究，在全区教育系统掀起大湾区教育研究热潮。

二是开展了多个珠港澳教师培训项目。首先，开展网络教研。2018年11月27日，"粤港澳同一堂课·走进大湾区"网络教研活动在珠海市文园中学举行，开展了初中数学教学教研深度融合课程，师生通过同一张屏幕和分屏网上直播的形式，突破了时间和地点的局限。该次活动的点击量达到近60万人次。其次，开展互派交流。澳门妇联学校与香洲区第一小学在2018年11月开展互派交流活动，2019年2月，澳门妇联学校又再派几位老师到香洲区第一小学进行观摩学习交流，深入彼此课堂，开展体验式、浸入式的师资培训。这种师资培训也为大湾区师资培训提供了新的途径。

三是强化了学科教学交流。2019年5月，珠海市第五中学的教师与澳门濠江中学的教师进行同课异构，珠澳55万师生同上一节课，共读鲁迅经典。香洲区景园小学老师与香港老师同上一节课。学生们可以体验和感受到珠海、香港不同的教育风格和教育理念。珠海市九洲中学和澳门濠江中学80名师生同堂学习，让濠江中学的同学感受珠海的教育氛围和大陆的教育理念，增强学生的爱国情、报国志。

四是携手开展了STEAM课程探索。2018年，拱北中学与澳门大学建立STEAM教育基地，在同年11月珠海市第一届机器人大会上，珠海学生与澳门学生同台竞技，同时召开机器人学生论坛，两地学生共同探讨感兴趣的科研话题。

五是举办了精彩的文化共享活动。珠海市香山学校与香港东华三院李赐豪小学开展了书法、体育、诗歌朗诵等交流活动。珠海市九洲中学与澳门濠江中学进行了校际文艺交流。

三、课题研究的创新与阶段性成果

课题研究之初，我们确立了课题研究目标，培养既有国家认同又有国际视野的中国人。国家认同是基础、是前提，国际视野是拓展、是提升。对标教育部的绿色可持续发展，绿色课程也是国际视野其中的一个项目。

（一）国家认同课程

我们做了三方面的探索。第一是开发爱国主义课程，激发珠港澳学生对祖国的热爱之情。

香洲区甄贤小学作为容国团的母校，开发了小球转大球课程，与姊妹学校开展"粤港澳银河杯少儿乒乓球比赛"活动，利用乒乓球、小球转大球的课程提升学生的爱国情和报国志。珠海市启雅幼儿园对比了粤港澳幼儿园礼仪习惯养成机制的差异，开发了幼儿文明礼仪课程，提升学生的学习文化认知，坚定文化自信。

第二是深入挖掘中华传统文化课程，培养三地孩子的民族自豪感。

香洲区景园小学构建了粤港澳文化融合背景下国学经典课程，讲国学经典的诗文，读国学经典的绘本，挖掘传统文化，培养三地民族的自豪感。香洲区拱北小学开发了粤港澳的二十四节气课程，课程蕴含了大量中华民族经典内容和内涵。香洲区第二十一小学构建了小学粤剧课程。粤语在讲粤语的人的心中是一种永远的情结，无论人走到哪里，祖国都在他的心中。

第三是挖掘乡土文化课程，增强对脚下土地的历史维度的认知。

珠海市九洲中学构建了粤港澳历史名人课程。香洲区广生小学继承和发扬了非物质文化遗产——沙田民歌，开发了沙田神韵课程。珠海市第十一中学与港澳姊妹学校开发了当校园遇见武术课程。香洲区荣泰小学开展了粤港澳背景下的岭南茶文化研究课程。珠海市紫荆中学开发了香山文化课程。

（二）国际视野课程

一是开设"两文三语"课程，其中"两文"是指中文、英文，"三语"是指普通话、英语（葡萄牙语）、粤语，通过"两文三语"课程增强国际适应性和胜任力。这些课程构建均立足于大湾区的方言特色，再根植于课堂实践中，很容易在大湾区进行推广复制。

二是利用粤港澳大湾区高校资源，深入开展STEAM课程。香洲区金太阳幼儿园与香港中文大学校友联合会张煊昌幼稚园结为姊妹园，开展STEAM教育。从中小学到幼儿园，全区90多所中小幼都开展了STEAM教育活动，通过探究性学习、基于项目的学习和基于设计的学习等学习方式，培养学生运用跨学科的知识和跨学科的思维能力解决真实情境中的问题的能力，激发学生的创新思维、提升学生的创造能力，培养适应粤港澳大湾区未来所需的，既具有国家认同又有国际视野的复合型、国际化人才。

第十章 他山之石

成就未来教师

北京市海淀区教师进修学校校长　罗滨

　　尊敬的各位教育同行、各位朋友，下午好！首先感谢广东省中小学校长联合会邀请我参加山长讲坛，让我有机会与大家一起探讨我们共同关心的问题。今天我与大家交流的主题是"成就未来教师"。

　　十多年前，当我们拥有第一台手机的时候，我们是很幸福的！当时我想，这台手机我可以用一辈子！但是现在，我们的手机已经换了好几代了。这样的快速变化，让我们感到无法预想未来，迭代发展让我们时刻感受到跨界的创新。我今天跟大家交流三个方面的内容。

一、我们处在一个什么样的时代

　　前人的发现和发明，对人类文明和历史进程产生了巨大的影响。去年年底有一句话风靡网络："抬走，下一个"，2016年以来，神舟十一号，全面二孩，G20来杭州，高考改革……一系列的重大变化让我们感受到技术的发展、时代的冲击。原来的开疆辟土、国家的发展依靠的是战略，现在依靠的是技术和知识创新。以前是以重压轻，现在是以轻带重。

扫一扫，
观看现场演讲

289

在互联网时代，数字技术一日千里，信息传播无处不在，金融资本的流量神通广大，变化快速的时代来到了。很多的事情在昨天还令全民沸腾，转眼间就烟消云散，快到人们几乎没有工夫去记住昨天的事情。这是一个什么样的时代？这是一个巨变的时代，是"智能+"的时代，社会迅猛发展，国际竞争日趋激烈，国际格局不断变化，这一切都需要我们去面对。

回到我们的学科教学，从建国到现在，学科育人的目标不断升级，已经进入到3.0版，从开始的"双基"——基础知识、基础技能，到第八轮课改的"三维目标"，以及现在的核心素养，不断地升级，每次都在往前走一步。育人应该是面向未来的，是为了未来的，是要培养未来人的。在国内外涌现出了一些未来学校，它的任务是什么？是培养人，培养具有正确的价值观念、必备品格、关键能力的人。现在核心素养特别强调的是个人价值和社会价值的统一。

二、如何面对这个时代

我们的教师该如何面对这样的一个时代？未来学校的学习是什么样子的？如果说原来我们的学生是在固定的时间用固定的方式学习固定的内容，朝固定的方向努力，那

罗滨

么未来的学生则将在不同的时间用不同的方式学习不同的内容，达到自己的最高水平。未来一定不是通过死记硬背和反复训练来谋取高分，未来应该是激发学生的好奇心、想象力、求知欲，激发他们再发现、再创造，激励他们期待明天，愿意为明天而努力的。这样的学校对老师的要求是什么？

（一）转变育人理念

从规模化的培养走向规模化与个性化并重，关键有四个要素：再造学习空间、重构课程体系、改革学习方式和组织管理转型。在学习空间上，原来为集体授课而建，未来为个性学习而组建开放多元的学习空间，给学生提供书本世界，还有真实世界和虚拟世界。学习空间里的配置可以选择、可以移动、可以组合、可以转化。对学生的学习，教师是支持他们、帮助他们去体验，帮助他们设计学习方案，在过程当中收集他们的学习信息、评估他们的学习特征、帮助他们发现自己的学习潜能，这是我们教师要做的，所以第一个挑战是转变育人理念。

（二）提升课程育人能力

重构课程体系需要关注学生的共性和个性的需求。很多学校有课程超市，课程超市里面的课程质量如何提高？内容如何丰富？如何走向私人订制？如何满足学生的个性化需求？这一切都是给我们的挑战。通过学科知识以及链接真实世界，实现大结构向小碎片的学习、跨学科的学习转换，需要教师提升的是课程育人的能力。

（三）变革教与学的方式

学习方式的变革是关键。未来教师需要将课时学习转化成单元学习。它的特征是学生们的主动学习、实践性学习。学习方式可采用项目式学习、深度学习、无边界学习等等。

在教育部基础教育课程教材发展中心的牵头下，我们研发了深度学习项目。在深度学习的实践模型当中，首先要确定单元学习主题，第二要确定深度学习的目标，第三要进行学习活动的设计和实施，第四要有持续性的评价，不断地调整和优化。

在这个过程当中，探索学科的学习方式特别重要，我们要采用与这个学科相适应的方式来学习。比如语文，它强调语言的积累、强调文化，语文的学习应该在言语活动中学习，这是它的特点；又如思想政治，它强调的是在议中学，在活动当中用辨析的方法来学习。这要求教师在教与学方式的变革上要不断探索。又比如发展学生的核心素养，如何评价学生的素养？评价是基于证据的推理，基于什么证据？我们怎样引发学生的思考？又如何收集证据，如何进行研判？这一些都需要教师在分析和教学改进方面的能力有所加强。

三、我们应该如何成就未来教师

我来自北京海淀区教师进修学校，我们做的工作是教研和培训。作为研修机构，我们如何成就未来教师？目标是什么？未来教师应该具备什么样的能力？现在的教师已经有了什么样的能力？阶段性目标是什么？这些都需要我们不断研讨。除问卷调查和访谈以外，我们还分组进行观察，对教师的需求做了一系列的调研工作，得出的结论就是只有专业才能成就未来教师，有情感温度才能够成就未来教师，需要专业的人员做专业的工作。以下是我们的三个思考：

第一，对教师职业的认识。教师，应当教书育人。我今天有一个重要的核心观点：做教师，课堂教学特别重要。但是教学是学术，不是简单的技能，教学能力是一种实践性很强的学术能力，是教师在教学实践中表现出来的素质，是传播知识的学术，更是促进学生核心素养发展的学术。

第二，对教师学习的专业认识。教师教学能力的获得，应该是解决教育教学问题能力的获得，而这种能力应该是教师带得走的，也就是所谓的"造血"，教师愿意主动做，愿意自我提升。教师的教学有很强的现场性、不确定性、独特性和主观性，每一届学生、每一个班都不一样，工作场所也极其个性化，教师的教学是非常有创造性的工作。教学既然是学术，就应该有学术研究，教师所获得的学科教学能力，在实践当中提升的教学实践智慧，就是我们学术研究非常重要的内容。我们现在要做的是从"学科教学"走向"学科育人"，提升教师的课程育人能力。在国外，我们已经看到很多这方面的研究，但国内还没有专门的研究机构，缺乏持续的研究。我想广东省应该是很好的基地。

教师学习的内容，过去关注的是学科专业逻辑，然后是教学的技能，现在还有两点需要关注：学生认知逻辑和课堂教学逻辑。一个教师只具备学科知识未必是好教师，当然没有学科知识也是不行的。

第三，对教研和培训的专业认识。国家政策应该是鼓励优秀的人成为教师，那我们的工作就是要让成为教师的人更加优秀。具体的工作方面，我们的教研和培训应该是基于共同体的研修，应该是基于标准的研修、实践的研修、也是基于证据的研修，教师的教学改进提升应该是不断的持续的提升过程，他们需要证据，而不只是经验。

最后，学习科学是基础，需要每一位教师和研修者共同关注。要提升教研人员的素养，通过研修转型成就未来教师，把我们的教研活动转化成研修课程，有目的、有课程内容、有实施策略、有评估反馈，让教师成为学习主体的主题学习就是我们要做的，因此研修转型需要我们共同来做，让我们共同成就未来教师。谢谢大家！

与校长一起成长

华东师范大学教育学部教授、博士生导师　刘莉莉

　　和校长一起成长，这种成长很特别。18
年前博士后出站后，我留校从事校长培训工
作，有幸走近国内著名中学的校长。当时的我
踌躇满志，自以为读了几本教育学名著，知道
几位教育家，掌握了教育学、心理学的一点知
识，足以从容地应对校长培训工作。但是不到
半年的时间，那份自信全然消失，取而代之的
是紧张、惶恐、慌乱；特别是校长们善意的
提醒："老师你说话太快，那是不自信的表
现。""老师你真的年轻，年轻真好。"有的
校长更加坦诚地告诉我："老师，我们对'地
对空导弹'不稀罕，您的'空对空'我们也没
感觉，我们需要一点'空对地导弹'。"听着
这些话语，我真的有些茫然。其实，培训不应
该是居高临下的知识传递，校长培训要遵循成
人学习的规律，在回归教育场域中实现生命的
共同成长。

一、在倾听中成长

　　回想这十多年来，校长真的是我们这些培
训者的导师。他们不仅比我们多一些经验，还
比我们更懂老师和学生，更贴近真实的教育，

扫一扫，
观看现场演讲

他们跟老师和孩子们在一起的岁月比我们多，因此他们对教育有很多自己的理解。随着我慢慢地走近校长，我越发感受到校长是一本厚厚的书。学校地域不同、层次不同、发展阶段不同，校长们看教育的视角也不同。我从一本本精彩纷呈的书中，看到了校长的使命自觉与责任担当，所以我开始学会倾听。倾听是日常生活的一部分，更是教育生活的一部分。在教育生活中，人被倾听是一种心理需求，在这种心理需求中，被倾听者会有存在感，能激发他更强的主体性。

我虔诚地倾听校长们讲述属于他们的故事，这其中有成功也有失败，不变的是校长们对每个孩子的细心呵护和对老师们的百般照顾。我们需要让校长自信满满地讲述他们的故事，释放教育的激情。校长在升学竞争中的搏击、在规模扩张中的无奈、在集团管理中的担当，不仅折射出中国基础教育改革的缩影，也凸显着校长们的教育情怀与智慧。广东广雅中学叶丽琳校长说："孩子们在我们学校3年，可是我们要管他们30年。"七宝中学的校长说："作为校长，我们要常怀感恩之心，与人为善，成人之美。"这样的情怀与境界怎能不让我们敬仰？

刘莉莉

二、在对话中成长

校长们的话语汇成一幅幅生动的画面，鲜活而有温度。然而，现实中繁杂琐碎的工作容易使校长陷入被动应对，甚至沉浸在不能自拔的盲目情绪中，为此培训者在倾听的同时还需要为校长们搭建彼此沟通、思想碰撞的平台。校长们要走出自我的舒适圈，就需要通过彼此间的对话以及自我对话，甚至激烈地交锋，学会反思，作出改变。

首先，校长要学会在战略规划中实现角色的转变。校长不应该满足于劳动模范、救火队员、协调者的角色，校长还应该是学校发展的规划者和师生精神的引领者。校长应从战术选择走向战略管理。

其次，校长要学会发挥自身学科教学的优势，提升课程领导力。校长们作为名师、学科带头人、特级教师，有着自己学科上的辉煌。当走进课堂，他们也曾经迷茫：我是一个英语老师，我不懂数学，我能对数学老师指手画脚吗？我是一个数学老师，我又怎能对语文老师说三道四？事实上，教育、教学之所以是科学的，是因为它们有内在的规律。校长需要找寻教育、教学和课程重构中的共性，从研讨教什么到怎么教，从单元设计到学科课程整合，引导教研文化的转变。校长们需要围绕学校特色重构课程，也需要走进不同的教室，在课堂当中与老师、学生有精神上的相遇。

第三，校长要学会在构筑团队中提升教育实践智慧。校长对自己的教育理想有追求，对自己的教育实践有期许。理想是浪漫的，理想和现实的结合才是灿烂的！校长们在转化教育的实践中有很多的选择，最重要的是要依靠团队的力量，要把不同角色的成员的目标与愿景统一起来，把发展学校变成所有人共同的梦想，让每一个人乐在教育、教学之中，实现教育管理的真谛。

三、在传播中成长

在这个过程当中，我们都在成长。在成长当中我们也会发现，校长愿意讲故事，也讲得出感人的故事，可是我们需要让校长学会把故事讲得更精彩。《百年孤独》的作者马尔克斯告诉我们，人活着不是记录自己活过的日子，人要记录的是能够记住的那些日子，我们要讲述记忆中可以重现的日子。校长要学会让故事有思想和灵魂。在学校里每天都有故事，校长们也会有各种遇见。如何让校园的相遇和故事的发生都不是一种偶然，如何让更多孩子因为这份独特的经历改变自己的人生？

首先，校长们的教育智慧和思想需要提炼并分享和传播出去。我们之所以需要分享思想，是因为人的思想是强大的。人就像有思想的芦苇，即使世间所有的东西都被灭掉，有思想的芦苇依然可以顽强地活下来。我们存在的尊严就在于思想，思想高贵才能让人尊重。所以，人在活着的岁月需要把自己的思想传播出来。

其次，让思想激励更多校长的成长。从倾听到对话到传播，我想对校长们说，你们就是教育家，你们有鲜活的教育实践，我们作为培训工作者需要帮助你们走出原来的思维定式，理性审视教育实践。华东师范大学教育部中学校长培训中心搭建了各种各样的平台，先后分享了100多位校长的教育思想，从西子湖畔到雪域高原，从茫茫的内蒙古草原到美丽的羊城，校长们的教育思想汇聚成智慧的画卷。广州执信中学何勇校长提出的"构建师生完整的精神生活"，镇海中学吴国平校长提出的"教育自觉"，东北育才学校高琛校长提出的"构筑师生成长的生命场域"……他们的思想促使着校长们超越眼前的忙碌，开始关注诗和远方。

第三，校长们的教育思想与实践正在构筑中国教育的品质。今天，校长们不仅走出了生源的争夺，也走出了千方百计挖教师的困境，正在走向一种新的教育生态！他们追问着优秀教师应该怎样练就，高品质教育的内涵如何挖掘，世界一流的教育应该是怎样的。其实，校长们已经以他们的探索与实践有力地回应了上述所有的追问。教育家就在当今的校长之中，他们不是传说而是缔造中国基础教育传奇的人。今天，中国有自己的教育追求。我们的教育追求有着独特的魅力，比如教师工作坊、骨干教师成长阶梯、制度化的教研活动，所有的这些不仅仅是实践的创新，还形成了一道独特的风景线，它代表着中国基础教育的品质，我们也希望铸就中国教育的世界品牌！

在和校长同行之中，我没有消失，我陪伴在校长的身边，和校长们一起成长。从稚嫩到成熟，在校长培训的这条路上，我越走越坚定。我有我的理论兴趣，我关注校长的人格特质和成长机制，我更期待通过我们共同的努力，构筑中国教育的品质！谢谢大家！

培训如何助力校长远行

北京师范大学校长领导力研究中心主任、教授　毛亚庆

非常感谢广东中小学校长联合会搭建这样的平台，特别感谢王红教授的邀请。我今天演讲的主题是"培训如何助力校长远行"，我更多的是从教育管理的研究和培训的角度谈自己的看法。我主要从以下三个方面展开我的演讲：在新的时代背景下，教育呈现出哪些新的特点，新的特点下对校长的专业发展有什么样的需求，以及在这种需求下对培训的重新定位。

一、新的时代背景下，教育呈现的新特点

目前中国社会使用频率非常高的一个词叫新常态，新常态最初是在经济领域提出来的，但我觉得这个词对我们重新思考中国社会的整体发展非常适用。所谓新常态，不仅在经济上需要建立新常态，整个中国的社会发展也应该进入新的历史发展时期，也需要建立新常态。新常态的"新"是什么呢？我认为，"新"是指中国社会发展应该从仅注重经济建设转向关注包括社会建设在内的整体建设，从只关注如何丰富物质层面的建设阶段进入到同时关注如何提升精神层面的建设阶段。

扫一扫，
观看现场演讲

基于上述背景，中国社会的发展模式需要在这种新常态下发生转变，我们的发展模式需要从注重数量扩张转换到注重质量提升的发展模式。

相应地，整个中国社会发展的评价方式也需要转变，应该告别以前只重国民生产总值（以下简称GDP）、只要GDP，对社会其他方面的发展忽略不计的状况。GDP的增长不能再等同于中国社会的全面发展，社会的发展方式也需要发生变化，需要从关注外延走到关注未来。这将是中国社会的新常态。

新常态下对教育的理解也势必发生变化。教育不仅要追求品质，同时还要追求品位。学校的发展不仅要追求"颜值"，更要追求气质。学生的发展不仅要追求素质，更要追求素养。这是新常态下对教育提出的新要求。这个新要求需要我们思考教育未来的发展，未来的教育应该更关注学生，注重给学生打下全面的基础，促进学生的全面发展。

二、新特点下对校长的专业发展的需求

在新的时代特点下，校长的专业发展也呈现出新的趋势。我认为这种新趋势主要体现在以下几个方面：

毛亚庆

第一，体现为校长对学生发展的认知，不仅要让孩子获得知识，让孩子掌握知识，更要让孩子获得良知，获得人生未来发展的东西。"知识就是力量"这一说法是有道理的，它回应了当时的时代理念，是人的主体性的显现，是对理性的追求。现代教育的发展，某种程度体现了西方世界对人性的彰显，是人的理性的获得，使自然打上了人的烙印。那个时候，我们更注重知识的输送，更关注学生发展中的理性定位和学生掌握知识的情况。

但现在我们必须认识到，如果孩子发展的方向出了问题，孩子的人生会怎么样？新的时代背景下，我们培养的孩子不仅要掌握知识，同时要获得良知，把握人生未来的方向。我们要警惕现在基础教育存在的"只教书不育人"的状况。在这样的状况下，孩子的知识水平得到提升，但是他作为人的社会性在一定程度上被漠视，孩子的人性彰显是不够的。

第二，体现在校长对学校发展的理解，不仅要使学校走得快，而且要使学校走得远；不仅要多出人才、快出人才，同时还要出好人才。学校发展的定位在发生变化。我们要重新思考学校"今天"和"明天"的问题，不能只追求学生的分数，也要注重学生作为合格的社会成员应有的社会性发展和人性的提升。

第三，学校管理也出现了新期许，我们希望校长不仅能干事、干成事、会干事，还需要干好事。怎样干好事？在学校管理上需要发生根本性的变化，我们不仅要讲集中，同时也要讲民主。正如老一辈革命家的一句话，不说集中，我们办不成事情；不讲民主，我们可能办不好事情。如果学校既想办成事又想办好事，就必须既讲集中又讲民主，这样学校才能有更好的发展。

第四，从校长自身专业发展的趋势来说，校长在工作中不仅要仰望星空，更要脚踏实地。当前的学校管理中，学校工作都在"墙化"，这个"墙"，不是加强的强，而是上墙的墙。我曾经指导一位学校校长，我跟他聊了半天，他说今天跟你聊了以后，我才知道什么叫办学思想总结。他原来理解的办学思想总结就是把自己的理念上墙，就算总结出来了。但是他忘了办学思想总结怎么现实化，怎么在学校方方面面的工作中落地。学校不缺制度，缺的是实实在在地把思想、理念在现实中生根发芽的行动。所以，校长不仅要仰望星空，更要脚踏实地。

校长的领导力体现在什么地方？校长的领导力不仅要找到正确的方向，更重要的是把正确的方向转化为组织成员共同认可的学校环境。只有这样，学校的文化才会发生根本性的变化，学校的文化就不再讲求被动地接受，而是基于共同认可的目标，大家自愿竭尽全力为这个目标去奋斗。这一点对学校的发展，特别是对校长的未来发展非常重要，怎么形成共同愿景，是校长领导力的核心。

三、在新的需求下，对培训的重新定位

面对新的时代，新的教育特征以及对校长专业发展提出的新需求，作为促进校长专业发展的培训机构应该扮演什么样的角色，也需要重新思考。许多校长说，名校长、教育家不是培训出来的。我觉得如果培训的定位只是注重技巧或技能，只是考虑到经济效益，那么这句话是有道理的。但是，我们所希望的校长培训不是培训，而是培养、陪伴。

我们对培训的定位应该是职后的人才培养。职后的人才培养更需要专业性，必须体现现代培训的理念。从这个角度讲，校长培训机构应从这样几个方面思考自身的定位。

第一，培训机构应该搭什么样的台子，也就是培训机构的定位是什么。培训机构最终要促进校长自我意识的觉醒。以往的学校管理更多地靠经验，而不是领导主体性的彰显。因此，校长培训机构要能够体现现代培训理念，使教师、校长在思想上"站起来"。

第二，培训机构要搭什么样的班子。要能够基于现代培训理念，从培训环境与空间的设计、培训模块与培训方式的开发、机构组织成员的角色意识与能力提升等方面去

思考，我们到底应该在当下为中国基础教育发展，为中国基础教育走向世界建立一种什么样的培训机构。

第三，培训机构到底要铺什么样的摊子。要认真地思考培养模式、培训方式、培训理念、培训空间等是否能够体现现代理念。

第四，我们要走出什么样的路子，搭建什么样的促进校长成长的平台。

最后，希望有真正引领性的培训机构能够探索中国基础教育背景下促进校长专业发展的路径。

如今各行各业都在谈中国梦。作为一个教育培训者、教育改革发展的参与者，我的梦想是什么？那就是我们的培训如何为校长助力，帮助他们远行，使校长不仅能够奋力飞翔，而且飞行的方向不出现偏差。我们的培训机构要成为校长远行的平台。我们也愿意实现这样的定位，使我们能够成为引领中国基础教育培训的引领者。我的演讲到此结束，谢谢大家！

百年老校的活力与重生

余 强

中国近几十年的教育，发展迅速。一些百年名校在发展的过程中，优秀的办学资料疏于收集、整理、总结；优秀的文化来不及挖掘、继承和发扬光大，所剩无几。只有极少数的百年老校既能继承优秀的传统文化，又能与时俱进，保持着跨越时代的风采，一路欢歌。

一、百年老校不"名"的历史追溯

我们先说说百年老校存在的三种情况：百年老校开办之后，就没有出名过；出名过一段时间之后就不出名了；还有一种情况就是一直"名"到今天。

成为名校的往往是办学者一开始就有或逐步有要办好学校的意识，有较高的办学起点和持续的资源优势。比如，政府办某些学校可以成为并持续成为名校，因为有资金和资源的保证。另外就是师范院校附属学校，在办学条件基本保障的情况下，这类学校拥有大量的优秀师资，并采用最新的教育研究成果，因此通常办学质量好，成名的学校多。

扫一扫，
观看现场演讲

余强，原四川大学附属实验小学教育集团校长。

但是这些名校里也有些出了问题，导致"名"校逐渐消失。主要原因有两个。一个是政策资源的调整导致文化断裂，包括学校的身份被取消；集团化办学，名校的含金量被严重稀释，比如成都集团化办学后办了太多的学校，整体品位已经急速下降；私立学校的崛起，但是目前私立学校中的名校不多。二是校长的文化素养导致文化断裂，包括校长的功利主义思想泛滥，急功近利，对教育的本质没搞清楚；在选拔上任人唯亲，而不是选拔真正有能力的人。如果一个校长一天到晚讲究吃饭喝酒，无心研究教育、教学，对这个学校的影响肯定是巨大的；校长的历史文化素养低下，没有将学校的文化充分地理解和挖掘，没有在传承的基础上求发展、求创新。

继承是教育的起点，创新是文化因素的重新进化。整个社会在进化，一个学校的文化也在进化。

二、名校穿越时空的力量源泉在哪里

（一）教育、教师的地位必须由政策、法规来保障

我觉得当前这种情况，教育、教师的地位必须要达到与教育相适应的程度。当前，我觉得教师的地位是较低的，优秀的人才进不来、留不住、在岗的教师不安心的情

余强

况普遍存在。为此，我认为教师作为国家公职人员的认识必须全面进入社会的认知体系，绩效工资总量不低于当地公务员的实际收入水平，这些必须尽快落实。

（二）学校的文化属性应得到充分认识

首先，我们要从人的一生理解基础教育的内涵。

我们应该把人的一生分为童年、少年、青年、中年、晚年这几个时期并完整地来看。从这样的视角出发，我们就不会就童年看童年，我们看童年的时候亦看到了他的少年甚至青年、中年、晚年。学生在童年时期应该是幸福的，幸福的特点就是充满天性。我们要尊重他的天性。卢梭在自然主义教育当中有一句很经典的话，"童年时期是理性的沉睡时期"，即是蒙昧时期，我们必须尊重他，不该唤醒的时候就不唤醒，因为他的准备还没足够。

如果他童年时期幸福了，他少年时期就会充满自信。充满自信的少年就会好学上进，什么都愿意学习。而在少年时期，他有了自己的见解，才有才华横溢的青年时期，到了中年时期就会充满创造力，能够创造出大量的物质和精神成果。青年时期充满了理想和追求，中年时期充满了创造，到了晚年的时候，他既有精神财富，又有物质财富，他会不幸福吗？

其次，我们要用"三大哲学命题"对学校本质进行追问。

我是谁？我从哪里来？我到哪里去？这是哲学的三大命题。那么，我们可以追问，学校是什么？从哪里来？到哪里去？《圣经》中有一句话："学校是充满奶和蜜的地方。"有许多关于学校的描述，但是没有一句像这句话一样让人感觉那么舒服。奶是不可替换的生命的原浆，包含了丰富的营养。蜜是什么？是甜的味道。学校要是有营养的，是甜的，只有这样才能吸引学生。

最后，学校是人精神和物质和谐成长的处所。人的身体是有形的，即是物质的人。人的思想是无形的，即是精神的人。学校教育的目的就是要"野蛮其体魄，文明其精神"。针对学生的体能与健康，我们应该用科学的方式来消耗他的体能，让他养成健康的体魄。此外，对学校文化属性进行充分的认识是急不来的，我们必须对文化进行探索。那么，文化的基本样态是什么？我想梁晓声的四句话非常重要：植根于内心的修养；无须提醒的自觉；以约束为前提的自由；为别人着想的善良。我想在此基础上补充一个：情趣持续成长的智慧。

所以学校是什么？我们从自然生态的角度去看，学校里充满了四季的特点，是草木茂盛的地方，这也是学生非常喜欢的地方。但是这还不够，它必须要提供探索未知的实验室，从实验室延伸到我们的校园，学生如果在探索过程中成长起来，他的创造力、智力开发、可持续发展将会非常平衡和谐。此外，学校还应该是充满人文和故事的文化场。

（三）用规划让"思想落地，文化生根"

我们有了对学校的基本认识，就应该按规划来建设学校。这是一个十分漫长的过程。1997年，我到小学去当校长的时候，我不知道怎么下手，因为一开始我是做中学教育的。成都实验小学的老校长找我聊天，他跟我第一次谈话时就说"我们要做好规划"。

1999年，教育部进行了一次规模宏大的课程改革。那时候华东师范大学的专家和教育部的领导到德国去考察，来到德国的一所高中文法学校。专家走进这所学校，在校长办公室发现墙上挂着大片A4纸的小方盒，他问校长这是什么，校长告诉他一个方盒就是学校发展的一个五年规划，总共89个小方盒，一共就是445年了。445年的办学历史完全记录在案。

我们很震惊，这样的规划能起到什么作用？德国在一战结束后迅速变强，发动了第二次世界大战，第二次世界大战战败后沉默了一段时间，但现在在欧洲整体经济下滑的情况下，它一枝独秀。而且你再仔细去查，德国的哲学家、科学家也享誉世界。

所以我在四川大学附属实验小学时就做了几个规划：第一个规划是建立现代学校机制；第二个规划是以"生活教育"主张作为核心价值观创建示范学校；第三个规划是提升学校师生生活质量；第四个规划是构建公民素质教育课程体系；第五个规划是打造研究型、生态型学校。我完成了第五个规划之后就退下来了，前面四个规划就耗费了我18年的时间，也使得四川大学附属实验小学成为全国非常有名气的学校。

那这五个规划都是什么人制订的？第一个规划是我自己制订的，然后我发现光是我制订不行，需要大家一起规划才行，所以后来的规划就由70多个有代表性的教师共同参与，再加上教代会审议，一半以上的教职工参加，而现在的规划已经是全体教职工和社会参与了，变成了大家的规划和行为指南。

（四）群体研究让教师穿越时空

最后一点就是做研究。第一，是做自己的科研。第二，是做深度科研。第三，是做生态的研究。

没有研究就没有突破，只有研究才能拉动学习，才能对不同阶段的教育有更深入的理解。所以当我们对教育有了深刻的理解，再结合研究去纵深践行，这样持续不断地发展就会有源源不断的动力。虽然我们不能改变一个国家，但是我们能够改变我们自己，进而改变这个学校，最后改变社会。谢谢大家！

想象与实践——国际化教育背后的引领之志

上海青浦区世外·尚美中学校长　沈丽琳

我们每一个从事国际化教育的同行都会面临这样一个问题，如何理解国际化？对国际化教育的理解，我认为重点在于"化"字。我们把自身和其他学校的、其他国家的教育精华整合梳理，在自己的学校里生根发芽，这就是我对国际化教育的想象与实践，也是我觉得可以在任何一所学校推广的国际化教育。

教育常会被比喻为"光"，它照亮我们的人生。我想这不单是指教育对人类发展的重要的象征意义，也是指教育具有光的性质，教育和光的传播、直射、衍射一样有隐含的方向和规律，它需要我们去想象，去追寻。

如今国际化教育受到越来越多的关注，教育界的同行，无数的学子和家庭，众多的社会机构，很多教育研究者、学校经营者、教育实践者都在寻求一些新的视角，进行新的尝试，而这些尝试应该都是出于一种心声，一个念头，一种站在国际化背景下的对未来的想象：人如何获得幸福？

我们常常把教育和医疗类比，两者都有很多相似的问题，比如医患关系和师生关系，面

扫一扫，
观看现场演讲

对这些相似的问题，我们总会有一些可以共同借鉴的方法。我看过一篇文章，说的是一位肝胆外科医生，十几年来对自己的手术技术信心满满。他发现自己的手术技术指标已经非常好了，比如手术时间缩短了，术后存活率提高了，但是主攻的胰腺癌的治愈率却并没有随着自己这些手术指标的提高而提高。这位医生对这个情况进行了反思，他比较了国内外医疗研究者的成果，提出了先多学科讨论再决定手术的方案，经过尝试，取得了很好的进步。

我们同样可以发现，在教育中，我们会用到很多的教育、教学、心理、技术等方法和手段，那么我们也应该思考和评价这些方法和手段是否都会指向学生的发展和人的未来，是否能真正帮助学生从容自信地获得生活的价值和愉悦。

在10年、20年、30年后，我们今天想象和实践的国际化教育到底能在我们的学生身上成就多少？他们在这个极其丰富的全球社会里是否能体会到自己的坚强和柔软，是否体会到事物变化的必然和偶然，是否体会到人际沟通的方法和智慧，他们是否会捍卫自己的权利，他们是否愿意在小的、美的地方花上时间和精力？

国际化的标志之一是在地理上跨越区域，同时也要学

沈丽琳

会跨区域的综合思考和行动。

在近两次PISA（国际学生评价项目）测试的数据中，我们可以发现在70多个国家和地区的教育改革中，出现了很多薄弱学校逆袭的案例。很多公认的优质教育体系都是近几年才发展起来的，这为我们提供了很多成功经验和视角，值得研究和学习。不论是今天的学校还是未来的学校，我们的国际化教育都面临着如何去回应快速的时代变化和满足对优质教育的需求；我们如何去搭建具体的教学内容和学习环境，如何去制定以学习者为中心的教育政策，如何调动教师为此投入积极性和创造力等问题。这些不是一个学校、一个校长能单枪匹马完成的挑战，而是需要我们一起对社会的未来和人类的发展充满想象，并在今天的学校、课堂和教师、学生一起去努力实践。

我觉得今天的国际化教育可以发生在任何一所学校。越来越多的家长在为孩子选择入学的时候会注重选择本土文化和国际文化融合较好的学校。作为校长，我们就面临着这种需求发展背后的焦虑和期待。我们如何来回应它？

我所在的教育集团世外教育是以上海世界外国语中、小学为代表的民办教育集团。2013年，美国华盛顿中国研究中心和常青藤名校联合发布了中国大陆500所小学的最佳排名榜单，上海世外小学排名第一；2016年，福布斯将上海世外中学评选为上海地区国际化学校第一名。学校在学制上已覆盖幼儿园至高中学段，在办学性质上包含托管公办和民办，办学所在区域已辐射上海、浙江、安徽、贵州等地区。虽然成绩和口碑已很优秀，但集团仍然充满着对国际化教育的变革之心，每年有大量的校长、教师培训以及学生交换、游学项目等等。

我今天要谈的是集团中的一所学校，我所在的上海市青浦区教育局委托世外管理的公办初中。托管充满着期待和重重的阻力。教育集团接手这所学校的两年半里，我觉得可能经历了期待类似改革的学校都会碰到的问题：学校本身的基础和特色如何与国际化教育结合？教师的观念和教学方式如何和适应国际化教育？办学的行为和成果如何体现出国际化教育？

看上去很宏大的题目，答案落脚点却往往实实在在地存在于学校课程之间和教师成长之中。我始终认为国际化教育的核心在于建立自己和世界更多的联系，校长本着"连接"这个关键词去开启孩子们的学术视野和生活视野，连接起学校与教师、教师与学生、学生与未来、本土和世界，自我和社会的过程就是国际化的路程，也是学校教育的路径。

在我们找到这个关键词后，我们想象的"连接"的场景是这样的：我们的孩子可以生活在不同环境中，和不同语言、文化和传统的人们一起有效工作，面对新的环境能拿出独立的解决方案；我们的教师不是孤立的学习者和教学者，他们能随时与各地的教育者交流观点，能及时回应孩子感兴趣的问题，能带领其他老师、学生、家长建立活动项目等等。

我们需要为了"连接"而不断地实践和改变，把教育中的偶然与学生成长中的必然连接：我们带着孩子们走进当地文化特色，我们学校也被评为上海市非遗传承特色学校；我们带着孩子们开展英语书目推荐交流，建立了分级阅读的英语绘本馆；我们在校内开展了读书节、艺术节、科技节、体育节和英语节五大节日，并在不同的节日确定不同的讨论主题并进行活动设计；我们强调通过通识阅读让学生学会优雅地度过休闲时光……

我们请文科教师在课程中寻找具有国家和国际特色的素材，语文组寻找到了唐诗和莎士比亚片段解读，作为今年阅读节的主题：今天我们如何阅读经典；艺术组利用寻找到的非遗素材，绘制了3门非遗文化介绍的校本拓展课程。语文、政治和历史老师找到主题"战争与和平""英雄与霸权"，三科共同执教，把中外历史盛世的崛起和没落，通过诗词文章来对比，对发动战争目的的正义与战争的破坏进行辨析，对战争与和平环境中的儿童生活状况作对比，我们看到了师生对战争这个国际议题的关注和探讨。

未来并不确定，学校的重任在于发现那些可能性，更要为这些可能性设计尽可能科学、确定的路径，所以国际化教育更需要我们看重那些不变的毅力、同理心、换位思考、专注力、道德品质、勇气和领导力等等。

2016年起我们和德国海德堡的一家教育机构在学校推行了跨文化国际理解课程，我们的目标是对比中西方文化差异的所在，了解差异产生的原因，培养学生对中国传统文化的认识和理解，学习不同文化之间沟通合作的方法与技巧。每个学期，我们都开展六个模块的主题学习，讨论自然与资源、不同职业、奇特的旅行、与故人相关的节日、各地新年、饮食禁忌、人的肢体语言、世界无车日、世界孤儿日等。

我们在一所公办初中里尝试的国际化想象，其实都隐含着国际化教育实践中的种种冲突和纠结：凸显国际化教育，会不会影响本土化基础教育的质量，花了很多的时间做项目会不会影响孩子们核心课程的补习，家长们不支持或不置可否的时候教师又如何说服他们参与到孩子的活动中去，跨学科教学中我们的知识储备不足，如何动员其他学科成员一起参加等等。对这些纠结我们不需要刻意回避，也没有一个绝对的解决方案，只有从冲突到互相理解，从不适到互相接纳，反复推演，我们都在尝试国际化理念驱动下大人和孩子们如何才能一起更好地在思考中成长。

大人们有多少想象和实践，国际化教育就能谈多远的未来。祝所有同行和我们的孩子都拥有一所丰富、好玩、耐看、国际范儿的学校。

面向世界，教育应有怎样的追求

江苏省锡山高级中学校长　　唐江澎

对世界的足够了解是中国教育走向世界、面向未来的前提。当前整个世界发起了一场有关高品质高中教育的行动，努力提升高中教育的发展内涵，着力培养具有未来竞争力的核心人才。这也可以视为全球范围内一流大学建设的高中版。

《中国教育现代化2035》提出，要把各级各类学校办成具有中国特色和世界先进水平的优质教育。那么，当今世界上那些真正有国际影响力的高中究竟能给我们什么样的启发呢？对此，我和我的团队曾做了一些研究，下面我从四个维度上对国际优质高中的教育做一番梳理。

一、愿景和使命

培养什么人是各国高中发展优先考虑的基本目标，它体现在各校明确的愿景和使命中。

美国波托马斯杰弗逊高中的使命是：为学生提供一个具有挑战性的数学、科学和技术学习环境，激发学生发现与探索的乐趣，基于道德行为和人类社会的共同利益，培养创新的文化。

扫一扫，
观看现场演讲

英国沙田官立中学的使命是：为学生提供充分发挥潜能、获取知识，对工作、生活和社区采取积极态度的最佳机会；按照学校的座右铭——爱、智慧、精力、活力培养学生。

美国勒荷拉国民日校的使命是：培养具有终身心智探究精神、人格持续发展和高度社会责任意识的人才。

美国伊利诺伊理工高中的使命：能点燃并形塑高尚道德的灵魂，培养具有创新能力、科学能力的学生，为改善人类生活条件而努力。

这些品质高中共同注重这几个方面的培养目标：第一是培养服务人类的精神和意识；第二是培养灵魂高尚的人；第三是培养具有创新和创造力的人；第四是培养有未来胜任力的人。

如果我们再从另一个维度思考，可能会带来更为强烈的震撼。那就是国外的同行在他们引用或者确定教育目标和概念时都会建立与之相应的课程载体、教学方式和评价体系，而不是仅仅贴在墙上或是印在纸上。

而我们高中的教育目标、课程内容和评价形式往往并没有很好地实现一体化。很多学校都提出要培养创新人

唐江澎

才，但学生的学习方式就是在刷题。如果刷题就能刷出创新人才来，那中国的好多问题大概都可以迎刃而解。但事实并非如此。

例如，我们倡导团队合作的精神，但却天天用排名的方式引导学生，让学生觉得他人的存在可能就是我进步的障碍。我们要把关心人类社会的发展、承担、公民责任作为培养目标，但学生甚少走出校园，甚少参加公益活动。目标与教育的落实中间其实还有一定的距离，也就是言说的主张与实施的主张之间并不一定是一致的。

日本的学校非常强调培养吃苦耐劳的精神，他们的小孩在幼儿园时就会在冰天雪地里历练，培养顽强的意志力，这是日本学校教育的基本形式。

二、课程与学习

英美优质高中在课程学习方面重点培养和发展学生的批判性思维、创新与创业能力，每个学校都会专设创新与创业课程中心，他们会把图书馆的资源利用到极致，规定学生必须有充分的独立学习的时间。

我们的优质高中都有非常漂亮的图书馆，教育部门对每个图书馆里面的藏书量都有定量、定性的要求，但我们有没有真正地考察过学生每年借书量究竟有多少呢？

英美的品质高中还重视学生在课堂之外的学习时间；通过学分制规定学生需要发展其数学和科学的课程能力，在这两门课程上至少达到5学分。他们不约而同地强调STEM教育，与大学教授联手培养学生的探究、批判和创新能力。

我认为中国的创新创造教育必须解决以下几个关键性的问题。

第一，课位问题。目前，国内的创新创造教育课没有写入课表，都是课外兴趣小组点缀式的活动，没有纳入学校整体的课程体系。所谓课程，在我看来无外乎就是"课"和"程"，"课"是内容的选择，"程"是机会的安排。没有机会的安排，内容的选择必将落空，势必被考试学科所挤压；没有机会的安排，就不可能在评价体制上与学分相对应给出必要的份额。连课位的问题都没有解决，连课都没有排上，还谈什么创新教育？

第二，课程问题。我们有没有寻找并设置能够培养学生创新创造能力的课程？多年前全国实施研究性学习，就是让学生对高三系列题目的体系化进行整理与探究。其实，说这是错题本整理、专题复习梳理更合适，而不应是堂而皇之地命名为研究性学习。所以，课表上的探究课、创新课是否有与之对应的课程内容？我认为这是值得我们思考的问题。

第三，师资问题。师资从哪里来？我们学校的师资是从四个层面上来：一是学校原有的师资，二是在社会上聘请专业人士，三是从家长志愿者中来，四是与高校联手建立课程开发机制引来了大学教师。

第四，环境问题。要营造创新与创造的学习化场景，创新创造的创客空间不可能发生在原有的秧田式的教室里面，我们的课堂应该是专业化、精致化的学习场景。如果没有这样的场景，学生在何处创造？我曾经到芬兰的学校参观，看到令人震撼的场景：在偌大的车间里，学生在那里修着直升机！而这，他们普通高中的课程。

芬兰一个普通高中的校长非常自豪而且非常确定地告诉我，他们学校的所有课桌都是学生自己做的。我们以为他们是让学生当"木匠"，但他们说是用这种教育方式在培养工程师的品质。这就是芬兰基础教育所强调的创新与创造。

日韩重视学生基本学力的培育。学力是学习能力，是一种力量，而学历仅仅代表着一种经历，经历并不表明他具备某种能力，我们现在太重视一纸文凭，而忽视我们是否拥有真正的力量。

而日本的优质高中很多都设有初中部，这些学校在初中阶段就开始加强学生的基础学力培养，他们认为这是学生发展综合实践能力以及未来升学和就业的基础。

日韩的高品质高中在培养学生升学能力的同时，非常重视未来职业所需能力的培养。他们认为，学生不管是升入大学还是研究所，未来都需要与实际从事的职业相结合，高中阶段重视职业规划教育，对学生未来的发展将有很大的助益。

我多次强调，当下的中国暂时没有办法改变以分数来选拔人才的基本方式，至少在未来10年里是不可能发生颠覆性改变的，我们能够做的就是让分数带着学生生命的体温。

我们必须把学生今天所学习的课业同他们大学选择的专业贯通起来，把专业同他们在社会安身立命的职业贯通起来，把职业同他们一辈子建功立业的事业贯通起来，把事业同这辈子能够安顿灵魂、造福人类、心怀天下的志业贯通起来。"五业贯通"变"为分而学"为"因爱而学"，这样，我们的学习就会与未来志业相关联，就会以学科最典型的学习方式来发生，就会带着学生生命的体温。

日韩品质高中非常重视国际交流。他们通过交换生，参加国际会议以及与其他国家建立兄弟学校和姊妹学校的方式加深学生对其他国家文化的理解。

我们学校也常常接待来自新加坡和其他国家的学生领袖交流团，在这些学生领袖身上我们看到了他们有一种卓越的服务天下的意识和人际交流的能力，他们对中国江南一带的研究比我们身在江南的学生要深入得多。

种瓜得瓜，种豆得豆，用交流的方式能培养出与人合作的能力，用行走天下的方式能培养出学生的胸怀和眼界，而用刷题的方式永远只能培养学生的解题能力。没有学习方式和学习经历的变化，不可能培养出具有核心竞争力的人才。

三、师资与队伍

我们考察了英美高品质高中的师资情况，惊讶地发现他们的硕士比例高达100%，博士比例超过了一半，并且注重教师专业学习社群的建设。最近我们广东深圳也引进了大量的高学历人才，我认为大湾区未来一定会是博士涌入的热点地区。

有的高中校长甚至认为博士就是一种点缀，他们认为让博士来学校干什么，博士教的学生说不定还考不过一般教师教出来的学生。其实这是一种误解，博士的专业素养、研究规范和学术视野正是我们开发培养有创造力学生的优质课程所需要的资源。如果他们能够把这样的知识背景应用于学校的课程开发中，一定会使学生走出最简单、最低级的刷题学习方式，帮助学生以探究的方式来研究世界，来解释世界，来赢得未来。

我们要知道，高品质的教师都会创造卓越的教育，卓越的教育才能让学生走向卓越。卓越的教师必须是高品质的学科专家，在具体学科领域有学术追求。我们应该进行"一个身体式"的团队建设，让教师群体成为相互信赖、相互支持的共同体。

四、保障与评价

英国品质高中在保障与评价体制上做得很好。英国罗素高中的校长前几天到我们锡山高中访问，我们之间进行了深度的交流。他说英国对中国的基础教育方法非常欣赏，引进了中国的数学教辅，但他自己对中国这种大量做题的模式持反对意见，不过家长非常拥护和期待有中国的教师来教他们的孩子。

我们感慨当英国的孩子在博物馆流连忘返的时候，中国最优秀的孩子都在做题。我们不可能想象若干年之后当中国的孩子都在探究，都在博物馆流连忘返的时候，英国的孩子都在做题！英国罗素高中校长以英国式的大笑和夸张的词语告诉我："天啊，不可想象，这是一种灾难！"我跟他说，不要认为这是一种灾难，罗素中学的创始人罗素先生说过这样一句话："任何教育改革都是对立的力量相互妥协与达到某种平衡的结果。"今天英国的孩子是要做点题，但我们绝不可以认为"英国的孩子都做题了，难道我们还不要再多做点题吗？"那一定是错的，我们也应该去去博物馆，是这样的一种平衡。

我们江苏省锡山高级中学提出要建设现代品性的学校的愿景和目标。现代品性高中可以概括成两句话：一是建立学习共同体，二是建立民主型组织。

学习共同体是一个使学习真正发生的地方。学习共同体内每一个成员都在成长。在这里，学生因爱而学，体验探究，生活丰富，将成长为胜任未来生活的终身学习者。教师在社群中进行专业阅读、交流探讨、合作研究，成为有坚定信念、博学多才的学者。家长和其他社会关系人坚持教育阅读，为国育才，与学校师生构成紧密的学习共同体。

民主型组织是一个平等参与、民主对话的组织。课堂师生平等，在对话探究中让真理敞现，在思维碰撞和互助合作中完成真实情境下的学习任务或项目研究。课程丰富而有品位，为个性的成长提供多样选择，师生在课程群中择己所爱、展己所长。校园是一座城市，大家的事大家协商，大家的事大家治理，在师生民主协商和共同治理中成就和谐、圆融、乐群之校园。让我们在共同参与中共建文明、美丽、向善、向上的精神家园。

何谓高素质、专业化、创新型的教师

华东师范大学课程与教学研究所教授 刘良华

《关于全面深化新时代教师队伍建设改革的意见》文件提出了"高素质、专业化、创新型"的概念。教师的高素质包括专业化和创新精神。但是，将高素质三个字赫然矗立在专业化和创新型的前面，意味着除了专业化和创新型，教师还需要具备别的更高级的素质。

接受过专业训练的人可以做外行做不到的事情，这叫专业化。例如，受过四、五年医学训练的医生开出来的处方，病人是不会挑剔的。但是，在我们教育界却存在这样一种情况，有时候教师教育学生，没有接受过师范教育的家长会挑剔教师。这意味着什么？这是一个问题。

什么样的教师是专业化的教师？其实比较简单，就是我们教育孩子，能做到不让校外的人能够挑剔我们，这就是专业化。

在我看来，幼儿园及小学教师需要接受外语体艺教育的专业训练。幼儿师范学校和中等师范学校两种类型的学校到今天不断地被人回望、被人回想，因为这两种体制的学校招收的学生是初中毕业的，仍有很多潜能还来得及去

扫一扫，
观看现场演讲

321

挖掘和发挥。这些学生在初中毕业之后就接受音乐、美术、舞蹈等相关的专业训练。现在有一些大学的师范院校，尤其是学前教育专业，变成本科，甚至要研究生化，我认为学生如果不是在初中前或最迟初中毕业就开始接受音乐、美术、舞蹈、外语训练，而是等到高中毕业之后再去训练这些专业技能就非常难。

所以我们能够看得到的是，幼儿园的研究生、博士生的水平可能远远不如一个幼师毕业的老师，这就是专业训练。现在很多中师、幼师都撤掉了，我非常希望将来我们的这种幼师、中师学校能够以某种形式恢复过来，让我们的学生至少从初中阶段开始接受专业训练，不要让自己"廉颇老矣"再去训练成为一个幼儿园或小学老师。

那么，难道师范专业本科化就有问题吗？也没什么问题，相比于幼儿园、小学教师，中学、大学教师就需要有知识和思想训练。不同阶段需要有不同课程、不同的培养方案和不同的培养目标，就像一个儿科医生，他的训练和一般的临床医生不一样，所以这就需要有对应的培训让教师们变得专业。

另外，中学与大学应建立教师流动机制。这一点现在已经变成现实了，越来越多的中学教师、校长跟大学教师

刘良华

是流动的。中学阶段是学生一辈子最渴望有偶像的阶段，这个偶像不是指明星，而是他更希望被思想所征服，所以中学、大学的教师，更多的是需要有知识和思想这样一个大方向上的专业感。

以上就是我对专业化的解读。至于创新型这个概念，有很多的谈论和议论，我只推荐一个概念，那就是能够把教学做成学术。"把教学做成学术"有多种说法，以前称之为行动研究，也有人称为校本教学研究，我的导师叶澜先生称之为研究性实践。可是现在人们突然又蹦出一个新的说法：把备课变成教学设计，我认为这就是创新的第一步；把课堂变成教学实验，这是创新的第二步；把教学本身变成教学学术，这就是最后的创造状态。

如果把教学变成学术，到底有些什么样的新变化？如果说专业化是我们的方向，那么创新型就是我们的方法，只有用这样的方法才能实现这个方向。可是当我们把"专业化"和"创新型"实现出来之后还是觉得不够，于是我们又提出了"高素质"。具备什么样的素质才称得上是"高素质"呢？我们对教师的素质有很多的解释，但是这些解释有依据吗？我推荐一个依据就是：新时代与新教师，"三世说"与新六艺，我们把几个概念摆放在一起，就会发现高素质背后的期望。

这个依据很多人愿意接受，为什么？因为不同的时代对教师、学生和所有的人才有不同的期望。中国有一个传统叫"春秋传统"，它提出一个概念叫"三世说"，"三世说"是指"据乱世、升平世、太平世"。每一个时代，每一个不同的社会，都需要不同的人才。例如在比较贫困、战乱的年代，需要的是军事力量，在战乱年代读书人就是比较可耻的，为什么？因为会读书不会打仗是会误国的，而且光会打仗还不行，要有粮草先行，所以要能劳动。会打仗，也有粮草了，还是不行，要有法度，这就是要有法治，甚至不能有太多自由。这是 "据乱世"社会对人才的三个期望，就是"体育＋劳动＋德育（法治）"。

到了太平盛世，时代需求变了。在摆脱了谋生状态之后，需要做三种游戏。第一种游戏叫智力游戏，也就是"智育"，是一种博雅的状态、自由教育的状态，这是智力原本出发的地方。第二种游戏是审美游戏，也就是"美育"，要会"玩"。我看到网上有一篇文章，标题是"不会玩的孩子可能是真正的差生"，这句话大致上是对的。但是它前面少了一个限定，这个限定就是，如果一个家庭摆脱了谋生状态，你不会玩，你就是差生。另外，劳动很重要，但劳动也不是我们的终极目标。习近平总书记为什么要强调劳动？因为中国人现在要有忧患意识。这两种游戏之外，还有第三种游戏，叫情感游戏，也就是"情育"。

当发展中国家已经离开了贫穷的状态，于是在我们这样的一个时代——"小康社会"，它既要有前面的三个教育——体育＋劳动＋德育（法治），也要有后面的三个方向——智育＋美育＋情感。小康社会上升的时代，叫"升平世"，在这样的一个社会里以上的六个方向的教育都需要有。如果仅仅只有谋生状态的三个方向的教育，那么这个社会会很贫困；如果仅仅只有后面三个方向的教育，没有前面的三个要素，这个社会会出现危机。我再把这六个要素的其中两个加起来，可以总括为：文武＋劳逸＋情理。

我们做一个总结，什么样的教师具备这个时代的高素质？他至少需要具备"文武＋劳逸＋情理"这三个词语所提示的五个方向或者六个方向，要"文武双全"，要有学术思想，有体育爱好。每一位教师都要问问自己，除了有文，会不会武，文人提笔，武不要提刀，至少要会打球，这就是武。有教师说我能劳动，我很有工作精神，这是值得钦佩的，但是在比较发达的城市一个人还需要有审美游戏感，要懂得劳逸结合，在有工作精神的同时要有艺术爱好。所以校长、教师要提醒自己，我们的专业应该往哪里走。往往一个不会玩游戏的教师，他看到学生玩他就会愤愤不平，一个自己过得不好的教师，他就没法容忍学生过得好，所以我提倡除了"劳"还要有"逸"。

再说到通情达理，这四个字最重要，也就是要有爱与意志，有"度"的智慧。通情达理又称为人格教育，这既是对教师的期望，也是对学生的期待。那什么样的人格才是好的人格，什么样的人品才是好的人品？我们只谈这两个词，第一个词叫情感，第二个词叫理性。情感的核心是爱，理性的核心是意志，所以我们也称之为爱与意志，一起构成我们接下来要谈的另外一个智慧——"度"的智慧。因为你只有爱和意志还不行，爱得太多会有问题，意志太强就会显得很固执，所以我们要懂得对度的把握。

有了这样的补充说明，就有了三个与智商并列的相关词语：第一个词语称为"爱商"，第二个词语称为"志商"，第三个词语称为"度商"。一个有爱心的人，他首先会爱自己，他会自信，所以什么样的教师是个好教师，是一个高素质的教师？就是这个教师一眼望去比较自信。一个校长是不是一个好校长，就看他能不能让学生和教师自信。第二个要爱他人，学校那么大，总会有一到两个教师做得不够好，跟同事关系比较紧张，跟家长关系也很紧张。各位去留意一下，只要是跟同事关系、跟家长关系很紧张的人，他跟父母亲的关系也是很紧张的，因为他缺乏生活的智慧。我们不仅要"专业"，要"创新"，还要有一个常态，一个真实的生活中的好人，只有做了生活中的好人，爱家人、爱友人，你才有可能会成为一个好老师。

我们提最后一个标准，叫"爱自然"，一个人只要能够融入自然，就不会太焦虑；一个人只要有游戏感，就不会太固执。

把丢掉的东西捡回来

武汉市武昌实验小学校长　张基广

各位朋友，大家下午好。

大家一定还记得猴子下山的故事。这个故事讲的是小猴子在山里采到了玉米后，走到山腰时，发现西瓜地的西瓜很漂亮，于是丢掉了玉米去捡西瓜，到了山脚，又发现桃子长得非常好，于是又丢下西瓜摘桃子，摘桃子的时候，发现树下有兔子，于是它就丢下桃子去追兔子，结果什么都没有得到。当下，很多学校、很多校长就像故事中的小猴子一样，不停地以改革、创新的名义在不停地追逐，也在不断地丢失，以致得了一种教育的现代病，就是走了很远，却不知道当初为什么出发，忘记了当初为什么出发。我个人觉得，在当下，我们丢掉的一些东西需要重新找回来。

一、把"老规矩"捡回来

这个学期，我在学校做了一件事情，请学生代表与校长一起共进午餐。第一次我请了8位学生跟我一起共进午餐。过程中我发现有6个孩子连筷子都不会拿，都是用拿勺子的姿势拿筷子，这是很大的问题，中国人不会拿筷子，确

实值得我们共同来反思家庭教育和学校教育。我记得在小时候，我的家长教育过我怎么样拿筷子，怎么样端碗，吃饭时要先让老人上座等等，这是老祖宗留下的老规矩，这个规矩能丢吗？肯定要捡回来！所以当夜我写了一篇文章《教育从拿好筷子开始》。类似拿筷子的老规矩还有多少？我们学校特别强调学生写字的姿势。怎么样做到手离肩一寸，胸口离桌面一拳，而眼睛离桌面一尺，这样的规矩都是好东西，我们能丢吗？古人说行如风，站如松，坐如钟，这些好东西我们不能丢。我们的祖宗给我们留下来的一些老东西、老规矩都是我们的宝贝，我们曾经丢掉过，丢失过，现在要把它捡回来。

二、把"泥土"捡回来

现在很多学校、很多校长在规划学校时，一门心思硬化美化，学校到处都是水泥、沥青、塑胶，使我们的教育

张基广

远离了泥土，也远离了地气，但我认为地气太重要了。现代心理学表明，学生长期进行手中的运动，最能促进大脑的发展。玩沙、玩泥土，还有像我们已经基本丢失的爬树等攀爬运动都可以促进孩子学习创造思维的发展，但是这些东西都被我们丢掉了。我还想到，我们这一代人童年时玩的一些亲近泥土的游戏也被现代的网络游戏替代了，比如滚泥潭、打纸片、打弹珠等等。所以我在我们学校大量地设置了这样的场地，大量地倡导恢复传统的、经典的、亲近泥土的游戏。我们学校挖了五个大沙池，让学生在里面玩沙。我们学校还开辟了菜地，让学生种菜，亲近泥土。我们学校有很多攀爬的设施，学生可以爬树，可以爬墙，可以坐在树顶上的小小读书屋里读书，还可以从二楼很长的滑梯上滑下来。

三、把"野性"捡回来

现代校长在办学当中最担心的就是安全问题，因为担心安全问题，所以就把学生管束得很厉害，把很多东西都取消了，因噎废食。这种追逐过度的安全，看上去是对学生的保护，实际上把学生从真实的环境中剥离出来，对学生是一种伤害。这样一种绝对的安全和保护，带来两个最明显的问题。一是听话教育，我们的老师都喜欢听话的孩子，这种听话的教育，更多的是培养学生的"奴性"，而不是培养现代的公民，这种教育会使孩子丢掉应该有的血性、野性、灵性、童性，最后培养出来的可能是听话的小大人而已。

二是男孩危机。我对学校非常担忧，因为我们学校90%的老师是女老师，每一年招新教师的时候，新来的90%也都是女教师，让我担忧男孩危机。比如我听了一堂音乐课，音乐课唱的歌是金孔雀轻轻跳，老师编了舞蹈，跳舞时，女生跳金孔雀跳得非常漂亮，但男生跳金孔雀跳得特别别扭、特别难看，这不是男孩危机吗？我们学校组织的运动会有一个入场式，入场式上，学生举着彩球在跳，女生跳得特别欢快，但是男生跳得特别难看，为什么？因为男孩子是用女性的动作来跳。这样的男孩危机在我们的身边处处存在。我呼吁，在我们的教育中应该要有血性的东西，有野性的东西，有灵性的东西，我们需要把它们捡回来。

四、把"戒尺"捡回来

最近大家都在热议四川的夏老师体罚事件。在讨论夏老师体罚事件的同时，很多人把它跟不久前的另一个事件联系起来。我们的老师对现在的学生是管还是不管，管到什么程度？老师有没有一种教育应该有的惩戒的权力？其实教育绝对是两面的，一方面应该有表扬、有赏识，另外一方面还要有批评和惩戒，没有批评、没有惩戒的教育是不完整的教育。而现在，普遍进入我们视野的是表扬和赏识，而且是泛滥的表扬、廉价的赏识。在课堂上听到的都是"你真棒"等，遍地都是表扬。还有，在初中和小学班主任普遍采用小红花奖励，学生得一个小红花，又得一个小红花，十个小红花可以换一个什么东西。我认为这是粗浅的、泛滥的表扬和奖励。其实我有一个比喻，表扬和批评就像是打气入胎，车胎没气了，用表扬和鼓励给他打气，如果车胎破了洞，首先要做的不是打气，而是用批评和惩戒把胎补好，补胎过后，再接着打气。我们老师有没有惩戒权？我个人觉得应该把惩戒的"戒尺"捡回来。当然这个惩戒并不是一味地惩戒。比如我们学校有《湖北省武昌实验小学学生惩戒条例》，明确规定学生有哪些事不能做，哪些事做了，将会受到什么样的批评和惩戒，但这个条例不是我起草的，也不是政教处起草的，而是学生建议的。学生来提出哪些事不能做，做了就会受到什么样的惩戒，惩戒办法也是来自学生的。所以整个过程都是由学生提出来，然后由学生自己去执行。我觉得这样的惩戒可能更有生命力。

说到教育，我总想起小时候我和我的爷爷一起山上种树的经历。爷爷种树的时候，首先要选土壤肥沃的地方，这就好像是教学的阳光，教学的表扬。然后种树的时候，还需要不断地施肥。当然，树还需要经历大自然的风雨洗礼。最后，树还需要适当地剪枝、修理。十年树木，百年树人。我觉得种树和育人的道理是相通的，天理和人伦是相通的。《麦田里的守望者》在结尾有这么一段话，"我老是在想象，有那么一大片麦田，有那么一大群孩子在那里做游戏，我是说有几千、几万个孩子，旁边没有一个大人。而我呢？我就坐在那，悬崖的边上，如果有哪个孩子朝悬崖跑过来，我就把他拦住。我成天就做这样一件事情，我愿意做一个麦田的守望者"。我觉得今天的教育需要更多的麦田守望者，守望教育，然后回望教育，把我们丢失的，不该丢的一些"宝贝"一一捡回来。谢谢大家。

后　记

　　自2017年6月至2019年11月，"山长讲坛"走过了3个年头，举办了3季共15场演讲，122位省内外教育名家、名校长、名师、跨界嘉宾等先后登上"山长讲坛"的演讲台分享教育智慧，超过50家的媒体进行了相关报道，累计约150万观众在线观看演讲直播及回放，约350万社会各界人士通过各种途径关注。

　　"3年""3季""15场""122位""50家""150万""350万"……对于大家来说这些只是简单的数字，但作为15场"山长讲坛"顶层策划者之一和主持人，这些数字对于我来说意义非凡。它们不仅见证了"山长讲坛"的发展历程和品牌效应，更反映了每一位登上"山长讲坛"的演讲嘉宾以及在幕后默默付出的众多领导、同事等人的辛勤付出，这是我们共同努力所取得的成果。

　　转眼三年，和"山长讲坛"一起走过的日子依旧历历在目。2017年对于我们来说是相对艰难的一年。万事开头难，第一季我们刚起步，在摸索中前行。第一年为了打响第一炮、擦亮品牌、积累经验，讲坛开展的频率相对较高，从6月到12月每月一场，半年就举办了6场。因为时间紧，工作量大，团队伙伴就像旋转的陀螺，刚刚忙完上一场，又要开始准备下一场。但这种紧张的工作节奏，加深了我与团队成员的感情，我们克服困难、共同奋斗，每一次都圆满地完成了任务，获得了社会各界的认同和赞誉。

通过第一季六场的积累，"山长讲坛"的品牌开始越来越闪亮，"山长"们智慧的传播也越来越广泛。2018年3月17日，广东广雅中学校长、广东省中小学校长联合会常务副会长叶丽琳受邀出席TED×Guangzhou并进行了"环境赋能，让世界更美好"的主题演讲。叶丽琳校长从"山长讲坛"走向TED×Guangzhou，意味着广东基础教育的代表向世界发出了响亮的声音。同年10月，"山长讲坛"首个子品牌"凤城山长讲坛"正式在顺德大良落户，广东省中小学校长联合会与大良街道教育局于2018年至2020年连续三年合作举办"凤城山长讲坛"，助力大良教育发展。

2019年，"山长讲坛"在表现形式上力求创新。在第三季第三场"教博会"专场，加入了"8分钟快闪"演讲环节，设定若干与教育相关的主题，现场邀请嘉宾上台发表8分钟的即兴演讲，这不仅考验嘉宾的逻辑思维能力和即兴演讲能力，还考验嘉宾对教育问题的思考深度和对教育发展的理解程度。这种创新并不是为了"为难"演讲嘉宾，而是为了激发他们对自身发展、教育变革、未来教育进行更深入的思考。

当然，我也常常有"为难"演讲嘉宾的时候，这个"为难"是指从演讲嘉宾的主题的选取到演讲PPT的设计，从演讲时间的控制到从现场服装的穿着等，每一个细节都反复"折腾"。我很感恩演讲嘉宾对于我的"苛刻"要求总是认真对待并精心准备。华南师范大学教师教育学部常务副部长王红教授在前言中也说到，她不仅字斟句酌地写了讲稿，而且还掐着计时器练了好几遍。正是因为演讲嘉宾的认真，我们的"山长讲坛"才办出了高标准和高质量。在这一过程中，教育界演讲嘉宾的办学思想及教育理念得到了进一步的提炼、升华、传播、推广，跨界嘉宾的精彩分享也让教育界的嘉宾受益匪浅。

还有一位校长朋友问我，会不会慢慢地没有人敢于登上这个要求那么高的演讲台？我说，您放心，广东的校长们都非常乐于接受挑战。另外，广东有不少于3万所学校，我们即便每年做10场演讲，每场邀请5位校长，那也要600年才能轮完一次，而且我们的校长队伍是不断更新壮大的。再者，我们要把"山长讲坛"打造成"教育智慧分享平台"的目标非常明确。我们不仅仅邀请已有成果的优秀"山长"登台演讲，还会培养、培训成长中的"山长"，让他们也有机会登上"山长讲坛"的演讲台。

2020年，我们精选前三季"山长讲坛"演讲嘉宾的演讲集结成《山长说——岭南教育名家讲演录》出版，由于版面限制等原因，本书只呈现了59位演讲嘉宾的教育智慧。作为本书的执行副主编，我特别感恩所有的演讲嘉宾和内容编写参与者，正是有你们的积极参与，才创造了这笔无价的"财富"。特别感谢广东省教育厅、华南师范大学教师教育学部、华南师范大学省级中小学教师发展中心等业务学术指导单位，羊城晚报教育发展研究院、中国国际教育论坛、广东省研学旅行协会、广州市华偲天科教育发展有限公司等合作单位及《羊城晚报》《中国教育报》《中国教师报》《中小学德育》等报刊一直以来对"山长讲坛"的大力支持，感谢佛山市顺德区大良街道教育局对我们的充分信任，感谢广东教育出版社让本书得以出版。

特别感谢本书的顾问吴颖民校长，主编王红教授以及副主编全汉炎会长、叶丽琳常务副会长对本书的悉心指导；感谢顾明远先生、黄永光校长、罗易老师为"山长讲坛"题字，感谢北京师范大学明远教育书院副院长滕珺教授提供的帮助；感谢北京师范大学中国教育创新研究院刘坚院长邀请我们在第五届中国教育创新成果公益博览会举办第三季第三场"山长讲坛"，同时感谢刘坚院长作为特邀嘉宾在第一季第六场"山长讲坛"做精彩分享；感谢所有"山长讲坛"微论坛的参与嘉宾，包括"山长讲坛"之教育部"校长国培计划"首期中小学名校长领航班、华南师范大学培养基地专场的陈菁、张基广、朱毛智、王力争、文国韬、周大战、张福宾、朱文龙等八位校长；"长江山长"微论坛专场的范国睿、冯建军、刘善槐、周洪宇、陆桂芳、Ellen Goldring、朱旭东等七位教授和学者；中国教育学会教师培训者联盟年会之"山长讲坛"专场的尹后庆、李天顺、朱丹、吴颖民等四位中国教育学会副会长以及TCL电子人力资源总经理顾进山；感谢第三季第三场"山长讲坛"教博会专场"8分钟快闪"演讲环节的参与嘉宾尹祖荣校长、陈淑玲校长、陈辉校长、刘静波校长、洪世林博士、梁子云老师、杨学东先生以及点评嘉宾北京师范大学中国教育创新研究院副院长、全国新学校研究会副会长毕成中先生。还要衷心感谢和我一起并肩作战的团队成员们，感谢蔡倩颖、叶玉山耐心地与嘉宾沟通，感谢李朝霞为书的成稿做了大量的内容整理工作，感谢信萍、张婵等全程参与"山长讲坛"的筹备与执行工作，感谢关兆迎、廖俏根、梁颖鸢、汪冬梅、陈琛、阳文华、吴京懋、冯诗哲、黎宇蓓、谢沙沙、彭雯雯、朱文文、邝嘉俊、赵璐、陈郁芸、马俊杰等为"山长讲坛"所做出的贡献。

不忘初心、搭建平台，整合资源、促进发展，细水长流、坚持不懈。在广东省中小学校长联合会首任会长吴颖民、现任会长全汉炎和两位常务副会长王红教授、叶丽琳校长的引领下以及众多副会长、副秘书长、理事会成员的鼎力支持下，在联合会各位会员和关心教育的社会各界人士以及各大媒体对"山长讲坛"的关注下，我们将凝聚行业力量、发挥行业智慧、加强行业自律，秉承广东省中小学校长联合会的办会宗旨，"启迪教育智慧、分享教育之道"，把"山长讲坛"持续办下去。让我们共同期待《山长说——岭南教育名家讲演录》的正式出版。

姚轶懿

2020年7月7日

（姚轶懿，系华南师范大学教师教育学部、省级中小学教师发展中心副主任，广东省中小学教师培训中心主任助理，广东省中小学校长联合会会长助理兼秘书长）

◇ 顾　问／吴颖民　全汉炎

◇ 主　编／王红　姚轶懿　白宏太

◇ 副主编／叶丽琳　何勇

山长说

——教育名家岭南思想汇

SPM 南方传媒

全国优秀出版社
全国百佳图书出版单位

广东教育出版社

· 广州 ·

图书在版编目（CIP）数据

山长说：教育名家岭南思想汇 / 王红，姚轶懿，白宏
太主编 . — 广州：广东教育出版社，2024.1
ISBN 978-7-5548-5525-6

Ⅰ . ①山… Ⅱ . ①王… ②姚… ③白… Ⅲ . ①中小
学教育－教育研究－文集 Ⅳ . ①G632.0-53

中国国家版本馆CIP数据核字（2023）第189700号

山长说——教育名家岭南思想汇
SHANZHANG SHUO——JIAOYU MINGJIA LINGNAN SIXIANG HUI

出 版 人：朱文清
项目策划：靳淑敏
责任编辑：唐娓娓 陈晓君 谢慧瑜
责任技编：姚健燕
装帧设计：邓君豪
出版发行：广东教育出版社
（广州市环市东路472号12-15楼 邮政编码：510075）
销售热线：020-87615809
网 址：http://www.gjs.cn
E-mail：gjs-quality@nfcb.com.cn
经 销：广东新华发行集团股份有限公司
印 刷：广州市岭美文化科技有限公司
（广州市荔湾区花地大道南海南工商贸易区A幢）
规 格：787mm×1092mm 1/16
印 张：22.25
字 数：445千
版 次：2024年1月第1版
2024年1月第1次印刷
定 价：75.00元

如发现因印装质量问题影响阅读，请与本社联系调换（电话：020-87613102）

编委会

顾 问

吴颖民　全汉炎

主 编

王　红　姚轶懿　白宏太

副主编

叶丽琳　何　勇

编　委（按姓氏笔画为序）

王建平	王建辉	王海林	卢春梅	刘仕森
刘良华	刘静波	李顺松	杨耀明	何　勇
张　卫	张怀志	张淑华	张雄记	张锦庭
陈　晓	陈　峰	陈祥春	陈淑玲	林加良
郑炽钦	孟纯初	荀万祥	胡中锋	钟　东
禹　飚	黄灿明	彭建平	韩延辉	蔡晓冰
谭小华	谭根林			

序

减负增效提质，坚持绿色发展

欣闻"山长讲坛"讲演嘉宾的第二本讲演录即将付印，我心中暖流涌动，因为这是校长思想分享平台结出的一批新成果，实在可喜可贺！在全国教育界认真学习贯彻习近平总书记关于加快教育强国建设重要讲话和大力弘扬教育家精神重要指示精神的重要时刻，《山长说——教育名家岭南思想汇》的出版，无疑具有重要的现实意义。

"山长讲坛"举办几期之后，为增进广东中小学校长与国内其他教育发达地区教育界同仁的交流，我们每期都尽力邀请来自其他省市的国内知名学者或校长来广东讲课，让广东校长有机会近距离聆听教育大家的高见，欣赏他们的风采。所以，新书不仅收录了广东学者、校长、跨界嘉宾的带有广东气息的教育言论，还收录了不少国内其他知名学者、校长的精彩讲演内容，相信这样做，一定会给广东基础教育界带来一股清新的空气。书名中的"岭南思想汇"，就蕴含着这层意思。

当前，我国正推动教育的高质量发展，然而，什么是教育的高质量？什么是高质量的教育体系？什么是教育的高质量发展？教育理论界和教育实践一线的校长、教师，可能都有不同的理解。只有正确的教育质量观，才能有效地推动教育的高质量发展。我们的工作是目标导向的，确定了什么样的目标，才会有什么样的结果。正确的、统一的教育质量观，才能引领我们达成教育高质量发展的目标。同时，实现教育的高质量发展，还需要有正确的发展理念，科学的规划和布局，充分的条件保障，高水平的课程体系与教学方式，高素质的教师队伍，导向端正的评价体系与制度，全社会齐抓共管、协同共育的环境氛围……

2021年夏季启动的"双减"政策，吹响了我国基础教育转型发展、绿色发展的号角。"双减"政策的实施，遏制了校外培训机构野蛮生长的态势，让学校回归教育主阵地的角色，可见学生因负担过重而带来的身心健康问题，得到了从中央到地方的高度重视。"双减"给了学生更多的自由选择，题海战术不能再肆意泛滥，学生的课外作业量得到了控制，家长的焦虑情绪也得到了一定程度的缓解，教育生态正在修复，基础教育的绿色发展渐露曙光。我认为，强调教育的绿色发展，就是要把学生的身心健康放到更为重要的位置上；就是要处理好全面发展与个性特长发展的关系；就是要坚决抵制刷题和重复练习的题海战术；就是要更加遵循、更加敬畏教育规律和人才成长规律；就是要更加关注教育劳动的"性价比"，不断优化学习活动的付出与收益，反对掠夺性地开发利用学生的智力资源与体力资源；就是要不断提高教师劳动的科技含量与工作效率，让新技术不断为教育高质量发展赋能……

今年9月，习近平总书记在教师节前夕给全国教师发了贺信，贺信中高度概括了教育家精神，希望全国校长、教师要大力弘扬教育家精神，为推动教育高质量发展、加快教育强国建设作贡献。我认为，在贯彻新发展理念、构建新发展格局、推动高质量发展的大背景下，弘扬教育家精神，最重要的是坚持把为党育人、为国育才与让学生人生出彩、成为最好的自己和谐统一的教育初心；坚持对教育规律、人才成长规律的遵循与敬畏，敢于对违背教育良心、违反教育规律的做法说"不"；坚持守正创新、与时俱进，既发扬中国教育的优良传统，又积极探索教育创新的新路径、新方法，不断提升教育效能，尤其在促进教育的数字化转型、绿色转型上勇敢前行。

期待本书的出版，对推动教育界的观念更新与行为方式变革，实现教育高质量发展发挥积极作用。是为序。

吴颖民

2023年10月

（吴颖民，当代教育名家，中国教育学会前副会长，广东省中小学校长联合会首任会长，广州中学首任校长，华南师范大学前副校长，华南师范大学附属中学前校长）

目 录

第一章 五育并举：为幸福人生奠基

朴素的教育才能恒久／李卫东

七彩德育：描绘生命成长底色／李卫平

让每个孩子都有出彩的机会／周少伟

共生，我们最美的教育追求／张玉石

孩子视角 教育之根／陈海燕

好的关系，才是好的教育／詹大年

科技赋能，让乡镇孩子成为未来世界的领跑人

班主任工作是落实五育并举的『最后一公里』

促进心理健康，护航学生成长／刘学兰

朴素的教育才能恒久

佛山市南海区石门中学党委书记、校长 李卫东

什么是朴素教育？我想从四张照片说起。

第一张照片是2016年我初到石门中学任校长时，我发现有老师在教师群里发了一张学生在校扫地的照片，因为当时是暑假，我就好奇地问是怎么回事。有老师回答说，石门中学每年刚刚毕业的学生，在下一届高三要开学的时候就会自发地把校园打扫得干干净净。这是石门中学的一个传统，学校的公共区域每天都由学生打扫，直到今天，几十年如一日。

第二张照片是在今年4月份拍的。我们的团委书记看到一大批学生在玩单双杠，顺手拍了一个小视频，在我们学校的视频号播放出来之后，观看量瞬间达到69万人次。这反映出社会对学校教育的关注，社会关注我们到底要培养什么样的人。

第三张照片是我随意拍的。虽然石门中学的老师没有安排固定辅导时间，但我们倡导老师辅导。每当我去教学楼走一走的时候，总会看到许多老师在自愿给学生认真辅导。我把一位老师给学生面批的试卷拍了下来。

第四张照片是我们一个生物老师写的评语。他每年都把学生的评语写成一首诗，把学生的名字嵌入诗中，诗意地充分体现学生的特征。

我们知道，当今世界经济社会高速发展，教育是否也走上了快车道？在"未来学校""数字学校"等五花八门的"现代化"学校如雨后春笋般涌现时，石门中学却选择了冷静思考。"石门"就像它的名字一样，如石头般坚韧，如大门般包容，百年坚守，以朴素立校，走上了发展的快车道。

在我的教育生涯中，"县中"是一个关键词。我是20世纪80年代中期从县中毕业的，师范大学毕业后又回到县中教书，迄今已在五所高中工作过，其中四所是县中。可以说，县中的教育教学贯穿了我的人生。这些经历在带给我丰富的人生体验的同时，也让我深刻地认识到其中的不足，产生了研究县中教育的使命感和责任感。在担任石门中学的校长后，尤其是在教育部中学校长培训中心学习了近三年后，我的这种使命感愈加强烈，我迫不及待地想把我和全体石中人的一些探索总结出来，希望能为华南地区或其他地区的县中教育研究提供一点参考。

诚然，不同的时代有不同的教育特色，不同的地域生发不同的教育模式，但是，究其根本，学校教育始终是要培养真正的人，教育者始终是以培养全面、完整的人为己任的。因此，回顾自己三十多年的教育生涯，我认为，好的教育，其本质永远是朴素的、真诚的。朴实、扎实、真实的教育就是好教育；符合人性、社会、生活的教育就是好教育。

2019年4月27日，教育部中学校长培训中心为我举办了一场教育思想研讨会。当时刚接到任务的我是那么普通，却又那么自信。我的底气来源于石门中学近百年的办学经验和我本人对县中教育的长期研究。经过将近4个月的精心准备，我以"朴素的教育才能恒久"为主题作了办学思想汇报，赢得了现场近300名全国名校长的高度赞赏。

那么，"朴素教育"到底是一种什么样的教育呢？要回答这个问题，我们需要回到1932年，即石门中学的始创时期。"石门"二字取自旧羊城八景之一"石门返照"，本身便带有"返璞归真""兼容并蓄"的朴素之义。时任校长李景宗先生教导全体教职工"要像关心自己的孩子一样关心学生；要像教育自己的孩子一样教育学生"，这种朴素的教育理念时至今日依然影响着包括我在内的全体石中人。在学校发展过程中，石中人又不断为"朴素"注入新的内涵：任重道远、毋忘奋斗的校训；尊师、爱校、勤学、俭朴的优良传统；科学、协作、拼搏的石中人精神；从严要求、全面发展、勤教勤学、开拓进取的校风。无论在哪个时代，石中人总能根据时代和国家的需要不断创新。

但是无论怎样创新，朴素的立人目标、朴素的工作态度、朴素的学习方式始终如一。朴素的基因早已溶入石中人的血液当中，须臾不可分离。所谓朴素，就是朴而素之，一直坚守本源、本质。所谓朴素教育，就是一直坚守教育的本质和规律，回归人性，回归本真，不浮躁、不浮华、不浮夸，有温度、有深度、有高度的教育。很多人把我称为朴素教育的创始人，只有我清晰地知道，我只是朴素教育的一名总结者和传承人。我愿意将朴素教育办学思想继续传承下去，更愿意在朴素教育办学思想的滋养下，勤勤恳恳做事，踏踏实实奋斗，不断创新和丰富朴素教育的内涵，为党和国家培养更多德智体美劳全面发展的社会主义建设者和接班人。

很多人喜欢把"朴素"归结为简单，甚至将"朴素"等同于"没钱"。而在我看来，真正的朴素是"简约而不简单"，是"没有太多钱也能办最好的教育"。朴素教育的核心是"朴素"，即朴而素之，一直坚守教育的本源、本质。只有把握住这个核心，并且经过教育者的反复实践、探索、总结、提炼，甚至怀有敬畏之心，才能真正寻找到五彩缤纷、瞬息万变、飞速发展的世界深处的"教育规律"。围绕着这个"原点"，我带领石中人踏上了寻找朴素教育之"径"的新征程。我们探索出了三条路径。

第一条路径：解构与重组，以系统的、有逻辑的"立人课程"提升学校品位。石门中学的"立人课程体系"从立德、立言、立身、立业、立品五个方面全方位育人，旨在培养"大写的人""站立的人"。近年来，石门中学在人工智能课程、STEM跨学科融合教育实践等领域做了很多探索和实践，取得了不错的成绩。

第二条路径：创新与共享，以踏实、扎实的课堂教学提升学生的学习效能。石门中学实行集体备课制度，鼓励教师研究新课标、新教材、新情境，并引入"深度课堂"和"智学系统"，提升课堂质量，实施精准教学。我们还把课堂的外延拓展到了课外，举办了语文素养节、英语素养节、科技节、体艺节、社团文化节等一系列丰富多彩的学生活动，让学生在"玩"中学，在"玩"中悟。

第三条路径：发展与成就，以赤诚、务实的教师队伍促成学生的自主成长。一是实施"导师制"，让每一个教师积极奉献，甘为学生成长之梯。石门中学的"导师制"理念是让每个学生都有可倾诉的老师，让每位老师都有要牵挂的学生。

在"导师制"的引领下，石门中学涌现出覃光红、黄志平、Neil等充满仁爱之心的朴素之师。这里我特别要提提Neil老师。Neil老师扎根石门19年，石门中学的英语教学现在可以说非常棒，这和Neil老师的贡献是分不开的。他做班主任的时候，在高考冲刺阶段，每天早上都亲自把早餐做好带到教室。他说："我要让这些孩子感受到我对他们的关怀，我要让这些孩子节省排队打饭的时间。"Neil老师是我们中国老师学习的榜样。

二是实施"教练制"，让每一个学生发挥潜能，自主成就扬长之路。石门中学在学科竞赛领域实施"主教练负责制"，取得了丰硕成果。2020年石门中学获得4块全国奥赛银牌，获一等奖以上人数位居全省第四位。

三是建立学生发展指导制度，迎接新时代的机遇与挑战。石门中学在2016年成立了佛山市第一个学生发展指导中心，通过校友导师团、家长导师团、筑梦导师团开展生涯必修课、选修课、实践课程，培养学生的可持续发展能力。

我收集了最近两年石门中学所请的筑梦导师团、校友导师团、家长导师团来石门中学举办的高端讲座的汇总表，每年有讲座40场之多。这让学生大大打开了眼界，拓宽了视野。

在这三条路径的推动下，坚持朴素教育的石门中学已经成为首批广东省国家级示范性普通高中、第一所广东省一级学校、首批佛山市卓越高中创建学校、清华大学生源中学、北京大学"博雅人才共育基地"。

学校五育并举，素质教育成果突出。游泳队获2020年广东省中小学生冬季游泳锦标赛高中组团体总分第一名，连续12年蝉联南海区团体总分第一名；辩论队多次夺得粤港澳地区或全国类冠军，进入2020春季国际中学华语辩论排行榜前十强；合唱团多次参加中央电视台校园精品节目会演，并多次到维也纳金色大厅演出；石门中学团委荣获2020年"全国五四红旗团委"。学校的"走进军营，历练自我""走进山区，奉献爱心""走进工厂，职业体验""走进新农村，家国情怀"等体验活动成为省内外知名素质教育品牌。

我是一名校长，也是一名"山长"。除了学校管理以外，我还承担着传道、授业、解惑的重任。在我的"朴素"的教育观中，我认为文化治校是灵魂。所谓"文化"，体现在学校的一草一木、师长的一言一行当中。我开始着手规划校园文化建设，绿树环绕的四友图书馆沐浴着夕阳的余晖，庄严肃穆的孔子像安静地注视着一批又一批学子，波光粼粼的滴水园诉说着石门情深的故事……我开始重视言传身教，在每学期的"开学第一课"上与全体师生分享"三牛精神""五育并举"，在校长思政课上和学生一起回顾朱庆棠、陈瑞贞等石中校友投身抗疫的动人故事……一所学校真正的核心竞争力是什么？是文化。朴素教育不应该只是一个口号、一个符号，它需要我们不断精进、不断创新，同时又坚守初心、不忘本色，如此才能既赢得当下又赢得未来，才能真正恒久。

钱钟书先生说："大抵学问是荒江野老屋中，二三素心人商量培养之事。"教育即一群志趣相投的素心人做的大学问大事业。我是李卫东，这就是我与"朴素教育"、与石门中学的故事。我期待着与在座的各位教育同仁一道，坚持朴素的教育初心，坚持五育并举，为学生幸福人生奠基，为党和国家续写更多精彩的教育故事。

七彩德育：描绘生命成长底色

佛山市南海区桂城中学党委书记、校长　李卫平

一、七彩校园，让学生舒展地拥抱自然

2020年5月29日，桂城中学校园西侧一条曲径通幽的180米小路建成，这条小路有一个非常诗意的名字：七彩径。

七彩径修成前，校园西侧一千多平方米的地方林木丛生、杂草丰茂，好像原始森林，难以进入。七彩径的修建，不仅为学生前往饭堂提供了一条"高速公路"，更为学生晨诵晚读、漫步沉思提供了一个"诗意空间"。在这里，"蹁跹雕塑"和"菁华刻石"互相辉映；在这里，桂中学子思接千古，畅谈未来。可以说，这不仅是色彩斑斓的小路，更是桂中学子通往未来的道路。

事实上，七彩径只是桂城中学营造诗意空间的一个缩影。近年来，学校先后打造了锦池、孔苑、七彩径、榕树记等景点。我们清除了杂乱的林木，让学生可以自由地进入各个角落，拥抱自然，走近历史，放松身心。

我们之所以将校园营造得更加诗意，是因为我们相信，校园是教育哲学的物化体现，是

教育理念的无声传递，是学校文化的展示窗口，是凝神聚气的精神家园。老子说圣人"行不言之教"，学生在一个诗意的环境里浸润成长，不断欣赏美、追求美，将会成为美好事物的创造者、优雅生活的实践者。

这是学校的锦池。清水潺潺地流动，发出悦耳的声响；睡莲静静地开放，灿烂夺目；锦鲤悠闲地游动，婀娜多姿。这些锦鲤都是2021年元旦高三学生亲手放养的，寄托了他们对未来的期许以及对自己的美好祝福。学生经常拿面包、薯片来喂鱼，慢慢地，他们与锦鲤之间有了默契。锦鲤在莲叶间嬉戏，听到学生的脚步声就聚拢在一起。喂鱼成为学生课间放松的最好方式。

北京大学有校宠"学术猫"，厦门大学有校宠"优雅鹅"，桂城中学的校宠就是这群游来游去的"七彩鲤"。当桂中的一草一木、一猫一鱼都寄托了学生的感情的时候，校园就有了温度。有了温度的校园，也就温暖了学生的心，照亮了学生前行的路。

二、七彩活动，让学生如呼吸般自由成长

对我们学校而言，有的鱼游在池塘里，有的鱼却游在井盖上。今年3月，学生发展指导中心向学生征集沙井盖创意绘画。开始之时，中心主任征求我的意见，是否需要划片统筹，按照中华传统、岭南文化、西方艺术等排列有序，整齐划一，最终我没有同意。

我想，既然是创意画作，就应该让学生自由选择作画的地方，画他们所爱，写他们所想。让学生如呼吸般地自由成长，本就是校园生活的真谛，也应该是教育者的追求。

在初夏的烈日下，一个人，一把伞，在空旷的校园里，全神贯注地涂抹，日复一日，原来简陋的生铁渐渐有了颜色，有了图案，有了表情。我不知道这个学生的名字，更不知道她的成绩好不好。我只是从她透亮的眼神中，看到了一份对美的期待，一种生命的执着。当孩子们心中有爱、眼中有光、手上有力的时候，教育就真正地发

生了。

这场持续两个多月的沙井盖作画没有让我们失望。这些风格各异、独具匠心的画作随意分布在校园各个角落，给桂中校园增加了独特的个性。我相信，多年以后，学生回校时指着沙井盖上斑驳的图案说"这是我18岁所画"的时候，脸上的笑容一定比初夏的阳光还要灿烂。

路边不仅有多彩的井盖，还有露天的自由演说。

2021年4月16日在学校天佑广场的"新青年·说"路演现场，邀请的是学校排球队的孩子们。现场，他们展示了精湛的球技，讲述了夺冠经历，回答了同学们提出的问题。新青年演说是我校七彩活动一张靓丽的名片，主角以学生为主。他们不一定是学习成绩的佼佼者，但都是同学们高度认同或者渴望了解的同龄人，如社团领袖、运动健将、"绅士淑女"竞赛冠军等等。

"新青年·说"活动从策划、文案设计、采访录像到制作成片，都是学生自己完成的。我们的目的是让学生影响学生，让优秀引领优秀，让成长触动成长，让变化潜移默化。在一年多的时间里，"新青年·说"采访了十余位嘉宾，介绍了师兄师姐们的成长之路，也给予无数桂中学子以启迪。

桂城中学"新青年·说"第1期演讲嘉宾是梁紫茵。

刚进校时，这个孩子成绩名列前茅，当老师们都认为她会和其他尖子生一样走上普通高考道路的时候，一个偶然的事件却改变了她的人生路径。2018年，高一学生梁紫茵参演了桂城中学电视台拍摄的微电影《舍得》，并获评全国中学生微电影"最佳女主角"，她因此萌生了电影梦想。高二时，她以桂城中学的校园生活为题材，以班级同学为演员，自编、自导、自演了一部40分钟的电影，希望"多年以后，自己还能看见与小伙伴一起成长的青春"。这部片子名叫《一个星期》，却用了整整一个学期去拍摄，拍摄中的风风雨雨、酸甜苦辣，为她走上电影之路提供了丰富的经验。"新青年·说"以"梁紫茵，这个热爱电影的女孩"为题，讲述了她逐梦之路的艰辛，也为她高三的拼搏之路加油鼓劲。

高三时，梁紫茵立志要考取北京电影学院，桂城中学电视台老师全程指导，给她最大程度的支持。她可以在全校遴选主角、自由选用器材、自由拍摄，她在学校完成的名叫《永久记忆》的片子，为她敲开了北影编导系的大门，也为她的高中生涯画上了圆满的句号。

学生拥有灿烂的青春，拥有无限可能。当我们眼中的孩子是色彩斑斓的，孩子的未来就一定是多姿多彩的。

近年来，桂城中学七彩德育经过不断调整充实，已经初步形成了比较完善的德育体系和特色活动。

七彩，是指构成太阳光的七种颜色——赤橙黄绿青蓝紫。这七种颜色和谐共生，滋养万物，润泽大地。我们赋予每种颜色一种含义，强调核心素养的某一方面，并伴以相应德育活动，从而实现德育主题的系列化。同时，各个主题之间互相补充，互相推动，从而描绘了生命的底色，为学生的发展提供多种可能。

红色——忠诚之色，强调责任担当。寓意党团引领，家国情怀。红色包括爱国主义教育、感恩教育、志愿服务、爱心义卖等。

橙色——动感之色，强调实践创新。寓意自主行为，创新创造。橙色包括习惯养成教育、模拟招聘会、研学实践、社会调查等。

黄色——光明之色，强调学会学习。寓意志存高远，求知若渴。黄色包括南商菁英汇、新青年·说、学业指导、生涯课程等。

绿色——希望之色，强调健康生活。寓意健康为本，学会生活。绿色包括男拳女剑、35公里徒步、劳动教育、自主管理等。

青色——传承之色，强调人文底蕴。寓意继承传统，彰显个性。青色包括香凝女生节、启沅男生节、有为读书节、传统节日教育等。

蓝色——梦幻之色，强调科学精神。寓意面向未来，追求卓越。蓝色包括未来教育创新活动、天佑科技节、趣味实验、航模比赛等。

紫色——典雅之色，强调正心成人。寓意立德树人，全面发展。紫色包括绅士淑女形象大使、综合文艺晚会等。

在此基础之上，我们编了《青春的足迹——桂城中学学生成长手册》。这本手册有活动记载、瞬间留影、成长反思、学分登记等栏目，方便学生记录丰富多彩的校园生活，留下青春永驻的校园印记。同时，我们还为完成某一项任务的同学颁发彩色勋章。同学们集齐六色勋章之后，将最终获得紫色成人勋章，成为桂城中学的荣誉毕业生，并可以将名字、照片留存校史馆中。

七彩小径，多彩校园，精彩活动，多维记录，出彩人生，这就是桂城中学的七彩德育之路。

三、七彩人生，照见正心成人的教育初心

众所周知，校训是学校文化的缩影，是学校办学精神的凝练。桂城中学的校训是"正心成人"，即正心诚意，成人成才。正心，就是要正进取心，遇见更好的自己；正包容心，融入多彩的世界；正责任心，担起复兴的使命。蔡元培说："教育者，非为已往，非为现在，而专为将来。"桂城中学培养的不仅仅是知识的传承者，更是适应并创造未来的人。

需要指出的是，孔苑的捐建者曾志广先生是桂城中学92届校友，他为人低调务实，很少人知道，十余年来他在桂城中学投入200余万元对贫困生进行帮助。七彩径的捐建者叶永楷先生是桂城中学98届校友，他在校友群体中提出"出心出力，出钱出席"的"四出精神"，希望以己之力，为桂城中学的发展添砖加瓦，为师弟师妹们的成长铺就星光大道。

迎着光、追着光、成为光、散发光，无数桂中学子在这个充满诗意的校园里自由呼吸、自主成长，收获了人生的高光时刻，也照亮了后来者的人生道路。桂中校园因此而生生不息，桂中学子因此而绚烂多彩，桂城中学因此而熠熠生辉！

　　最后，欢迎大家到桂城中学走一走，看一看。因为人生虽然没有捷径，但人生需要有一条七彩径。

　　我的演讲到此结束。谢谢各位！

让每个孩子都有出彩的机会

佛山市南海区教育发展研究中心副主任
佛山市南海区西樵镇民乐小学、樵山小学校长　周少伟

　　大家好，我是来自西樵镇民乐小学的周少伟。前几天有一条重磅新闻，Neuralink公司联合创始人马斯克声称15年内可以通过育种和基因改良产生"超级外来物种——恐龙"，科幻电影中的侏罗纪公园指日可待。该新闻在网络中引发了大家探讨。这件事让我想起了几年前听到的一个关于恐龙的故事。我们先来回忆一下这个问题：恐龙是怎么灭绝的？对于这个问题，有陨石撞击说、生态破坏说、大陆漂移说、自相残杀说等答案，我们甚至可以大开脑洞，天马行空地假设一下。我现在带大家走入白垩纪时期，那时的恐龙也通过玛雅文明推算出了世界末日的到来，世界末日来临前夕所有的物种纷纷登上了早前准备好的挪亚方舟，可是上了船才发现方舟承载量不够，必须有一些物种被抛弃。恐龙是老大哥，所以他提议：未来的世界一定是有趣的世界，我们每个物种讲一个笑话，如果大家都笑了，这个物种就留下。如果有一个物种没笑，那他就会被丢到海里。猴子活泼呀，自告奋勇说他先讲。讲完后所有人都笑得人仰马翻。猴子们留下了。第二个是恐龙，恐龙讲得虽说不怎么样，但大家也

都笑了。可大家突然发现角落里蹲了一头猪，猪面无表情，睁大眼睛看着大家。猪没笑，没办法，自己定的规矩只能遵守，于是恐龙第一个被丢下海。第三个讲笑话的物种是大象，由于大家还沉浸在恐龙的离去中，所以他讲完后没有人笑。这会儿角落里发出了一阵狂浪的笑声。你们猜是谁？是那头猪。猪一边笑一边说："哈哈哈，恐龙刚才讲的笑话太好笑了！"故事到这里讲完了，相信不同的人会产生不同的思考。基于我自己的教育工作，我有以下几方面思考。

每一个孩子都有其天赋，就像猴子天生活泼、爬树吃香蕉，恐龙天生霸气十足、统筹兼顾，所以要帮助每一个孩子去发现自己，然后适性发展。

每一个方案、每一项制度的出台，要跟每一个个体充分连接。学校发展不是靠你，也不是靠我，而是靠我们。

我们不能把命运交到猪的手里。这头猪代表的是什么呢？是每天充斥在我们身边的负能量、在我们耳边的抱怨、我们前方的障碍……

我今天分享的题目是"让每个孩子都有出彩的机会"。我想与大家聊聊我们团队对这个问题的一些思考。

我清晰地记得有一次大课间，二年级与三年级要进行篮球技能比赛。这时二年级的孩子高喊着一个让我神经紧绷的名字。我立刻跑了过去，因为他们喊的这个孩子在3岁时得了一场病，出现了脑瘫症状，一边的手脚有点萎缩，平时需要我和其他老师额外关注。民乐小学的孩子毕业跳绳1分钟内必须超过180次，这个孩子跳不了绳，体育老师从第一天上课便给了他一个篮球。那天看着他努力拼搏的样子，我身边的老师和孩子一边喊着"加油"一边眼泪在眼眶中打转。那个时候的我也分不清楚脸颊上流下来的究竟是汗水还是泪水。最后，二年级团队的篮球技能比赛竟然赢了三年级。或许有的学校篮球队的梦想是因科比、姚明而点燃，但民乐小学的篮球梦想却是因为这个孩子而点燃的。

我们思考学校课程的构建，需要面向每一个孩子，让每个孩子都找到自己的位置，找到为之着迷的兴趣爱好，然后与这个世界热情地拥抱！

学校开发了"3模块9项"课程资源群，构建了"2+1+X"体艺校本课程体系，形成了横向联动必修（共同基础）到选修（个性+特长）课程内容，纵向贯通"鸿雏""鸿鹄"到"飞鸿"学段三进阶的课程梯度。

如果你问作为一名乡村小学的校长，我最大的祈愿是什么，我想说，我最大的愿望就是希望孩子们像清朝诗人袁枚的《苔》所描述的那样："白日不到处，青春恰自来。苔花如米小，也学牡丹开。"我希望每一个孩子都能紧紧地抓住心中的那一道光，让自己也勇敢地成为那一道光。所以，担任校长后，不管多忙，我每周都会选择一到两个中午的时间，到班级与孩子们一起吃饭。在和孩子们的互动中，我们会围绕一个不变的话题——"假如给你当一天民乐小学的校长，你会改变什么？"而交流。一次，就读二年级的周丽梅提出："校长，我觉得学校的绿化有点少，想在校园添上一面绿化墙，让每个经过的人都能会心一笑。"当时，这位小周校长的梦想着实打动了我，我蹲下来邀请她："那你可否帮忙，到学校走走，看哪一面墙适合打造成绿化墙？"周丽梅小朋友像肩负起了神圣的使命般愉快地答应了。第二天，她跑来我的办公室，自信地告诉我，学校飞鸿馆左边的一面空白墙最适合绿化装饰。

来年春天的开学第一课，当我把萌芽墙上的第一棵绿植交给我们的这位小周校长的时候，当台下的孩子唱起"苔花如米小，也学牡丹开"的时候，我告诉自己，孩子的未来是有无限的可能的，只要我们能为他们推开那一扇门，打开那一扇窗，我相信，孩子的那道光将恰如自来，把你我照亮。

有人说："老师这个职业就是一份情绪劳动的职业。但也正因为这是一份情绪的职业，才会让我们以情感去连接孩子，从连接中找到教育的惊喜，让彼此的生命在场，让彼此的感动常在。"我们学校空间狭小，能活动的地方只有两个小小的篮球场。我经常在孩子们面前念叨："将来谁来为学校做一下设计，改变改变？"

有一天，一个叫君君的孩子跑到我的跟前，高兴地说道："校长！校长！我想到了！假如可以当一天的校长，我想将学校篮球场改建为游泳馆。"我蹲下来，鼓励他说："可以呀，如果你将来可以考上师范类大学，回到民乐小学当校长，你就可以优化和改变学校的空间和布局了。"怎料君君摇着头说："我当了校长，那你怎么办呢？"看着孩子天真的眼神，我的鼻子酸酸的，但那是幸福的滋味。

在我们团队看来，学校是孩子们生命成长的核心场域，比起学校的建筑之美，更重要的是赋予学校生命的温度，让孩子们参与到学校的空间创意设计、学校文化和创意构建中，让孩子们自由表达见解、提出意见、实现梦想。在参与过程中，孩子们可以获得高度的校园文化和精神认同。

而后便有了陈济南同学提出的"济南椅"，何万珺同学提出的小飞鸿杂货铺，植海琪同学提出的一亩方园，吴嘉骏同学提出的校园篮球机；二年级同学提出的彩虹跑道，三年级同学提出的攀登者……学校是一个共建的家园，不是靠你，也不是靠我，而是靠我们。

去年教师节，我们设置了一个环节：给学校里的每个孩子派发了5枚"点赞"贴纸，让孩子们给自己最喜欢的5位老师贴上"点赞"贴纸。设置这个活动的初衷，是让学生向老师们表达喜爱，也让老师们提升职业价值感和获得感。一开始我还有点顾虑：平时不是很受欢迎的老师怎么办呢？每年教师节中午，我都会与退休老师吃饭。在午餐间隙，看着学校老师们晒着幸福的朋友圈，我心里不禁打起了鼓——我不会没有吧！一时忐忑不安。下午回到学校时已经上第一节课，我坐在办公室，静不下心来工作，一个劲地琢磨着，要是没有人给我贴"点赞"贴纸，该怎么办呢？我可能会成为最失落的那个人。

终于下课了。第一个孩子跑进校长办公室："报告！校长您回来了？我给您贴一个。"后来走廊上一批孩子一窝蜂地涌了过来，往我身上贴上了满满当当的"点赞"贴纸。有老师还悄悄地告诉我，学校好多孩子一直在问："周校长呢？周校长去哪儿了？他什么时候回来？"

成年人都渴望被看见，更何况我们的孩子。让每一个孩子都被看见，而这个被看见，是唤醒孩子生命力的本源。

我记得在一场校际毽球对决赛上，我们学校正与另一所学校争夺冠亚军，孩子们铆足了劲头发球过网，成功让对手接不过球。可是，我们的选手陈燕欢却举起手示意裁判，他字字清晰、立场坚定地告诉裁判，刚刚对方是因为鞋带掉了才没接到球，这球不应该算入总分。要知道，冠亚军争夺赛的每一分都是那么的宝贵。当时在现场的我看到场外的老师和孩子们都非常诧异，我赶紧站起来为陈燕欢大声地鼓掌。我看见了他尊重对手，尊重"公平公正公开"的体育规则，尊重每一个人努力的品格。

回到学校后，我和全校的孩子分享了这个故事，并因为他而设置了"全校午餐加鸡腿"的奖励机制：凡是能够挖掘出学生背后的品格的行为，全校孩子午餐都能加鸡腿。我相信，那一天孩子们津津有味地品尝鸡腿时，也一定会将陈燕欢的事迹口口相传。当然，对陈燕欢而言，这也是奠定生命底色的力量，是被看见的力量。后来陈燕欢到我办公室问我："如果我们输了比赛，您还会表扬我吗？"我说："输赢只是一时的，公平、公正、友谊、道德才是永恒的！"

在民乐小学，这一切可以是一个简单的入学仪式，一块赋予梦想力量的鹅卵石，一个笑着笑着就哭了的毕业典礼，一个让每一个孩子至少能够拿到一张奖状的成长礼，一个关于责任与担当的宣誓仪式，一个比肩天安门国旗班的升旗仪式，一个给我当一天校长的午餐约定，一场"一个都不能少"的班级展示，一系列四季更替的小飞鸿体艺融合花会。

这一次次教育实践探索与一个个有温度的故事构筑了乡村孩子心中那个闪亮的灯塔，成为全校师生为之追求的行为准则与价值取向。

有一年毕业季，有个孩子的妈妈在她毕业前两周因病去世，而这个孩子一直没有哭，她爸爸和我们都很担心。她爸爸希望带她离开南海回到广西，离开这个地方。在她走的时候，小鸿雁艺术团的老师给她举办了一个人的毕业典礼。毕业典礼上好多孩子对她表达了不舍，在活动中她终于哭了，释放了，而老师们也放心了。她返回广西前我问她："孩子，有没有什么我们能帮你做的？"她说她妈妈很想她能够通过自己的努力考上北京大学，另外她想要拥有民乐小学的毕业证书。那时小学还没有毕业证书，我们的老师连忙赶制，但当毕业证书定制好的时候，她已经离开南海回到广西了。我一直相信她会回到学校拿回她的毕业证。其实这张毕业证已经超出了它本身的意义。有时候我打开抽屉看着这张毕业证，我不知道我究竟是在等这个孩子回来，还是在不断地提醒我自己：无论到了哪个阶段都要时刻想起，那个时候的我对教育满怀憧憬、真挚，不能忘记出发时的初心。

有人曾说，乡村从不缺乏天才，缺的是照耀到天才头上的那一束光。对我来说，人这一生最难能可贵的是找到一辈子都愿意追随的光。我感恩在这年轻时光，在民乐小学遇到的每一个人，包括老师和学生。是他们点燃了我内心深处的梦想火花，未来的十年、二十年，三十年……，我也将用这一束火花去点燃我身边的每一个人。

感谢广东省中小学校长联合会搭建的平台，感谢"山长讲坛"给予的这次机会，感谢大家的聆听。欢迎来民乐小学。谢谢大家。

班主任工作是落实五育并举的"最后一公里"

佛山市南海外国语学校教师发展中心主任兼班主任　张玉石

南海外国语学校坚持让每一个孩子幸福成长的办学理念,全面推行幸福教育。幸福教育以"六个一工程"、幸福课程、智慧课堂为三大基石,旨在全面提升学生的综合素质,使人人都有一颗仁孝之心、人人都能写一手好字好文章、人人都有一项健体专长、人人都会一门乐器、人人都参与一项科学探究活动、人人都能讲一口流利的外语。"六个一"关注的是"每个人"和"德智体美劳全面发展",真正让每一个孩子享有公平而有质量的教育。

"人人都会一门乐器"是学校推行幸福教育的重要举措,那么如何把学校的顶层设计落实下去就是我们班主任的工作了。比如,如何让每个孩子买乐器?如何让每个孩子在器乐课上认真练习?如何燃起孩子们对音乐的热爱,进而培养孩子们的音乐素养?这就是我们班主任的工作,是落实五育并举的"最后一公里"。

"六个一"理念落地后,我们有了南外吉祥物"南外牛"。"南外牛"是学校布置的寒假作业,要求每位老师、每个学生都参与设计学校的吉祥物。最终,"南外牛"诞生了。根据我们学校的"六个一"，我们有了"六头牛"，后来"南外牛"被设计成电子版的吉祥物，分别为："仁孝牛""健体牛""科学牛""外语牛""器乐牛""书文牛"。

五育并举是学校立德树人，培养全面发展的人的育人策略。班级是学校的基本单位，班主任工作是将五育并举和学校立德树人落在实处的"最后一公里"。新时代的班主任如何在班级管理和班级育人过程中落实五育并举和促进学生全面发展？

根据我自身十年的班主任工作经验，我认为主要有以下五大举措：一是落实到班主任带班育人的观念转变上；二是落实到各科任老师的教学协调上；三是落实到班级管理常规工作中；四是落实到家校协同育人上；五是落实到学生的自主管理中。

一、五育并举落实到班主任带班观念的"心法育人"上

2018年的某一天，我剪了短发。有学生说："张老师，您不涂口红千万不要去女厕所，人家不让您进。"当然这是在开玩笑，但也反映了一个人的发型改变对人的精神气质的影响之大，发型变了好像连性别都变了一样。其实发型在外，脑子在里，理念跨出一小步，行动才能迈出一大步。如果我们班主任的观念还停留在过去的成绩和分数上，那所有的设计都只能是徒劳。所以我们必须从理念上、从思想层面上做出改变。

我的理念改变源于这样的一件事情。2018年我曾发过一条朋友圈：晚上，打包了茶点给302宿舍的孩子们吃，她们正吃得津津有味。我说："多吃点，晚上才有力气说话。"孩子们顿住了，不好意思咽下去。我是个"坏老师"，专治班级各种"疑难杂症"。

朋友圈发出后，小伙伴们纷纷为我点赞："厉害""好办法""果然够狠""长记性了吧？"……我沉浸在赞美声中无法自拔。膨胀后的我把这条朋友圈私信发

给师父，按下"发送"键时心中颇有几分得意，静待师父表扬我。

"你这用的是兵法"，我顿时觉得被师父敲了一记闷棍。

我一直以为自己很明白什么是"心法"与"兵法"，不料自己得意的案例竟被师父说成是"兵法"。

我连忙问师父："那怎么做才是心法？"

师父回复："与学生玩心计，以战胜学生为目的，不是心法而是兵法。心法以唤醒学生自悟、自省、自构为目的，但要以尊重学生为前提，常用启迪、共情、暗示、商量、诙谐、换位等真诚的态度和走心的方式方法来达成助人自助的最高目标。根据这一案例情境，采用诙谐幽默的方式请教学生的方法可能更加有效。你可以说，'鉴于你们晚修说话，为师已是黔驴技穷、无计可施，今特提小食前来请教各位"军机大臣"有何妙招'。兵法和心法的差别，在于教师教育时的出发点与学生接受时的心理感受。"

一语惊醒梦中人。

同理，从兵法式五育到心法式五育，教师作为学生生命成长的引路人，需要变被动为主动，化消极为积极，从虐心到悦心。

二、五育并举落实到"主任老师"协同各科任老师的课程育人上

过去，我们班学生的评语常常是班主任一锤定音。我喜欢不断创新，比如说这学期用藏头诗写评语，下学期用歌词写，再下学期用网络"鸡汤"写。但是有一天，我们班有个学生对我说："张老师，其实写这么多评语，我发现你并没有全面地了解我。我在物理和数学的课堂上，根本没有像语文课堂上那么沉闷。"我突然间醒悟了：我给他的评语仅仅是我个人的课堂观察，是片面的、单一的，对他来说是不全面的，甚至是失之偏颇的。于是我

开始思索该怎么办。

后来，在同学们的建议下，我协调各科老师一起给学生写评语，这些评语带着浓浓的学科特色。比如数学老师给小李的评语：圆规可以绘下完美的圆弧，是因为有矢志不移的定力；它没有刻度却能构造等角，是因为找准了正确的方向。我希望你能如这般不忘初心，向着我们约定的目标，奋力前行，老师相信你终将实现梦想。又如物理老师给小王的评语：你的声音充满感染力，总能通过介质传递到老师和同学们的内心，引起情绪的共振，给大家带来快乐，是班级名副其实的"幸福声源"。

以评价促行动，行动成自然，自然成习惯，习惯成素养。我希望把班主任和科任老师协同起来，发挥班任科任评语的五育杠杆功能，撬动立德树人这一根本杠杆。因此，班主任要善用学科老师的资源，让五育在学科评价中生根开花，共同促进学生成长。

三、五育并举落实到班级常规工作管理育人中

学校曾经在"仁孝节"活动中，布置每位家长给孩子制作一张小型海报，这张海报左边要贴一张照片，右边要写十个优点。这个任务我觉得很简单，可是很多家长交不上来。有家长说："张老师，这个任务太难了。"我说："为什么呢？"家长说："因为写十个优点太难了，能不能写十个缺点？"孩子是他的，他都发现不了优点，这是为什么？因为当我们以成绩为统一的评价标尺来衡量孩子时，那些成绩不好的孩子在老师和家长的眼中就只有缺点了。其实不是孩子没有优点，而是我们缺少发现孩子优点的眼睛，也不是学生的问题多，而是我们缺乏对问题行为的研究意识。我一直认为，没有问题学生，只有问题行为；没有问题学生，只有遇到问题的学生。

早在1983年，加德纳就提出了多元智能理论，就其基本结构来说，智能是多元的，每个人身上至少存在七项智能，即语言智能、数理逻辑智能、音乐智能、空间智能、身体运动智能、人际交往智能、自我认识智能。当然，智

能的分类不仅仅局限于这七项，随着研究的深入，会鉴别出更多的智能类型或者对原有智能分类加以修改，如加德纳于1996年就提出了第八种智能——认识自然的智能。

因此，我认为我们不能用一把尺子衡量孩子，而是要给每个孩子私人定制一把尺子，发现每个孩子的闪光点。

在班级评价中，我非常注重多元评价和过程性评价。我们不仅有学习和纪律等常规考核，还有音乐、美术、体育、劳动等方面的考核，比如，举办"班级好声音"红歌比赛，搭建平台让孩子们一展歌喉；在母亲节，我们班举办了"我要把她宠成女王"母亲节主题活动，其中有一项是要求每个同学给妈妈制作一个美篇相册，回忆母子（女）生活，力求在德育中体现美育。

四、五育并举落实到家校合作协同育人上

每次开学，我们的朋友圈都会疯狂转发一类文章，关键词叫"收心"。每个开学初期都要费尽心思收心，可是收效甚微。我思考：如果在假期心没有散掉，是不是开学就不用收心了呢？那么如何才能让心不散？这就涉及假期作业的布置。以往我们的作业多是发卷子让学生做，学生不爱做，家长也犯难。那我们为什么不能布置一些既有趣又有意义的作业，让孩子过一个充实而又愉快的假期呢？于是，我下发了调查问卷，想听听学生和家长的心声。

在设计调查问卷的时候，其中有一题是："您最希望孩子这个假期怎么过？"在所有设计的答案中，我以为家长最注重的是孩子的补习，所以我把补习放在第一个选项。结果让我非常意外的是，95%以上的家长都选择了我放在最后的一个选项——参加社会实践活动。

我们发了一张张试卷，布置了那么多作业，孰料这根本不是孩子们和家长想要的。于是我根据我们学校的六大核心素养来设计寒假作业，其中最受欢迎的就是为父母做一日三餐。学生买菜、做饭、洗碗，家长评分，人和菜每天都要合影，到了开学的时候，学生还要带一个菜回

学校。

开学第一天，孩子们每人带一个保温饭盒来学校。好多孩子从中午就开始饿肚子，等着晚上的"大餐"，因为从小到大都没有吃过一顿饭有40个菜，而且40个菜来自40个不同的"大厨"。家长还要拿着粉色的评分表给每道菜打分，这些分数将是开学选座位的积分"凭证"。

家长说："太开心了，以前一下班回来就要给这些'小公主''小皇帝'做饭，看着他玩手机还生气，现在每天都有热乎乎的饭菜吃，孩子也忙得没有时间玩手机。"在这个过程中你会发现，家长和老师一起为孩子打分，作业不只是老师来评价，而是家校协同评价。

善用资源是班主任的智慧，家长不仅仅是教育资源，更是家校共育的同盟军。

五、五育并举落实到学生的自主管理中

我接过一个很特殊的班级，他们是在重新分班的时候，被从重点班中分出来的，信心都受到了打击。如果不正确引导，他们可能就此一蹶不振。

我带这个班级的时候，其他举措不说，只说我每周都要往班级里面插一束花。期末考试前我插了一把枯枝，让我们的班长在上面写了一句话："用心浇灌，终会开花。"一开始这把枯枝并没有引起孩子们的注意，但是四天之后我发现它被移到了走廊上，露出了深粉色的花苞。九天之后，这把看似不起眼的枯枝真的绽放了最美的花朵，花瓣是嫩嫩的粉色，还有新发的绿芽。

散学礼的时候，我给每个孩子发了一枝枯枝，让他们带回家。有一个学生家长在过年的时候发了这样的朋友圈："散学礼时，班主任给每个孩子都发了一枝野杜鹃，不认识它时，真的会不屑一顾，随手就扔了，因为它真的似一枝枯枝。毛孩回来用水养着，但同学们的都绽放了，俺家的还没有起色。这两天，毛孩把它放在阳台晒太阳，照顾有加，春节之际，这枝花终于尽情绽放了。"我评

论：哪怕只是一枝别人都不看好的枯枝，只要不放弃，努力生长，终会绽放最美的自己。

这也正是我想要告诉孩子们的：哪怕你是一枝"枯枝"，看似很不起眼，看似别人都放弃你了，但只要自己不放弃生长，终会绽放最美好的自己。这就是我在德育过程中融入的美育。

在班级管理中，我还量身定做了书签、寒假加油站等。我想教育的本质是自我成长，最好的教育是自我教育。学生的自主管理，有助于变学校的"五育"要求为学生的成长追求，用美育的方式为学生埋下自我成长的种子。

以上是班级育人的五大举措，也是我们立德树人落实在五育并举的"最后一公里"。如果在观念、课程、家校共育等各个方面真正落实好了"最后一公里"，我相信在座的各位校长所有的理念都能够落地、生根、发芽、开花、结果。谢谢大家！

共生，我们最美的教育追求

佛山市南海区桂城街道灯湖小学副校长　刘映荷

千灯湖畔的灯湖小学，就像繁星璀璨的学校中最闪亮的一颗星星，绽放着光彩。

去年，年轻的灯湖小学第一届学生毕业了。

他们纷纷给母校留下寄语，让毕业生难忘的，除了高大上的"润学楼""润德楼"，还有灯湖小学一直着力打造的独特教育空间——"教室外的教室"。

我校地处广佛交界的金融高新区，这里的房价直追省城，但即使在这样寸土寸金的中心地带，学校也毫不吝啬地给学生创设"豪华式"配套空间。

在教室外打造宽敞的活动环境，大到几乎可以再建一个教室。超4米宽的走廊把教室与校园自然景观紧密相连，让孩子与自然建立更多的连接。开放式学习空间分布在每个楼层的公共区域内，满足着社团活动、小组分享、个人学习等场景需求。

以下是一名六年级毕业学生的寄语：

就要离开生活了六年的校园，很舍不得

老师们和同学们，更舍不得班级教室门外那盆不起眼的小兰花。六年来，它在成长的同时，也带给我许多成长。

语文课上，聆听花语，我把独特的它写进文字里；

科学课上，我把放大镜放在它小小的脑袋上，感叹自然植物的神奇生命；

美术课上，挥动画笔，我把它美丽的身姿留在纸上，也留在了心间。

…………

我爱极了这小花，也爱极了这片教室外的学习天地。多么希望老师能在这间"教室"给我们再上一堂课！

在灯湖小学，随处可以看到五育融合的特色课程在这些不设限的"教室"里遍地开花。这种独特的共生空间，赋予我们成长的力量。师生有了更多自主学习的平台，更多个性发展的选择，人人都能自由呼吸，诗意栖息，和谐共生。共生，就是我们最美的教育追求。

一、共生教育，激扬生命活力

共生不仅承认个体的独立价值，更强调人与人、人与社会之间的相互依存、和谐统一。这与灯湖小学"点亮心湖"的办学理念相辅相成。所谓"点亮心湖"，就是每个人的心中都有一方湖泊，都有一盏心灯，大家彼此点亮。点亮的过程，就是接纳差异、相互碰撞、共生共长的过程。

基于这样的理念，在"新基础教育"研究项目的推动下，我们着力打造"共生教育"：

以共生愿景构建学校开放管理；

以共生模式助力教师专业发展；

以共生课堂促进师生多维成长；

以共生情怀推动教育交互联动。

1. 以共生愿景构建学校开放管理

2016年8月，我来到办学不到两年的灯湖小学，学校教师的平均年龄只有26.8岁，他们有活力、不固化，渴望成长。如何凝聚这些力量呢？这是摆在我们面前的第一大问题。沃伦·本尼斯说过："在人类组织中，愿景是唯一最有力的、最具激励性的因素，它可以把不同的人联结在一起。"校长邓爱勤的教育理念与之如出一辙。对，就让"彼此点亮，共生共长"成为每个灯湖人的共同愿景，让每个灯湖师生都参与到学校管理中来，点亮大家的活力，助力大家的成长。于是，邓校长打破传统学校多层级、封闭式的管理桎梏，把管理工作向全体师生开放。

一石激起千层浪，老师因为学校采纳了自己的建议而更加干劲十足；学生因为校长郑重地把自己的意见写进会议记录本而自豪得昂首挺胸，那种积极的神态相信大家都可以想象得到。

2. 以共生研修助力教师专业发展

开放的管理催生出共生型的教师校本研修方式。

（1）学科专业发展委员会

作为教学副校长，刚开始组织教学工作时，我发现各学科教研割裂，缺乏融通。在探索实践后，我们成立了学科专业发展委员会。这是一个由各学科领军人物组成的校内最高学术团队，由这些骨干先行，引领辐射，各学科间相互学习，充分交流，促进学科间教研的共生融通。

（2）"交互联动"多向培养模式

关于对教师的培养，我们改变过去一对一的"单向式"师徒结对模式，采用一个骨干教师指导三个次新教师的"1+3"重点辐射方式；对于有教学困难的教师采取

"多带一"重点帮助式培养方式；对有共同研究兴趣的开展"多带多"联动式培养方式。

我校马彩花老师才工作两年就收获职业生涯中的第一个省奖——广东省数学优质课比赛一等奖。赛后她总是感慨，刚毕业时的自己只懂理论，只会纸上谈兵，正是因为学校坚持为每个老师量身定做培养方案，有团队在实践研修时对课堂呈现的每一个环节都进行精准打磨，才让她这朵不起眼的小花得以快速成长。

在灯湖小学，这样的例子有很多。数学科组大胆地派出教龄未满两年的新教师参加数学竞赛，连续五年都从街道赛一路披荆斩棘走到市赛，简直就是桂城街道小学数学竞赛的"奇迹"。我校的新教师都是"交互联动"多向培养模式的受益者。

（3）"IGT"教师研修发展路径

灯湖小学还建立了"卷入式"的教研管理机制，建构多样态的教师共生体团队。我们创建"IGT"教师校本研修发展路径；不同学科的教师在"个体（I）—群组（G）—共生体（T）"的动态协作和综合融通中，共同解决各种问题，寻求突破，加快自身成长的速度，同时也为教师队伍的建设提供了强有力的支持，让亟待成长的年轻教师、陷入舒适区的中年教师、经验丰富的骨干教师这些不同梯队的教师获得不同程度的成长。

张雪刚入职时有个可爱的昵称——"棒棒女孩"，因为一节课下来，大家统计了下，她一共说了26次"你真棒"。3个月后，我们再去研讨张雪的课时，"棒棒女孩"不见了。她兴致勃勃地告诉我，针对自己课堂评价语单调的问题，她加入了"课堂评价语研究"IGT小组，跟小组发起人一起研究课堂评价语，得到了快速提升。她还掏出一本写得密密麻麻的笔记本给我们看，说自己的字还要再练练，打算加入"书法有约"IGT小组。现在张雪老师成为多个IGT小组的发起人，多次承担区级以上公开课教学，三年教龄时已在全国大型活动上授课并获得一致好评。灯湖小学的教师们根据自己的兴趣和需求，加入或创建适合自己的"IGT"，创造着一个个"美美与共"的教育春天。

3. 以共生课堂促进师生多维成长

师生成长离不开课堂，但真实的课堂还存在一些问题。教师重心高、问题假开放、设计碎片化、明星学生和教师替代学习等等，这些问题严重阻碍着师生的成长。教师的教与学生的学是否都是主动的？显然，这是一个很关键的问题。因此，要更新教学观，改变单一的"以学定教"或"以教定学"，建立师生共同发展的双向新型关系。努力培养学生学习的主动性，让学生经历知识和方法的形成过程，在有层次递进的学习结构中体验成功、不断积累和自主迁移，最终实现主动学习。教师也在这种有向、有效的教学互动中，不断修炼和提高自身的基本功，真正实现课堂"共生"。

关于共生课堂，我想跟大家分享一个小故事。

《西游记》大家都很熟悉，猪八戒给大家的印象是什么？好吃懒做？贪婪自私？但在我们何希同学的眼中，猪八戒却是个节俭持家的理财大师，因为师徒四人拮据时，他总能从猪耳朵里掏出一些私房钱来缓解难处。这样有新意且有理有据的观点还有很多。学生们的奇思妙想，出乎老师的预设，甚至引申出了一系列数学计算问题。又如取经路上猪八戒为何总是嚷着要散伙？这个问题引发了班会课上团队建设和班级管理的问题。

瞧！一节语文课，多学科融通，"不一样的《西游记》"只是我们"共生课堂"一个缩影。课前研讨，教师立足学情分析和教材分析，梳理教学内容，丰富教学着力点，加大课堂厚度。课上把开放任务有方向地"放下去"，还给学生的学习增加时间和空间，每个学生都主动思考，多维互动后，教师再回收资源调整教学策略。学生敢想、敢说、敢做，在这样"收放互促"和"五育并举"的教学常态下，师生的思维品质和学习能力都有了很大的提高。

4. 以共生情怀推动教育交互联动

课堂之外更是广阔的共生试验场。

学生发展中心把共生情怀融入学生成长系列活动的设计中。我们不妨走进其中一个班级看看。

音茵，六年前入学的时候报名表上写着"内向，不敢与人交流"，的确，一年级的时候她完全不在状态，完全是一副不食人间烟火的样子。但让大家万万没想到的是，小学毕业时，北京中央音乐学院附中在来自全国的上万名报名者中选中了她。她的成长过程，就是蜕变的过程。她的家长说，是学校成就了孩子，没有母校的活动，没有学校的"乐器进课堂"活动，没有班级的系列活动，孩子是不会成长得这么全面、这么优秀的。这不正是我们教育者幸福的所在吗？

再看音茵的同班同学乐谦，他曾获"最美佛山少年"称号，去年7月在华南师范大学附属中学全省招生中脱颖而出。也许你觉得这不过是个学习尖子生罢了，但他绝非"死读书，读死书"的孩子，主持、篮球、校运会、大队部，一直都活跃着他的身影。现在正读初一的他也参选了学校的大队委。乐谦的家长说，小学六年的培养，不仅让孩子有了健康的身心、智慧的头脑，更拥有了综合发展的潜力。

确实，学校课程管理中心把共生情怀融入校本课程的开发中，以"五育并举"为核心开发的"课程超市"，为学生的幸福人生奠定基础。第一届毕业生的身上印证了那一句诗："聚是一团火，散是满天星。"

师生在愉悦的双向选择中共同参与课程开发，促进资源共享，实现共生共长。学生在长，老师也在长。黄老师是一位中年教师，进入灯湖学校的时候是一位名不见经传的班主任，在共生型校本研修的培养下，短短五年时间，黄老师从街道名班主任、区名班主任再到市名班主任，实现了华丽的"三连跳"。

当然，这只是我校79个教学班之一，其他班的班主任也把共生情怀融入班级建设与管理，让学生在自主参与中体验自我与班级的共生共长。如在这个学期的校本课程——"灯湖法布尔"中，师生一起观察蝴蝶的一生，一起孵蛋养龟，一起走出校园去农科所观察研究……

全体教师都把共生情怀融入家校沟通中，引导不同的家庭找准方向，获得力量，最终实现家长、学生、教师的共生共长，创造出美好的教育境界。

二、共生磁场，点亮生命光彩

我们一直坚信：每一个人都是一束光，每一个生命都值得赞美，每一个生命都值得点亮，你点亮了我，我照亮了整个世界。当共生文化成为学校的根与魂，它就会产生磁场，吸引更多力量，彼此照亮。为学生的幸福人生奠基，将始终是我们最美的教育追求。感谢大家的聆听！

科技赋能，让乡镇孩子成为未来世界的领跑人

佛山市南海区九江镇初级中学党委书记、校长　陈海燕

大家好！我是来自广东省佛山市南海区九江镇初级中学的校长陈海燕。

佛山市南海区九江镇初级中学始建于清光绪三十二年（1906），宗师朱次琦先生的"敢为人先，融会贯通"等治学主张，不仅影响了慕名而来的康有为、简朝亮、黄鲁逸等一代名人，更奠定了九江人对新事物的接纳与贯通。借此优势，我校从2004年开始全方位推进科创教育，想方设法"为乡镇孩子的科创世界赋能"。

近17年来，作为南海区一所偏远的乡镇学校，我们一直在坚持做着一件平凡却不容易的事："为乡镇孩子的科创世界赋能。"我们秉承"弘扬传统，崇尚科学"的办学理念，学校先后荣获全国教育系统先进集体、教育部中小学校长影子培训实践基地、中国STEM教育领航学校等国家级荣誉超过十个、省级荣誉12个；还有让我们骄傲的孩子们共获得国家专利75项，获得世界级金奖共计16项，获得国家级奖项612项。我们有三个成熟的科创品牌教育项目团队，全校教师思维活跃，创新意识强；我们

的科研成果丰硕，档次高，学校曾获国家级教学成果二等奖，5次获得广东省普通教育教学成果二等奖以上，专著出版有7部。

多年的科技教育带给孩子们方法、思维、技术方面的创新，我们结合本校优势，深入研究"核心素养"的各个维度，并在STEM教育新视野下，不断优化"科创品牌教育"，内容涵盖意识形态、空间建设、教师成长、课程改革、课堂优化、项目创新、学生成长、品牌推广等多个方面，是让众多学子后续发展雄劲的助推引擎。17年的科创路不可谓不艰辛，但办法总比困难多，我们以智慧托起了师生科创团队的疯狂韧劲，承载的是纯朴的镇中孩子探究科学的执着与渴求，是一代师生的艰辛与汗水，是几任校长的执着追求……

今天，有幸在此与大家一起分享我校科创教育路上的艰辛与喜悦。

一、一人一世界——老师的世界有多大，孩子的视界就有多大

区坤开，我校的数学老师，教学质量没得说，他还是我们学校"科技与创新"必修课的"教授"，是我们学校的"电工"，学校的音响设备、视频装置、智能电控……全是他的宝贝。他又是我们学校的"科创达人"，更是我们"头脑奥林匹克"项目17年来16次获得全国一等奖的金牌教练。他带出来的学生不仅品学兼优，还像他一样脑子灵活、思维活跃。比如我们的孩子自行制作的机械能花车，不仅能变身，还能完成许多指定的任务。

我校科创教师队伍中还有一位泰斗级人物——刘志伟老师，他是我校的生物正高级教师、特级教师、国家"万人计划"教学名师、国家高层次领军人才、国家基础教育杰出人才、教育部"国培计划"专家、华南师范大学等四所大学兼职教授。在全国作专题讲座或经验介绍超过100场次，其事迹被《中国教育报》等国家级媒体报道超过10

次。在他的世界里，孩子们需要头脑风暴，更需要舞台和机会。他带领孩子们完成的70多项发明专利，全部与生活息息相关。从景观养鱼到土壤检测，从洗衣吹干到模块家具，他呈现给孩子们的世界都是充满趣味的，却又来源于朴实无华的生活。

我介绍的第三位老师李伟伟，是我们学校的历史老师，他非常擅长剪辑视频。为此学校专门提供了一个工作室给他，请他负责学校的视频剪辑和直播活动。我们学校很多大型活动的回顾视频都是由李伟伟老师剪辑的。据不完全统计，李老师每年都帮我们学校节省了以万元为单位的钱。他还带领学生一起经营学校的阳光电视台，除了带孩子们录制节目，还会带着他们玩类小发明、小创作、小视频的制作，这一点非常难能可贵。定格动画和他的历史学科根本没有任何关系，但是他凭借着对教育的执着，满腔热忱地带着孩子们一起学习，一起进步，创造了许多意想不到的可能。我想，教育需要的就是这种愿意花时间、花精力、带团队，敢于学习、敢于摸索、大胆动手动脑的老师，有了这样每天创造一点、多学一点的机会，又何愁孩子的成长空间不大呢？

我们学校类似这样身兼数职的老师还有很多，为了不影响孩子们文化科的学习，他们更多是用早上、晚上等生活时间与孩子们互动，或牺牲周末、寒暑假的时间。成绩的取得没有偶然，他们用日复一日、年复一年的坚持，用勤奋、毅力、勇气和智慧，为孩子们缔造了有着无限可能的科创世界。

二、一物一乾坤——科创的内在乾坤不仅是技术焦点，更是对老百姓人文关怀的实现

"创客魔方机器人"是我校所有孩子的宠宝，人人爱玩：车型自己设计制造，电路板、信息点自行焊接，程序自己编写……最重要的一点是它不贵，只要几十元的材料费，就可以让孩子自己拥有一个可以完成一定任务的机器人，多神奇！这是多么让人有成就感的一件事！

毋庸置疑，"创客魔方机器人"以星星之火燎原之势，很快成为孩子们的"校宠"。更让我们惊喜的是，孩子们在掌握内在原理和技能的基础上，一发不可收拾。我们花费一点点零花钱自己制作出来，而且还变着法来玩：为了让地下车库停车更便捷，他们发明了车库智能机器领路员；为了减少乡村街道拐角的交通事故，他们发明了拐角转弯提示灯。而且孩子们届届相传承，不断改良，从1.0版到5.0版进阶，不仅获得公安民警的认同，还申请了专利。为了让环卫工人减负，他们发明了环卫工人跟随垃圾车。科创的价值并不在于孩子们掌握了多少技术，更在于孩子们是否习惯于把技术转移到生活中去，懂得在生活中发现问题并运用所学知识来解决问题。

从"机器人制造"到"机器人改变生活"，这不仅是智慧的结晶，更是人性光辉的体现。科创的内在乾坤不仅是技术焦点，还是对老百姓人文关怀的实现。我很庆幸，我们的团队有这样的智慧，不仅带着这么多的孩子真正掌握智能技术，更重要的是他们敢于挑战真正有深度的教育，不止步于思想的洗礼，而是让"德"立于科技之前，融合技术让"为人民服务"付诸现实生活！

三、一室一天地——打造一方可以任性施展的天地，便是给予孩子最好的成长礼物

我们学校每年都要接待很多同行来交流与考察，让他们印象最深刻的，当数我们一个个有故事的功能场室。

在大家的眼中，木工室应该是什么样子的？粉尘满天飞，噪声刺耳？不，如果有好的设计，这些都不会存在。为了节省学校有限的经费，让木工室功能最大化，我们木工室所有的设计与装修都是由"疯狂创客"的老师带着孩子们在暑假与双休日自己做的。他们从隔音棉的上墙到自制集尘器，从设备的货比三家到木料废材的采集，用极其有限的经费打造了一个可以完成刨、切、打磨、车旋、雕刻等精细加工的强大空间。

像这样有故事的场室，我们还有很多很多。"人生

中，必须有一样不以此谋生的爱好！"我想，给孩子一个有吸引力的空间，便是给予孩子最好的成长礼物。

四、一景一繁华——繁华盛景年年有，年年又不同

每年为期一个月的科技节，是我校科创教育开花结果最繁华的时候。之所以"繁华"，是因为每个项目我们都注重参与率，人人有项目、班班有竞争是我们"繁华"的保证。

"盛景"是我们愿意创设平台给孩子们体验、展示，我们有全校各班代表队参与的机器人比赛，还有丰富的纸绳拉力锦标赛、研学报告展示等近20项花式科创活动。

我们还组织高新企业与孩子们互动，培养孩子们观察、学习、思考的习惯；我们与国际名校研究生、博士生交流，让孩子们真实感觉到名校并不是那么遥远；我们邀请高级人才来校"传道授业解惑"，让孩子们感受科技的力量，掌握科学的方法；我们深入企业，看到了孩子们对未知的探索与较真……

第二个"盛景"，便是我们课堂内外的深度学习。优化课堂品质是我们近几年科创教育里的又一个突破点，微实验、项目式学习、主题式探究、研学实践是我们全面深化学科核心素养的又一见证。我们紧密结合国家课程内容深入开展"项目式学习"，我们与各学科融合开展体验式课程，"生活中的物理"课程启发了学生们在篝火晚会自制仿真篝火，"创意小制作"课程鼓励学生们为篮球联赛、足球联赛设计各班的队旗、队服，"形象与设计"课程的学生们为"新声代"参赛队员包装、策划……

这样的场景与项目，十几年如一日，年年月月都会有，因为我们知道，在繁花似锦的背后，必定是孩子们在每一个平台里的"突破式"成长。

五、一生一追寻——坚持科创赋能，需要勇气更需要智慧

我们的科创教育从"好高骛远"到"认同"，从"认同"到"参与"，从"参与"到"有自己的办法"，这条路我们走了17年。坚守需要勇气，更需要智慧。在这个过程中，我们不仅与孤独对抗，更与空白、与一个个从无到有的困难对抗。面对这条与传统学科不一样的路，我们的科创先锋们只有一句朴实的回答："为了孩子，一切都值得！"

很倔强，但很强大！这就是我们的科创教育人一生的宣言。

"一人一世界""一物一乾坤""一室一天地""一景一繁华"，17年科创路上的每个人、每件作品、每个功能场室、每个不经意间的场景……都是我们镇中人坚守科创梦的见证。我们为孩子们乐不思蜀地在科创路上奔跑而自豪，我们为有这样一群老师在支撑着学校科创教育的发展而自豪，我们为老师们有这样可以为之奋斗一生的追求而自豪！

我们相信，始终将科创教育放在心尖上，始终将学生的发展放在心尖上，我们总是能给教育、给未来留下浓墨重彩的一笔！我们的孩子也能紧跟时代的步伐，成为未来世界的领跑人！

孩子视角 教育之根

昆明市丑小鸭中学校长 詹大年

我今天演讲的题目是《孩子视角 教育之根》，这是校园文化主题。我们要思考到底什么样的校园文化才会让孩子有快乐的感觉，教育才能自然发生。下面和大家分享丑小鸭中学文化建设的一些案例以及我参观过的其他一些学校的案例。

一、有了学生视角，课堂是孩子的，学校也是孩子的

我们学校宿舍寝室里有吹风机、镜子、体重秤等，床不怎么好看，有种斑驳的感觉，但是宿舍的墙很好看。我进去宿舍看到图片以为是他们贴上去的，我问："你们贴这些干什么？"他们说："詹校，不是贴的，是画的。"我到过很多中学、大学的寝室，有的寝室一进去就能闻到一股鞋子的臭味，但我们丑小鸭中学没有。学生的鞋架是自己做的，鞋子也摆放得整整齐齐。卫生间设计得像书房；一些烂铁皮经过学生设计和涂画，变废为宝，看起来甚至有一种浪漫的感觉。很多人问我："詹校长，你是用什么方法管这些孩子的？你们学校有哪些制度？"我要告诉大家的是，我

当校长35年，但是好像没有写过什么制度的东西，无论是学校的制度，还是有关教师的制度都是学生自己写的。学生可以写、可以做、可以修改，也可以退出。

孩子们自己整理教室，我们学校到处都是书，图书室、阅览室、教室、走廊、寝室、厕所，全都是书。这些书不需要借阅手续，学生可以随意拿回自己家里去。当时有很多老师问："詹校，书不用借阅手续，丢了怎么办？"我说："书丢了是好事情，书又不能吃，只能读。"在这里，我想告诉大家，连续6年来，学校的书不仅没有少，反而越来越多，我没有买过书，这几年来读的书都是学生自己从家里带来的或是家长、网友送的。教室整理好以后，里面还有一块很大的透明玻璃，当时大家觉得没有安全感、没有私密感。孩子们想想，这个很简单，买点东西贴上去就行了，既有安全感和私密感，又很漂亮。我们学校孩子上课是很放松的，上课的教室里面都有平板或大屏幕的触摸屏，也有电脑，他们自己也可以拿平板上课。孩子们也会自己上台讲课。

在我们学校，孩子们可以有多种玩法。我作为校长也会带他们玩。在学校里，学生不仅可以骑单车，还可以骑独轮车。有人问骑独轮车会不会摔跤，事实上已经好几个孩子摔跤了，这很正常。我们学校的图书室是学生自己设计、自己布置的，他们设计的效果挺不错，很有文化感。早几天我们学校学生穿了新校服，校服一边是白色，一边是绿色。有些网友就问我："詹校，你们这个校服颜色的搭配有什么寓意？"我回答说："哪里有什么寓意？孩子们喜欢，穿着漂亮就行了。"有的人总觉得了解什么东西好像没有寓意就不深刻了，但我认为不一定要有寓意，简单一点不是也很好吗？

我认为校园文化应该来自对生命需求的解读。校园文化是陶冶人的，陶冶是自动的、长久的、无痕迹的、无须解释的，我觉得校园文化看到什么就是什么，校园文化都是不可以简单解读的。

二、校园文化一定是孩子们需要的，是好玩的

我认为校园文化首先应该是庇护孩子的，要让孩子们没有恐惧；其次应该是可以玩的，而不只是放在墙上的。我想说说北京的日日新学校。在他们校园里看不到一块水泥地，校园很朴素，红砖墙，木地板，给人很温馨的感觉。学校里有一个大沙坑，就是足球场，孩子们就在这里玩。孩子们还会用矿泉水瓶做成毛毛虫。我觉得校园文化是浸润不是口号，是创造不是灌输，是幸福不是苦逼。很多校园里面满是励志口号，我觉得人确实要励志，但是并不能说喊口号就可以励志。一般很快乐、很自由的人都会很励志。

我见过一所投资很高、校园环境打造得很高大上的学校，但是学校招不到学生，学生越来越少。后来董事长请我去"诊断"，他问我："詹校，我不是没有钱，我们环境这么好却招不到学生，这是为什么呢？"我看了以后说，很简单，学生会跑是因为"不好玩"。学校里的山是不能爬的，树是不能爬的，路是不能跑的，河里面的鱼儿也是不能抓的。那孩子在校园里干什么？所以校园文化一定要好玩。校园文化一定是孩子们需要的，是从孩子的视角和立场出发的。现在很多学校的校园文化是从领导的视角建设的，一般是为了迎接检查和给人参观的。

我再给大家介绍一下南京金地文法学校，这所学校的设计者是北京人大附中的原副校长肖远骑老师。我去这所学校参观过几次，觉得非常好。他们学校走廊的面积比教室的面积大，别的学校走廊的功能是给人行走，但金地文法学校的走廊是"社区"，像步行街的感觉，是孩子们交流、玩耍的地方，人家就是这样设计的。

教育的功能是给人一个可以规划的梦想。因为我们很多梦想是不可以规划的，老师给学生讲梦想，是拿别人的梦想向学生吹牛。这不是梦想。梦想一定要可以规划，而且要在某个地方能触发他的梦想，这才叫作梦想。

我曾去苏霍姆林斯基学校参观学习，我拍下了他们学

校校门的照片。这所学校是世界四大名校之一，但他们的校门、围墙都很朴素。我去他们学校时，学校老师在门口唱歌迎接我们，孩子们跳舞给我们看，这所学校的校长已经在这里工作了20年。

再说说我对苏霍姆林斯基学校环境的感受。学校有一个140平方米的房子，这是学校最大的功能室，是学生的活动场所，学生在这里唱歌、跳舞、看电影、打球、爬爬梯。学校里没有操场，但有150多亩地，全是给孩子们玩的地方。这里有很多学生可以爬的树，树林中间有小径，像乡间小路。在我们所认知的学校里，都有一个大操场。然而，我在欧美考察时很少看到有大操场的学校，但是有树可以爬。我思考了很长时间，觉得其实孩子们不喜欢操场，学校喜欢操场的只有一个人，那就是校长，因为校长喜欢"沙场点兵"的感觉，喜欢看着孩子们一个个站在那里接受训导。我可以这样说，没有几个孩子喜欢操场，大家可以去调查。

我在这所学校外面没有看到文字和标语，只在一年级教室门口看到贴有文字。我当时就问翻译写的是什么内容，翻译说写的是"进教室之前可以带着笑容、带着愉快、带着爱心，可以学习，可以犯错，可以开玩笑，可以思考"。这是我们学校一般认为不能做的，我们不能开玩笑，不能犯错，但人家是可以的。我认为校园文化是传承，不是"打造"；是规则，不是"控制"；是信仰，不是"宣教"。

好的关系，才是好的教育

昆明市丑小鸭中学校长　詹大年

　　十年前，我办了昆明丑小鸭中学，学校的名字是时任昆明市政协副主席汪叶菊取的。她给我这个名字时我感觉很兴奋，我说这个名字太好了，但是这个名字除了我和她喜欢以外所有人都反对：这个名字怎么招生？但学校是我办的，我既是办学者又是校长还是老师，什么都干，所以我可以决定学校用什么名字。十年来，我帮助2000多个所谓的"问题孩子"回归到了正常的生活状态。"问题孩子"的概念在我们心里面一般都是不读书的，不到学校去的，玩手机上瘾的，早恋的，学习成绩差的，打架的，破坏学校纪律的，家长管不了的，学校不敢管的。社会上不好管的这类孩子，反正不在学校。

　　其实办这样的学校没有什么稀奇的，很简单：第一，保持正常的心态和正常的眼光；第二，不要急。最初办丑小鸭中学的时候，只有七八个学生，后来逐渐增加至七八十个学生。别人说应该扩大点规模。一般讲到学校，都是说学校面积多少，建筑面积多少，投资多少，多少学生考上清华、北大，获得什么奖励。我这里都没有。这些我搞不了，我不急，干成什么样子顺其自然。

一、如果一定要以升学率来代表成功率的话，我们成功率不高；如果以孩子能正确地认知自己的价值，能回归正常的生活状态而言，我们成功率是100%

我的学生不像一般学校的学生，一开学就全部来报到了，一放假就全部都走了。我们开学没有人报到，甚至开学第一个月都没有人来报到，因为他在别的学校读得好好的，到这里来干什么？我这里一般是开学一个月、两个月之后，特别是期中考试之后，学生才今天一个明天一个地来。

但是我要告诉大家的是，这些孩子很少有问题。我办了十年的学校，我认为真正有问题的孩子只有百分之几，很少很少。我经常讲我们学校的孩子有"三高"：个子高、情商高、智商高。现在有些孩子已经上大学、读研究生，有些已经成家立业，走上了工作岗位。

有人问我："大年，你们学校的成功率是多少？"我说："如果一定要以升学率来代表成功率的话，我们成功率不高；如果以孩子能正确地认知自己的价值，能回归正常的生活状态而言，我们成功率是100%。"我抓拍了一个初三孩子的照片，他肩上扛着一个沉甸甸的纸箱，背着一张长毛毯，手上拿着吉他，一脸的坚强。这个孩子在我们学校上了两年学，现在上高二。上个星期他妈妈告诉我，他在全年级6700名学生中排第27名。是不是很优秀？

还有一张照片是李镇西老师拍的，是去年上半年两个孩子搀扶着走向教学楼的照片。李老师为什么拍这两个孩子？原来，李老师到我们教学楼去参观，刚好这两个孩子在操场上走，一个孩子脚受伤了，另一个赶紧上去搀扶他。李老师说："大年，我想找这两个孩子聊聊。"我上前对这两个孩子说："孩子，李老师说想找你们聊聊。"这两个孩子怎么回答的呢？他们说："好，校长，再等20

分钟，让我们先把玻璃擦了再说。"他不认校长，他只认擦玻璃，他知道他现在应该先干什么。李老师很有感触，他说："如果在别的学校，校长叫学生，学生马上就来了，还可以不干活，但是你的学生不一样。"

还有一张照片是过年的时候拍的。我们的学生从来没有放假，他们来自全国各地，现在的70多个学生，来自国内19个省（区、市）。他们把岗亭画得很浪漫，把从小河里捞出来的石头做成笔筒的样子。他们的寝室画得五花八门，有森林主题、海洋主题、鲜花主题、梦幻主题、星空主题，什么都有。

前两天我又拍了一张照片，寝室的一角有镜子和绿植，床上有一幅画，画上面有一句话：如果上天给我一次再来的机会，我会对那个女孩说……他没说，因为他也不知道说什么。这样的画放在寝室里面，大家觉得应该表扬还是批评？如果是很敏感的老师可能会马上让他擦掉，觉得这是乱七八糟的东西。我没有问他是不是谈恋爱，但是我觉得很美好。为什么呢？一个男孩对一个女孩子有好感，这是多么美好的事情。

我的学生参加县里举办的第27届艺术节，获得了一等奖。那天我发了一条朋友圈：你们这些家伙出去就给我"闯祸"，你们专门"拉仇恨"，年年获得一等奖，让人家一点希望都没有。我的学生参加这些比赛年年获得一等奖，甚至有些校长和我说："詹校，你明年不要来了，一等奖让我拿一次。"杨东平老师和我们学校的这些孩子交流以后讲了这样一句话：好的学校是一锅老汤，老汤是什么汤？什么菜丢下去都会变成老汤的味道。老汤是什么？是关系，是氛围，没有这个氛围不是老汤。

二、社会是关系的产物，有好的关系才有好的教育，而有好的设计才会有好的关系，关系来自设计

人是关系的动物。人和其他动物不一样，因为人有社会关系，有很多家长、校长、老师问我："詹校长，孩子

喜欢玩手机怎么办？"大家也看到过，有些地方用关禁闭等低级的手段让孩子把手机给戒了。能不能戒？肯定能戒，但是我告诉你，这样把手机戒了，孩子也傻了。为什么？因为人是关系的动物，手机的关系是一种网络关系，人为什么会喜欢手机？因为现实中人与人之间的关系开始解体，所以手机关系才会建立。

所以要让孩子不玩手机很简单，当他重新建立现实生活中人与人之间的关系的时候，他与手机的关系自然会解构。社会是关系的产物，有好的关系才有好的教育，而有好的设计才会有好的关系，关系来自设计。

我认为，校长不应是管理者，而应该是设计者，好的校长是教育设计者，是师生的精神领袖。那么谁是管理者？副校长是管理者。校长干什么呢？校长不一定是制度的设计者，但是可以设计一种让师生去设计制度的机制。很多网友问我，说我们寝室管理得那么好，他们想学学，请我把制度发给他们。我说很可惜，我从来没有寝室管理制度，学校没有这样的制度，但是每个寝室他们自己有，每个寝室的制度都不一样，制度是学生们自己设计的。

设计者的出发点是什么呢？为什么要设计？凭什么设计？设计的出发点是解决需求。解决什么需求？有三个定语：生命的、个体的、本来的需求，特别是本来的需求。其实每个人都很清楚自己本来的需求是什么，但很多人喜欢伪装自己，把自己的需求掩盖起来，不愿意把自己生命的本来需求表达出来或者展示出来。

很多学校的标语是"为了一切学生""一切为了学生"，但一切往往会掩盖个体。教育不仅是为了一切学生，而且是为了"这一个孩子"此时此刻的需求，只是很多时候我们看不到这个孩子此刻的需求。

上个月，我在公众号里发了一篇文章。文章背后有这样一个故事：今年学校来了一个很漂亮的小姑娘，15岁，是单亲妈妈的孩子，因为谈恋爱，妈妈没有办法，于是把她送到我们学校。第三天，我遇到这个女孩，她交给我一封信，这封信应该写了两天了。我打开一看，信中把我骂得体无完肤。

大家想，应该怎么办？有些人觉得校长的人格尊严被她侮辱了。我想想没有什么，我本来就做得不对。人家15岁的小姑娘，正在感觉爱情很甜蜜的时候却被拆散了，此时此刻，她心里肯定很愤怒，她仅仅是为了宣泄她内心的痛苦，所以她要挑战学校的权威，发泄自己的不满。

我知道这个姑娘此时此刻的需求只有一点——宣泄痛苦。她并不是为了侮辱我，所以我很客气地对她笑笑，意思是信我收到了。此后连续一个多月，我都有意无意地走到她身边看看，她应该是等着我哪一天处理她，但是没有等到。后来她对我说："校长，我错了。"我说："你没有错，你真的很聪明，我要表扬你，为什么呢？你以最低的成本获得了最大的效益，你骂骂我，对我很好，对你也很好，大家都好了。"她说："校长，我还是错了。"我说："你真的厉害，我还要感谢你，因为你骂我是没事的，你的校长很善良，你在原来的学校敢骂校长吗？"她说："不敢。"我问："那么为什么敢骂我？"她笑了，说："信还给我。"我说："不能，这是我的信，不还了。"

有张下课我跑进教室去的时候的照片，我很喜欢：几个孩子看着我一脸崇拜的神情。有个学生学习成绩比较差，我偶尔会跑到教室里面去看看，去陪陪她，因为她有时会说这个题目我不会做，你帮我看看。我拿过来一看，说我也不会，但是你找我找对了，因为我可以帮你找老师。

我还带他们玩，我是射箭队的教练。我们学校的课程多，游泳、射箭、滑板、散打、拳击都有，这些都是攻击性项目。很多家长和老师反对说："詹校长，这些孩子本来就爱打架，你还教打架的技术给他们？"我说这是两码事，教不教是我的事，打不打是他的事。很多老师和校长会犯一个大错误，就是把纪律整齐地写在墙上，这是没有用的。孩子只有犯了错，不断思考，才会长进。我们学校的男孩子和女孩子都懂这些项目，可以这样说，学校打架出事故很少很少，偶尔会打，男孩子架都不会打没有用，他没有力量保护自己。我跟孩子们讲，可以支持你打架，但是有三种架不可以打：大的不能打小的，多的不能打少的，男的不能打女的。

三、我看到有些学校的政教处，孩子们是笑着进去哭着出来，而我们学校的心理部，孩子们是哭着进去笑着出来

我认为，只有把孩子养亲了，设计才会有灵感，教育才可能发生。遇到问题不能解决的时候，有一个办法，先把孩子养亲。养亲是需要时间的，等到他离不开你的时候，什么事都好说。如果你想批评孩子，起码要花三天时间，第一天表扬他一次，第二天再表扬他一次，当他开始屁颠屁颠地跟着你的时候，第三天你就可以开始批评他了。

我们学校有个孩子在厕所里面抽烟，我知道了想要批评他。但我一上来也是表扬他，我说："听说你躲在厕所抽烟？"他站着就不动了，我说："你站着不动干什么，躲在厕所里面抽烟是对的，因为你不敢抽，因为你知道不能抽，所以躲在厕所里面抽烟。"他知道我还有话说，我说："抽烟是错的，你刚刚在厕所里抽烟多可怜。"他说："詹校我不会抽了。"我说："抽不抽是你的事，讲不讲是我的事。"其实这一次批评，我的目的不是要他改正，而是和他建立关系，建立让他依恋我的关系。

我们学校把政教处改成了心理部，心理部就是一个游乐场。学生说："詹校长，我们原来不敢去学校的政教处，因为有种去公安局的感觉。"确实，我看到有些学校的政教处，孩子们是笑着进去哭着出来，而我们学校的心理部，孩子们是哭着进去笑着出来。这个笑着出来才好，至于他承不承认错误没有关系，很多人批评孩子会死死盯着他承不承认错误，写不写检讨，改不改正。其实，我们成年人很多时候也在犯错，但是做的好事更多。我们还把教务处变成学习部，把后勤处变成生活部，我们觉得教务、后勤是死板的、教条的、冷冰冰的，而生活给人的感

觉是美滋滋的。不一样，生活才有参与感。

我们把教学变成学习。教和学是两个概念。随着互联网信息量不断扩大，老师们不要把自己看得太重要，教什么不重要，学才重要，并且教和学的概念不一样，学习现在慢慢变成了获取，知识随时可以获取。我们把作业变成作品。作业和作品是两个概念，作业给人的感觉又多、又重复、又枯燥，作品则让人感觉是自己的，不一样。当然，把作业变成作品，确实需要老师下功夫。

我们把管理变成治理。这是两个概念，很多人喜欢管人，而治理是你帮我、我帮你。魏书生老师说："事事有人干，人人有事干。"我们的寝室就是治理的结果，而我从来不去查寝室。如果我要到寝室里面去，我会和孩子们说："孩子，我到你们寝室里面去参观一下行吗？"孩子们很开心，校长来参观就和检查不一样。

我们在教室的墙上贴着这样的话：校长任何时候都会帮助你。我的电话、QQ、微信都在上面。现在在我们学校的作业本封面上都写有：校长任何时候都会帮助你。很多孩子是我的网友，在我们学校每间教室里都有一个大屏幕，孩子们可以拿自己的平板电脑上课，每个星期一的晚上他们可以自由上网。我当时要孩子们自由上网的时候，很多老师和家长反对。他们说："詹校，这个不行，他们本来就有网瘾。"我说网瘾和上网是两码事。我跟孩子们说："让你们上网有什么好处和害处我都知道，但是你们干吧。"我的孩子们利用上网，花了七个月的时间，给我编了一本书，叫作《丑小鸭校长与白天鹅孩子》。

四、我们认为孩子的问题是"学习问题"，但是我所见到的所有孩子的问题都不是学习问题，而是关系问题，关系问题是问题的源头

我下面讨论的是"问题孩子"的教育背景，他们来自"三高"家庭——家长拥有高学历、高收入、高地位的家庭。各位，"三高"家庭不是我们理想的奋斗目标吗？现在很多年轻的家长都希望有钱，有房子，有地位，想把孩

子送进名校。我告诉你，我们学校十多年来，有2000多个学生，90%来自"三高"家庭，问题在哪里呢？

我想问各位的是，什么是家庭？房子、车子、父亲、母亲、孩子加起来叫家庭吗？不叫。这些只是家庭的元素，那么家庭的功能具备吗？每一个人需要的家庭功能是不相同的。什么是学校？校园、大房子、教室、操场、校长、老师加上很多的东西就等于学校吗？不等于，这些只是学校的元素。就像这瓶水，它的功能就是解渴，但是它的结构呢？元素呢？氢、氧能解渴吗？"氢＋氧"如果不是水，它还是不能解渴。

现在很多名校挂一个牌子就是名校了，于是很多家长就想办法要把孩子送进去，因为他们要的是名校。那么名校的根本是什么？对孩子来说，如果不能满足他们的生命需求，这个家庭、这个学校其实根本不存在。孤单的孩子90%以上来自"三高"家庭，但是这种家庭只有家庭的结构，没有家庭的功能。孩子所需要的家庭是缺位的，也就是说他心无所依。

我们认为孩子的问题是"学习问题"，但是我所见到的所有孩子的问题都不是学习问题，而是关系问题，关系问题是问题的源头。举个例子，很多老师和家长问我，孩子学习不好怎么办？大家认为这是问题，问题在哪里呢？就是成绩下降。成绩下降就一定会找方法，这个方法是不是补课？但是可以这样说，我没有看到几个补课有效果的，语文补了可能伤害了数学，成绩好了可能伤害了身体，也可能会伤害关系。

所以，在问题和方法之间还有一个东西，孩子成绩为什么不好？原因是关系问题、身体问题、兴趣问题、情绪问题、评价问题等等。你要解决这些问题。这些问题一旦解决了，学习根本不用你管。学习是孩子的事，有时候我们把学习的概念搞错了，认为学习就是把知识记住，成绩好一点再好一点，这是行为主义的学习，这种学习恰恰是在伤害学习。美国一位心理学家写了一本书，叫作《有限游戏与无限游戏》，这本书把人的所有活动分为两种游戏：一种叫作有限游戏，有限游戏的目的是决胜负，胜负出来了游戏就结束，比如石头剪刀布；还有一种游戏是无限游戏，无限游戏的目的是为了把游戏一直玩下去，目标不同。

现在我们思考一个问题：学习是什么游戏？有些老师把学习当作有限游戏，学习的目的就是考试，考试的目的就是参加更多的考试；读书的目的是上学，上学的目的就是上更多的学。如果你考试不好，就会觉得你失败了。

如果是无限游戏的话，游戏就是为了玩下去。老师们，批评是有限游戏还是无限游戏？有些老师的批评是有限游戏，一定要孩子承认错误，一定要争谁对谁错。有时候孩子不认错你就不舒服，有时候孩子认错你更不舒服。有的时候孩子之所以认错，是为了认错了好让你赶紧滚。有些孩子屡教不改，我认为认知是需要时间的，既然需要时间，怎么可能马上改？他改不了。所以我们在批评学生的时候，一定要注意把批评玩成无限游戏，批评的目的是建立和孩子之间更亲密的关系和联系，而不是争谁对谁错，对和错都让他自己去分析和思考，不需要我们讲。把游戏玩下去，是把老师为人处世的方法在这个过程中教给他。所以教育就是多给生命一条路，任何时候我们都要想着多给生命一条路，一条任何时候都可以玩下去的路。这就是教育，一条关系的路。不在乎谁对谁错，对与错是一种价值的建构，不是强行灌输的观念。我们有时候喜欢灌输对与错的观念，如果一个孩子马上就承认对和错，那么这个孩子是没有出息的，或者他只是在忽悠你。

教育是成全孩子，成全自己，成全生命。有时候你会很困惑，你会想到底有没有成全他。

五、教育是放开生命本来就有、本来就需要的空间。探寻生命的真相，满足生命的需求，这是教育者的信仰

教育是建构关系，关系是满足需求。老师应该让孩子建构自己的学习、知识、关系、价值。怎么建构？孩子自

己会建构，老师给他两样东西，一样是时间，另外一样是对与错的机会。就像孩子玩积木，你让他玩，他就会玩，玩积木就是不断地建构和解构。学习是建构的，知识是建构的，关系是建构的，价值也是建构的，而不是灌输的。

我们想想，成年人的价值就是建构出来的，无论价值是对的还是错的，它都是建构出来的。所以学习之始、教育之终在于建立信任关系、需求关系、平等关系。我刚才讲的所有例子，其实都是建立信任关系。信任关系是通过暗示的手段实现的，你给孩子们在教室里配上电脑，但不要说这个电脑不能玩QQ、不能和朋友聊天，你说了他更要玩，他想干吗就干吗，聊聊天关系也不大。你也不要说今天的作业一定要完成，这又是废话，作业本来就是要完成的，你加一句话反倒暗示可以不完成。

人的需求有五个层次，由低到高，最高层次是价值。一个孩子没有安全感的时候是不可能有价值需求的，他不敢和你说话，甚至不敢发言，你还跟他说一定要有志向，一定要有远大理想，没有用的。有些人问："詹校长，你们学校那些孩子那么不听话，你是怎么管下来的？"各位，管理不是管下来的，管理是建立关系，激发善良，传递善良，遇见美好。丑小鸭中学很小，学生数量也不多，很多人问我办丑小鸭中学有什么秘诀。我说没有秘诀，我和大家不同的是：第一点，我心态很正常，这个事情我认为是责任，我敢做；第二点，我不急，学校办了十多年，每期在校生都不超过100人，我也不怕别人笑话我。

教育不只是培养"人才"，更重要的是培养"人"。真正的人性是人帮助人，人成全人，人发展人。我认为人是不可以被淘汰的，我总觉得人生下来，他得到社会物质，得到阳光雨露，得到教育，这是上天给的礼物，所以培养人性中的善，培养孩子学会感恩是我们应该做的。但是很多学校做很多感恩仪式，吃饭要感恩，穿衣服要感恩，好像不感恩就不对。什么都应该感恩吗？成年人应该干什么呢？固有的概念会阻止我们探寻生命的真相。

尊重人性，关注个性，是"教育"应有的内涵，否则就不是教育。教育是不知深浅的探索，教育是不怕牺牲的投入，想投入就要不计后果地信任，要信任也要不计后果，教育是永不放弃的执着。一个可爱的老师应该懂爱、懂美、懂需求。老师们，人是为什么来的？人是为了爱与美来的，人生在爱与美里面。有些学校要求孩子一定要统一发型，但是孩子现在的发型，他就认为他是最美的，没有谁愿意把最难看的东西放在自己的身上，他懂美是对的，但是他的审美价值可能是错的，那么你就引导他，让他建构正确的价值。

学品是有趣，有用，有规则。规则和规矩不一样，有些学校是把规则变成规矩，而且规矩又是错的。我查过一些学校的纪律条款，我认为有些完全是在欺负学生。

教育的价值是满足生命个体的发展需求。我认为教育不是取长补短而是扬长避短，教育是放开生命的空间，不是拓展，是放开。它本来就有，它本来就需要，教育应该放开生命本来就有、本来就需要的空间。探寻生命的真相，满足生命的需求，这是教育者的信仰。

在好老师的眼里，没有优生，也没有差生，只有学生。相信种子，相信时间，它们会告诉我们教育的意义是什么。

促进心理健康，护航学生成长

华南师范大学心理学院副院长、教授　刘学兰

今天我想从两个方面和大家做分析，一是心理探因，问几个"为什么"，也就是我们的孩子在成长的过程当中出现了哪些问题，为什么会出现这些问题？第二个是教育对策，想解答几个"怎么做"。

一、心理探因：几个"为什么"

先和大家分享一则比较沉重的新闻：不久前成都四十九中学发生学生自杀事件，引起了社会的热切关注。其实关于中学生自杀的新闻每年都有，这些孩子花样年华，身体健康，但他们留下的遗书中都出现类似"觉得自己很没用""觉得我什么都不行""觉得我就是一个废物"这样的话。好的教育应该让每个孩子兴致勃勃地到学校来，走出学校的时候能够觉得自己是一个很有价值的人，哪怕他成绩不好，他也不会觉得自己一无是处，觉得自己是"废物"。我想这也应引发我们对教育的思考：怎样培养孩子才能够让他体验到自己的价值感？

1. 为什么有的学生不愿意学习？

每一个孩子来到这个世界上，都会对这个世界充满好奇。两三岁的孩子有很多问题：为什么鸟在天上飞？为什么鱼在水里游？这就是他学习的起点。但他为什么后来变得不爱学习了？他的内心发生了什么样的变化？从心理层面分析，我觉得这几个方面的原因是很重要的。

第一，缺乏成功体验。一个学生在学校体验到的总是失败、失败、失败，长期缺乏成功体验会导致"习得性无助"，即接连不断地受到挫折，会产生无能为力、放弃努力的心态。这种习得性无助是后天习得的，不是先天具有的。

所以，做老师不要太迷信"失败是成功之母"，以为让学生失败无数次，他就自然成功了，没有那么好的事情。"失败是成功之母"是有很多条件的。我们更要相信成功导致成功。那么习得性无助是怎么产生的呢？主要有以下的过程。

获得体验：努力却没有结果导致失败与挫折感。

在体验的基础上进行错误认知：自己无法控制行为结果或外部事件。

形成期待：将来结果也不可控。

表现出动机、认知和情绪上的损害：降低学习动机、认知出现障碍、情绪失调。

如何让一个已经习得性无助的学生重新焕发学习的热情？没有别的办法，只有回到第一步去做工作，就是不断地让他积累成功的体验。那怎么样才能够让这些孩子有成功的体验呢？这就是我们教育者要考虑的问题。

SCIENCE（《科学》杂志）2017年刊登了浙江大学胡海岚教授团队的研究成果《胜负经历重塑丘脑到前额叶皮层环路以调节社会竞争优势》，该成果第一次指出大脑中存在一条介导"胜利者效应"的神经环路，它决定着

"先前的胜利经历，会让之后的胜利变得更加容易"。研究以小鼠为对象，发现了一个从中缝背侧丘脑投射到前额叶皮层神经通路，当增加这一环路突触链接的强度时，就能介导"胜利者效应"。成功经历会重塑这一通路的突触连接强度，从而影响小鼠在后续竞争中的表现。实验也发现，"胜利者效应"可以从一种行为迁移到其他的行为中。

虽然这个研究是动物实验研究，但是对我们了解人类行为也具有启发作用。作为教育者，我们首先要考虑的是如何让孩子在他的成长环境中尽可能多地体验到成功。

第二，缺乏清晰、有挑战性的目标。目标和学习动力之间密切相关。缺乏目标可能没有动力，所以我们需要给学生开展励志教育、理想教育，要让他们树立远大的目标。但是并不是说有目标就一定能转化为当前的学习动力。如果目标的难度太大或者目标不清晰，或者目标没有跟当下的学习和生活连接起来，目标同样不可能转化为动力。

我认识一个这样的孩子，他的父母非常关心孩子的教育，从小就给孩子树立了远大的志向，希望他考上清华。小时候父母带他到清华游玩，挖了一棵草种在孩子的桌上，以此激励孩子。但孩子能不能上清华是很多因素决定的。孩子读小学时成绩还不错，但父母可能觉得还没达到可以考上清华的程度，就很焦虑。父母焦虑，孩子也焦虑，越焦虑就越学不好，后来成绩越来越差，甚至不愿意去学校，以致用玩游戏来逃避现实，不愿意与外界沟通。这个"远大的目标"不仅没有成为孩子学习的动力，反而成为他心理问题的根源。所以如何给学生确立清晰、有挑战性的目标，是我们要考虑的问题。

有一个这样的实验：实验者组织三组人，让他们分别向着十千米以外的三个村庄步行，第一组不知道村庄的名字和路段，只是被告知跟着向导走就可以了；第二组知道这个村庄的名字和路段，但路边没有里程碑；第三组不仅知道村庄的名字和路段，而且公路上每一千米就有一块里程碑。结果发现，前两组都情绪不高，效率不高，有人甚至中途放弃，而第三组整个过程效率非常高，情绪也非常饱满，很快就到达了目的地。

我们在教育中应当怎么引导学生设定清晰的目标，同时在过程当中又能不断地体验到成功，这是我们在做教育设计、教育实践时要考虑的问题。

第三，归因问题。根据维纳的成败归因理论，当我们面对成功或失败时，会将其归因为四个基本因素：能力、努力、难度、运气。这四个因素归属于内部—外部、稳定—不稳定、可控—不可控三个维度。能力是内部稳定不可控的，努力是内部不稳定可控的，外部的因素都不可控。那这里面，唯一可控的因素是什么？是努力。

假如在一次考试中，学生数学考得不好，他们每个人找的原因是不一样的。有些学生可能马上就会说，我天生就不是学数学的料，我这个人数学一直不行。那么他是把这一次数学考不好归因为我没有数学能力。有些学生可能说，如果再让我多复习两天，我就可以考好。那么他是把没考好归因为努力不够。也有的孩子会说这个题目太难了，他把没考好归因为难度。还有的孩子可能将其归因为运气，认为是自己的运气不太好。

我们要如何引导学生正确归因？首先来看看什么是积极的归因模式。积极归因有两大原则：努力归因原则和现实归因原则。努力归因原则就是，无论是成功还是失败，老师都可以引导学生归因于努力。成功了告诉学生："老师看到你的努力了，你的努力是有价值的。"失败了引导学生："可能你的努力还不足够。"但是如果学生已经很努力了，还是学不好，我们该怎么办？可以引导他做一些现实层面的归因，比如说归因为学习方法、学习策略，让他知道"努力也需要有方法的努力"。这就是现实归因原则。

消极的归因模式，就是将成功归因于运气或者难度，把失败归因为缺乏能力。消极归因直接会影响到接下来的动机，降低学生对未来成功的期望，严重的会带来习得性无助和自我否定。

有些老师可能会问，如果确实是因为学生缺乏这方面的能力而导致行为的失败，我可不可以指出来？如果确实是，我觉得也可以。但是给学生指出缺乏能力的时候，要对能力进行分类，需要有一种"多元智能"的观念，要引导学生看到自己的优势能力。大家熟知的"木桶效应"是短板理论，即一个木桶能装多少水，不取决于它最长的那块板，而取决于它最短的那块板，所以我们要把短板补齐。其实我更欣赏"长板理论"，即"核心竞争力理论"。当你把木桶倾斜，木桶的盛水量是由长板而不是短板决定的，木板最长的一块在哪里，这个水就可以到哪里。长板理论对我们的教育来讲，我觉得是更具价值的。你要去发现每一个孩子身上的长板在哪里，长板是他可以成为不同于别人，或者成为一个卓越的人的基础。补短板最多补成平均值就不错了，我们教育的责任就是怎样立足于孩子的长板，让孩子得到最好的发展。

第四，维持自我价值感。自我价值理论认为，人有一种建立和维持积极的自我形象或自我价值感的倾向，称为自我价值的动力。我认为做老师需要持有这种自我价值理论，需要有一个信念：你要相信一个孩子的内心深处一定是有要做好孩子、好学生的愿望的，至于他有没有成为那个"好孩子"，那是后来环境、教育的一些原因导致的。

学生维持自我价值感的主要方式是保护自己的学业胜任能力感。在我们目前的教育体制下，教育评价标准非常单一，这就可以理解学生为什么会很看重成绩，因为成绩背后连接的是别人对他能力的评价，成绩是他证明自己价值的一个最重要的途径。

从前面的归因理论来看，内部的主要因素有两个，就是能力和努力。对于大多数学生来说，他们会认为能力比努力更具价值，因为它是内在的、稳定的、不可控的因素。有的学生为什么不愿意学习？是因为他想维护他认为更具价值的东西——能力。为维持学业胜任能力感，学生会形成一些应对策略，如放弃努力、厌学、拒学、逃学等。如果他努力了成绩还不好，大家会认为他没有能力，那干脆不努力了，这样成绩不好，大家只会认为是他不努力，而不会怀疑他的能力。如果老师批评他，说他怎么这么不认真、不努力，他很高兴，他希望老师批评得更大声一点，最好让所有的同学都听到和看到，因为他要的就是这个结果。

第五，不恰当的外部环境。主要包括以下几点：家庭教养方式，学校氛围与教师的态度，同伴的影响，社会价值观念等。这些因素很重要，在此我不再展开讲述了。

从以上的原因分析可以看到，每个孩子不愿意学习的背后都有他的心理成因，这些成因可能并不相同。你只有找到了这个成因，才能真正帮助他。

2．为什么有的学生不喜欢自己？

第二个"为什么"，为什么有些学生不喜欢自己？不喜欢自己意味着低自尊。所谓自尊是指个体基于对自己的评价而产生的情感体验，反映了个体对自己的满意程度。学生不喜欢自己主要有以下几方面的原因：他人的否定；失败的经历；不恰当的社会比较；过高的内部标准（外界要求内化而成）。

第一，他人的否定。孩子很小的时候，往往依赖于周围人对他的看法来确定自己是一个什么样的人。如果周围人对他都是否定、排斥、不接纳的态度，慢慢地这个孩子就会不接纳自己、不喜欢自己。所以我们对孩子要有接纳的态度、支持的态度、肯定和鼓励的态度。因为这是孩子获得自尊的一个最基本的途径。

有些人功成名就，看上去获得了世俗的成功，但他内心还是看不起自己，还是低自尊，可能和他早年不断被否定、被打击的经历有关系。

第二，失败的经历。每一次失败都会让孩子受到打击，我们要提倡成功的体验。

第三，不恰当的社会比较。现在的社会，每个人都在比较。有些父母的比较是非理性的，比如说拿自己的孩子和画画最好的、奥数最好的、作文最好的孩子比，结果就是痛骂自己的孩子一顿。孩子在这个过程中就习得了这样一种比较的方式，他可能也会采取这种比较的方式，比来比去的结果就是，我什么都不是，我什么都不如别人。

第四，过高的内部标准。孩子从小就会接收到来自父母、老师等外界的各种要求，这些外界的要求慢慢地内化成了他对自己的要求，成为他的内部标准。这些内部标准包括理想自我和应该自我。理想自我是我想要成为一个什么样的人，应该自我是我应该要成为一个什么样的人，这两者是有区别的。假如我的理想职业或者理想状态并不是做老师，而是想成为其他人，如果没有实现理想自我，我会觉得失望。应该自我就是我已经做老师了，就应该知道自己要做什么样的老师，应该有什么样的标准，应该自我如果没有实现，就会觉得内疚。如果一个孩子的理想自我和应该自我都不能达到，他当然不喜欢自己，而这个理想自我、应该自我是在长期的教育过程当中，外界的要求内化成他的要求所带来的，根源还是在小时候周围人怎么样对待他。如果外界要求过高，孩子也容易有过高的内部标准，当他怎么努力都达不到这一标准的时候，他就会不喜欢自己。但即使永远都达不到，有的孩子也很难放下这一从小形成的标准。

3．为什么有的学生不热爱生命？

为什么有的学生会不热爱生命，甚至放弃生命？这里面我觉得有三个"陷入"，一是陷入心理困境，二是陷入意义的缺失，三是陷入自我否定。

我重点谈谈陷入心理困境。这里所指的心理困境是孩子成长的外部环境与其内在需求之间的矛盾所造成的，这种矛盾性使有些孩子"困"在其中不能自拔。要特别关注以下三个矛盾：高焦虑的环境与追求安全的需求之间的矛盾，高控制的环境与自我控制的需求之间的矛盾，高虚拟的环境与追求真实的生命体验之间的矛盾。

首先，人都有获得安全感的需要，孩子一生下来就会通过各种方式去建构属于自己的安全感。好的环境能让孩子建构出内在的安全感。这里所指的好的环境包括父母、教师和学校恰当的教育方式，以及整个社会积极的价值导向。但是，现在父母、老师等通过过度关注、过高期望等不同方式给孩子制造了高焦虑的环境。高焦虑的环境"困住"了我们的孩子，让他们不那么容易感到安全和快乐。

其次，随着自我意识的发展，孩子，特别是到了青春期的孩子，独立需要非常强烈。但是，一些孩子却往往处在成人高度控制的环境中。成人的高控制源于高焦虑。焦虑源于不可控，增强控制感可以减少成人的焦虑。但是高控制往往会遭到来自孩子的反抗，会让成人觉得更加失控，从而更焦虑，从而陷入一个"焦虑—控制—反抗—更焦虑—更控制"的恶性循环之中。一方面，成人希望牢牢控制住孩子，希望孩子的一举一动都符合自己的要求；另一方面，成人又希望孩子自控，经常抱怨孩子"自控力差"。试想，一个高控制的环境如何能发展出孩子真正的自控能力？这本身就是一个悖论。

再次，当代孩子的生活环境虚拟化程度越来越高，他们很多时间沉浸在书本、手机、电脑、电视之中，不是看书就是看屏幕。他们从虚拟世界中得到的快乐越来越大于从现实世界中得到的快乐。但是，作为生命个体，他们有追求真实的生命体验的内在需求，渴望在现实世界中也有深刻的生命体验。一味沉溺于高虚拟的环境，可能让孩子缺乏深刻的、真实的生命体验，继而容易产生对生命的疏离。

二、教育对策：几个"如何做"

针对上面几个"为什么"，我们谈谈几个"如何做"。在讲"如何做"之前，我们先来了解什么是学校心理健康教育。学校心理健康教育是指根据学生的身心发展特点，运用有关心理健康教育的方法和手段，帮助学生解决成长过程中的心理问题，培养学生良好的心理素质，促进学生身心和谐发展和素质全面提高的教育活动。

教育部颁发的《中小学心理健康教育指导纲要》中提到，中小学心理健康教育是提高中小学生心理素质、促进其身心健康和谐发展的教育，是进一步加强和改进中小学德育工作、全面推进素质教育的重要组成部分。

从以下文件的颁发，可以看到我国中小学心理健康教育的发展历程。

1999年，教育部成立全国中小学心理健康教育咨询委员会，并于同年颁发《关于加强中小学生心理健康教育的若干意见》；

2002年，教育部颁发《中小学心理健康教育指导纲要》；

2012年，教育部颁发《中小学心理健康教育指导纲要（2012年修订）》；

2014年，教育部启动国家中小学心理健康教育示范区建设工作；

2015年，教育部颁发《中小学心理辅导室建设指南》。

下面我从三个"如何做"入手，以点带面，阐述一下心理健康教育工作的内容和方法，以及它对学生健康成长的重要意义。

1．如何激发学习内驱力？

（1）设置挑战性的目标

有挑战性的活动能激发学生的内部动机。设置挑战性目标不是说在学校、在教室贴北大清华的照片就可以了，没那么容易。只有让学生认可的挑战性目标，才有可能转化为他当下的动机。有挑战性的目标的要求：具体、清晰、中等难度、学生参与目标设置。

（2）增强自主选择

给学生提供一种自己对学习活动的控制感会使学生增强学习动机，可以让学生自己选择学习的活动、学习的方式以及自己建立与学习有关的规则和程序。

比如说为了鼓励小学生做好作业，不少老师都会用奖励的方式，但往往是采用直接给孩子发奖品的方式。我认识的有一位老师则不然，她给孩子的奖品是有选择的，比如她会告诉孩子说：你有五朵小红花了，明天可以到老师这里领奖品。老师这里有三种奖品：笔、本子和免做一次作业。你回去考虑一个晚上决定选择哪一种，明天早上告诉我。孩子获得选择权利的时候非常激动。选择就意味着取舍，在这样的取舍过程中，很多东西会慢慢清晰起来，孩子的价值观也在慢慢形成。

所以，当老师给孩子创造了选择的机会，孩子的学习动机也会随之增强，孩子自己选择的，表明他很愿意学，这就转化为孩子的内驱力。

（3）提供成功机会

每个孩子从出生起就具有一种好奇求知的本性，入学后，他们的求知欲、好奇心开始出现分化，有些孩子的好奇心、求知欲随着学习的成功而不断得到发展，而有些孩子则因学习失败而对知识失去好奇心和求知欲。

学得好的学生比较容易获得学习中的成功体验，但对于学习不太好的学生，如何让他们有成功的机会，是老师们需要想办法的。我认为有以下三条路径：一是发现学生学习之外的闪光点；二是发现学生学习之中的闪光点；三是分解目标，缩小步子，及时强化。关于发现学生学习之中的闪光点，我举一个例子。有一位中学数学老师，他帮助学生分析试卷，通过分模块计算分数，虽然有的学生总分不高，但是这个学生在某个模块，例如代数运用题方面，得分达到了班上的平均水平，他就觉得找到了这个学生学好数学的"根据地"。他引导学生把根据地立下来，通过"农村包围城市"，鼓励学生一步步扩大"根据地"。在这个过程中，学生找到了学习的动力，数学的整体成绩慢慢提高了。我非常认同这位数学老师的做法，他帮助学生找到学习中的"闪光点"，让学生体验到成功的快乐。

（4）促进动机迁移

动机的迁移分为不同学科间的动机迁移以及学习与其他活动间的动机迁移。教师要注意观察和把握学生的已有动机和兴趣点，了解学生的爱好，例如学生读的书、听的歌、看的漫画、打的游戏等，作为家长和老师都要了解一下，利用机会，因势利导。又比如说学生喜欢某个明星，家长不要说："你不要追星了，去学习。"而是要去用心观察、发现，从他追的星身上挖掘资源，寻找可迁移的机会，帮助孩子把对明星的热爱迁移到学习上去。

（5）转换学生角色

创造机会让学生担任他们平时担任不了的职务，如辅导者，激发他们的学习兴趣和责任感。

有研究者让小学五年级学生担任一年级学生的数学辅导老师，要求他们课后对一年级学生进行第二天数学课的预习辅导。结果表明，五年级学生在角色改变四个月后，他们自己的数学成绩有了显著提高，而且他们的学习动机、人际关系等都出现了积极改变。

2．如何提升学生自尊？

如何提升学生的自尊？如何让他觉得自己有价值、喜欢自己、接纳自己？我们首先要了解青少年的自尊结构。有研究发现青少年的自尊包括以下成分。

①重要感：在心理上渴望得到他人的注意、接纳、支持和喜欢。

②外表感：从身体外表或穿衣打扮方面获得的自我价值感体验。

③自我胜任感：在各种活动中，通过表现出成功，获得他人的赞许，从而获得积极的自我价值感体验。

④归属感：表现出对朋友和同学的尊重、合作和接受的态度，追求和维持友谊和集体感的情感体验。

⑤社会认可：能够适应新的环境，建立新的关系，并在这一过程中获得他人接纳和认可的积极情感体验。

那么孩子自尊水平的发展是怎么样的呢？我们来看看。在不同的年龄段自尊水平是不一样的：在3～9岁的年龄段，自尊结构主要是重要感、外表感、自我胜任感；青少年期，自尊结构主要是社会认可、自我胜任感、外表感、归属感和重要感；八年级时自尊水平显著下降，九年级基本保持在八年级时的水平。所以八年级时是一个特殊的年龄，很多心理品质在这个年龄都有比较大的变化。

根据这个构成，对于提升学生自尊的方法，我想我们作为教育者，在这几个方面要特别关注。

第一，他人的接纳、理解与支持。这是学生获得自尊的重要途径，怎么样提供这样的环境非常重要。这个接纳，我们说起来容易，但是其实要真正地接纳学生，很多老师做得并不是太好，很多父母也没有做好。

第二，接纳自己的身体。认识和接纳自己的身体对青少年来说非常重要。青春期的孩子站在镜子前往往对自己很挑剔，认为"我不够高""我不够漂亮"等，这是这个年龄段孩子的特点。孩子在这个年龄段要完成对自己身体的接纳，这是他们获得自尊的基础。人接纳自己是从接纳自己的身体开始的，怎么引导孩子去接纳自己的身体，是我们教育者一个重要的责任。

第三，发现自己的基本价值。这很容易被忽视。很多孩子觉得只有个人成绩好才是有价值的。如果把成绩作为唯一的支撑，那他的自我价值体系就很有可能会坍塌。我举一个例子，有一个女孩子，来自贫困山区，从小到大都是尖子生，以优异的成绩考上了大学。但在大一考试的时候，每科成绩60多分，没有挂科。在大学里，一次期末考试成绩并不会有决定性的影响，但是这个女孩子当时因为60多分的成绩，就有自杀倾向。她说："从小到大，我觉得自己没有任何值得骄傲的地方，但幸运的是，成绩一直很好。现在成绩也不好了，我觉得自己什么都没有了。"我们在教育的过程中要培养孩子发现自己的基本价值，这种"基本价值"是与生俱来的，不是成绩带来的，哪怕以后没有好的分数，没有外界的这些东西，孩子仍然觉得自己是一个很有价值的人。

第四，积累成功经验。这也是获得自尊的重要来源。

第五，融入集体，建立友谊。人是社会的人，如果一个孩子被集体排斥，他的心理成长将会面临很多的困难，所以融入集体非常重要。

第六，积极地适应新环境。

3. 如何做好危机干预？

对于学生群体中的心理危机高危个体，学校要早发现、早研判、早预防、早报告、早控制。学校要重点关注以下群体：长期情绪低落抑郁者；有过自伤自杀行为或经常流露自杀想法者；遭受重大挫折打击者；亲友中有自杀行为者；长期有睡眠障碍者；社会支持系统长期缺乏者（如家庭破裂、独来独往、同伴排斥、受人欺负）；有明显的精神障碍者（如思维紊乱、行为古怪）；有明显的暴力倾向者。

这是我提到的三个"为什么"和三个"怎么做"，当然，这不是全部，但是我想这是我们要去认真思考的问题。

最后，我想说，不仅是教育领域，从整个国家层面来看，中小学生的心理健康都是非常值得我们重视的。党的十九大强调教育要"落实立德树人根本任务"，要"加强社会心理服务体系建设，培育自尊自信、理性平和、积极向上的社会心态"，"青年兴则国家兴，青年强则国家强。青年一代有理想、有本领、有担当，国家就有前途，民族就有希望"。可以说，中小学生的心理素质和心理健康水平直接关系到党和国家的未来。

第二章 集团化办学：从课程到文化的共融

片区教研，同生共长——一场心灵对话引发的关于成长的思考／文娟娟

在教育的『本原』处『集结』／邹波

课程的加与减，生命的厚与重／李飞雁

精致育人：新时代文化自信的『南外表达』／夏育华

小而美，大而『？』／邱华国

教育集团的核心理念和优质资源有机共享／全汉炎

集团化办学与管理改进——以翔宇教育集团为例／邱华国

片区教研，同生共长

——一场心灵对话引发的关于成长的思考

佛山市顺德区大良镇顺峰小学校长
顺德顺峰片区负责人　文娟娟

尊敬的各位领导、专家、同行们：

大家好！

清晖幽雅，顺峰叠翠。我是顺德大良顺峰小学的文娟娟，顺峰片区的负责人。我们片区由四所公办学校、两所民办学校组成。对于我们这种多元化的片区学校，要达到共享共赢，必然需要一段心诚致远、慧己达人的历程。让我们从一封信说起——

敬爱的文校长：

您好！

我是五年1班子乐（化名）的妈妈。我的孩子长时间沉迷于手机，一回家就关起门来玩游戏，一个月我们说话不到十句。面对母子之间感情的淡漠，我试了很多方法沟通，可每次都是被孩子撵出门外，我的心都凉了！眼看着孩子沉迷游戏，成绩严重下降，只能干着急！文校长，我该怎么办呢？

一个彷徨无助的母亲

2020年6月18日

一、德育教研：择高处立，向宽处行——关注学生身心健康

1．一封信、一思考、共济体

这封信让我真实地感受到了一个母亲的焦虑，她想帮助孩子，却苦于没有专业途径，很无奈。这绝不是个案。经历了疫情、线上教学、朝夕相对这一特殊时期，大多数的学生、学校和家庭都可能遇到类似的问题。身为教育工作者，摆在我们面前的是三个问号：背后的真正原因是什么？基于专业的心理教育我们可以做什么？如何集众人的智慧，去帮助一个学生、一个家庭、一所学校乃至整个社会？于是，我第一时间把孩子的情况及家长的困惑向片区"护苗心理健康教研组"反馈。收到我的反馈后，他们马上针对电子产品与亲子冲突之间的关系进行研讨。老师、父母和社工三方联动，吹响了护苗行动的集结号：首先，走近子乐，心理老师用真诚的话语赢得子乐的友谊；其次，采用认知行为治疗，让子乐在潜移默化中一起成长；再次，开展亲子辅导。为了提升辐射力，护苗心理健康教研组改编IAT自测量表和自编家长问卷，根据量表和问卷结果，对有类似情况的学生及家庭开展"家庭教育讲座"，开通片区线上线下咨询渠道。

经过心理健康教研组的不懈努力，片区各校的学生认识到了电子产品的危害，知道了如何正确使用电子产品为学习服务，片区的众多家庭也感受到了来自学校的关爱和温暖。童心筑梦，静候花开。

今年教师节，我的桌面上端端正正地摆放着这样一张卡片："文校长，谢谢您！祝您教师节快乐！"落款："六年1班子乐（化名）。"虽然只有寥寥数字，但为人师者最大的幸福莫过于此。尽管老师们的付出很难用具体的数据去评价、量化，但学生的成长依然是对这份教育情怀最美的回答。

子乐的案例只是我们片区众多案例中的一个。"择高处立，向宽处行"是我们片区德育教研工作的一面旗帜，

我们始终把孩子的身心健康放在片区德育教研工作的至高点，并积极拓宽多种德育渠道为学生的成长保驾护航。

2. 一社工、一片区、共同体

2018年，顺德区心理社工驻校项目有幸落在我们顺峰小学，为学生的成长开启了"导航"式的陪伴。为发挥驻校社工的辐射作用，让更多的"失梦学生"找到人生正确的轨道，我们六校联动，成立片区护苗心理健康教研组，为片区各校学生提供个案跟踪服务，打破单个学校资源不足的困局，大家携手组建德育协作共同体。

3. 一家庭、一学校、共生体

教育家苏霍姆林斯基说过："没有家庭教育的学校和没有学校教育的家庭，都不可能完成造就全面发展的人这一极其细致艰苦的工程。"当前家校共育在实践中出现了偏差：理念上，局限于"家庭教育"配合"学校教育"；内容上，缺乏基于家、校、生共同成长的系统课程。在片区协作式发展的过程中，我们开发家校共育课程，让家长走进课堂成为老师，为孩子授课。只有站在教室里给孩子上课，家长才能读懂孩子，读懂老师，读懂学校，共同探索"家校共育"新意识、新机制、新模式，在片区各学校形成家校融合共生的德育新格局。

二、教学教研：德育为先，质量为本——提升教师专业发展

德育为先，质量为本，我们把学生的身心健康置于片区德育工作的至高点，同时把教师专业发展作为片区教学的中心点。

教育家叶澜说过："在学校中，没有教师的发展，难有学生的发展。"所以，各校均以教研活动为抓手，促进教师专业发展。然而，校本教研存在诸多困难，如很多教师难以从繁重的事务性工作中解脱出来，很难沉下心来搞教研，校本教研的计划性、系统性不强，活动的学术水平

不高，专家的专业引领不足等。于是，我们寻求突破，打破常规，片区形成多种形式的特色教研活动。下面我重点谈谈"巡课诊断式"教研。

所谓"巡课诊断式"教研，是指学科教研组老师对片区内各学科教师的课堂进行巡听、诊断、指导的一种教研方式。顺峰片区有两所办学两年左右的新学校，一所次新学校，这三所学校的师资以青年教师居多，而且大部分是应届毕业生，刚刚踏入教学岗位，缺乏经验。为此，片区成立了以骨干教师、教导主任、教学副校长为核心成员的学科教研组，每学期先针对教师实际情况精准定位相应的课堂观测点，然后对片区内老师的课堂教学进行巡诊，重点是听青年教师和教学质量待提升老师的课。

在巡诊中，专家们会对各学科科任教师的课堂进行质询，聚焦核心素养，聚焦观、思、读、讲、练五个维度。针对存在的问题，专家组会详细指导教师。例如，如何唤醒学生们内心的渴望，做到情感真实、思维灵动、关系和谐等。为更好地指导教师，专家组每学期都会设计几个典型课例，并指派学科优秀教师就该课例到各学校上示范课，正面引导教师，大面积提高了课堂教学效率，迅速提升教师，特别是青年教师的专业发展。形式多样的教学研究，是理念的交流，是自我的提升，是课堂的多元展示，是片区学校均衡优质发展的内生力量。

一枝独秀不是春，百花齐放春满园。深度教研，资源共享，有赖于大良街道教育办领导的宏观规划、悉心指导和机制保障，顺峰片区的教师专业发展飞速提升，引领着片区学生茁壮成长。

三、片区展望：跨越壁垒，思维碰撞——实现学校共生共荣

教育家杜威说过："如果今天的学习方式依然如昨，我们就是剥夺了孩子的明天。"昨天，我们走过一个破冰试验、按地域就近整合的片区1.0时代；今天，我们正在经历联动教研、线上线下一体化融合的片区2.0时代；明

天，我们翘首期盼一个智能生态环境下共享共融的片区3.0时代。开启心灵的窗户，跨越围墙的壁垒。片区教研是我们教育人之间德育思想的对话、教学智慧的碰撞，是我们教育人用行动回答一个叫作成长的话题。

在教育的"本原"处"集结"

佛山市顺德区云路小学校长　邹波

　　我是来自本原教育集团云路小学的邹波。今天，一群执着的教育人相聚在这里，分享着对集团化办学的探索与思考，共同追寻着学校变革的核心力量。今天我从一所成员校的视角，以时间轴来向大家讲述我们集团发展的三部曲——借鉴植入、融合创新、新生蜕变，一起探讨回归"本原"的教育。

一、借鉴植入（2017年）——制度共建，理念共享，氛围共创

　　2016年10月，大良街道宣布成立西山、本原两个教育集团，吹响了集团化办学的集结号，如同一艘船，扬帆远航，开启了崭新征程。本原教育集团以百年名校本原小学为龙头校，成员校是桂畔小学、云路小学。

　　我们当时的状态可以用几句话来概括："一个概念在脑中，两页方案在手上，三间学校来起步，四顾茫然找方法。"在前理事长徐校的带领下，我们去了全国许多地方学习、借鉴先进经验，也很快定下集团发展的战略和机制，形成几所学校共同认同的理念、行为、体

系、框架和标准。作为新生事物，我们的集团化办学迫切需要成长。成立之初，我们马不停蹄地联校搞活动，进行花样繁多的走班交流，不停地和学生进行课程的交流。有道是"风乍起，吹皱一池春水"。

但风平浪静后，一切零敲碎打的活动并没有留下沉淀。我们发现，"松散型"的集团办学，只靠"管理输出"和"教师输出"造成了发展的同质化，"浓茶兑水""牛奶稀释"也有违我们的初衷。作为成员校，我们需要的不是"输血"，而是"造血"的能力。于是我们开始反思，这是我们想要的集团吗？如果不是，作为成员校的这面风帆，该如何发挥自己的效能和动力，推动集团这艘船驶向远方？

二、融合创新（2018—2019年）——管理同步，研训同进，活动同开

制度上墙轻而易举，文化入心举步维艰。集团的发展离不开顶层设计、自上而下的规划，以及行政力量的推动，但其核心力量一定是自下而上的教育研究。自2018年开始，我们专注课程、文化的融合，聚焦于教师的发展。第一，我们大刀阔斧重组学科内容，每所学校成立课程中心，使之结构化、系统化；第二，开发各校特色校本课程，并提炼各校的精品课程辐射到成员校，使之序列化、精品化；第三，整体规划各项学生活动，使之多样化、综合化；第四，聚焦不同层次教师发展，使之项目化、专业化。这里我选择第四点向大家重点阐述。

1. 领头雁

什么是集团化办学的核心竞争力？是优秀的教师团队。接下来我想带大家寻找"好学生"与"好老师""好学校""好集团"之间的逻辑关联。

六年级的一位老师，还有两年就退休了。她的每一节课都如同磁石一般吸引着所有孩子的目光；她从来不批评孩子，但所有的孩子都竭尽所能不让她失望；她很少

讲课，但是她的课堂连最胆小的孩子都能上台做"小老师"。在她的课上，孩子们或坐或躺或站，或争论或合作，但无一例外，每一双眼睛里都有光；在她的课下，孩子们做未来规划，认识数学家，挑战思维题，做"小老师"出考题、批改作业，乐此不疲。毕业晚会上，她兴之所至，敲起架子鼓，所有孩子跟她一起疯，一起闹，一起笑。她是孩子们心中的"林大美女"。她教过的很多学生，上了初中仍然保持对数学的喜爱，因为她不单是教数理知识，更是将自信自强、自我规划、自我超越这些基因融在了孩子们的血液和精神世界里。教书一年，影响一生，这是家长们的评价。她就是本原小学的林春贤老师。

曾娜老师来自云路小学，在她的课堂里，一棵树，一片叶子，一个节气，甚至空调改造后的纸箱都可以成为她的课程。她的班级每一个孩子都是那么灵动、自信而又快乐。她的班叫"娜一班"，她培养了有爱有智有趣的灵魂，留下了很多成长故事。她让我们明白，好的课程需要跟生命连接，需要跟世界连接，需要跟生活连接，只有这样才能把孩子带去想要去的未来。

我们经常不辞辛劳、跨越千山万水去向别处的名师学习，但就在我们本原集团，就有很多神奇而又有魅力的老师。他们充分发挥示范、引领、指导作用，促进集团优质教育资源共享。我们为这些老师启动了"领头雁"名师专项研修工作室。以"慧心阅读"研修工作室（首席导师杨株枫）、"魅力教师"研修工作室（首席导师林春贤）、"导图嵌入"研修工作室（首席导师陈仕香）、"班本课程"研修工作室（首席导师曾娜）为依托，吸纳集团里更多优秀的同伴加入这个团队，教师自愿报名，热情且踊跃。

通过开设"名师讲坛"，吸收他们鲜活的教育思想和主张。

通过近观"魅力课堂"，浸润他们独特的教育风采和魅力。

通过开发"特色课程"，感受他们神奇的教育视野和智慧。

通过学习"教学常规",追随他们踏实的教育行为和细节。

每一群大雁中，必有一只领头的雁。它冲在最前线，顶着气流，乘风而行。因为它要为后面的大雁创造有利的上升气流，使整个雁群的飞行效率提升70%。我们希望集团有更多的老师跟着这些"领头雁"，眼中有光，心中有慧，做"有温度、有高度、有故事、有本事"的好老师。

2. 萤火虫

2019年，在集团理事长的引领下，我们成立本原集团"萤火虫"青年夜校。每周四的晚上，集团三所学校的年轻教师相约聚在一起，踏一轮皓月，携一缕清风，抛却纷繁杂事，开启学习之旅。我们把夜校的学习分为四大板块：教学技能类、师德修养类、职场素养类、教研科研类，有规划、有系统、循序渐进地为年轻老师定做"成长营养套餐"。

他们一起读书分享，一起快乐表演，一起头脑风暴，一起研读教材，如切如磋，如琢如磨。他们用坚守的热忱，用潜心的修为在守望教育这片麦田，见自己，见他人，见天地，见众生。本学期萤火虫夜校的聚焦点是"课堂"，老师们将通过工作坊的形式读透课标、研读教材，小组在聆听、交流、分享中创新教学设计、互讲互评，让自己的课堂教学日臻完善。

"每一粒熬过冬天的种子，都有一个关于春天的梦想。"我们希望青年夜校这微弱的萤光，能让他们坚守刚踏入讲台时的那份初心。何为初心？"初心，本心也，真心也，诚心也。一个人不忘初心，则为真人；一个群体坚守初心，则成大业。"日拱一卒，功不唐捐。点点萤光，聚是一团照亮夜空的火，散是漫天的繁星。

这只是我们在集团教师专业发展路上向下扎根的一些举措。经常有人问我，你的学校加入了集团，有什么红利？我想集团的意义，可能正在于此：它打破了狭隘和壁垒，让我们抵达更广阔的世界；它打开了视野和平台，让我们不再局限和盲目；它开启了一扇窗户，让我们聆听窗外的声音，努力追逐那束光前行。

三、新生蜕变（2019年）——文化共生，品牌共铸，成果共享

今年教师节，我收到一份特殊礼物，是一位一年级新生家长赖先生亲自制作的贺卡。一年前他的大女儿以优异的成绩从云路小学毕业，今年他带着儿子又来到云路。当年，由于楼盘的学区划分需要调整，部分学生从百年名校本原小学调整到我校。那一年，因为缺乏信任和信心，家长们用了很多的方式表达自己的诉求和不甘心。但是，集团化办学给了他们信心和力量，时光和成长给了他们想要的答案和信任。赖先生也和众多家长一起，见证着这所学校的成长和蜕变，见证着自己的孩子遇见最好的自己。他们见证了：校长每个星期给家长和孩子写一封信，这些信为他们留下了故事和温度；不仅是每年"六一"的盛大节日，其他的每一个节日，学校也郑重对待，让每一个孩子都有节可过、有梦可依；年级小舞台、才艺秀、花间晨诵、班级风采展示、作业展、画展、寻找小星星，等等，校内老师纷纷跨界整合开设课程，36个校内社团和校外社团、读书会，让每一个孩子的才华都得以发挥，都被珍视；在集团这个大平台中，无论是本原还是桂畔、云路，孩子们有了更多的舞台和机会，也涌现了更多优秀的师资。见证了这些，家长说，一切都是最好的安排，所以，他带着儿子来了。

在今年的毕业典礼上，我让每个孩子写下自己的愿望，郑重地放入时间胶囊，待十年后回来再拆开。一个孩子问：校长，十年后我可以回云路小学来做一名老师吗？那一刻，我竟然湿了眼睛。接住学生的童年，捧住学生的梦想，我们看见了学生最好的模样。有人感叹：做教育越来越难了，高度焦虑的人越来越多，发声音的人越来越多。世界走向多元的同时，也在走向空前的浮躁和不安。

但无论多难，我们都要做有温度的教育，不被浮躁、舆论、利益、分数所左右，要坚信：教育本身就是而且一定是一种美好的生活；无论多难，我们都要做有高度的教育，有先进理念、有专业研究、有专业支撑、有团队的融合共进，有校际的守望相助、荣辱与共的教育。

感谢集团给予我们的成长，繁华落尽见真淳，远行之后返"本原"。

课程的加与减，生命的厚与重

佛山市顺德区红岗小学校长
西山教育集团西山小学前副校长　　李飞雁

各位领导，各位同行：

早上好！

我是李飞雁，我今天和大家分享的主题是：课程的加与减，生命的厚与重。我和大家交流三个观点：一是给课程做加法，让生命的种子萌发；二是给课程做减法，让萌发的生命茁壮；三是在课程的加减交替中，实现生命的厚重与精彩。

首先请大家抬头看看这个报告厅两边的墙壁，上面挂着我国古代的"六艺"——礼、乐、射、御、书、数。有一天，我静静地细读这"六艺"，突然发现，这些古代社会的精英教育课程，都是为活脱脱的生活而设计的，这些课程没有要求学习者抽象地去掌握生活需要之外的东西，学习无一不在地融于生命需求之内。我为自己的迟钝而汗颜，进而联想到苏格兰在2004年的课程改革中提出的"卓越课程"计划，这个计划把课程分为七个板块——表达艺术、科学、技术、数学、语言、社会研究、健康与幸福。对比孔子提出的"六艺"，虽然时空如此遥远，但两者在精神气息上却又如此相近，都是围绕着学生的生活与生命展开的，都是为幸福生活服务的。古今中外，时空交迭，似乎都在向我们传递这么一个信息：课程的丰富性意味着生命的丰富性，课程的卓越性意味着生命的卓越性。

一、给课程做加法，让生命的种子萌发

此时，我想把镜头拉到四年前的第一季"山长讲坛"。当年，西山教育集团的理事长陈志斌校长站在台上，满怀憧憬地这样寄语："我希望，不远的将来，有一门叫'种子'的课程能出现在我们西山小学的课程体系中。"这个将来，的确不远，如今，在西山小学国学馆右后侧方的生物园中，就矗立着一栋童话般的建筑——种子馆，陈校长期盼的种子课程已不是憧憬，而是看得见的惊艳。

如今，这粒"种子"已发展成西山小学的校本课程——绿享农业创客课程，种子馆的"种子银行"里有两百多种种子。孩子们通过种子拼图、种子手抄报、种子摄影、做"种子解说员"等形式展示课程收获。

在《种子的实验》板块，"阿里巴巴菌类实验包"开启了孩子们的想象和创意，他们在菌类种植中发现了别样的天地，体验了山林采摘的乐趣；学校里最珍贵的是学生，是老师，开设的灵芝微课程，让西山集团的师生更深刻地理解了"爱"与"珍贵"；"植物克隆"实验课程则让孩子们认识到生命既需要用心呵护，也能在挫折和困难中健康成长；孩子们最喜欢的，是在植物成长箱中种植各类瓜果蔬菜，通过改变光照、湿度、营养液中微量元素的比例等进行多组对比实验，探究植物生长的奥秘。

穿插一个小故事。一个孩子发现家中客厅里、哥哥房间、自己房间的绿萝长势越来越不一样，为什么呢？通过反复排除，他发现最有可能的就是声音因素了，因为他自己喜欢听轻音乐，哥哥喜欢听摇滚乐，而客厅一般没有音乐。在老师的帮助下，他做了一个小课题——声音对绿豆种子萌发的影响研究，得出结论：轻音乐状态中绿豆种子的萌发率最高。受此启发，另一个孩子也开始研究"不同颜色的光对绿豆种子萌发的影响"，这两个小课题都获得了大良科创院的课题成果评比金奖！这是"种子的实验"课程带来的惊喜。

最可喜的是，"绿享农业创客"这粒课程的种子带动了另外两门课程的升级，科学和信息技术课程相应升级为绿享科技创客课程和绿享智能创客课程。西山教育集团的精品课程——"G+"课程体系下的科创课程也应运而生，"G"是"green"的大写首字母，代表着西山的绿色生态课程体系。

现在，请允许我再把镜头拉到第二季"山长讲坛"。这是西山教育集团的学子张嘉雯同学，她在这季讲坛中讲述了她的3D创意设计故事。因为觉得妈妈擦窗太辛苦了，她萌发了制作"多功能擦窗工具"的想法。在科创老师的帮助下，她设计的3D创意作品在全国中小学电脑制作活动中获得了一等奖。西山教育集团的精品科创课程促进了集团师生的共同成长，师生获奖无数，今天的静态成果展中就有介绍西山教育集团精品科创课程的专版。

在国家课程基础上开发适合校情和学生实际需求的校本课程，就是给课程做加法。西山教育集团共同打造了精品科创课程，同时，各成员校的校本课程也各有特色，各显其美，比如环城小学的协同课程、李介甫小学的激扬课程、杏坛西山高新学校的灵动课程等。生命有无限可能，给课程做加法，就是给生命提供各种土壤，让教育的空间更宽，让孩子的心灵更自由，让生命的种子选择适合自己的土壤，去酝酿、去萌发，从而让孩子们成长为更精彩的自己。

二、给课程做减法，让萌发的生命茁壮

前不久，一个已参加工作的学生来看我，他骄傲而又不无遗憾地说："老师，您现在用扫地机器人吗？我第一次见到扫地机器人的时候，都惊呆了，这不就是我小时候做的那个机器人吗？"我想起来了，这孩子小时候总

喜欢趴在地上做各种小制作。那时，他在火柴盒里装了一个玩具汽车的小马达，前面绑一个牙刷头，打开开关，牙刷头就往前跑起来，这还真是扫地机器人的雏形！我高兴地问："那时大家都叫你小小发明家，怎么样，现在从事什么有创意的工作呢？"他沮丧地说："一直忙于各种学习，奔走于各种培训机构，早就没有了创新的热情。"

由此，我陷入了沉思，这个有创意天分的孩子，最终却让自己的创造力消失殆尽。生命的丰富性、卓越性真的得靠不断地给课程做加法来实现吗？"人生而有涯，学而无涯"，面向未来，什么素养才是最重要的呢？不可否认，靠储备知识的"信息时代"即将过去，取而代之的是全新的、综合的、创造性的"创感时代"。显然，不断做加法的课程同样无法适应未来社会发展的需要。我们再来看看苏格兰的七个课程板块：表达艺术板块中融合了艺术设计、舞蹈、戏剧、音乐等课程元素，科学板块融合了地理、物理、化学、食品、气候、能源等课程元素……每个课程板块都不是单一的，而是综合型课程。大家可能马上会说，这就是课程融合、课程拆墙行动。是的，我也这么理解，这就是给课程做减法，进行课程大瘦身。课程，是该适当地做做减法了。可是，怎样做减法，才能让生命的种子轻装上阵呢？

我想起了曾经上过的一个"普乐"课程，普乐就是"play"的音译，意味着"happy"。那时孩子们总是追着我说："老师，给我们上普乐课吧！""老师，我们表现得好就奖励我们上普乐课吧！"什么样的课会让孩子们如此踊跃呢？让我们一起来感受一下。普乐课堂里，孩子们一开始都是惊呼："哇，梨子吉他！""苹果蝴蝶！""菜椒魔鬼！"老师揭晓秘密后，孩子们一脸释然："哦，是这样，简单。"最后，孩子们胜利欢呼："耶，我也会！""看我的橙子搬运工、茄子企鹅，还有菠萝帅哥！"看着孩子们的笑脸，你会觉得快乐会传染、会发酵，你似乎能闻到快乐的味道，并且这味道越来越浓、越演越烈……这，就是普乐课程，它充分尊重孩子的天性，激发孩子的潜能，增长孩子的灵气，核心就是培养孩子的创造力。我想，创造力的培养，应该是蕴含在每个学科当中的。我们是否可以把"普乐"的理念融合到每个学科中，另辟蹊径来做"学科＋创新思维"呢？

近期，我们做了这样的尝试，如"语文＋创新思维"，孩子们在图片中了解色彩对比、疏密对比、明暗对比，在文学作品中理解对联中的对比、诗歌中的对比、故事中的对比，进而把"对比"的方法迁移到写作中。再如"美术＋创新思维"，把"拟人"的修辞放到动物形象的创造中，赋予动物人类的特征，这是多么有意思的事。"数学＋创新思维"，居然可以让声音听得见也看得见，从而让孩子们了解等量变换的抽象概念。普乐课程没有单独出现，普乐的理念却已在相关的学科中生根发芽，学生的学习兴趣大大增强。我想，这就是给课程做减法，就是弱枝强干，打破学科壁垒，进行课程融合，让生命的种子萌发之后能够专注生长，进而茁壮。著名教育家陶行知说过，培养人和种花木一样，首先要认识花木的特点，区别不同情况，给予施肥、浇水，这叫"因材施教"。课程的减法是针对个体的"量体裁衣"，只有减掉繁杂的、不合适的，萌发的生命才能执着生长！

三、在课程的加减交替中，实现生命的厚重与精彩

繁花阅尽，归来初心。如果用一个圆来描绘课程的加减法，我认为可以这样理解：给课程做加法，就是不断地画一个个大大的圆，扩大孩子的认知领域（圆内是丰富的课程），随着圆周长的增加，孩子的认知领域增加了，未知领域也在增加（圆外一大圈都是未知的）。这样，已知多了，未知也多了，问题同样多了，这就可以在课程的多样性中培养孩子的发散思维，增加思维的宽度，让孩子找到适合自己发展的兴趣点，让生命的种子萌发，这叫分门别类。当孩子在不断解决问题的过程中找到自己最有感知、最感兴趣的点时，就是做减法的时候了，这时应当缩小学习范围，培养聚合思维，增加思维的深度，让萌发的种子茁壮，这叫因材施教。

面向未来，为实现中国梦，国家呼吁培养精英人才。课程的加与减，是符合儿童成长规律的，创造力的提升也是在发散思维与聚合思维的结合与交替运用、多次循环中完成的。有了西山教育集团这个平台，我们可以更好地给课程做加法，同时也可以通过一校一精品课程的方式，更精准地给课程做减法。亲爱的同仁们，关于课程建设的探索历之弥久，行之弥远，相信我们也定能思之弥深，行之弥笃。流水不争先，争的是滔滔不绝。我更相信，我们的收获季不在当下，而在未来。

精致育人：新时代文化自信的"南外表达"

深圳市实验学校党委书记
南山外国语学校（集团）前党委书记、总校长　　夏育华

　　非常高兴来到顺德大良。我来自深圳市南山区教育局，今天和大家分享的主题是"精致育人：新时代文化自信的'南外表达'"。为什么想和大家分享这么一个主题？因为我听了"山长讲坛"第一季首场吴颖民校长的演讲。他说，我们校长的角色之一，应该是精神领袖，在精神层面起引领作用。如果从文化层面来描述一个校长的职能，应该包含以下两方面：第一，建设育人文化；第二，实施文化育人。对吴校长的这个观点，我非常认同，这种表达切中肯綮，言之成理。

　　今天，我想从三个方面介绍我的主题：第一，文化立校，这是学校的发展战略。第二，新时代的文化自信，当然也是与时俱进的文化自信，同时也是5000年的文明为我们带来的坚实的价值基石。第三，中国传统文化。我作为校长，从中国传统文化的视角来谈一谈我们集团是怎样实施建设文化立校和实现文化自信的。

一、发展战略：文化立校

作为集团和学校校长，我提出了"精致育人"的办学思想，它包含五个方面的发展战略：第一，文化立校。需要通过精深文化来丰富精美校园。第二，厚德谐校。需要通过精勤服务来塑造精诚人格。第三，科研兴校。需要学校有精优师资来倾力精心教学。第四，治理成校。需要精良装配来深化精细管理。第五，品质强校。致力于把孩子们培养成为精英学子，同时能够成就自我的精彩人生。

二、价值基石：新时代文化自信

文化立校的主题，要谈的内容很多，学校作为一个有计划、有组织地进行系统教育的场所，它的主要意义之一应该是传承精神、传播文明、传导文化。文化可以理解为文而化之、文以载道，教以化人、教化育人。在这样的前提下，文化兴则国家兴，则国运兴，则民族兴。同时，我们认为文化是一个学校，也是一个国家、一个民族的灵魂。文化作为一个学校的灵魂，它在潜移默化当中影响着教师和学生在一系列的教育活动当中的价值观念、思维方法、人际关系、行为方式等等。所以，我们认为精神文化应该要高品位，课程文化要高品质，物质文化要高品格，制度文化要高品德。确定了这样一些理念后，我想我们在寻找以新时代文化自信作为文化立校的价值基石的时候，可以找到非常详尽的脉络和答案。

第一，新时代文化自信的理念发展。习近平总书记提出文化自信并进行详细的论述；他还提出了"四个自信"，其中说到底就是要坚定文化自信；此外，他对文化自信做了更深刻的阐述，说这是一个更基础、更广泛、更深厚的自信。

第二，新时代文化自信的内涵阐释。大家已经读到十九大报告中对于文化精准而深刻的论述：文化是一个国家、一个民族的灵魂。文化兴国运兴，文化强民族强。没有高度的文化自信，没有文化的繁荣兴盛，就没有中华民族伟大复兴。所以，新时代文化自信的含义就很充足：

新时代文化自信是"中国人民和中华民族对中华优秀传统文化的自信，对继承传统、立足中国实际以及与时俱进的革命文化的自信，对社会主义先进文化的自信"三个类型、三种内涵的精神追求。这是我们中华民族独特的精神标志。

第三，新时代文化自信的教育适用。在教育适用方面，"文化自信"已经纳入了《中国教育现代化2035》，作为整个教育战线实现教育现代化，坚定培养社会主义事业的建设者和接班人的指导、指针、指南，我们必须要坚定"四个自信"。

三、"南外表达"：中国优秀传统文化视角

深圳市南山外国语（集团）学校经过25年的发展，目前拥有18个成员单位。我作为集团的法人，同时兼7个成员单位的法人代表，工作比较多，任务比较重，所以必须要做好顶层设计，尤其是在精神文化层面，在文化立校层面，要让南外集团师生有一个共同的价值认同。

作为校长，我有三个观点：第一，思想的领导先于行政的领导，所以我们要发展精神文化体系；第二，教师的培养先于学生的培养，所以我们要创新教师的评价模式；第三，课程的建设先于硬件的建设，所以我们要重构集团的课程体系。只有这样，我们才能够在硬件层面设计好学校的物理空间，同时在师生的培养层面为他们打造文化平台。这样一个"三先"理念，我已经在校长岗位中坚持了十年。在发展精神文化体系层面，25年来，历任校长对我们集团做了非常丰富的表达，包括校歌、校风、校训、办学目标、办学思想、办学理念、发展理念等各个方面，这里不　　阐述，只举例说明一二。

其一，发展精神文化体系。集团学校的校标为深圳市南山区政协副主席、区教育局局长刘根平在集团当校长的时候所设计，这个校标像一棵大树，枝繁叶茂，象征百年树人；又像一双大手，托起太阳，象征爱心育人。由此，我们还发展出"像树一样成长"的办学理念。集团校训是

"厚德、博学、笃行、健美"，它经过三任校长的不断完善，集成了中华优秀的传统文化，包括《周易》《中庸》《论语》，不仅有大量的思想展示，还有对德智体美劳全面发展的表述。

其二，创新教师评价模式。集团在教师的评价模式上做了创新，响应习近平总书记的倡议，要培养和推评有理想信念、有道德情操、有扎实学识、有仁爱之心的"四有"好老师。通过这样的培养和推评，激发集团化学校的凝聚力，唤醒教师们的工作激情，挖掘出一大批优秀教师。我们18个单位全体教师一起参与评价，经过两年多、17期的推评，已经评出340名"四有"好老师。为了让这些好老师有获得感、成就感，结合他们的工作经历、简介，由我领衔给这些老师送上校长"楹联寄语"，致敬中华优秀传统文化，同时希望能够多元传播弘扬国学经典，充分激活教师的工作热情，消除他们的职业倦怠。如2019年9月这一期写给四位老师的校长楹联寄语，引用了白居易的诗词。我以三期为一个单元，第一期引用的是毛主席的诗词，第二期引用的是《道德经》的名句，第三期引用的是《三国演义》中的诗词。在三期之后又是一个新的单元，第四期引用的是李白的名句，第五期引用的是《格言联璧》的名句，第六期引用的是《西游记》中的诗词；到了第七期之后，依次用的是杜甫的名句、《声律启蒙》的名句和《红楼梦》中的诗词。我用寄语的形式，引用诗词名句，致敬这些国学经典。

同时，为了让教师们觉得校长楹联寄语很有价值，除了隆重表彰之外，我们还邀请著名的书法家把寄语写成书法作品送给他们。比如，我们邀请长沙市书法协会副主席龙志山先生书写了"勤恳无忧，只为杏坛开望眼；刚强有力，敢教日月换新天"书法作品，赠送给邸刚老师，该楹联中嵌入了他的名字。还有一些是把老师的姓和名全部嵌在里面，比如一幅"章法井然，勤施妙手忧愁少；心怀昱耀，驰骤龙驹气概多"书法作品，赠送给了章昱老师，这里化用了《三国演义》中的诗词。我们希望教师们能够熟读每一期作品，使之成为传播国学经典、经典名句的舞台或阵地。

我是区教育局副局长兼集团校长，工作任务比较重，而这样的活动确实需要大量的时间和精力，所以我在不断地挖掘教师的潜能，在第九期以后，专门成立了诗词楹联协会和书法协会，让集团更多的老师参与创作。在表彰的时候，我把这期所有的诗词和书法作品做成"美篇"书，老师们领到奖品之后都非常感动。

其三，重构集团课程体系。集团建立了以校训为名称，以"像树一样成长"为办学理念的课程系统：厚德课程群落、博学课程群落、笃行课程群落及健美课程群落。这也是我们从中国传统文化的视角做的一些工作。比如，大冲学校出了一套从一年级到六年级传统文化的教材；文华学校的老师编写了关于经典诵读的教程；诗词楹联协会则组织了大量的诗词楹联作品比赛，师生都积极参与活动。

其四，打造师生文化平台。打造师生文化平台，建构学生发展立体育人系统。比如，集团建立了"六节八院"，所谓"六节"，是指传统文化节、英语文化节、艺术节、科技节、体育节、心理节；"八院"是指人文院、文学院、艺术学院、商学院、外交学院、创新院、体育学院、法学院。其中传统文化节、艺术节有大量有关传统文化视角的内容。集团推行阅读"五大工程"，如高新中学读《西游记》，编《西游记》"课本剧"，写心得体会，做一些小制作、小论文、小发明等等，这些都是阅读的成果。还有少年文学院的课程和活动、深圳市唯一的一支学生汉乐团——少年艺术学院汉乐团的活动，这些活动带动了整个集团文化的发展。

其五，设计学校物理空间。学校物理空间的设计也充分尊重和传承国学经典。南外集团在深汕特别合作区承办新的一个集团分校——深汕西中心学校，它是已经开学的九年一贯制的新校区，以"北斗七星"为建筑造型，其设计灵感来自我参观国防科技大学的经历。巧合的是，北斗导航组网成功时，新学校也刚好开学，非常有纪念意义，我们很荣幸能够赶上这样一个美好的时代。我为学校的开学写了一副楹联："无悔树人，荣耀东方，气贯长虹冲北斗；有为立德，深耕西汕，龙腾盛世到南山。"不仅南山区有南山，深汕合作区也有一座南山，所以我把"北斗七星"的设计，南山的元素，深汕西中心学校的校名以及立德树人的理念嵌在了这副楹联中。

我和全体师生一起，在传统文化传承的道路上，一直兢兢业业，不遗余力。我们也希望这种血脉的传承、自信的张扬、教育的不断前进，能够唤醒和激发所有师生内在的动力和潜能。同时，我们希望教育人能够在新时代走出自己有力的步伐，实现中华民族的伟大复兴！

小而美，大而"？"

新教育学校管理研究中心执行主任　邱华国

先问大家一个问题：在你的印象中，世界著名的中小学有哪些？美国的杜威学校，英国的伊顿公学、夏山学校，日本的巴学园，苏联的帕夫雷什中学，还是芬兰的罗素高中？这些学校有没有一些共同特征？对，很小，有的只有几十人，多的几百人，即使是罗素高中，也没超过1000人，只有700多人。今天在谈集团办学的时候，想到这些世界著名的学校恰恰都不是很大，这是否会引起我们一些别样的思考？

今年国庆期间，有一部电影《我和我的家乡》捧红了一所山村学校：杭州淳安县富文乡中心小学。"远望是青山，近看有彩虹"，大家都说这所学校是"小而美"的学校。学校不大，如果有心，似乎很容易做出学校的味道、教育的温度。21世纪教育研究院还专门围绕小规模学校做了课题研究，积极推进"小而美"的学校。

我曾经所在的第一所学校，在无锡城乡接合部，也就不到1000人，而且因等待改造，很长一段时间内都很破旧。我刚担任这个学校的校长时，不断提"学校的大小不等于教育的大小""学校的新旧不等于教育的新旧"这两句话，为"小学校""旧学校"自我撑腰、壮胆。

也许有人说，你说的都是小而精彩的好学校，其实很多学校是小得无奈，破得难堪——"小"是没有办法，也想越大越好呢。

可是，"大"了就好吗？王熙凤说："大有大的难处。"所以我今天这个话题首先要思考"小"与"大"的问题，因为集团化是从"小"变"大"、从"少"变"多"的一个过程。

一、"小""大"之别

我交流的题目有点不伦不类，"小而美，大而'？'"，这是一个有点悬念的标题。

去年在成都举办的中国教育创新年会上正好有一个板块也是集团化办学，由我主持，我就拿这个问题主持了两个小时。那么，这个问号怎么填？我记得那个时候在场的有许多全国知名的教育集团的总校长，他们纷纷说，大而"好"、大而"强"、大而"优"、大而"均"……这些都是非常好的理想。总体来说，既要"大"又要"好"是我们努力的方向。但是，何谓"好"？能否具体一些？

当下全国范围内的集团化办学潮，有没有问题？坦率说是有"一窝蜂"的倾向的。本来是想通过"集团化"让优质资源释放，但是后来被稀释了；本来是想学校文化向品质整体提升的，后来发现同质消减了；本来是想让资源更均匀，至少在本区域里面更均匀，但是发现本来一个学校抢生源，现在是一个大学校抢生源、一个集团学校在抢生源；本来希望的是通过集团化让办学更生动、更加提升品质，但是结果更"内卷"。"内卷"现在是一个比较热的词。什么叫"内卷"？就是在一个封闭的系统里无意义、无效率地"精致"，不知不觉中组织管理反而显得臃肿或僵化起来。

说到"臃肿"这个词，我想，集团化办学，就是办学规模"大"了。那结果应该是怎样呢？不能"板"，如果是"大"而"板"，那就宁愿不要"大"。我用了一个词——"活"，希望教育集团化走向"大而活"。

二、教育集团，"大"有何为？

如何理解"大而活"？"大"了以后，怎样发挥"大"的优势？不然，为什么要集团化呢？集团化机制本身的价值需要彰显出来。集团化，不应是几个学校拼成的一个物理组合，而是集团校之间应能发生"化学反应"。如何让集团活起来，产生"化学反应"？特别说两点：第一，要理解透教育"集团化"的本质任务；第二，平衡好两种逻辑关系。教育集团的"集"，原意是多鸟在树上。多鸟聚在一起叫"集"。那么什么叫"团"？"团"就是围绕一定的目标指向结合在一起。"团"外面是一个框，框在一起，就是指有一定的组织前提下的聚合。由"团"字，我也自然联想到电影《巅峰体验》中提到的三个词的区别。第一个词叫"团伙"，指因各自私利而简单拼凑在一起的集合体；第二个词叫"团队"，指目的与行动一致的组织；第三个词叫"团体"，指有共同价值观、共同目的和志趣的人所组成的集体。所以，那些简单拼凑在一起的教育集团名义上叫"集团"，事实上却缺乏应有的价值观和愿景，"集而不团"。那些本来就是以抢生源"发家"的名校，在集团化后，依然主要以争取政策、抢占资源、笼络优秀教师为主要发展途径，而不是依靠教育质量提升、教育特色立足，这是与教育优质均衡初衷相悖的"教育集团化"。另外，我们谈论的对象是"教育"集团，它不是工业集团或商业集团。为什么有的教育集团做得好，有的教育集团做得不好？当然原因有很多，但核心因素是什么？我觉得从根本上来说，首先就是对"教育"、对"集团"这两个词的理解不同。办学的逻辑起点不同，办学行为、办学结果自然也就不同。

从现实情况来看，不管公办还是民办学校，都可以概括为两个基本的办学逻辑：一个是"办校"的逻辑；另一个是"教育"的逻辑。这两个逻辑下的办学形成了不同的办学行为。而作为集团化办学，也自然形成不同的集团办学追求和办学形态。

"办校"逻辑下的集团化，指向的多为外在的"学校"，注重拓展具体的物理空间，提升抽象的教育质量，对师生发展更多关注的是群体性发展。以这种逻辑办学，主要关注点往往是看得见的"学校"，而不是看不见的"教育"；这种逻辑下的教育集团化，越大越容易导致"目中无人"。我们经常说，一花独放不是春，百花齐放春满园。在"办校"逻辑下，教育管理中更注重的是整体上的花开满园的状态，看到的是整个的花园，容易缺乏对每一朵花的生长关照。随着学校数量、师生人数的增加，教育管理进一步走向一致性、标准化，长此以往，将缺乏各成员校本有的、应有的活力。而"教育"逻辑下的集团化，则是注重通过集团化的方式，更好地关注教育价值的协同提升、教育资源的优势互补，更好地关注每位师生真实有效的发展、"每朵花"的真实绽放，更多地关注师生之间、生生之间的教育关系是否进一步因追求良好的教育生活而愈发密切。"教育"逻辑重生命性质量，但是，生命性质量不是简单的一个数字可以量化的。

教育集团，是"教"的集团还是"育"的集团？我们首先得从本质上去理解教育是什么。我常用这样一句话来理解学校教育：活生生的人通过活生生的课程影响活生生的人。为什么"大"了就容易"板"？因为大了以后，在管理中一般会加强制度化、规范化、标准化，人对人的自然影响力会降低，人与人之间的情感影响也容易被削弱。

教育集团化办学，更好地办"教育"是其目的，而"办学校"则是手段，或部分外在的目的。当然，这不是说"教育"的指向就对，"办校"的指向就错。从理论上来说，"教育"的指向和"办校"的指向是紧密联系、互相成就的。特别是根据中国基础教育的现状，中小学办学中依然需要通过必要规模相应来提高学校的规模效率。但"办校"是为了"教育"，办集团校自然也应是为了更好的教育。这句话看似废话，但其实是废话不废。因为许多学校当下仍在"应试教育"，只有"学校"，缺乏"教育"，而教育集团化更容易因为"大"而凸显这种倾向。

教育集团要充分发挥优势，使其因"大"而活，这是集团化办学的核心任务。关于如何做到这一点，我简要谈四点。

第一，价值：注重愿景协同，指向更好的"思想解放"。集团化不是简单的统一化，集团化恰恰是要更高位、更有力地引领思想解放。我们经常说要"进一步解放思想"，什么叫"进一步解放思想"？首先，"思想"应该是动词，每个人都会想，不是领导才会动脑筋，才有必要去思考。让集团中的每个人都能动地去思、去想，这就是"解放"头脑。解放，就是原来就有的，首先是帮助去掉禁锢，使其释放，然后再是激发。德鲁克说管理就是激发人的善意和潜能——是激发，不是灌输，不是给予。另外，是"进一步"而不是"进两步"，进两步是激进，进一步则是"积极"。

第二，资源：注重系统整合，指向更好的潜能释放。资源整合的目的是什么？是为了盘活，为了释放。一切发展都以资源为基础。而学校最重要的资源是人才。学校集团化的核心内容，是集团校之间师资的人才潜能的释放。当然，对有些集团来说，空间资源、管理资源及校外社会资源的整合也可能成为阶段性的首要任务。

第三，组织：结构重组，指向更好的课程开放。在今天，随着信息化革命的不断深入，"金字塔"式的组织结构不断向扁平化演进，组织结构趋向共享化、去中心化。许多知名企业的成功很大程度上得益于组织结构的创新，如海尔集团的"人单合一"机制、稻盛和夫的阿米巴管理模式等。就教育集团化来说，组织结构的优化乃至变革，指向的应该是作为"产品"的课程的品质提升与选择的开放。传统的课程组织，总体上来说是一个封闭的系统，学生学什么，如何学，通过什么资源与工具去支持学，早已是固化的定式。那么集团化的"大"而"活"，应该在哪里"活"，如何"活"？应该是在提高课程选择的充分性上"活"——"集团化"了，而学生的课程选择性是否更充分，也是判断"集团化"是否实现其真正价值的重要标志。

第四，宗旨：集团模式，指向更好的生命怒放。追求"大而活"的集团化办学，其理想结果，就是我们集团内部产生更多的追求"小而美""小而活"的教育活动，让"集团化"从简单的"办校"行为走向"教育"行为。

我国唐代兴起的书院制，是我国教育史上十分重要的教育组织形式。书院的核心价值在哪里？在人影响人，人直接影响人。后来由于现代班级授课制的普及，教育组织形式变成了教师通过课程影响学生的基本形态。于是，大家都围绕着课程转：今天你要到这里来学语文，所以到这边来了；今天我是语文教师，所以被安排在语文课上和你相遇了。而书院往往是因为我要追随这位老师，所以才到这里来。但书院制需要有足够优秀的师资资源作支撑。集团化后，优秀的教师资源可以一定程度上放大，那么，是否有可能在教育集团中尝试新的书院制？还有，是否可以更好地利用集团化的资源优势，积极推进学校博物馆教育、线上线下融合教学、项目制学习等教育创新实践？

"积极心理学之父"塞利格曼认为，人的幸福的生命状态，就是人应该像花儿一样从内向外"绽放"。在集团化过程中，人的思想解放、资源的潜能释放、学校的课程开放，最终走向每位师生的生命怒放，走向集团自身的生命怒放。

总之，中小学教育集团化办学，如能在"大"中求"活"，则"大"有可为。"大而活"的主要标志，则是看集团中能孕育多少"小而美"。

教育集团的核心理念和优质资源有机共享

广东实验中学党委书记
广东省中小学校长联合会会长　　全汉炎

在义务教育阶段探索集团化办学，目前的形式有合作办学、托管、帮扶等。广东实验中学的集团化办学着力于立足广州、布局全省、辐射全国，发展思路就是"择高处立、寻平地坐、向宽处行"。

所谓"择高处立"，就是立意、定位要高，高瞻远瞩，我们要从时代使命和教育本源思考集团化办学的出发点。集团化办学不是"跑马圈地"，而是要承担新的时代使命和教育梦想。我们不是为了做大做强某所学校，不是为了扩大生源的选拔范围，而是站在更高的高度，充分发挥优质教育资源的辐射和示范作用，解决教育不平衡不充分的问题。所以我们的使命就是要把教育集团打造成一个共同体，服务教育大局，以我们的教育情怀，将以人为本、立德树人的教育本源问题解决好。

所谓"寻平地坐"，就是要稳，我们要科学统筹、合理规划、稳步前进，促进内涵式发展。集团化办学在发展过程中可能会遇到一些问题，比如干部输出。短时间内办几所学校后就会深感压力，因为干部培养需要一定的时间，需要至少三年的培养和历练。所以在推进过程中要打好基础、稳步推进，不能一窝蜂地上，要遵循教育规律，注重长期积累。

所谓"向宽处行"，就是观念要新，要有创新思维，由合至融，要注重共享开放、特色共建，集团内协同创新、多元共生。在集团化办学中，我们强调一校一品。每托管一所学校，我们都要对学校的历史和文化给予足够的尊重，只有尊重才能合，只有合才能融，包括课程和创新的融合。

广东实验中学是一所比较有特质的学校，素质教育做得比较好，在合唱、艺术、体育和科技等方面广受赞誉，因为我们一直在走素质教育发展之路。在多年的办学历程中，我们一直寻找着学校独有的气质，那就是"心中有大我，自信自强，求实创新"。这个独特的气质要在集团校中"生根发芽"，尤为重要。

通过合作办学、委托管理、帮扶等形式推进集团化办学，我们经历了几个不同的发展阶段。无论是哪个发展阶段，我们都坚守着自己的办学原则。

坚持正确的办学方向。集团化办学不是办培训学校，要始终牢记育人第一。试想，一所片面追求升学率的学校，与培训补习机构有什么区别？要心中有"大我"，自信自强，求实创新；心中有"大家"，敦厚忠恕，修齐治平。集团化办学要把党建工作放在重要位置，只有把党建工作抓好了，整个办学方向才不会偏移，这是很重要的一点。

坚持核心校的示范引领。本部就是核心校，要把本部具有优质化、创新性、示范性的办学优势辐射出去，包括党建、教育教学、课程管理、师资培养、文化建设等方面。在示范引领中，教育集团的发展架构不能松散，不能搞"贴牌"，不能搞"洗澡蟹"。要把学校的活动，包括优秀的基因、种子播撒到成员校里，让他们站在比较高的起点实现真正的内涵式发展。

我们教育集团内的所有学校都是按照至少委派六个核心骨干成员组成团队的标准配置。其中，有一个常务副校长或执行校长；有三个副校长，一个管教学，一个管德育，一个管课程、特色发展、后勤、总务等；另有两个主任，分别负责管理学生处的德育工作、教务处的教学工作。不仅如此，我们还会对派出的团队进行有计划的培养，每学期定期组织全体行政干部开展研讨和研修，注重集团干部的培养，加强对集团内教师的培训。如此，学校的办学理念、课程体系、活动特色等才能真正"落地开花"。

坚持成员校的特色发展。我们提出集团内成员校都要具有"省实验中学"气质，同时又要因地制宜办出自己的特色。比如天河学校有人格教育方面的特色；珠海学校有航空特色；荔湾学校有打造生命教育特色。

坚持集团内学校的共建共享。我提出三个理念：资源互相增量；教学互研增值；教师互动增能。我们为此做了许多工作，比如师资联合培养，假期我们会派出50～100名教师到外面学习，分校教师也跟我们一起出去，到北京大学、北京师范大学、华东师范大学等进行培训。

还有诸如集团内教师的整体岗前培训、名师"一对多"的辐射示范、成立博士工作站等。其中成立博士工作站我认为意义较大，有利于引导集团内优秀的博士、硕士扎根教育，这也是他们后续发展赋能的重要途径。坚持集团内课程的共建共享，许多课程开发可以一起用，比如合唱、足球、无线电、STEAM教育等。实行教研互联互通，比如备课长指导、科长指导，我们和集团校一起集体备课，进行同课异构等。现在整个初中大联盟进行统考统测，教学进度基本一致。教师互动增能，教师在备课、活动、研训等方面增强互动，提升工作效能和专业发展水平。

坚持以信息化助力集团化。集团校的应用集成平台建好后，一卡通、电子班牌、智慧食堂、集团化办公会议室等都会互联互通。远程互动课堂，本部所有公开课成员校都可以学习，成员校上课本部也可以观看。5G网络全覆盖、无线网络全覆盖也正在稳步推进。通过大数据做教育教学的决策，包括对高三学生的成绩进行分析，给学生指导。借助信息化技术手段，集团学校在教学管理、后勤管理等方面大幅提质增效。

总之，集团化办学不是简单地为了集团化而做大，而是一种实现教育理想的途径，真正的目的是立足教育根本任务，促进教育均衡发展，承担新时代教育的责任和使命。

集团化办学与管理改进
——以翔宇教育集团为例

新教育学校管理研究中心执行主任　邱华国

　　我今天下午和大家分享的题目是"集团化办学与管理改进——以翔宇教育集团为例"。我们剖析翔宇集团，其办学机制在我国民办教育发展模式上有一定的开创性意义，其内部管理方面亦呈现出持续改进、不断改善的特点。借此机会，我从翔宇教育集团发展现状和管理改进等两方面进行分享，重点分享第二方面。

一、翔宇教育集团发展现状

　　翔宇教育集团的第一所学校——淮安外国语学校于1999年在淮安诞生。翔宇是周恩来总理的字，周总理是淮安人，而学校一墙之隔就是周恩来纪念馆。因此，集团取名翔宇，也是以此表达对伟人的怀念与敬仰。翔宇教育集团经过20多年的发展，在全国5个省市办有20多所学校，涵盖小、初、中、高、职等类别，办学类型齐全。同时，各校校情差异也很大，情况各不相同，以民办为主，也有几所公办委托管理。

　　说到翔宇教育集团，就自然要说到总校长卢志文和朱永新教授发起的新教育实验。翔宇教育集团于1999年创办，新教育2000年发端。卢志文校长是新教育研究院首任院长，现在是新教育研究院名誉院长，也是新教育基金会（江苏昌明教育基金会）理事长。新教育理念引领了翔宇教育集团的稳健发展。我自2004年起接触新教育，读了许多相关书籍，参加了不少活动；2014年，我加盟翔宇教育集团，在校内工作近两年。我对新教育和翔宇教育集团可以说比较了解。

今天我分享的主要内容也是以翔宇集团为例，以下内容主要出自对翔宇教育集团及卢志文总校长的观察和理解，其中或许会夹带一些"私货"，主要是我的一些个人解读。

二、翔宇教育集团管理改进

学校集团化，是组织从小变大的过程。在这种情况下，我们必须自问：管理如何进一步升级才能匹配组织形态的变化？朝哪里进，凭什么进？我们要再上新台阶，上面的台阶在哪里？如果对此不甚明了，那就可能就是在盲目集团化。

1. 管理的进化与嬗变

关于管理的进化与迭代，有人将其大致分为五个阶段：第一，最早的管理是经验型管理，根据自己的个人经验积累进行管理；第二，古典管理，基于经济人假设，关注效率、科层、标准化；第三，行为科学管理，基于社会人假设，关注个人及人与人之间的关系；第四，现代管理，基于复杂的社会人，讲究人本、效率；第五，后现代管理，这种管理开创了管理全新的领域，是管理的进一步升级迭代，其指向的是价值独立人，主张自我管理、去中心化——随着信息化科技革命的到来，这种去中心化的变革越来越明显。

这似乎有点抽象、复杂、宏大。与之相比的学校管理，看似都是些很微小的事情，而这些微小的事情和宏大的管理有着直接的关系。因为我们教育、管理中的每一个细节、每一个具体的管理行为背后，一定是源于你对教育、对管理的理解。

举一个例子，我们规定教师几点钟上班，但是怎样算上班？要不要打卡？怎么统计？回答这些问题的答案，体现了你对管理的选择。如果是经验型管理，那就是看领导的脸色决定；而行为科学管理不是简单地规定时间，更有人情化的管理，有情感、有温度；现代管理对应的是团队的约定；后现代管理就不会打卡，钟在自己的心里。不同管理层级的行动会使我们做的事情的结果大相径庭。《重塑组织：进化型组织的创造之道》一书中所提及的"青色组织"，便是一种高层级的管理体现，值得大家一读。

对于管理的进化与嬗变，也有人将其概括为从1.0到4.0的迭代。1.0经验型管理：依赖经验，摸着石头过河；2.0科学型管理：科学管理，追求标准和流程；3.0人本型管理：以人为本，人作为管理核心；4.0生命型管理：不仅将个人视为生命，而且将组织乃至更广阔的行业、社区、国家和自然视为一体的生命，最大程度上调动内外部相关主体的积极性。有一本书《管理4.0：构建生命型企业实战指南》，可以带着我们就管理的进化作一些系统了解。

当然，生命型管理也必须以人本型管理和科学型管理为基础，且不能完全排除经验型管理的因素，实际上也无法排除。好的管理往往是一种综合性的得体的应用形态，而并非更高层次的管理模式在任何情况下都优于较低层次的管理模式，应当因地制宜。对于小规模学校，尤其是初创阶段的小规模学校来说，往往经验型管理就是最优的管理模式；对于一定规模的学校，要提升教育教学质量，科学型管理则必不可缺；而对于以知识分子为主体的任何学校来说，人本型管理的地位举足轻重。不同类型的管理模式，并不存在谁对谁错的说法。从管理1.0到4.0，是一种进化和超越，体现了管理螺旋上升的规律，每一个新阶段的管理都是对前一个阶段的进化，而不是简单的抛弃。管理层级的上升，是对过去的一种传承，并在这种传承基础上的进一步升华。4.0生命型管理综合了三种管理模式的长处，并站在系统论高度上对组织和人进行全新定位，有助于从更长远的角度实现个人、组织、社会与自然的协同发展。

什么是管理？有太多的理解和解读。德鲁克说管理是激发人的善意和潜能。我的理解是，管理就是让别人完成自己想完成的事情。总体上，我认为把德鲁克的理解和我的理解相结合，可以更加丰满：管理——在让别人完成自己想做的事情的过程中，激发人的善意和潜能。以上管理的升级过程，也是无限接近管理本质价值追求的过程。

2. 管理层级定位

"基层干部做'法家'，中层干部做'儒家'，高层领导做'道家'，这是很多管理行家的共识，也应该是学校较为理想的管理层级定位。"翔宇教育集团卢志文总校长通过法家、儒家和道家的不同思想阐述理想的管理层级定位。

高层领导作为"道家"，应崇尚自然，一生二、二生三、三生万物，它强调的是关注"势"，以势取道。而中层干部作为"儒家"，强调人与人关系的协调，以仁义礼智信来协调关系，而且从自己内心出发、从自我出发、从改变自己出发。基层干部作为"法家"，强调的是规范，按照标准、法律去执行。是不是高层只做道家？肯定不是。但这是一个组织——特别是像教育集团这样较大的组织——应有的总体的管理底色。"识事"是指基层干部要学会"正确地做事"；"识市"，这个"市"是动词，识市指要学会经营学校；"识势"，是确定"做正确的事"。指挥团队"做正确的事"，比教育下属"正确地做事"更重要，"想事"比"管事"更重要，"管事"比"做事"更重要。

从一个教育集团的视角来说，总校长应该是管"势"，校长层级的人应该是管"市"，而中层应该是管"事"。教育集团的总校长不是校长，他应该是领导！那么管理和领导有什么样的差别？领导不是一个职位，而是一种影响的过程。所以"领导"这个词，你把它当作动词，下属可能会服从上级，但他们追随的不应是一个职位，而是有能力影响他们的人。管理者如果太依赖于权力及官僚体系，就会迷失于"管理"之中而忽略了"领导"。因此，哈佛学者柯特说，当代的主管"管得太多"而"领导得太少"。进入我们的学校、集团，如果发现在这个学校里看不出欣欣向荣、生命怒放的状态，我们可以想到这样一种原因，那就是管得太多、领导得太少。人们普遍不喜欢被管理，但是愿意被领导，领导者不能总是想着如何管理别人，首先应该思考如何管理自己。领导者只有严格要求自己，才会停止管理，开始领导。管理依赖于权力，领导则依靠魅力。管理受层级限制，领导则不同——向下领导、平行领导、向上领导都可以，最卓越的领导是自我领导。

我分享的以上内容，大部分是卢志文校长总结的管理智慧，他自己也在不断学习，并通过不断提升影响力去影响别人。翔宇教育集团的很多管理哲学值得我们学习。例如翔宇集团有"三洗"：洗面——树立形象；洗脑——更新观念；洗手——清正廉洁。三"事"：做事、管事、想事。三"享"：功者享禄、能者享位、勤者享薪。三"满"：满分、满意、满足。三"领导"：向下领导、平行领导、向上领导。三"度"：知名度、美誉度、忠诚度等等。这一系列的管理哲学构建了翔宇教育集团领导力基本模型。

3．三维协同变革

一个学校、一个机构的整体变革需要三个维度的变革相协同：教育内涵价值的提升，这是理念的力量；教育体制、机制的创新，这是机制的力量；教育内外技术的进步，这是科技的力量。"理念、机制、科技"是推动教育进步的三种力量，也是思想之力、结构之力、科技之力。

关于科技的力量，我想到2010年颁布的《国家中长期教育改革和发展规划纲要（2010—2020年）》中提到"要充分认识到信息技术对教育产生的革命性影响"。那么你是如何理解革命性影响的？

如今是互联网高度发达的时代，作为教育工作者应该如何适应这个时代？这和三个变革有没有关系？首先，你对这件事情是怎么看的？互联网对教育的影响是不是简单地多了一个PPT，多了一个投影仪？绝对不是。2015年，我和卢志文校长一起去知名企业沪江网考察，考察以后，当年我们就与"cctalk"吴虹老师团队推出了"翔宇年课堂"。卢志文校长从2015年开始，每年大年二十九面向翔宇集团所有的学生家长开年课堂。疫情期间校长开直播，似乎比较普遍，但在5年前，校长开直播便是一个创新举措。每年的坚持和积累，这背后产生了什么？今年的疫情期，翔宇教育集团几个在湖北的学校地处重灾区，学生、家长肯定不能开会、上课，怎么办？通过网络来解决。这时候开始上网课，至少不慌乱，为什么？因为从2015年开始，我们这些孩子每年都会上一堂网课，这个技术、这个经历为疫情期间停课不停学奠定了很好的基础。疫情过后，湖北的两所翔宇学校要按照原规定收取学费，家长们没有任何不满，一方面是家长理解，另一方面是翔宇教育集团真的做得好。

敏于学习是所有卓越校长共同的"成功密码"，作为校长也要领导自己的下属学习。新教育对教师的专业发展提倡"三专"模式：专业写作、专业阅读、专业发展共同体。翔宇教育集团基于新教育的体系进行创新，结合学校实际形成自己的文化。总体来说，在集团化发展的大潮中，翔宇教育集团算得上是"优等生"，这个判断的底气源自翔宇与时俱进的学习改进。

4. 管理黄金定律

管理黄金定律：底线有守，创造无限。这句话我第一次听到时也没在意，现在越琢磨越觉得有价值。比如课堂，怎么改？"课有定则"——底线有保障；"教无定法"——创造无止境。理想课堂的三重境界应该是：落实有效教学框架，结构保底，保障"学习性质量"，为学生的终身学习奠基。孩子今天走得快不快？发掘知识本身的魅力，合作探究，着眼"发展性质量"，为学生的终身发展奠基。孩子明天走得远不远？实现知识、生活和生命的深刻共鸣，教学相长，提升"生命性质量"，为学生的终身幸福奠基。

再举个例子，翔宇这么大的集团要开会，怎么开？我们20年前就有个开例会的规矩，并非常规的行政任务布置、校务报告，而是有五个板块：艺术鉴赏板块，提升品位；道德建设板块，净化心灵；教育论坛板块，武装理论；时政速递板块，开阔视野；校务工作板块，指路脚下。整个会议时间假如是一个小时的话，校务工作一般只占十分钟左右。

结构保底线，创新上水平。把质量交给结构和制度，而不是交给某个能干的人。课改，也要从结构入手，稳定的质量需要结构来保障。教学既是科学也是艺术，科学需要结构，艺术需要创新。因此，课堂教学仅有结构肯定不够，但没有结构肯定不行！

所谓创造无限，做一切事情都有规矩，唯有创新这件事情没有规矩。没有新的要素，只有新的组合，世上一切事情都在变化，唯一不变的就是创新。一流的学校，创造变化；二流的学校，顺应变化；三流的学校，被动变化；末流的学校，顽固不化。这就是翔宇的底线＋创造的理念。一管就死、一防就乱是为什么？是因为缺乏结构，结构谋功能。

5. 坚持"长期主义"

卢志文校长经常提一个词——"积累性超越"，不仅要坚持做你想做的事情，而且不能中断你在做的事情，要持续地不被诱惑。不管你的力量多弱，只要坚持足够长的时间，保持正确方向，在长期主义的复利下，大概率会积累成超越，甚至出现"奇迹"。

翔宇发展坚持三部曲：找准位子—办出样子—创出牌子。找准位子，就是在区域里面寻找符合自己的实际情况的定位，还要看师资力量和校长的管理水平以及学校文化；办出样子，就是让学校追求的愿景得以具体呈现；

创出牌子，牌子就是品牌，品牌有一个最大的特点：以优质、优秀的品质不断向前排。因此，品牌有两个基本要素，首先要有优秀的品质，其次你还要喊，要往前排，因为"酒香也怕巷子深"。

最后送给大家翔宇员工手册中的一句话：观念和思维方式的变革，永远比技术和手段的变革更重要，当你一直无法推开一扇门时，不妨拉一下试试。

第三章 减负提质：学校教育新格局

在复杂多变的问题情境中寻找最优解

广东广雅中学党委书记
广东省中小学校长联合会常务副会长　叶丽琳

有着130多年办学历史的广东广雅中学（以下简称"广雅中学"），被称为"中国近现代教育史活的见证"。百余年里，学校始终走在时代发展前列，也从未停止教育改革创新的步伐。创新是广雅中学的优良传统，也是学校在办学过程中始终如一的使命与追求。尤其是，面对"基础教育如何培养拔尖创新人才"这一重要命题，广雅中学坚持着眼于人才的长远发展，从培养目标、课程体系、教学方式、教师发展等多方面进行了系统性、整体化的设计，形成了具有广雅特色的创新人才培养理念与办学模式。

一、基础教育的创新还是要从基础做起

基础教育必须面向未来，引导学生创造性地解决问题。但创新人才的培养，不仅是培养学生具备直观的创新能力，更是宏观上培养学生的综合素养。这里的综合素养包含人格品质、创新思维、实践能力等。

现在高校在讲创新，基础教育也在讲创新。但是，基础教育中的创新目标和社会上的

创新目标有明显的区别，社会层面的创新是指原创技术或独特能力，如某些创新发明等，这是一个结果或一个表象。基础教育的创新应是奠定一个更宽广的基础，或者说培养一种更上位的能力素养。这种能力素养，是个人长期积淀下来的特质，它指向未来、指向终生。

当前正在推进实施的基础教育新课标的指向很清楚，倡导德育为魂、能力为重、基础为先、创新为上，这是一整套系统理念。其中，德育为魂，强调国家意志，体现"培养什么人"的问题；能力为重，强调的是面向未来社会的问题解决能力。

近年来的高考改革也是越来越趋向考查问题解决能力。新课标、新教材背景下的高考命题思路，往往要求学生能够从试题情境中提取有效信息，分析信息之间的关联、逻辑，作出归纳判断，进而用正确的学科语言准确表达出来。如果学生能够深入分析试题，考试其实也不难，问题在于很多学生缺乏学科思维和准确表达的能力。

新高考试题非常重视情境的设置，情境也可能出现多学科的交叉融合，需要学生运用跨学科知识来解决问题。"情境"是一种变量，找到变量，分析变量之间的关系，要求学生在有限的时间内找对方向，作出判断，进行分析、思辨并表达出来，这是创新素养考查的一种方式，也是教育改革的方向。

说到底，高考中创新能力的体现是以知识信息尽可能快地输入，在短时间内又高效率地输出为载体的。但高考是在限定情境中考查学生的知识输出能力，这种输出能力并不完全等同于创新能力。创新能力的核心是创造性地以最优化的思维去解决问题，更多是在非限定情境、复杂问题的处理上以最优的方式去解决问题，这需要日积月累的训练，并非一朝一夕形成的。因此，创新素质的培养必须从小抓起，这事关一个民族的发展，也是国家竞争力所在。

二、坚持创新为上，转变学校整体育人方式

创新是广雅中学教育始终如一的追求。学校全面加强

课程顶层设计，创设了多元选择的博雅课程，积极推进选课走班，完善实施初高中一贯制课程改革，并深入研究新课标、新教材、新高考。

要落实这些创新素质培养举措，我认为关键是要回归课程和课堂。新课程改革的目标是实现育人方式的改变，育人方式的改变，意味着不能简单地照本宣科。创新素质的培养离不开基础知识的掌握理解，但创新的核心更是思维品质的培养。所以课堂很重要，教师要大胆改变教学方式，积极创设情境，通过任务驱动，引导学生提出问题和解决问题，并逐渐培养自己的思维能力、思维方式和解决问题的能力。

任何一个学科都应该立足书本知识，提升学生学科思维能力。例如，生物学中学到"能量"的概念时，教师可引导学生认识能量是什么，ATP（腺苷三磷酸）从哪里来，ATP是如何帮助人类完成进化等等。教学可以ATP为切入点，分析能量在人类历史发展中的决定性推动作用，引导学生认识到，因为有ATP，能量才得以保存和延续。通过学习ATP的相关知识，学生知其然，更知其所以然，知识面拓展了，思维自然也得到了发展。

在此基础上，课堂要特别重视科学史的教学，要让学生明白所学知识是怎么产生的。这样的教育，一是教智慧，即使是对简单的知识进行回溯，依然能感受到人类的智慧；二是教思维，中学阶段更强调知识应用和方法演绎，着重学习如何发现问题和解决问题，进而上升到概念理解；三是教应用，既保证学生的思维训练和素质培养，又立足现实，不脱离现实。

新课标、新教材的背景下，课程结构和课堂育人方式都要发生变化，学科渗透和创新理念的落实对教师而言无疑是巨大的挑战，需要教师转变课程意识，实现课堂转化。

有专家说，创新人才的培养要从娃娃开始，这不是没有道理的。创新人格既有遗传因素，也有环境影响。遗传因素包括智力和性格特征等。有些孩子确实与众不同，如果一刀切地追求公平，也会忽视对特殊人才的挖掘和培养。具有超常潜力的孩子如果从小就踏上探索之旅，通过个性化课程和项目式学习激发好奇心，培养兴趣，那么他们的创造力将是无穷的。

在这方面，广雅中学正着力实现初中和高中的衔接，将来还要实现小学和初中的衔接，这样有利于学校通过活动观察发掘学生们独特的潜能，进而开展个性化培养。我们设计了小学初中一体化科学素养培养体系，在新校区已经开始实施，其中举办人工智能训练营就是面向具有创新素养的学生开设的个性化培养举措。

学生创新素养的培养，还要求教师加强对学习规律和学习科学的研究，研究学习的发生机制，设计多维场景激发学生的学习兴趣，设计多维问题引导学生思考，设计多维任务鼓励学生合作探究，从而通过深度学习实现学生能力素养的发展。因此，科学素养课程体系的设置和师资队伍的培养尤为重要。

三、重视教育转化能力，培养更大气的教师

在广雅中学，我们主张"为思维而教，为未来而教"，面对培养目标，教师应调整角色定位，成为学习的设计者、搜集信息的指导者、解决困难的帮助者和学生学习的陪伴者。为此，我校重视教师培养，希望培养出更有使命担当的教师。

这几年，新教师培训成为我校的重中之重。教师如果没有新课标要求的课程意识，没能实现课堂育人方式的改变的话，创新教育就无法发生。因此，教师要思考如何把自己掌握的知识转化成学生的能力，把自己拥有的素养转化成学生的能力和素养，怎样从学到、教会、教对到会教〔即Pedagogical Content Knowledge（学科教学知识），简称PCK〕。

2021年暑期，在广雅教育集团的教师培训活动中，我作了题为《从"教会"到"学教"型老师PCK的内涵及建构》的报告，其中提出，教育已经从原来的天赋时代、资

源时代、努力时代到了策略时代，课改的着力点、教育理念变革等都是当下要学习和研究的方向。而现在我们说教学能力的改变，就是指教师的能力转化为学生的能力的改变，这是一种教学本质的改变。

为此，通过校本培训，我们希望新教师要有课程意识，明晰教学目标，学会整合资源，尤其要学会在教学中创设情境、设计任务，引导学生学会探究、解决和归纳。我们始终认为，要培养学生的高阶思维，首先教师要具备高阶思维。

学生走向未来，首先见识很重要，见识决定思考的维度，所以基础教育要打开思路，拓宽视野，增长见识；其次，价值导向决定人的发展方向；最后，要怀有爱，有爱的人心胸才宽广，才能与人良好沟通。

广雅中学强调老师要大气儒雅，只有大气儒雅的老师才能带来大气儒雅的教育，才能勇于担当，懂得爱，懂得分享，努力拓宽自己的见识，进而拓宽学生的视野。未来是不确定的，有无穷的可能，培养学生的高阶思维，让学生在未来面对复杂情境时创造性地用最优的方法解决问题，这可能才是基础教育谈创新的一个本意。

四、秉承创新传统，着眼长远，为国育才

2022年的毕业礼上，我在给学生的毕业赠言中讲了两点：一是要有韧性，面对困难与挑战要有吃苦之志；二是要悦纳，不要让失败的恐惧绊住迈向人生目标的脚步。我们需要从更长远的时间与更广阔的空间去看待学生成长，这是广雅人的教育初心，也是广雅中学教育的传统。学校要影响学生，需要建立一个从小学到中学的完整育人体系，需要秉持教育理念，创设环境让学生成长起来，创设高品质的条件培养学生的创新素养。

广雅博物馆里有一块张之洞手书的"莲韬馆"牌匾，他专门写了"莲韬"的释义：莲韬相当于莲蓬，代表环境和师资，而莲子就是学子。他认为师资很重要，对老师的要求很高，也认为只有好的环境才能够培养出优秀学子。

广雅书院第二任山长朱一新在其著作《无邪堂答问》中强调"答问"，即学生提出问题，教师解答问题，师生一起研讨，这就是先学后教。他们那时提出的教育理念，直至今天仍是教育改革的焦点。广雅书院课程设计理念与时俱进，开设有经济学、逻辑学、国防学等，志在培育有报国之志和为国奉献之力的人才，学校是有历史使命的，肩负着兴国大任。

张之洞创办广雅书院极为用心，在为书院选址、命名和为教师提供住所等方面，都可以看出他对教育的敬畏和使命感。在学校教育管理上，书院不仅有考试、训练、写作，还有课程内容、培养目标等，叫做"入为名臣，出为名师"。

回溯历史就会发现，创新是广雅中学办学和发展中的一个重要基因。坚持创新的原因有两点：一是社会不断发展，需要先行先试；二是创新力本身也是竞争力，要为国家培养冠冕群伦、出类拔萃的人才，必须要创新。

百余年来，广雅中学培养了许多大胆改革创新的杰出校友，因此"创新"被写进我们的办学理念"和谐、优质、创新"中，这是我们传承先贤思想的基础上，历任校长的智慧结晶。

我担任校长后，提出了"发现"教育主张。"发现"是一种途径，只有发现才能走向和谐、优质、创新。在处理人与社会、人与人、人与自我的关系中，关键是要发现自己、调整自己，从而能够愉悦地生活、学习，与社会和谐相处。所以，学校里所有的课程、师资、平台，所有的环境，所有我们创设的"土壤"，都是为了引导学生去发现自己。对学生来说，只有先发现自己，才能更好地发展自己。

也因此，我做校长以来一直在思考为什么谈创新。这不仅因为创新是这个学校的传统，同时，我们探讨的创新是指在基础教育中要奠定怎样的创新素养。这是最重要的，因为素养是终身受用的，基础教育的使命在于奠定基础。

我们基于基础教育阶段的目标任务，从一个更宽的基础，或者更上位的格局培养学生的价值观，为他们奠定发展基础。一个优秀的学生，第一要有清晰的问题意识，第二要能够自主，第三要能够专注，知道自己该怎么做，怎么以最优的方法去解决问题。这样的学生才能成为创新人才。

如果我们的教育能够把小学、中学贯通衔接，那么可以预见这样的孩子会越来越多。学校要找到这种规律并给予孩子个性化的教育，努力为不同孩子提供不同的教育，引导激励学生超越考试、超越现实目标，去追寻更加高远、更加宏大的理想。这是需要我们去努力思考和尝试的事情。

"双减"背景下，减负提质需要"增"什么？

佛山市顺德区大良顺峰初级中学校长　白建元

　　我们这一代人的童年时代，离课后作业比较遥远，我们常常可以玩耍到日落西山还不想回家。而今，当我们为人父母、为人师长后，我们最关心的却是孩子报了哪些兴趣班和辅导班，孩子的作业是否已完成。这样的教育方式忽视了孩子的成长规律，在一定程度上压抑了孩子天性，造成了日益严重的教育内卷。

　　"双减"政策着眼于学生学业压力的缓解和社会教育格局的调整，其背后隐含着人才培养观念的重大变革。"双减"政策对于营造良性的教育生态，促进学生的全面发展有着极其重大的意义。学校作为执行"双减"政策的主要阵地，在新的教育生态尚未完全建立之前，面临着教育教学的巨大调整。学生作业少了，学习压力减轻了，会不会影响教学质量？会不会影响学生成才？这是社会，尤其是家长迫切需要学校解答的问题。我认为学校教育除了要考虑怎样"减"，还要考虑怎样"增"。准确地说，就是在考虑减少学生作业的同时还要考虑教学的效率，在考虑减轻学生学习压力的同时更要考虑确保学生的发展质量。

一、增加选修课程，增加学习选择，是减负提质的有益举措

学生的发展离不开课程，课程就是学生发展的基本路径。以"课程通整"作为切入点，构建"五育并举·五育融通"的课程体系，推进基于学生发展核心素养的"大课堂"改革，是开阔学生学习视野、丰富学生学习选择的有益举措。重复、机械、枯燥的学习减少了，自主、灵活、生动的学习才有可能多起来。

学校可以根据自身特点，结合地域特色、文化积淀，开发个性化与差异化的课程，创建更能满足学生个性发展需求的课程体系，开设更多的学科素养类、运动素养类、艺术素养类、科技素养类等课程。学校还可以充分利用创课室、体育馆、图书馆、阅览室、音乐室、社团活动室、文化长廊等主题或非主题场馆，丰富和充实学生的学习空间。选择课程的机会多了，更适合学习的场所有了，学生的兴趣爱好和个性化发展就能得到进一步的满足和实现。

这一类选修课程是对课堂教学的延伸和拓展，不仅可以提高国家课程的学习质量，同时也有利于打破年龄界限、班级界限，建立全学段、全领域学习共同体，逐步实现构建五育并举、生动活泼的教育生态的目标。

二、创设深度学习情境，提升思维素养品质，是减负提质的内在要求

教育的目的不仅仅是教育学生学会知识，更是引导学生掌握一定的思维方式。真正的教育，要让学生学会独立地、批判性地思考。学生时时刻刻的自我觉知、自我反思是终身学习的基础。想要实现减负不减质，对学生思维的培养就显得尤为重要。

一是教师要能创设深度学习的情境，启发学生更多地进行课堂思维。深度学习不是深在知识的难度上，而是深在精心设计的学习情境中。教师要通过具体的学习情景激活学生主动求知的欲望，引导学生借助已有知识和经验开

展创造性学习。

课堂教学活动必须包含质疑、展示、评价等关键环节，从而扭转课堂学习以教师讲授为主的风气，打破课堂教学中的"讲多学少""练多思少"的做法。重视培养学生思考的意识，改善学生思考的方法，使学生养成善于思考的习惯，提升学生的创造性思维、批判性思维，形成以深度学习为支撑的学生自主学习生态，是实现减负不减质必须要下的课堂功夫。

二是增加教研频次和人力，通过"双增"实现"双减"。在教研频次方面，我校增加了教师集体备课的时间，由此前的一周一备变为一周两备。利用集体两次备课，把新授课备深备透，达成深度研讨，从而保证课堂教学的效率，减少课后辅导和反复练习，进而减轻学生课后作业负担。在增加教研人力方面，主要学科的备课组组长可由一人增加为两人，分工合作，增加学术探讨、学术交流的频次，碰撞出更多思维的火花，让教研活动更具生命力。"双增"的目标是实现深度学习，打造思维课堂，培养学生良好的思维习惯，是减负不减质的内在要求，同时也有助于实现师生共同"双减"。

三、构建校外素养课堂，扩大学生学习空间，是减负提质的拓展力量

"双减"的本质不在"减"，而在"放"。释放孩子更活泼的天性，给孩子开放更大的发展空间，才是"双减"政策的着眼点和出发点。孩子们带着已有的知识和经验走出校园，走进社会，体验生活，感悟社会，从中能学到更多的新东西。我们学校以"我体验、我快乐、我成长"为主题开展的体验式社会实践活动，既提高了学生的综合素养，又很好地落实了素质教育。学校还进一步完善校外素养拓展课程体系，依托研学基地、爱国主义教育基地、顺德历史文化景点等校外教育服务资源，开展志愿者服务、社区服务等丰富多彩的社会实践活动，让学生把先前获取的知识经验在生活中进行再现、迁移、应用，从而实现了学习过程的开放性、综合性、实践性。

例如，顺峰中学观鸟社在构建校外素养课堂，扩大学生学习空间上做了有益探索。观鸟社于2012年创办，建有顺峰山公园观鸟基地和伦教鹭园观鸟基地，依托基地开展了丰富多彩的教学活动。经过多年的努力，观鸟社取得了不错的成绩。观鸟社的事迹被多家媒体报道和转载，观鸟社师生参加了《制造之都　鸟的天堂》和《美丽西江》纪录片的拍摄。学生走出课室，把具体的生物学知识和自然界真实的鸟类观察相结合，认识鸟类，亲近自然，了解生物与环境的关系。课程通过沉浸式的体验，既能增强学生的环保意识，又能培养学生关爱生命、热爱大自然的情感。

创设学生社会实践活动是"五育融通"的桥梁，它把书本知识与社会实践贯通，扩大了学生的学习空间，使学生的思维素养、道德素质和文化素养能够得到整体提升。

四、创新家校共育，增进亲子交流，是减负提质的有效动力

"双减"政策实施后，对于只有周末才能回家的初中住宿生来说，进行家庭教育的机会就自然减少。我认为为了增强家庭教育的效果，家长可从以下几个方面做好和孩子的交流与沟通工作。

一是重视孩子的阅读。阅读是打开学生思维之门最有效的做法，家长要从培养孩子的阅读习惯着手，逐步提高孩子的阅读兴趣和品质。现在中高考考题对阅读的要求越来越高，而优秀的阅读能力建立在浓厚的阅读兴趣和良好的阅读品质基础上。在培养孩子的阅读习惯方面，亲子阅读不失为一种好的方法。

二是重视孩子的运动。家长要认识到体能的提高和智力的开发是相辅相成的，好的身体素质是好的智力水平的保障。培养孩子良好的运动习惯，往往能对智力的开发起到事半功倍的作用。其中，球类运动不仅有助于培养孩子的发散思维，也有助于培养孩子的团队意识；游泳、乒乓球、围棋等运动有助于培养孩子的专注度……建议家长在

能力范围内让孩子参与1～2项运动，提升孩子的专注度、记忆力和竞争意识。

三是重视孩子的劳动。培养孩子的劳动意识和劳动能力，首先要让孩子养成劳动的习惯，让孩子参与到家庭生活中去，除了最起码能够整理自己的房间和物品之外，还应为家庭做一些力所能及的事情，这样才有利于孩子的公民意识和社会责任意识的培养。

总之，通过丰富素养课程、增加学生思维、扩大学生学习空间、增加亲子交流，能形成"双减"背景下减负提质的有效路径。学校、家庭、社会在教育上分工合作，逐步建立起相融相洽、相辅相成的教育生态。按照课内课外、校内校外有类别、有侧重的原则对教育资源进行有效整合，相向而行，五育并举，我们就能找到更多的"减负不减质"的新路子、好办法。

"双减"破局，标本兼治

佛山市顺德区大良实验小学党支部书记、校长　汪庆荣

2021年7月24日，国家"双减"政策落地。政策一经发布，网民对此热议不绝。

有网民说，中国基础教育积重难返，希望"双减"这根导火索能引爆基础教育的一场革命。但是也有网民说，"双减"政策只能治标，如果没有治本的配套措施，"双减"既减不了家长的焦虑，也减不了基础教育之痛。这样一来，等到这阵"双减"之风过后，"涛声"依旧，家长拿着"作业多、上补习"这张"旧船票"再次登上高分数的"客船"。

治标不治本为下策，标本兼治是良方。为了从根本上减轻家长焦虑和负担，佛山市顺德区大良街道的每所学校都在积极行动，有的在优化课后延时服务，有的在优化作业设计，有的在优化课程方案，体现了我们大良教育人的使命担当，我们希望达到标本兼治的效果。我认为，要达到标本兼治的效果，可以从以下三方面入手。

一、共学共享共进，帮助家长排忧解难

家长的焦虑和烦恼来自何处？可以看一下下面这张中国学生生涯规划图。

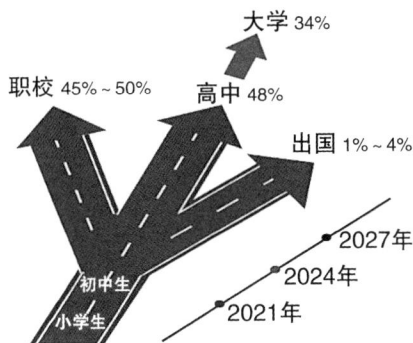

图1　中国学生生涯规划图

家长们发现，九年义务教育后，孩子都要参加中考。中考后面临选择，除了极少部分出国学习发展之外，普通高中和职业学校的录取比例为5:5。从整个生涯规划来看，家长们感叹："原来，世界上最难的考试叫中考！"

一边是"最难中考"，一边是"双减"政策，家长能不焦虑吗？所以我们首先要从思想上对家长进行积极的引领。

首先，主动宣讲"双减"政策。开学第二周周末，我们学校分年级召开家长会，全面、系统地宣讲了"双减"政策。全校采用统一的主题，制作统一的PPT，主要内容包括："双减"政策研读、家长困惑分析和探寻最佳策略。

我们告诉家长："双减"不是全部减，更不是"双除"。"双减"政策落地对家长提出了更高要求，家长应尽快转变思想，明确责任，使孩子学习有目标，未来有方向。为此，我们希望家长做好以下角色定位。

（1）做心理滋养师，给孩子提供心灵的力量。

（2）做人生规划师，给孩子指引人生的方向。

（3）做习惯督导师，给孩子的成长保驾护航。

（4）做梦想合伙人，帮助孩子挖掘个性特长。

其次，做好家庭教育的高参。通过微信推送、视频分享、经验介绍等方式，从思想上引导家长，从方法上指导家长，从行动上督导家长，为家长排忧解难。

二、优化学校课程，努力提高教学质量

"小孩成绩上不去，就要去补习，现在辅导机构没了，我们怎么办？做家长太难了！"如何化解家长们的忧愁呢？我们学校从以下几个方面努力做好工作。

1. 质量好不好，看看学校课程表

表1　课程表示例

2021 学年度第一学期　四年级 A 班课程表 2021 年 9 月 1 日起执行				
时间安排	星期一	星期二	星期三	星期四	星期五
7:50—8:00	悦读十分（语文）	悦读十分（英语）	悦读十分（语文）	悦读十分（英语）	悦读十分（数学）
8:00—8:35	道德与法治	英语（语言与交往）	语文（语言与交往）	音乐（艺术与审美）	语文（语言与交往）
8:45—9:20	中队活动（道德与修养）	数学（科学与创造）	数学（科学与创造）	数学（科学与创造）	科学2（科学与创造）
9:20—9:35	室内操（自编操）				
9:35—10:10	英语2（语言与交往）	数学（科学与创造）	足球（健康与运动）	信息2（科学与创造）	数学（科学与创造）
10:10—10:25	眼保健操一				
10:25—11:05	语文（语言与交往）	语文（语言与交往）	思维训练（科学与创造）	音乐/器乐（艺术与审美）	美术（艺术与审美）

（续表）

2021 学年度第一学期　四年级 A 班课程表
2021 年 9 月 1 日起执行

时间安排	星期一	星期二	星期三	星期四	星期五
11:15－11:25	快乐习字（中文）	快乐习字（中文）	快乐习字（中文）	快乐习字（英文）	快乐习字（中文）
11:25－11:55	拓展阅读	拓展思维	拓展阅读	拓展绘本	拓展阅读
12:25－13:55	午睡				
14:10－14:55	综合实践活动/劳动	科学1（科学与创造）	群文阅读（语言与交往）	英语2（语言与交往）	拓展性选修课程
14:55－15:10	眼保健操二				
15:10－15:55	武术（健康与运动）	健康/心理（健康与运动）	语文（语言与交往）	语文（语言与交往）	增益课：群文阅读
16:05－16:40	信息（科学与创造）	道德与法治	增益课：英语	增益课：数学	增益课：语文
16:40－17:20	大课间活动				错峰放学
17:20－18:00	课后延时辅导	课后延时辅导	课后延时辅导	课后延时辅导	
备注	1.每周一早上安排升旗仪式，大队部组织，全校师生参加，班主任组织班级提前到场。注意入场安全和会场纪律。 2.请各教师提前2～3分钟候课，1～3年级需要前往专业场室上课的，请上课老师到班带学生有序前往。 3.教师上课：不拖堂、不随意换课、不霸课。 4.大课间活动由体育科组统一组织，后段时间分年级活动，大课间活动之后开展社团活动。 5.下午错峰放学：周一至周四（1～2年级17:20，3～5年级18:00），周五（1～2年级16:30，3～4年级17:00，5～6年级17:30）。				

表1是一份我们学校四年级A班的课程表。它有以下特点：

第一，长短课时结合，科学安排时间。有10分钟的微课，有25分钟的短课，有35分钟的中课，有45分钟的长课。我校根据学科特点和学习任务来安排时长，大大满足了学生学习的需要。

第二，课时安排保障了学生的身心发展。每天安排两次眼保健操、一次室内操、一次大课间活动，活动时间每天超过1小时。同时，每天中午睡眠时间足足有90分钟。学生晚上休息9小时以上，加上中午的休息时间，每个学生每天基本能保证睡眠时间10个小时以上。

第三，课程表上明确"约法三章"：不拖堂、不随意换课、不霸课。师生之间共同约束，从而保证课间有10分钟的休息时间。

2. 质量好不好，看看高效课堂怎么搞

我校以"优化学生学习方式"为突破口，开展高效课堂建设。低年级突出"培养好习惯"与"培养好奇心"，中高年级突出"扎实基础"与"拓展思维"，由此最大限度地激发学生的学习兴趣，调动学生的学习积极性，变"要我学"为"我要学"。

近十年，学校构建了完善的"拔萃课程"体系，推广"拔萃课堂"教学模式。在高效课堂建设方面，各学科组积极探索新路径：语文科组立足于学生本位，依托学习单，引导学生自主研读、合作探究、拓展延伸，不断提升学生的语文素养；数学科组开展"非线性"教学，以学定教，指导学生课前有效预习，让学生带着疑问和困惑走进课堂；英语科组以"培养学生批判性思维"为抓手，让学生碰撞出思维的火花，促进学生之间的沟通与协作，提升学生分析问题、解决问题的能力。

本学期，学校还大力改进各学科作业设置方式和检测方式，通过这种方式倒逼高效课堂。作业设置分三大板

块：巩固练习、自主预习、思维拓展。在检测方式上，取消学科综合性考试、取消学科选拔式竞赛，取而代之的是开展专项展示、游戏检测和命题比赛，以减轻学生压力。

3．质量好不好，看我校如何因材施教

因材施教是学校教育的大原则。学校实施"分层辅导"策略，"培优""提中""辅困"三管齐下，聚焦学生核心素养的培育，以贯彻因材施教的原则。

"培优""提中""辅困"不是简单的课后补习，而是分别从课前、课中、课后全方位落实这项工作。

表2　"分层辅导，因材施教"措施示例表

辅导目标	课前	课中	课后
"培优"	质疑提问	攀登思维高峰	关联拓展
"提中"	自学基础知识	侧重理解运用	运用能力
"辅困"	熟悉基础知识	掌握基本技能	强化基础

通过这样的措施，让学优生"吃得好"，学中生"吃得饱"，学困生"吃得了"。

4．质量好不好，看看办学水平高不高

所谓"金杯银杯，不如家长口碑"，家长对一所学校的办学水平的评价，视角是多维的，包括教学质量、所获奖项、学生风貌等等。

2018年，我校被遴选为广东省基础教育研究实验基地学校；2019年，我校获得广东当代民办学校突出贡献奖；2021年，我校被授予"佛山市文明校园"称号；目前我校已经有五个科组被评为"佛山市示范教研组"；在历次的顺德区绩效评估中，我校均被评为A等级学校；近几年在大良街道学生专项能力检测和顺德区四五六年级教学质量监测中，我校每个年级、每个学科成绩都很优秀。

2022年上半年，六年级张咏淇获得佛山市"新时代好少年"称号，陈柏江获得广东省"新时代好少年"称号……

能够达到这样的教学质量，我想家长们对我们的办学应该是认可的。

三、实施拓展课程，发展学生综合素养

要问家长烦不烦，看看周末有多难：带着孩子，上午学钢琴，下午学舞蹈，晚上学画画……家长一天天忙得像陀螺一样！

为了解除家长的烦恼，学校提出实施拓展课程，发展综合素养，保证每个学生个性得到健康发展，兴趣得到充分培养。

在拓展性课程设置上，我校独具匠心，既设置了拓展性必修课程，也设置了拓展性选修课程，从而满足学生多样化的发展需求，为每个学生提供了自主选择的机会和个性发展的空间。

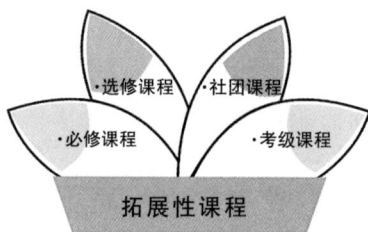

图 2　拓展性课程结构图

1. 拓展性必修课程

表3　拓展性必修课程列表

领域及学科	课程名称	开设年级	考核年级	领域及学科	课程名称	开设年级	考核年级
语言与交往	Sight Words	一	一	艺术与审美	形体	一、二	二
科学与创造	数独	一	一	艺术与审美	版画	一、二、三	三
健康与运动	游泳	二	二	艺术与审美	硬笔书法	二、三	三

（续表）

领域及学科	课程名称	开设年级	考核年级	领域及学科	课程名称	开设年级	考核年级
健康与运动	武术	三、四	四	科学与创造	图形化编程	五、六	六
艺术与审美	竖笛	三、四、五	四	健康与运动	足球	各年级	六
科学与创造	小发明	三、四、五	五	品德与修养	礼仪教育	各年级	—
语言与交往	演讲与口才	各年级	五	品德与修养	生命教育	各年级	—

我们为不同年级的学生开设了14门必修课程，涵盖各个学科。在六年的学习中，学生必须全部达标，达标者会获得学校颁发的达标证书。不达标者需补考，直到达标为止。

2．拓展性选修课程

表4　拓展性选修课程列表

年级	品德与修养	语言与交往	科学与创造	健康与运动	艺术与审美
一	合作游戏	韵文	七彩脸谱	益智游戏	少儿歌谣
二	趣味心理	故事汇	科技炫彩	足球	少儿独唱
三	团辅游戏	拔尖作文	科创	轮滑	线描画
四	心理密码	演讲家	烹饪	毽球	拼图
五	法制讲堂	英语口语	3D设计	羽毛球	综合版画
六	人生规划	演讲	思维训练	竞技篮球	合唱

像以上这样的拓展性选修课程我们已经开设了近百门，学生可完全根据自己的兴趣爱好自由选报。每周五下午第一节课全校开展选修课程学习，这大力地培养了学生的兴趣特长，促进了学生的个性发展。

3．社团课程

表5　社团课程列表

品德与修养	语言与交往	科学与创造	健康与运动	艺术与审美
（1）千里马成长体验营 （2）礼仪队	（1）文学社 （2）口语社	（1）STEM教育 （2）编程猫 （3）启明星科创院 （4）人工智能物联网 （5）机器人 （6）无人机	（1）田径队 （2）篮球队 （3）足球队 （4）武术队 （5）游泳队 （6）毽球队 （7）三棋队 （8）冰球队	（1）舞蹈团 （2）合唱团 （3）管乐团 （4）书法班 （5）版画班 （6）手工班 （7）剪纸班 （8）国画班 （9）动漫班

若学生在某些方面表现出明显的特长和天赋，老师就会选拔他参加社团课程的学习和研究，在社团活动中，学生的特长将会得到更充分的发展。

各位同仁，其实家长们对学校的期待很简单：学科成绩要抓好，综合素养要提高，各项服务要周到。如果一所学校把这三件事做好了，家长们的焦虑就消除了，期待实现了，自然就达到了标本兼治的目标。

现在，我借用提倡新教育的陈东强教授的一段名言来结束我的发言：《麦田里的守望者》有一个词语——守望。教育不是管，也不是不管，在管与不管之间，有种境界叫"守望"。

在"双减"政策背景下，让我们行动起来，一起守望新教育，守望真善美！

孩子们需要什么样的作业

佛山市顺德区华侨小学校长　谢云娥

很荣幸站在台上和大家一起分享、探讨，同时，我谨代表华侨小学，对各位的到来表示热烈的欢迎。

今天，我想和大家探讨关于作业的话题——孩子们需要什么样的作业？

首先，请大家跟我一起穿过时光隧道，回去看看我们的小学时代，我们的童年。我们的小学时代物质匮乏，没有像样的书包，没有像样的作业本，也没有什么书面作业。我们的作业有勤工俭学，有家务劳动。我们放学后和小伙伴一起在野外疯跑，玩各种游戏。就是这样，我们自然从容、恣意舒展地长大。每天的疯跑锻炼了身体素质，游戏培养了动手能力，劳动使我们勤俭感恩。长大后的我们遇见难事不退缩，遇见大事不慌张，不知抑郁为何物。我们经常感慨今天的孩子很幸福，有优渥的生活条件，有良好的学习环境。可是孩子们自己觉得幸福吗？

一、学科分层作业，打实知识基础

我们也一直在思考，到底应该拿什么样的作业来滋养我们的孩子？一直以来，我们和大多数学校一样，非常重视作业的设计和管理，希望借作业这一抓手，提高学校教学质量，达成学校育人目标。我校数学科组两年前提出了数学作业设计、作业管理和评价方式。作业设计方面，我们对每天必做的笔头作业有量的规定，也有分层要求：每天3道基础题，2道延伸题（用于选做）。作业管理方面，明确要求每周教研时间，备课组共同讨论确定一周的作业；每月常规检查学生作业情况和教师批改情况。作业评价方式方面，我们探讨出如常规性书面批改、优秀作业展示、数学节现场九宫格赛等方式。

从学生学习情况来看，数学组的作业设计整体方案效果不错：数学作业量减少了，数学成绩提升了。学期末区统测，三个年级8名数学教师，有6名教师所教的班级A率超过60%，其中教龄2.5年的小闵老师所教班级A率达到71%。特别值得欣喜的是，教师的专业水平提升了，尤其是青年教师，5名三年以内教龄的教师迅速站稳了讲台。

我们进一步反思：如何把数学学科的经验，推广到语文和英语学科呢？"双减"政策落地，对我们来说是挑战，但也是顺势而为的机遇。通过一轮轮的研讨，我们形成了以下的思路。

（1）制定作业管理方案。

（2）公布作业布置原则："三留五不留"，即留开放性作业、留实践性作业、留探究性作业，不留惩罚性作业、不留随意性作业、不留机械性作业、不留超进度作业、不留家长作业。

（3）提供作业设计模式：基础性分层作业、综合实践性作业、主题探究性作业。

（4）实施作业管理流程：作业公示、常规检查、优秀作业设计推广。

（5）丰富作业评价方式："快乐过关"、游戏闯关、家长考官进学校、四大主题节展示、作品参赛等。

小小的作业虽然不能完全展现数学的精妙、语文的丰厚、英语的开放，但是能开启孩子们无限的可能性。

二、综合实践作业，焕发课堂活力

学科知识性作业是重要的，但它不是教育的全部，我们思考能不能将之前做得比较成熟的学科以外的课程或者活动用作业的形式固定下来，使之更稳定、更持久、更有效？

我们学校是山东鲁能足球青训人才基地，也是全国足球特色学校，从我们学校走出去的学生何文，今年入选了中国足球队。多年来，为了培育足球文化，我们规定学生每天颠球的个数，踏球、左右运球、绕杆运球的次数，射门的次数，校队每月比赛的场数等。

但是，终究没有天天坚持下来。我们思考着，把足球、篮球、乒乓球、跳绳等体育课程固定下来，形成相对稳定的具有华侨小学特色的体育作业系统，让每日一练的体育作业担起强身健体、锻炼心智的重任。

除了体育活动，我校也有开展其他活动，诸如每月一次的"小脚丫探大世界活动""小当家练技能活动"等。老师们带着学生走出校园，走到了附近的广场、博物馆、公园、图书馆，还走到了农场，去拔草、挖土、播种、推鸡公车……

但是，活动并没有达到我们预期的效果，我们进一步反思，如果提前有集体备课，有共同设计作业，对这类作业有统一指导和管理，效果应该会好很多。

自然状态下的德育、体育、劳动作业，能够使孩子在平凡朴素的日子里活得生机盎然，值得我们用心设计，不断探索。

三、主题探究作业，打破学科边界

最近有三个特别的作业参加香港—纽约·国际青少年科学影像大赛获得了金奖。要完成这样的作业，需要科学老师精心设计、指导，需要孩子一个假期甚至一个学期的课外时间。孩子们除了需要有热情，还需要有科学素养和跨学科的知识：写脚本、摄影、绘画、剪辑、解说、英文现场或线上答辩……常常是几十个孩子兴致勃勃地报名参与，最后能完成作品的很少。孩子们坚持不下去的原因很多，时间不足是一大原因，大多数孩子跨学科的知识储备不足是第二大原因。

我们想，如果有更科学的作业体系，能够形成一种更完备的过程性评价，构建一个更完善的教师评价系统，完全打破学科边界，让不同学科的教师都共同参与主题探究作业的设计和指导，那么这种主题探究的效果会更理想。

最近有一部很火的纪录片，是贾樟柯的《一直游到海水变蓝》，我特别喜欢这个片名。纪录片的主题我也喜欢：一代人一代人往前走，一代人解决一代人的问题，有的问题需要好几代人去解决，有的问题还在解决中，有的问题需要在当下解决，这需要信念和韧劲。

我们每一个孩子都是天生的探索者，需要大学科、大格局、大视野的作业体系助力孩子往前奔跑，去解决时代赋予他们的问题。"双减"政策已经来了，活在当下的教育人对各种教育教学的挑战应当义不容辞。

最后，我想用这样的结束语与大家共勉：作为教育人，我愿意以教育理想为帆，以创新探索为舟，以小小的作业为桨，一直划到海水变蓝。

回归教育本质，发展学生素养

深圳市宝安中学（集团）校长　袁卫星

一、"双减"要解决的问题是什么？

今天谈"双减"话题，我们首先来思考"双减"要解决的问题是什么。有人说是学生的课业负担太重了，要把它减下来。的确是这样，学生改编了歌词说："书包最重的人是我，作业最多的人是我，起得最早、睡得最晚的人是我，是我是我还是我……"也有人说，要解决年轻人不想生孩子的问题，"三座大山"压在他们身上，生得起，养不起。教育是最重的一座大山，在教育上，人力、物力、财力投入太多了。还有人说"双减"要解决学校总是培养不出杰出的人才的问题。这是2005年94岁的钱学森先生向时任国务院总理温家宝提出的问题，被称为"钱学森之问"——为什么我们的学校总是培养不出杰出人才？那么，"双减"是不是来解决这样一些问题的？我们可尝试从"双减"的文件当中来寻找答案。

由中共中央办公厅、国务院办公厅联合发布的《关于进一步减轻义务教育阶段学生作业负担和校外培训负担的意见》的指导思想部分明确写到，落实立德树人根本任务，促进学生

137

全面发展、健康成长。这个文件是不是横空出世的？不是，我们可以给它溯源。2010年制定的《国家中长期教育改革和发展规划纲要（2010—2020年）》当中就表示，教育的核心是解决好培养什么人、怎样培养人的重大问题，重点是面向全体学生、促进学生全面发展，着力提高学生服务国家服务人民的社会责任感、勇于探索的创新精神和善于解决问题的实践能力。到了2013年，十八大开始提出"立德树人"这四个字；十八届三中全会《中共中央关于全面深化改革若干重大问题的决定》中对"深化教育领域综合改革"的解读则提出要坚持立德树人，增强学生的社会责任感、创新精神、实践能力。甚至在这样的党中央决议里面还细化地提到了要实行公办学校标准化建设和校长教师交流轮岗制，要标本兼治减轻学生课业负担。所以现在很多地方都在推行教师区内流动，甚至是跨区流动。所以说这个政策不是横空出世的，在十八届三中全会中就有这样的规定和表述。

教育部在2014年3月30日出台了一个非常重要的文件，在我看来，这个文件的重要性相当于推动了新一次课改。这个文件的名字叫作《教育部关于全面深化课程改革　落实立德树人根本任务的意见》，我对这个文件印象非常深刻，因为我在2014年3月3日被借调至教育部办公厅工作，借调过去不久就出台了这个文件。这个文件再一次提到立德树人是发展中国特色社会主义教育事业的核心所在，是培养德智体美全面发展的社会主义建设者和接班人的本质要求。

我认为，要落实立德树人的根本任务，我们的抓手就是推动新一轮的课程改革。因此，时任教育部部长袁贵仁亲自主持起草了文件，提出了三大目标、五大任务、十项措施。其中第一项措施就是发展学生核心素养，这个学生核心素养的图谱是教育部委托北京师范大学林崇德教授等牵头研制的。今年《中华人民共和国教育法》也进行了修订，新修订的教育法再一次强调，教育必须培养德智体美劳全面发展的社会主义建设者和接班人，教育应当坚持立德树人。

在政策颁布的同时，党和政府也不断地打出"组合拳"。2014年3月30日的文件还是以教育部的名义发布的，到了2019年、2020年密集出台的关于评价、美育、爱国主义、劳动教育、体育的文件都开始以中共中央、国务院办公厅等名义下发。也就是说"双减"政策是立德树人背景下，党和政府"组合拳"中的一部分。

那么，立德树人是树什么样的人？树精致的利己主义者肯定不对，要树的是社会主义建设者和接班人，是中华民族伟大复兴的生力军。怎么样立德树人？很显然，许多文件都提到了"德智体美劳"全面发展，那就是"五育"并举。

让我们回到开头的话题，"双减"要解决的问题是什么？要回答这个问题，我们首先要思考什么是问题。问题是造成现有状态与应有状态之间差距的各种影响因素。我们常常把现象当作问题，把现有状态当作问题：学生课业负担太重，年轻人不想生孩子，学校培养不出杰出人才……这是问题吗？在我看来这不是问题，而是现象，是我们的现有状态，它和我们的理想状态，和党中央提出来的立德树人还有很大的差距。

造成这些现象背后的因素才是问题，学生课业负担太重背后的因素是评价出了问题。我们用试卷上的分数来单一地评价学生，我们用学生的分数来单一地评价老师，政府用中高考成绩来单一地评价学校，我认为这才是问题。

"双减"要解决的问题是什么？是评价、负担、制度等。怎么样来解决？那就是我们常说的从"育分"转向"育人"，真正把立德树人的事情做好，真正把德智体美劳全面发展落到实处。

作为校长，"为党育人，为国育才"这八个字不应当仅仅是口号，我们应当给人民群众一个满意的答复，办人民群众满意的教育，办党和国家满意的教育，给党和国家一个明确的交代。

二、怎样落实"双减"任务？

关于怎样落实"双减"任务，我认为同样要思考怎样解决问题，那就是寻找并解决造成应有状态与现有状态之间差距的各种影响因素，如评价、负担、制度因素等等。

作为校长，我们要解决的是我们自己能解决的，这就涉及内部归因问题。外部制度、用人制度等我们解决不了，就解决学校内部的制度，把学校环境、评价制度等做好，我认为这是解决问题的途径。我将从作业管理和考试管理两方面谈谈我们学校是如何落实"双减"的。

1. 作业管理

我们可以通过追问的方式来思考一下作业管理问题。作业太多了，为什么太多？因为各科都布置多了。为什么布置太多？因为学科老师都怕课余时间学生不学习自己的学科。为什么担心学生不学习自己的学科？因为有些老师过多地布置作业争时间。为什么有些老师争时间？因为他们只关心本学科的成绩。为什么只关心本学科的成绩？因为评价教师以本学科成绩为唯一依据。我们学校从来不单科、单一地评价一名教师，而是采取捆绑式评价，这就是解决问题。

对于作业管理，我校早在"双减"前就推出了作业免除券，而不是因为有"双减"才这么做。我认为作为一个校长本来就应当这么做，这就是回归教育的本质。

作业免除券有好几种，有可全免当天作业的，有免除当天部分作业的，有免除当天单科作业的。每个同学都能领，人均有一定的免除券，此外学生还可以靠校园积分来兑换免除券，由于身体原因也可以免除，有其他合理原因也可以免除。我更鼓励学生自主学习免除作业，不做老师的作业，有一套自己的东西。

2001—2003年，我和翔宇教育集团卢志文校长共事。翔宇教育集团大概20年前就推行作业纸制度，就是不允许教师给学生订练习册，不然书包太重了。

我们也提出过一个口号：要给学生的书包减重一半。怎么减重？练习册不订了，印作业纸。老师给学生布置的作业就是一张纸，这就有了量的控制和质的提升。比如数学作业纸只能布置在16开纸的一正面一反面，这个有限范围内只能放几道题目，这就要求作业必须精选。作业纸还有利于作业分层，A层次的同学只要把正面的做好就行了，反面两道题不一定要做。甚至还能体现激励作用，比如作业纸上面写：这道题上一届同学有五种解法，你能做出来几种？这道题上一届只有三个同学做出来，你能不能做出来？那么学生为了把题目做出来，可能会自主自觉地做到深夜。学生为什么学不好？首先是状态不行，状态上来了，就不觉得累。所以，状态大于方法，方法大于苦干。

我们学校还布置各种各样的作业。锄禾园西瓜熟了，同学们先不要吃西瓜，先完成作业。比如老师会抛出各种启发性问题：唐诗几百首甚至几千首当中为什么没有西瓜这个概念？西瓜怎样吃才更甜？西瓜原产地五毛钱一斤，为什么到了深圳卖五块钱一斤？这些有趣的作业学生非常乐于去做。作业做完后，我们会连线五位不同专业的博士，如经济学、生命科学、文学、社会学等领域的博士，一起给同学们批阅作业，回答提问。以这种方式进行作业，同学们很受益。

再比如有一年"十一"长假值班的时候，我发现学校池塘里的两只流浪鸭长大了之后开始吃莲花了，池塘里的莲花都被它们咬断了。怎么办呢？我没有直接去解决，而是在网上给同学们写紧急邮件，说："现在出现了'鸭莲'矛盾，我们要解决这个矛盾，请你们出主意。校长在线等，这事挺急的。"同学们纷纷来回答，整个国庆期间忙活起来了，有的还跑回学校实地观察，尝试解决问题。

一个三年级同学画的解决方案是用栅栏把鸭和莲分开；一个二年级同学连线了东北农村的"养鸭大王"（他姥姥）来解决问题；还有个学生说先把鸭子暂时隔离一下，给他一周时间开发一个"鸭脸识别系统"，鸭子进入这个区域就有警报驱赶……解决的方法五花八门，非常有意思。

这个别开生面的作业还被人民网、新华网、中央电视台、中国教育报等媒体报道了。为什么一只小小的校鸭能引起这么多的重视？我开玩笑说，这说明我们的教育太沉寂了，投进一个小石子就能激起波澜。

校鸭事件还有2.0版，后来我们把莲花移走，让鸭子畅游其中，而且鸭子的阵营越来越大，成为校园一道亮丽的风景。有一天一个同学急匆匆地找到我说："校长，我发现鸭子会喂鱼。鸭子一边吃我们食堂给的饭，一边拿着饭去喂鱼。"鸭子真的会喂鱼吗？一个二年级的小朋友来找我说："校长，我认为鸭子不是喂鱼。"我说："那为什么不是喂鱼？你看它含一口饭到水池里喂鱼，一直在水池里吃，一群鸭子都是这样做。"他说："鸭子喜欢吃'汤泡饭'，我们给它的饭太干了，没水，所以它要到里面弄点水。"我说："你怎么知道的？"他说是网上搜的，搜"鸭子喂鱼"，不仅我们学校有，其他地方也有，后面有人解释鸭子喂鱼是因为它不喜欢吃干的饭，喜欢吃水泡的饭。那么我就给他布置作业，我说："你能不能做个实验证明一下？"他就带上一批小伙伴去做实验了。他们很容易就做出来：在饭盆边上放一个水盆，发现鸭子就不到池子里去弄水了，而是一口饭一口水地吃；后来，他们干脆把水倒在饭里，鸭子马上吃得更欢快了。我认为这就是探索性作业。

2021年7月，我从集团的九年一贯制学校调到了高中。调到高中之后，我一直寻思给学生布置什么样的作业。我设了一个校长信箱，供老师和学生提意见。我更希望学生提建议，寻找问题、发现问题、提出问题，更希望学生自己解决问题。

我甚至说，你们一个学期或一个学年下来，建议提得好的，我还要设奖奖励。很快，有一个同学写了一份建议书，提出学校有些地方暴雨后积水严重，最为严重的是宿舍到教学楼之间的一条必经之路，地形详情还作为附件特意附上。

这条路学校之前也修过，但一直修不好。这个学生分析原因，认为是因为这个地方经常沉降，铺好之后一沉降就形成了低洼，雨水就排不出去了。后来我把这个同学找来，让他研究一下怎么做，并和他一起讨论。最后工人是按照同学们研究出来的图纸施工的，同学们最终选用了吸水砖作为材料，不仅修成了再也不会湿脚的路，而且做了海绵路实验，下雨也没有雨水的痕迹。

2. 考试管理

不仅作业可以创新，我认为考试也可以创新。新冠疫情发生后的第一个学期，深圳市期末考试被通知全体取消。无法组织考试，我就让学生命题，于是推出了"校长杯"命题比赛。我鼓励同学们命制题目，可以一个人命一整张试卷，甚至全科试卷，也可以命单个试题，更鼓励他们组一个小组来联合命题，老师就是他们的指导老师，指导他们命题。而且我告诉他们命题不是简单的事情，还有一个双向细目表。优秀的命题将进入我们的题库，考师弟师妹们，同时也考他们的老师。这个创新的考试形式带来了两个"意想不到"，第一个意想不到是学生参与非常热烈，每名学生平均拿到四张奖状；第二个意想不到是学生命制的题目质量非常高，因为他们除了命题，还要讲述命题的背景思路等等，讲得特别好。我认为是一种内驱力带动了他们，原来是老师命题考他们，现在是他们命题来考别人。

所以说，让生命回归教育的主场，让学生站在舞台的中央，我觉得这是"双减"最应当出现的。

围绕着学生的核心素养发展，我觉得我们有很多事情可以做。在我到高中部之后上的第一堂思政课上，我问同学们为谁读书，八个同学中有八个说是为自己的未来读书。这个回答没错，但也不全对。另外两个同学，一个说是为国家的强盛读书，一个说是为民族复兴读书，他们说的时候还有人笑。在这堂课上我主要讲了一个道理：个人的命运前途是和国家命运前途紧密联系在一起的，有国才有家，有国家的命运前途才有个人的命运前途。课讲完了之后，同学们基本都认同了为中华之崛起而读书，并愿意这样去践行。

我们还觉得要丰盈学生的精神，为此我做了三步。第一步，把学校图书馆的藏书清理了一遍，从九万多册图书中淘汰了一万多册品质不好、不合时宜的，剩下71 166册。把71 166册图书全部拿出来放置，遍布学校的各个角落。我要把整个学校建成图书馆，走进学校就像走进图书馆，随时可以取阅，不需要办任何手续。有人担心书会少。书肯定会少，忘了还回来的、弄丢的、弄坏的，这样的情况都有。但书有没有少？书也没有少，因为学生家长、社会上的人士都给我们捐书，总数反而越来越多。

第二步，原有的图书馆搬空了，不能成为一个空壳，于是我向教育局申请了160万元，改造了原有的图书馆，将它变成了一个集休闲、沙龙、讲座、报告、课后延时服务等为一体的空间，这个空间的使用率非常高。不仅如此，我还把它办成了宝安区图书馆分馆。

第三步，我承诺图书馆一年365天向学生、家长、社区开放。我们做到了，所以课后延时服务也好，暑期托管也好，我们早在"双减"前就开展了，我们其他的素养课也非常丰富。

有些人觉得无论怎么样，教育都绕不过考试。我想大家要清醒地认识到，课标、课程、教材、考试、评价都在变。就拿考试来讲，教育部已经明确表示考试内容要大改革，要坚持立德树人，加强对德智体美劳全面发展的考查和引导，要充分发挥考试育人的功能和积极引导责任。因此，我们要充分认清"双减"的趋势，回归教育本质，发展学生素养。

给予学生终身受用的力量——学习力

广州市八一实验学校校长　申东红

"双减"政策落地后，有部分家长感到非常焦虑，担心不让孩子上补习班无法提高成绩。给大家提供一个例子：广州市八一实验学校2021届初三（1）班谢明轩，2021年中考763分，被执信中学元培班自主招生录取。他不仅是学习达人，还是运动达人，爱踢足球；还是音乐达人，在学校军乐团担任次中音号手；还是科技达人，曾参加广州市科技创新大赛并多次获奖。最令人佩服的是，在八一学校的九年时间，他从未上过校外培训班！他的例子告诉我们，不用上补习班，在学校就可以学足学好，全面发展。

学业优秀背后的原因到底是什么呢？在谢明轩的初中班主任练凝老师眼中，"他在课堂之外是淘气爱玩的，但在课堂上又总是认真好问。他的眼睛里闪烁着好奇的光芒，总喜欢对感兴趣的东西穷根究底，但是每当他低头学习的时候，他那专注的样子会让你不忍心去打扰他。他喜欢找各种数学难题进行研究，然后跟同学一起讨论，实在解决不了的，再向老师请教。最重要的是，一道题完美解决之后，他会细细总结，充分吸收题目给予的丰盛营养。"

我们从以上描述中可以看出，谢明轩有很强的学习动力，喜欢学习，主动学习，享受学习；有很强的学习能力，学习的时候高度专注，有一套适合自己的学习方法，善于总结；有很好的学习毅力，喜欢挑战难题，不轻易放弃。学习动力、学习能力、学习毅力这三个要素相互作用，就形成了学习力。学业优秀的学生大多学习力强，有着出色的学习力。

形成学习力的三个要素中，学习动力包括学习兴趣、情感和意愿，解决的是愿不愿学、爱不爱学的问题。学习能力包括感知力、记忆力、思维力和创造力，解决的是会不会学的问题。学习毅力包括自信心、自控力、坚持性，解决的是能不能坚持学的问题。提升学业成绩的关键是提升学习力，学习力对孩子的价值不仅在今天，更在未来。哈佛大学的柯比教授在其著作《学习力》的前言中写了这么一句话："一个没有掌握学习力的人是已经为自己准备好了人生葬礼的人。"他的意思是，一个没有学习力的人，就是一个没有创造力的人，而一个没有创造力的人就是一个没有生命力的人。哈佛不想培养在学校里很优秀，但是出了学校却不能为自己持续增值的学生，因为那样他的价值就像是阳光下的雪人一样，很快就消融了。学习力本质上是一个人的核心竞争力，它决定了一个孩子未来的人生高度。

学校应该怎样培养学生的学习力？我们需要做好五件事。

第一件事，保护好孩子的学习意愿。我们希望能让孩子从一年级开始就爱上学校，爱上学习。学习是人的本能，孩子天生就热爱学习，每一个孩子在小时候都会问"十万个为什么"。引导好孩子的好奇心，保护好孩子的学习意愿是小学阶段教师最重要的事情。谢明轩小学的班主任朱龙芬老师说："在我眼中，每个孩子都是宝藏。我会在他们身上不断地挖宝，然后把宝贝晒出来。"孩子受到鼓励和赞美，会产生一种积极的、美好的情感，会感觉每天上学都是一件非常快乐的事情，那么孩子就很可能会爱上学校，爱上学习。暑假期间，我偶遇一个八一学校即将升入二年级的小学生，她妈妈为孩子强烈的学习意愿而幸福地烦恼着。为什么？因为孩子暑假期间每天都想回学校上课，从早到晚念叨"我要上学"！我听了倍感欣慰。只要保护好孩子天然的学习意愿，学习力的培养就初具雏形。

第二件事，鼓励学生的学习信心。特别是对那些已经受过多次挫折打击，对学习产生习得性无助的学生，如果教师能帮助他们找回信心，他们就能创造奇迹。有一名学生叫林海洋，是我们学校2020届的初中毕业生。刚升入初中时，他的成绩在年级垫底，后来班主任去家访的时候，和这个孩子聊人生，畅想将来做一个怎样的人，想过怎样的生活，想读什么大学、什么专业，打算考哪个高中……青春期的孩子已经开始学着思考人生，只是他的能力还不足以让他把人生想明白，所以我们需要和学生聊聊"诗与远方"。在老师的引导下，林海洋树立了学习目标，制订了学习计划，开始努力学习。当然，过程肯定是艰辛的，会遇到各种困难和挫折，好在每次考不好的时候，父母和老师都会不断地鼓励他，最终林海洋中考713分，如愿进入理想高中。他给学弟学妹们留了这么一句话："学习是一个长久的过程，要坚持，不要轻易放弃。"像这样逆袭的孩子我们学校每年都有。从他们身上，我们看到当一个孩子有了明确的目标，当他朝着目标坚定地前进，当一次次赢得挑战时，他的自信心会爆棚，而全世界都会为他让路。

第三件事，培养孩子的学习兴趣。兴趣是最好的老师，它会指引孩子找到人生之路。小时候的谢明轩喜欢动手操作，他的科学老师发现了他这个特点，就让他加入了学校的机器人社，带着他玩机器人，他一玩就玩了7年。在这个过程中，谢明轩发展出了编程特长，也培养出创新、质疑、钻研的精神。这种精神促进了他的学习，初中以后，他加了所有老师的微信用来问问题。他的化学老师说："我周末两天最重要的事情就是回答谢明轩提出的各种各样的问题。"一个孩子如果这么喜欢钻研，一定会青出于蓝而胜于蓝，他还会倒逼着他的老师不断学习和进步，这就是教学相长。

兴趣是能促进学习的，因为孩子的视野开阔了，觉得自己懂得多，会对自己更有信心，更爱学习。我们非常支持孩子们发展他们的兴趣爱好和特长，我们有61个教学班，按照班与社团1∶1.5的配比，开设了90多个社团，还有10余个体育训练队和若干个特色艺术团体，充分满足了孩子个性化兴趣爱好的发展。我们鼓励初中学生自主创办社团，规定只要能找到三个志同道合的同学，能写出社团的章程和规划书，就可以向学校团委申报社团，批准后就能招兵买马。

颜子力是学校音乐社的创始人。几年前，颜子力找到我说："校长，我们创办了音乐社，需要架子鼓。"我说："行，买！"过了一段时间，子力同学又来找我，说："校长，我们排练好节目了，我们想开一场演唱会。"我说："行，开！"于是给他们借了南部战区礼堂，租了专业的演出音响，给音乐社的十来个孩子每人印制了一个站立式大海报，然后组织了1000多个孩子去看演唱会。那是这些少年人生中的第一次演唱会。今年这些孩子高考了。颜子力向我报喜："校长，我被中国传媒大学录音专业录取了！"这个专业要求非常高，全广东省只录取了他一人。我很高兴，也有些意外，因为颜子力的理科成绩很好，他的父母一直希望他读理工科。我没想到他能够这么坚持地走自己热爱的音乐道路。身为一名校长，为孩子们营造自由宽松的成长氛围，给他们提供丰富的、可选择的、能满足个性化发展需要的课程，支持他们发展兴趣爱好特长，可能就为他们打开了一扇未来人生的理想之门。

第四件事，转变学生的学习方式。转变学生的学习方式，是要让学生变被动学习为主动学习，主阵地在课堂，需要教师创新教学，把主动学习的路线设计出来。

学习金字塔模型相信大家都耳熟能详，学习保持率最高的学习方式是教授他人，所以最好的学就是教，要鼓励学生把自己学会的东西教给他人。这样的创新教学让谢明轩乐在其中：语文老师让学生小组讨论，上台汇报；数学老师让学生上台讲解习题；英语老师让学生进行角色扮演……老师们精心创设的"教别人"课堂培养了学生的学习能力、表达能力和思维能力。还有一个非常重要的学霸秘籍，就是总结与归纳。谢明轩说："在刷好几套题和总结一套题的做题规律中，我选择后者。"他非常重视归纳与总结，每天晚上八点前会完成当天所有的作业，然后在电脑上用思维导图对当天所学的内容进行复盘。我们从小学阶段就开始教会孩子们做思维导图，训练他们总结与归纳的能力。从认知科学来看，零散的知识只会成为孩子们大脑的负担，只有体系化、结构化的知识，才能融入孩子们原来的知识体系，内化成为孩子们自己的东西，所以归纳与总结在学习过程中至关重要。

每一个孩子都是独一无二的，适合的学习方法也不尽相同，学校要立足于以学习为中心的课堂教学改进，帮助每个孩子找到适合自己的学习方式。

第五件事，为孩子们树立学习榜样。榜样是一种看得见的力量，能激励人奋发向上。我们学校是一所脱胎于人民军队母体的学校，是全国的国防教育示范学校、全国少年军校示范学校。基于此，我们以少年军校为载体，引导孩子们以解放军为榜样，学习解放军顽强的战斗意志，严格的组织纪律，吃苦耐劳和奋斗的精神。

此外，每个集体都有自己的学习榜样，"恩来班"为中华之崛起而读书；"雷锋班"奉献他人，提升自己；"南山中队"则铭记钟南山院士寄语"努力学习，奋发有为，牢记时代赋予的使命和责任，争取成为有思想、有能力，对国家有贡献的人才"。为孩子树立榜样，启发他们以英雄为楷模，立鸿鹄志，做奋斗者。

叶圣陶说，我以为好的老师不是教书，不是教学生，而是教学生学。我希望通过我们的努力能给予学生终身受用的力量——学习力，让每个孩子都学会学习，享受学习，终身学习。

没"双减"政策的时候，我们在干什么？

北京工业大学附属中学党委书记　付晓洁

　　我出生在一个教师世家，家中几代人都做老师，我父亲这一辈兄弟姊妹10个，有5个人当老师。他们在我心中的形象是极其高大的，小时候我觉得他们什么都会，如琴棋书画、吹拉弹唱、数理化、日俄英语等。我问他们："你们在哪学的？"他们说："学校。"但到了我自己读书的时候，我发现好多东西学校都不教。到当校长后我才发现，学校其实不培养特长生，我们只是把家长送到培训机构培养好的学生招进来就好了。于是问题来了，我们现在的学校到底在培养什么样的人呢？

　　"双减"政策出台以后，关于"双减"有很多不同的认识。作为学区理事长，我以学区为单位，把学区内七所学校的校长聚集在一起，谈如何认识"双减"。主要有以下几方面的认识：聚焦"双减"，回归教育本位；"双减"，小切口，大改革；"双减"让教育回归本来的样子；"双减"校准价值取向；"双减"重塑教育生态。我们突然意识到，为什么要"回归教育"？难道现在的教育跑偏了吗？偏到什么程度？到底跑到哪儿去了？能在短期内跑回来吗？我问了很多人，他们都回答不出来。其实我觉得这是根本问题，基础教育呈现的是"虚假繁荣"。我们的基础教育"生病了"，需要下决心去手术治疗。这些都是我们不得不思考的问题。我认为执行落实"双减"政策，要在思想上把事弄明白了才会做好。

一个学校该从什么角度去考虑自己每天的行为？管理大师德鲁克说过："战略不是研究我们未来要做什么，而是研究我们今天要做什么才有未来。"也就是说，"双减"政策没出台时，我们已经做的或正在做的，其实已经决定了孩子的未来。比如，我爸妈是教师，因为那时候我居住的地方没有幼儿园，我从小被"扔"在课堂里生活。七八岁的时候，我就把初中到高中的所有课都听完了。正是这种"超前抢跑式"且"无任何压力和负担"的学习，让我快速成长且乐在其中。我觉得那个年代经历的所有事情，就是教育的发生，是我自己主动探寻的过程，没有任何人给我压力。对于我来说，学习不是负担，学习的乐趣太多了，我每一天都在成为更好的自己。我们现在的孩子是这样的吗？

有人问巴菲特："如何才能成为像您一样的人？"他说："你可以先写下25个目标，再把最重要、最想做的5个圈出来，然后把精力集中在这5个目标上，再也不要去想剩下的20个目标，那些都是你人生道路上的陷阱。"那么，什么是我们的办学陷阱？开发所谓的校本课程，创建所谓的办学特色，打造所谓的学校文化？……也许这些就是"办学陷阱"。比如，有些学校的校本课程动辄开发上百门，我们知道，国家课程是由院士、专家、学者等在一起研讨开发的，但是校本课程又不太可能像国家课程一样投入那么多时间与精力。学校是该把精力集中在开发上百门校本课程上，还是集中在研究国家课程的落实上？当校长就该思考，什么是我们学校教育的5个真目标，党的教育方针是什么。我们应该把重点集中在这些方面。

我28岁当校长，以前都在农村学校工作，我所在学校本科上线率只有4%，但是后来的本科上线率可以达到92.8%。老师一个没换，生源也没变，我们是怎么做到的？我带领老师回归到根本，弄明白什么是教育、什么是课堂教学、什么是学科教学的本质。我认为，把这些方面弄明白了，就是在实施"双减"。

什么是素质教育？毛泽东说"文明其精神、野蛮其体魄"，就是告诉我们人该向什么方向发展：成为文明的人、健康的人。我对素质教育的解释就是，一个校长带着一群老师有计划、有目的地开展培养人的系列教育活动，按照一定的体系，培养孩子具备高度文明素养的过程。凡是开展这样的教育就是素质教育，不只是吹拉弹唱。此外，我认为素质教育能为孩子打下完善的世界观的基础。你教给他什么，他就用所学去认识这个世界。如学语文就是学习四种素养：语言的结构与应用，思维的发展与提升，审美的鉴赏与创造，文化的传承与理解；学物理就是了解认识世界是运动的，运动是有规律的，要构建系统，复杂问题简单化……每个学科的知识充盈着学生自己的人生，为他们打下认识世界的基础，让他们形成正确的三观。

我们按这个思路来梳理一下，学校到底要做什么？学校应该发展人、成就人，让学生成为更好的自己。现在学生的发展是片面的，文明了精神，忽视了身体和心理；重视智力，忽视非智力发展；重视知识，忽视能力；重视要考的知识，忽视不考的知识。这样培养的"人"是不完善的，不对称的，我们要把被忽视的部分加强、做好，这样才能让整个"人"立起来，即人得到全面发展。

我们知道自己要做什么了，那考分要不要重视？我个人认为应非常重视考试，重视分数。每次中考高考以后我们都要进行复盘，我会把学生请回来，问学生：你见到这道题的第一反应是什么？你是怎么想的？这和老师的日常教学有什么关联？你认为你解决这个问题是凭借拥有的知识还是能力还是记忆？如果没解决这个问题，你的障碍在什么地方？每个学生都讲给老师听。我不是在单纯地抓分数，我要让教师搞清楚课堂的本质。整个课堂应以尊重为前提，尊重学生的思维方式，尊重学生原有的知识基础、学习方式、理解方式、记忆方式，课堂教学的起点应是学生的问题和错误，每一次课堂都要让学生有所增值。所以，我说要重视考试，重视分数，更要超越考试，超越分数，要绿色教育，绿色分数，要全面、主动研究人的成长和发展。

很多时候我们忘记了为什么出发，忘记了我们的初心是什么。厘清工作的逻辑起点是什么至关重要。逻辑起点是工作的根本，它构成了行动的基础。逻辑起点可以是目标导向的，也可以是问题导向的。目标导向指向培养什么样的人——我们的实际工作是什么；怎样培养人——我们现在应该怎么做；为谁培养人——我们到底为谁服务。问题导向可以考虑核心素养和考试分数如何平衡，长期发展和短期效益的教育工作怎么开展等。我们在尝试中不断改革，在改革的过程中，我认为起关键作用的是师德和教师专业能力，这两方面是"牛鼻子"。我曾经说过：孩子的课业负担是教师的专业能力低下造成的。于是我"逼"着教师变明白，要求教师首先要弄清楚什么是课程，课标为什么这么编、教材为什么这么安排，倡导老师和专业理论较劲。我认为，当教师能把课堂上要说要讲的每句话真的想明白、说清楚的时候，孩子的课业负担就降下来了。另外，教师要以高考为导向，做好学科课程建设与课堂教学改革。现在导向变了，从考查知识到考查能力，从考查能力到考查综合能力，从考查解题到考查解决问题，从考查做题到考查做事到考查为人。新导向将学、用、考进行有机统一，这样教师们再去花大量的时间做重复性、机械性的练习就没有了用处。

关于作业，教师应该看到什么？我想，教师应该通过学生做作业的过程看到他们是怎么想的，看到他们思维发展的过程，看到他们学习中存在的问题。例如，有这么一道数学题："妈妈上午10：00将车停放在地下车库，下午2：00离开，地下车库停车每小时5元，妈妈要交（　　）元停车费。"不同的学生有不同的解法，从这些解法中可以看出他们不同的思维水平，教师应该知道重点辅导和关注哪部分学生，教案怎么写，课怎么上。再比如这道题："如果你有4块巧克力，别的小朋友又给了你3块，请问现在你总共有多少块巧克力？"这是一道很简单的题，学生很快能算出来。看似简单的问题，能体现学生是做题还是学教学。它有一个核心知识网络体系，学生需要掌握的数学核心知识网络结构有：（1）从1到10的点数顺序，每一个数词在这个序列中的位置，比如5在4后面，7在8前面；（2）4属于一个特定大小的集合，比如它比5的集合少1，比3的集合多1，因此不需要从1开始向上数去获得对集合大小的判断；（3）问题中"多"这个词的意思，"4块巧克力"这一集合将增加问题中给出的准确数量（3块巧克力）；（4）在点数序列中每向上数一个数字，都准确对应着集合大小中一个单位的增加；（5）从4开始向上数，说出数字序列中4后面的3个数，计算出合情合理的答案，或者直接从记忆中提取4+4的和，得到8，再在序列中往回数一个数字。由此可见，这是一个复杂的知识网络，如果没有掌握这些核心概念，即便是上述这样简单的计算题，学生也难以真正掌握。而现状是教师仅仅关注解题而没有意识到学生是否学会了数学。

我们的教师会问问题吗？例如，"2+2等于几"有几种不同的问法：第一种，"你知道2+2等于几吗？"这种问法只关注计算技能，适合个体独立学习。第二种，"你能举两个2+2的例子吗？"这种问法关注到思维开发，能够进行课堂交流。第三种，"你能在课堂上建一个2+2的小组吗？"这种问法注重在"做中学"，便于通过"生生对话"产出思维成果。我们再问：为什么在官渡之战中曹操能够以少胜多而在赤壁之战中却以多败少呢？这样通过不同的方式和角度发问，好问题一定是开放、对比、整合、产出的。

学生发展核心素养体系里有六大核心素养，属社会参与的责任担当、实践创新；属自主发展的学会学习、健康生活；属文化基础的人文底蕴、科学精神。还有十八个基本要点。在这么多素养里面，哪种是最核心的？我认为是两种素养，第一是创新，第二是合作。如果孩子拥有创新的智慧，合作的情商，再加上身心健康，他必然能得到很好的发展。

约翰·哈蒂（John Hattie）在《可见的学习》这本

书里提到，影响学习的要素有学生、家庭、学校、教师、课程和教学，这些要素对应的效应量若超过0.4%，表示有影响；若超过0.45%，表示有显著影响。而教师的效应量是0.47%，由此可见教师影响学生的学习程度之深。我刚才说的"牛鼻子"就是源于此。教师应当在课堂上通过自己设计的学习活动带着学生学习，这样教师就是在引发学习、维持学习、评价学习和促进学习，而不是在灌输知识。

上海教育科学研究所2015年的一项研究成果发现，理想的学习基础素养有三大方面：学习能力、学习品质、身心健康。学习能力是指能提出问题、建立知识间的联系和个性化表达；学习品质则是指有没有学习的主动性；身心健康是基础素养。那么，我们可以反思，现在能够提出问题、建立知识间的关联、把知识网络化的孩子有多少？能够个性化表达的孩子有多少？具备主动性的孩子又有多少？所以我们在课堂上有很多事情可以做。

此外，德育、体育对我们意味着什么？体育是德育最好的伙伴，德育要养成的品质与个性在体育里都有，例如竞争、合作、抗挫折、坚毅等，所以学校要办好体育。德育是自然而然的，德育是陪伴、欣赏，更是塑造，德育不是虐心，而是育心，它不能由学生完全自主设计。

总结起来，我们学校希望学生在学校里度过美好时光，留下终生难忘的记忆。当有一天老师老了，学生也老了，师生能一块儿回到这里，坐在原来的班里讲学校原来的故事。我追求的教育，不是把篮子装满，而是把灯点亮！

第四章 乡村教育：在传承中热爱

山城教育，爱的传递

河源市紫金县教育局德体卫艺股负责人
河源市紫金县城第一小学前党总支书记、校长　练伟东

我来自山区县——紫金县。山区的山水养育了我，山区的爱滋润了我。所以，我一直认为，爱是生命的灵魂。因为爱，生命才变得无比精彩。因为爱，我要让有限的生命绽放无限的光彩。

一、我是紫金人，我爱我的家乡

小时候我就从父辈的口中知道，紫金是革命老区，这里有1927年"四二六"武装革命的遗址。这里有较早的县级苏维埃政府旧址。苏区红屋、血田，见证了紫金革命的斗争史。刘尔崧、刘琴西是工人运动领袖。我最喜欢听长辈们讲紫金的革命故事，耳濡目染，我幼小的心灵里就植入了热爱紫金的种子。

紫金虽然是个贫困县，但是这里有情有义有大爱。我出生10个月的时候，患上了急病，住进了乡村卫生院。由于村卫生院医疗设备落后，需要送上级医院治疗，可是那时卫生院没有救护车。附近村庄的乡亲们听说后，组织了20多个乡亲组成人墙拦下了过往的货车，把我送到县人民医院治疗。检查结果出来，是溶血

病，我爸妈伤心欲绝，所幸奇迹出现，我竟然被抢救过来了。医生说，幸亏送救及时，才保住了我的生命。每每听我妈妈回首这件事的时候，我的眼中就噙满泪水。我时刻提醒自己，我的生命是乡亲们给的。家乡人民的恩情，我永远铭记在心，并立下了终身为家乡服务的誓言。

师范毕业时，我本来有机会留在市区工作，但我毅然选择回到家乡，反哺乡村。工作以后，我也曾经有多次到珠三角地区工作的机会，但我一直不为所动。特别是1998年，一个亲戚迫切希望我到深圳工作，并已经联系上了就职的单位，只要我愿意，我就可以到人人向往的深圳工作了。但我觉得，我的生命是乡亲们给的，家乡建设需要我，于是我婉言谢绝了亲戚的好意。如今，我在家乡已经工作了30年，我用我的微薄之力为家乡的发展做出了自己的最大努力。我用我的行动践行着"我是紫金人，我爱我的家乡"。

二、我是教育工作者，我用脚步丈量家乡教育

我出生在一个教师家庭，我爸爸是老师。教师家庭的基因，是我立志从教的源泉。

师范教育奠定了我终身从教的坚实基础。1987年8月，我以优异的成绩考上了河源师范学校，开始了我对教育的追求。读师范的三年，是我学习生涯最难忘的时光。在那段时光，我掌握了扎实的教育专业知识，掌握了基本的专业技能，锤炼了自己的理想信念，树立了为人民服务的情怀。

1990年8月，我师范毕业，被分配到家乡的中心小学任教，开始了用脚步丈量紫金教育的历程。回到母校，看到还是一样破旧的课桌，一样破旧的校园，我想：只有学习知识，才能建设好家乡，才能改变家乡学子的命运。为此，我以自身的行为影响和教育学生，认真备课，用心上课，耐心辅导，帮助困难家庭解决实际困难，对交不起学习资料费的学生，我用微薄的工资替他们交。

社会实践是开阔视野的最好途径。我组织其他老师不

敢组织的活动，如开拖拉机带他们去参加社会实践，增长他们的见识，以至于学生毕业多年，还常常怀念我带他们去社会实践，经常回来与我叙旧，汇报自己的学业和成就。

家访不仅是读懂学生的最好办法，还可以消除家庭对教育的冷漠和误解。刚出来工作时，我在乡村中心小学任教，通过家访，我深入了解到农村家庭的情况，了解到学生学习、生活的实际，从而更好地辅导学生。到县城小学任教时，我利用晚饭后的时间，走入学生家庭，了解学生在家的表现，与家长商讨如何帮助孩子学习，促进孩子健康成长。不到半年时间，我就走遍了县城的大街小巷，访遍所有学生家庭。担任学校教导主任、副校长时，我依然坚持在晚饭后到学生家庭走访，县城的每一个角落都留下了我的足迹，以至于很多家长以为我才是孩子的班主任。有些孩子毕业多年，或是已经出来工作了，孩子的家长还来与我探讨孩子的教育和成长的事情。

三、作为一名山区小学校长，我坚持做好每一件小事

2006年我被提任为学校校长，担任校长后，我觉得我担负的责任更重大了。因为校长一职不仅关系到学生的成长，关系到每一个学生家庭，还关系到学校教师的成长和学校的整体发展，关系到党的教育大业。因此，做好学校的发展规划，做好学校的每一件小事就显得非常重要和必要。

国旗下的讲话是我与学生交流的最佳契机。我经常在国旗下讲话，对学生提出"会感恩、会学习、会健身"的九字人生口诀。

和学生在一起是获得信任的最佳途径。我经常和学生一起运动、一起读书、一起植树，寓教于乐，走进学生的心灵世界，与学生建立起深厚的感情。

细节教育是学生良好习惯养成的重要抓手。为培养学生的良好习惯，我与孩子们定下五个约定，即来到学校把

地扫好、把书读好、把操做好、把歌唱好、把字写好的"五好工程"，以期达到"扫地益能、读书生慧、做操健体、唱歌怡情、写字练人"的育人目标。

让学生在笑声中茁壮成长，是中小学校办学的最高境界。我要让校园充满笑声、歌声、读书声，我要让孩子们在欢声笑语中快乐成长。笑是生命的最美乐章。教育就是要让更多的孩子学会笑，以积极的心态、积极的行动面对学习、面对生活，从而笑对人生、笑对生命。

培训学习是校长和教师的最佳福利。因为对家乡教育深深的热爱，我常常担心自己的知识和能力不足，于是一直促使自己加强学习，不断吸收知识，不断拓展知识的广度和深度，提升自己的育人本领。除此之外，只要有培训的机会，我都不会错过，而每次培训学习我都会认真用心对待，力求每一次学习都有不一样的收获。

身体力行、做出表率是校长最应有的德行。我比老师早到学校，比老师迟离开学校，经常为了学校工作而加班。特别是为了发挥名校长工作室的示范、引领和辐射作用，我经常为了工作室的工作进入一种无我的状态。在我的教育情怀影响下，一大批教师成长起来，成为学校发展的中坚力量。陈玉丽，由一个初出茅庐的小姑娘，短短几年就成长为河源市名班主任工作室主持人；黄子燎，从班主任做起，先后担任学校副教导主任、教导主任、副校长；张雁枫，由一个普通老师成长为县城学校最年轻的副校长，如今是广州市南沙区的一名校长。

山区教育人的真爱传递，是山区教育发展的基石。我是山里的孩子，是家乡人民的爱赋予了我新的生命，如今，我怀着感恩的心，尽自己的所能去教育好家乡的孩子，让更多的孩子学好本领，建设好家乡。我要用毕生的精力，做好山区的教育事业，成就更多孩子的梦想，让山区教育人的真爱一直传递下去。

看不见的乡愁，回得去的故乡

佛山市顺德区杏联初级中学校长　赵平正

一、为什么会有乡愁？

"小时候／乡愁是一枚小小的邮票／我在这头／母亲在那头／长大后／乡愁是一张窄窄的船票／我在这头／新娘在那头／后来啊／乡愁是一方矮矮的坟墓／我在外头／母亲在里头／而现在／乡愁是一湾浅浅的海峡／我在这头／大陆在那头。"1972年，余光中先生抒写了感人至深的思乡爱国之情怀。诗歌《乡愁》脍炙人口，道出了几代人的思乡情怀。

如今，40多年的改革开放，我们从乡村走向了城镇。城市在崛起，乡村相对衰微。乡村似乎成了留守老人、孩子的代名词。乡愁本来是游子对家乡、对乡村美好的回忆，对乡村亲人的牵挂，如今变成了对家乡发展的忧虑，带有了一丝丝的焦虑和哀伤。

二、怎么化解乡愁？

乡村振兴问题关系中华民族伟大复兴的大局，怎么振兴？

2017年10月18日，习近平总书记在中共十九大报告中指出：坚持人与自然和谐共生。必须树立和践行绿水青山就是金山银山的理念，坚持节约资源和保护环境的基本国策。连续多年的"两会"提出了逐步推动乡村产业振兴、人才振兴、文化振兴、生态振兴和组织振兴的"五振兴"具体实施战略。这本质上就是明确了乡村振兴的方向和目标，是对乡村更高层次的回归和超越，重建富裕、文明、信息化时代的乡村生活。

为响应国家号召，顺德区杏坛镇青田村立足岭南地区的乡村社会特点，在杏坛镇党委、政府和社会各界的共同努力下，找到了岭南乡村及村民的实际需求点，在保护传承岭南乡村文化的基础上，融入现代元素，创新性发展，为传统文化赋予了时代内涵，形成了乡村振兴的"青田范式"。

从"青田范式"中我们看到了乡村振兴的路径：艺术建村、产业建村、党团建村、村民自治建村、文化兴村、教育强村、体育强村、生态养村等等，综合施策，多方联动，共同促进乡村振兴。

"青田范式"最大的目标，是让乡村成为人们"灵魂的精神家园"；"青田范式"最核心的特点，是尊重每个乡村的独特性；"青田范式"最大的启示，是探索了乡村振兴的现实可行路径；"青田范式"最大的痛点，是人们能不能实现爱的回归，即生活观念乃至生命灵魂的终极回归。

有人说："人们不是在逃离乡村房子，是在逃离乡村信仰。房子'复活'只是我们振兴乡村最开始的一步，乡村建设的根本在于使人心回归。"

乡土家园，爱的回归，需要吸引更多的年轻人、更多的人才回到家乡，建设家乡，共同守护我们爱的家园。我认为，爱的回归，关键在于重塑乡村价值观和生活观，让心灵乐归家乡。教育强村、文化兴村是其基础性的工程。这正是我们基础教育的重要使命之一。

最好的美食是妈妈做的家乡的家常菜，最好的民宿是家乡的老屋，最壮观的迎亲队是村头的榕树。用家乡事、家乡人激励每一个学生，让他们扬起理想风帆，奋发建设家乡的未来。繁荣家乡文化，建设美丽乡村，这是我们教育工作者义不容辞的责任！

三、我们在行动——教育先行！

为了传承杏坛文脉，弘扬水乡民俗文化、状元文化的优秀品质，我们应该效法陶行知先生，首先办好乡村学校。"千教万教，教人求真""千学万学，学做真人"，我们深刻体会其精神，落实于行动，为杏坛乡村振兴奠定精神基石。

2011年8月，我有幸成为杏坛镇高级中学的副校长，从此开始了杏坛本土文化与学校发展有机结合的探索。收集杏坛地域文化资料，走进图书馆、博物馆，研究文献和史料，走进社区、访问老者、调查研究，积极参与社区文化活动……几年的时间里，我不遗余力去寻求地域文化的精神，找到了杏坛自古以来的许多优秀文化现象——杏坛地域文化中的神话故事、民俗文化活动和仁人志士的事迹故事，梳理出了一条育人的脉络。历代名人的精神风骨和人格品质，都是育人的精神瑰宝。杏坛古代历史上有黄仕俊、梁耀枢两位状元，还出过59名进士、297名举人，还有近代革命志士尤列、黄节，抗日英雄郭剑华、梁万福和2020年受到习近平总书记接见的来自杏坛东村的叶延英（现任中国科学院深海科学与工程研究所深潜技术研究室主任、载人深潜队队长，深潜地球"第四极"马里亚纳海沟10 909米）等等。他们就像一颗颗耀眼的珍珠，镶嵌在杏坛社会的历史长河里。我从他们身上看到了最有价值的爱国爱家、勤奋好学、诚信友爱、勇敢顽强、积极有为、奉献社会等高尚品质。这正是我们学生精神成长的"母乳"。基于此，我在就职经历的三所学校里都积极推进杏坛地域文化与学校文化的融合，尊重、传承与创新杏坛优秀文化，办"有根"的教育。

2014年开始，我在杏坛中学推进"仰圣教育"，努力把乡土文化融合到学校德育工作中去。此外，我们还开发校本德育课程，举办走进乡村研学活动等，开展了一系列旨在激发学生立足家乡、热爱家乡的社会实践教育活动。

2016年，我被抽调到杏坛镇伍蒋惠芳中学担任校长后，结合古朗乡村文化特色，推出符合古朗地域特色的"俊朗教育"，立课程，做研学，构文化，培养"丰神俊朗，优雅惠中"的芳中人。"俊朗教育"不仅在教育学生上下功夫，还带领老师走进古朗古村，举办读书分享活动，让师生体验乡村的宁静美和古朴美。我于2018年为学校写了校赋："诗画古朗，繁花似锦。朗朗勤读，济世好学。古树扬风，古桥载道，世代遗风，忠信博学，爱国忧民。尤列士俊，惠中至亲，桑梓乡里，学子楷模。承载祖训，静心自问，自爱自尊，自律自主，自省自强！由此腾飞，达己达人。"

2017年9月，我调到杏坛镇杏联初级中学。经过多方探究和寻访，立足杏坛优秀传统文化和学校实际，我提出了"我是状元郎"的办学理念和培养目标。旨在让孩子们向光耀千秋的历史贤达学习，向身边的仁人志士英雄人物学习，"做最好的自己，成就更多人的幸福"；积极培养学生的朴实求学意识、胸怀大志意识、学成报国意识、荣耀乡里意识等。

为此，我们杏联中学构建符合杏坛地域特色的校本课程体系和培养目标体系，让每个孩子都找到自己的奋斗目标，让每个孩子都成为自己的状元，让每个孩子都绽放自己生命的精彩。通过推动国家课程、校本课程、校本活动、社会实践等教育教学活动的实施，实现课程理念和目标。回归本土文化，让杏坛历史上的仁人志士和现代英雄成为孩子们茁壮成长的榜样。只有做"有根"的教育，振兴乡村教育，实现人心、人才回归，才能真正实现乡村振兴！

有了深厚文化底蕴的滋养，杏联中学用三年时间实现了跨越式发展。

有了对本土文化的尊重、传承与创新，学校的教育价值也有了不竭动力和源泉。

有了与新时代"绿水青山就是金山银山"发展理念的相逢，有了与杏坛文化的相融，有了与村风民意的相通，有了基层党组织和村民自治组织的相亲相爱，有了厚植于优秀传统的"真人"教育，有了广大村民的集体智慧，故乡儿女不再有乡愁，振兴乡村定获成功。

看不见的乡愁，是"国家兴亡，匹夫有责"的责任担当。

回得去的故乡，是"敢为人先，不断创新"的践行有为。

让我们一起努力，办好乡村教育，振兴乡村文化，乡土家园，爱定回归！

在传承中热爱

佛山市顺德区勒流裕源小学校长　伍周旋

　　我来自广东省佛山市顺德区勒流裕源小学。"裕源"两字是学校所处的裕源村的名字，由原裕涌村、清源村两个自然村合并，从村名中各取一字，合为"裕源"。不过，我和老师们常常把"裕源"理解为"富裕之源头在于学习"，以此鼓励孩子们努力学习，创造美好生活。裕源小学启用于2013年，是裕源村里的小学。从文化传承的角度热爱并践行家乡的教育是裕源小学德育教育的一个亮点。以下，与大家分享这所乡村学校在这方面的教育实践。

　　文化是一个民族的根。中华优秀传统文化是中华民族的精神命脉，在新的发展征程中，正在与时俱进地形成中国特色社会主义文化。孩子们通过积极参与优秀传统文化活动，锻炼心智，践行对家乡爱的诺言。在实践中，中华民族传承的优秀文化元素，如春天的种子般根植在孩子们的心中。我们希望在实践中传承传统文化，让家乡不再是字典里一个枯燥的词语，而是生活中灵动的文化，是成长中闪光的智慧，更是心底里最柔软的情怀。

一、文化的精神传承——以儒韵激荡家国情怀

孔子创立的儒家学说以及在此基础上发展起来的儒家思想，对中华文明产生了深刻影响，是中国传统文化的重要组成部分。建校初期，在当地教育主管部门和热心乡贤的鼎力支持下，裕源小学秉承"润先贤厚泽，育儒韵学子"的办学理念，提倡"品国学经典，建儒雅校园"，培养"儒韵学子"。

裕源小学校内伫立着孔子像，拥有能够容纳六百余人活动的孔子广场。每一批入学的新生及其家长都需要在这里进行隆重的开笔礼，亲历古代学子的启蒙学习仪式，领略中华民族尊师孝亲、崇德立志、勤奋学习、仁爱处事的传统文化精神。

开笔礼的盛典中，我们会邀请优秀校友及乡贤回校共同参与、见证，他们或是高校的教授、企事业单位的决策者，或是热心桑梓、德高望重的村民长者，又或是学业出类拔萃的学长们。由他们给新生亲点朱砂，寓意从此去蒙昧、明事理，开启智慧人生。学校与社区、与社会之间的依存与联系，通过这样一种非常有意义的文化传承活动联结在一起，三者各自承担着不同的角色，却又共同完成文化传承和人才培养的工作。自然、和谐，构成了一幅乡村教育和谐共生的美好画面。

裕源小学从开笔礼开始，逐渐把传承中华优秀传统文化延伸到学习的不同时空，构建起"儒韵"校本课程体系。孩子们在校园里练书法，学礼仪，诵经典，习武术……从日常学习到重大节庆主题活动，从校内到校外，从家庭到社区，通过不同时空学习情境的设计，学生从小对中华民族的优秀传统文化耳濡目染，沉浸其中，民族自豪感与文化自信心自会油然而生。这些民族文化的优秀基因会深入孩子们的身体和心灵，沉淀为孩子们的习惯，乃至形成孩子们的品格与价值观，激荡起孩子们发自内心的家国情怀。我想，这就是文化传承的魅力。

"儒韵飘香千载，书香浸润百年。立德树人无悔，春

风桃李有成！"有感于裕源小学"儒韵教育"的践行，我曾写下这两行诗句，与大家共勉。

二、特色乡土课程传承——在寻根溯源中丈量家乡美

悠悠天宇旷，切切故乡情。家乡父老的欢颜暖语，庭院老树下的棋盘玩伴，古老祠堂顶上的飞檐翘角，池塘围栏边上的习习微风……每每入梦，摇曳一壶乡愁！

为了培养学生饮水思源、不忘感恩的情怀，我们设计了一个很好的主题：寻根溯源，走读家乡美。我们组织孩子们以调查走访的方式了解自己家乡的故事，一步步建构乡土特色课程。他们用手中的纸笔、摄像机记录下裕源村乃至更多周边村落的美景画面。孩子们寻根溯源，用脚步丈量家乡之美，本身也是一种美！村落里，留下了他们查找历史的印记；河涌边，留下了他们与长辈交谈的温馨画面；古榕树下，还有他们自在遐想的片刻静谧。他们拍摄家乡美景，记录走访中的见闻和感受，用行动将见闻定格为心中的永恒！

裕源村里，裕涌和清源两个自然村落依然保存着较多的乡土文化和习俗，尤其是姓氏文化及相关的风俗。单单裕涌就分布着七个不同姓氏的村民，多年来他们和谐相处，共同建设美好的生活。每个姓氏都建有祠堂，祠堂里陈列着家族繁衍发展的许多印记，以供子孙后代了解姓氏背后的家族奋斗的历史，这是家风祖训的一种传承方式。祠堂给孩子们打开了一扇了解前辈奋斗故事的窗口，让孩子们实实在在地从家族发展历程中汲取到开拓与创新的力量。

另外，为更直观地了解乡村经济振兴发展的现状，学生们以小组的形式对家乡的交通、环境、住房、其他基础设施建设、本地企业发展等方面展开调查。曾经的桑基鱼塘摇身一变成为现今的高楼大厦，崭新的柏油马路旁矗立着数百年前建的旧祠堂，这些关于家乡的记忆，因为深入的探究实践而深深烙在了孩子们的心底。我们认为，爱家

乡，当不忘往昔的历史，当珍惜现今的发展；爱家乡，当在传承中发展，在发展中创造。

乡愁千里人尽望，回首家国总关情。乡村经济振兴的希望在于乡村教育的振兴，而乡村教育的振兴，归根结底在于人文情怀与综合素养的提升。学校的课程建设，在国家课程的基础之上，需要更积极主动地与当地的人文风情、文化传统、名胜古迹等资源紧密结合，通过创设更多的实践平台，让爱家爱国、为家国繁荣而努力读书的情愫在生动且可触摸的实践中萌芽并生发，达到育人无痕的效果。

三、行动实践传承——在志愿服务中践行爱的诺言

"莫笑农家腊酒浑，丰年留客足鸡豚。""昼出耘田夜绩麻，村庄儿女各当家。童孙未解供耕织，也傍桑阴学种瓜。"品读中华经典诗文，思绪随诗穿越古今，遥望当年村居父老，依旧淳朴好客；笑看当年孩童，早已辛勤当家。村落传承古风遗韵，谨守村规民约，邻里和谐互助，乡音有改而乡情依旧，这得益于中华民族优良传统的美德。热爱家乡，我们不再停留在对诗歌古籍的想象中，不再局限于课堂上的视频里，而是以实际的行动去实践，在实践中学习与传承。

我们的老师首先迈出了校园，以志愿者的身份主动参与社区活动。敬老、扶困、整治人居环境、防控疫情、义务献血等等活动中，均可见教师志愿者的身影。学校同步设立校园学生志愿者的岗位，学生志愿者从原本仅仅负责学校常规礼仪、着装和行为规范等方面的自主管理工作，到走进乡村，成为社区学生志愿者。

从2020年10月开始，裕源小学首批社区学生志愿者参与社区服务，他们行走在村民中间，倒积水，清垃圾。学生志愿者以自家所在的居住地为据点，践行人居环境整治工作，一方面积极动手维护环境卫生，主动承担家务劳动；另一方面也充当卫生宣讲员，向乡亲们传

达讲卫生的知识，取得了非常好的效果。后来，孩子们或在村史馆给来宾讲家乡的故事；或在"四小园"里栽种鲜花、蔬果；或在村里划定的文化墙前涂鸦作画……他们用自己勤劳的双手践行着美化乡村的使命，带动着更多的村民支持乡村振兴发展，把"小手拉大手，文明一起走"落到实处。

乡村精神文明建设和振兴需要孩子们自担责任，尽力而为，这也是社会责任感与担当意识培养的重要环节。在这些活动中，我们欣喜地看到学生在实践中学习和成长，享受到了义务的奉献与服务带来的快乐。对自己参与美化的乡村，怎能不更加热爱？

只有善于传承，才能更好地创新发展。以上，我们从文化传承的角度，对学校的办学理念、课程建设、实践活动平台建设进行了分享，这些关于乡土教育的实践探索，真实地记录了裕源人乃至更多教育工作者对乡村教育振兴的期望与理想。

一路走来，我深刻地感受到，文化传承的过程，就是将乡土情结与家国情怀具体化、生活化、可感化的过程。生活中的每一个瞬间，都可以流淌对家国的奉献与热爱，而这是否可成为人文素养提升的一个新的制高点呢？与各位同行们共同探讨。

教育对于文化传承的主动承担和积极践行，必将凝聚起乡村振兴的巨大合力；基于传承的乡村振兴之路，必将老少乐见，能够得到最广大人民的认同并为之奋斗。我们完全有理由相信：在行动中传承，在传承中热爱，在热爱中创新，在创新中发展，我们的美丽乡村，必将走向更美好的未来。

做生命成长的陪跑者

汕尾市海丰县海城镇中心小学教导处副主任　屈小玲

我叫屈小玲，是粤东革命老区、彭湃故乡的一名小学老师。世界上有两个地方有红场，一个在莫斯科，另一个就在我们海丰。"天上雷公，地上海陆丰"就是对我们海陆丰人民"敢为人先"精神的最好诠释。

从乡镇小学的普通教师到省名师工作室主持人，虽然角色在不断更迭，但我总觉得自己就是教育园地里一名不变的耕夫，耕耘春夏秋冬、耕耘教育沃土、耕耘学生心灵……我收获着对教育的感悟，享受着教育人生给我带来的快乐。三十年过去了，我始终把学校当作我的另一个家，把学生、家长、同事当作我的家人，我依然是那个永远年轻、永远热泪盈眶的"新老师"。

我总认为，做教师，就是做生命成长的陪跑者。

一、激励与唤醒：做学生成长的陪跑者

教育不仅在于传授，更在于激励与唤醒。我愿意一直做学生们生命成长的陪跑者，学会倾听，学会理解，学会鼓励，学会引导，用情

怀和爱心温暖孩子，让每一个生命都能长成参天大树。

自19岁从中等师范学校毕业，步入教坛，每天我都会早早地来到学校，课上和学生谈古论今，课下和学生嬉戏玩耍，以和学生们斗智斗勇为乐，以和家长们交流谈心为欢……周末我还会到公园和认识的、不认识的孩子一起读诗，一起交流。直至今天，我仍然喜欢当那个被学生们围着喊"屈老师"的孩子王。

有人问我："以你的条件，到深圳工作可以享受高薪待遇，为什么还留在乡村？"说实在话，我不是没有心动过。每次，我总是对自己说，学生需要我，家长信任我，带完这一届，我再考虑。等带完这一届，我再考虑考虑。再后来，看到身边的好老师纷纷另谋高就，小镇唯一的一所省级高中升学率不高，我急了，只有教育兴才能吸引人才，振兴家乡，别人要走我留不住，我自己可不能带这个头。

我有一个学生，今年28岁，上个月刚刚结婚。上小学时他非常顽劣，不爱读书，结交了一群社会上的朋友，老师、家长的话都不听，脾气暴躁得很，教过他的老师都对他无可奈何。六年级时，分到我的班上不到一周，他就公然挑衅我，还摆出一副无所谓的架势。但我没有放弃他，因为我知道，如果我放手，这个学生的未来可想而知。每一个"问题学生"的后面，都有一个"问题家庭"，或者"问题家长"，要想改变学生，首先必须争取到家长的支持。我与其家长促膝相谈，真诚相待，了解了学生叛逆的根本原因。原来孩子从小是跟爷爷奶奶长大的，爷爷奶奶对他非常溺爱，他与父母关系比较疏远。

他跟我读书一年，我从来没有嫌弃他考试总是最后一名。放学后，我经常把他带在身边，让他和我儿子一起学习。有家长问我："他是你的孩子吗？"我总是当着他的面微笑着说："是的，他是我的孩子。"慢慢地，他看我的眼神温柔了许多。我有意无意地陪他回家，帮他切断与社会混混儿的联系，教他学会体谅长辈的辛劳。我反复告诉他，书读不懂不要紧，最重要的是要学会做人，学会做事，孝敬长辈，做一个对社会有用的人。

前几年，他们班聚会邀请我参加，他看见我，给了我一个大大的拥抱。他还特地告诉我，他现在和父母关系很好，我之前说的"孝敬长辈，做一个对社会有用的人"的话他一直都记得。他说自己现在的工作很辛苦，但赚的每一分钱都是干净的，守法的，都是自己的劳动所得。学生的话让我热泪盈眶。我为什么要分享这个学生的故事呢？因为我觉得，培养好学生固然重要，但更重要的是挽救所谓的"坏学生"（学困生）。在学生在成长路上迷失方向的时候，我们帮他们一把，拉一拉他们，培养他们正确的人生观、价值观，无异于挽救一个家庭。

用仁爱之心温暖学生，用扎实的学识和朴实的人格魅力吸引学生，培育学生，教会学生如何有意义地生活，做学生成长的陪跑者，这是我作为师者的幸福。

二、尊重与信任：做家校合育的陪跑者

家校关系不仅在于简单的合作，更在于和谐与共识。我愿意一直做家校合育的陪跑者，与家长彼此尊重，彼此信任，及时沟通，达成共识，用真诚和智慧感染家长，让家校合育奏响学校教育的最强音。

一个孩子是世界的八十亿分之一，中国的十四亿分之一，班级的五十分之一，却是绝大部分家庭的百分之一百。当下，我国家庭教育普遍存在"重智轻德、家校脱节"等问题，在乡镇学校中，这种问题尤其严重。我常常告诉自己，每一个学生都值得被爱，每一个家长都值得被尊重。每次接手一个新的班级，我都会把电话留给家长，方便家校沟通。有一天，学生小杨上课时突然呕吐了，我一摸他的额头，滚烫滚烫的，急忙打电话给家长，可电话一直打不通。小杨哭着告诉我，因为他贪玩、爱打架，妈妈以前经常被老师"请"到学校。开学，妈妈怕新老师又找她麻烦，已经提前把老师的电话拉入"黑名单"了，电话是不可能打通的。听到这话，我的心在颤抖：老师打电

话给家长，大多是"告状"，家校沟通的误区让家长把老师当作可怕的"瘟神"，这能怪家长吗？此后，每次小杨有一点进步，我都会主动向小杨妈妈报喜，有时是一张表扬的卡片，有时是写在作业本上的一两句激励的话。我在努力改变个别老师"报忧不报喜"的误区，积极架设家校沟通的桥梁，温暖学困生及家长的心，争取家长对教师工作的支持。慢慢地，小杨妈妈经常会私信我，告诉我小杨在家的一些表现，让我给她提一些建议。后来，当我捧着小杨的奖状再次来到小杨家时，小杨妈妈感动得流下了眼泪……

从教三十年，我带了十多届教学班，很多家长都成了我的朋友。走在大街小巷，经常会有人和我打招呼。很多朋友羡慕我，说我人缘真好。其实，不管是老师还是家长，出发点都是一样的：用真心赢得真心，用善意凝聚善意。如果我们每位老师都能把学生当作自己的孩子，把家长当作自己的朋友真诚相待，又怎么不能换来真心，又怎么会有家校矛盾呢？只有增进互信，才能使家校关系更加融洽，我愿意当家校合育的陪跑者。

三、示范与引领：做教师成长的陪跑者

教师的成长不仅在于个人的努力，更在于团队的智慧和名师的引领，我愿意一直做教师成长的陪跑者，培养一人，带动一校，引领一片，辐射区域，用示范与引领激发教师对专业化发展的内驱力，让每一位教师都能绽放光彩。

学员刘紫微是鲘门镇的一名乡村教师，她在入室培养结业总结中写道："三年的学员生活，我们是无比繁忙的，常常辗转在学校与工作室之间。外出培训，我们都是提前调课，很多时候上午在海城、陆丰或者城区、陆河送教送研，下午要赶回鲘门上课。工作、学习哪个都不能耽搁，常常是白天参与工作室活动，晚上在家备课、评改作业。尽管如此，我们是累并快乐着，因为工作室的每一项活动都是珍贵的。我们在屈老师的指导下快速成长，我们享受这样的忙碌而收获成长的时光。我衷心地感谢专业

成长道路的引路人、改变我人生轨迹的导师——屈小玲老师。屈老师既是严师，也是益友，更是一个暖心的陪跑者。在她的带领下，我们一路奔跑向前。我常说我是被屈老师'逼着'成长的。我人生中最刻骨铭心的经历是大年三十被屈老师拿着论文查重器'逼'着写案例；最受'折磨'的是跟广东省名师工作室主持人邹建成老师做同课异构的那四天，被屈老师盯着备课，每天晚上梦里我都在上'绝句'；最感动的是第一次挑战群文阅读课，屈老师坐车一个多小时，亲自到鲘门听我试讲，手把手地指导我，仔细到演示文稿中的一个小标点，板书中的点横竖撇捺……"

如今的刘紫微老师已经成了工作室团队的一面旗帜：汕尾市小学语文学科带头人，汕尾市名班主任工作室主持人。在她的带领下，鲘门镇的教研活动搞得有声有色。

同样让我骄傲的是年轻学员的成长。南塘镇圳头小学的"90后"教师郭晓绮，在加入工作室之前从来不知道什么是课题研究，学校也没有组织过什么教研活动。与她交流了解到这些情况以后，我决定带领团队到她的学校送教送研。我还记得集体教研时一位老教师激动地说："屈老师，太感谢您了，从教二十多年来第一次参与这样的教研活动，真好！您工作室什么时候还招学员，我可以加入吗？"在小郭老师的带动下，这所只有不到20名教师的乡村小学从没有一个课题立项，到三年后成功结题三个县级课题，立项一个市级课题。

"培养一人，带动一校，引领一片，辐射区域"，这是我一直以来秉持的理念。三年的入室培养即将结束，工作室团队的学员们个个都已能挑大梁，他们都是各个乡镇可独当一面的骨干教师。能够领着一群有情怀的教师一路向阳，一路奔跑，这是多么幸福的一件事啊！

唯有热爱可抵岁月漫长。因为爱学生、爱家乡，所以热爱着人民教师这份职业。如果人生是一场马拉松，那么我愿意当学生、家长、教师成长的陪跑者！

乡村教育，必要的乌托邦

徐州市铜山区汉王小学校长　曹玉辉

谢谢主持人的溢美之词，诸多头衔皆为虚名，我乃一介凡夫，草根出身，自乐其中。身居僻壤，却胸怀梦想；不会武功，但崇尚侠与义。仰国内陶行知之"生活即教育"，慕国外卢梭之"归于自然"。于依山傍水处结庐而居，非为高雅，只为心中教育的乌托邦。我从村小到机关，又从机关到村小，并非伟大，只是觉得我的梦想在乡野，在乡野可以做自己认为有意思的事，最好升华到做有意义的事。

谈教育，感慨万千，教育现在是"生病"了，貌似风光，其实根基浅。我简单概括一句："考科"当道，其他靠边。在广东，我想也一样存在着这种现象（一味追求升学率）。教育的终极是"应试"还是"应世"？我们生活在一个应试的年代，这不是谁的错的问题。怎么办？我想，应该在方寸之间，仰望天空，实现自己的梦想。

联合国教科文组织组建的国际21世纪教育委员会提出了一个命题，叫"教育，必要的乌托邦"。乌托邦其实就是一种梦想。我的梦想是，办一所有文化的学校，让教育充满着平等、民主、自由的人文精神，充满着生活的气息。在那里，教师不苟且，不浮躁，自敬其业，自乐其道；学生少而知学，勇而敢为，自信自强，唯学无际。我梦想让师生成为最幸福的人、最要好的朋友，我梦想把学校办成世界上善好的场所。

一、自然养智

教育应该在朴素明朗而又隽永清新的环境中展开，在生机活力中展开，既能融入当下的生活，又能保持一个超越当下生活的姿态和空间。

教育和田园具有一些基本的共同特征：都有纯朴的本性，轻松和谐的生命氛围，自然清新的精神风貌和从容不迫、厚德载物的胸襟气度。我把自己践行的这种教育称为"田园教育"——以"道法自然"为原则，因情性而疏导，缘性情而发挥；循情趣以设教，顺天性以导引。

吴颖民校长在第一季首场"山长讲坛"开篇就提到一个议题：校长能不能用学术的沉思抵御世俗的喧嚣，在真善美境界中求得宁静，在精神层面引领教师的发展？他给出了三个层次的思路：凝练、践行、传播。一个校长应该有自己的教育思想、办学理念、学校主张，成为师生的精神领袖。我认同先生的办学思路，大家看看以下我的做法有没有点意思。

教育愿景：养赤子之心，立乡土之本，树现代之标。

学校定位：一所古朴典雅的现代学校。

学校使命：培养有民族根基的现代人。

价值取向：开启智慧，润泽生命。

经营哲学：高境界、大智慧、真胆略。

特色定位：通文立德、解字作书。

办学要略：在文化中浸润，在品牌中增值。

二、文化养人

"学校的教育本质是一个文化的过程。"现在什么都提"文化"，而学校最需要文化——现在的学校都是方形的大楼，矗立着高高的旗杆；办学理念大多雷同，同质化严重；校训一般为四个词、八个字，"团结文明奋进创新"可以达到百分之六十的重复概率，缺乏独有的想法和思路。

我们应当在每个细微的教育行为中浸润文化精神，即凡而圣，由绚烂走向素朴，寻常昭示幽远，耳濡目染，行以成之，令千百师生沐浴在优秀文化的熠熠辉光里。

文化育人，文化也养人。学校里的每一处都应该用物境和文化悦目养心，陶冶性情。我们学校的每一个小景点，都有师生参与设计。校园一角中间的雕塑是王羲之，旁边的三棵小树便代表着"茂林修竹"，那两块石头便是"崇山峻岭"，弯弯的小溪便是"曲水流觞"……我们想用这个景点诠释《兰亭集序》。有的老师会说："那还少了'群贤毕至，少长咸集'这两句。"如果有幸邀请诸位到我学校去指导，孩子们和你们在一起，就能完美地诠释这个场景。

学校里有一个不大的地方，我们把它命名为"孔子园"。三块陋石，寓意"三人行，必有我师焉"。

学校教职工搬进宿舍新楼后，原来的两排小平房留之无用，弃之可惜。我就简单地改造了一下，把小平房变成了小院。窗格是从旧货市场淘来的，瓦的颜色是喷上的，匾额是老师自己刻制的。小院起名"未名苑"，寓意"今天没有名，明天很有名"。房间以"欧厅""赵厅""柳厅""颜厅"命名。因为房间非常小，学生必须分批进入。学校里举行书法段位升级赛，只有书法水平达到一定级别的人才有资格进入未名苑参展。

未名苑虽然很简陋，但我认为从这里走出来的学生，一幅画、一幅字也能带给他高雅的享受。和学生一起成长的校园文化是生动的，和校园文化一起成长的学生是幸福的。

三、翰墨养性

"纸上云烟笔下风，翰墨养人显神功。"这是我多年来一直的坚持。我帮助学生从"写好人生第一笔"到提升书法作品水平。"台上一分钟，台下十年功"，教师用正楷写五言绝句，每个人必须一分钟内完成，还要会写一百首古诗，这是硬功夫。不但学生、老师要写，传达室的师傅也要写，能写好字，每个月加200元的工资。食堂的师傅也要写食堂里的菜谱——包子、油条、小榨菜，写得好，有奖励。如果学校很美，就是校内人员写的字"惨不忍睹"，太说不过去，所以字要写好。

学校开展了系列书法活动，其中最令学生心动的还是每年的"书法翰墨收藏会"。每逢毕业季，我们学校会举行一个盛大的仪式——收藏学生的墨宝。学生要提前半年做准备。校长要正式地发收藏证书，将学生的墨宝编撰入册。这样学生可以在三十年、五十年以后寻找到自己小时候留给学校的墨宝。

书法家欧阳中石先生给我们学校题过字。有人说："不简单，你能找到欧阳中石先生题字！"其实，除了欧阳中石先生，给我们学校题字的名家还多着呢！我们学校鼓励学生给书法大家写信，把我们继承传统、传承国粹的精神写出来。学生用自己最标准的字体来书写，用灵动的语言去感动大家，"索取"作品。所以欧阳先生看到信件以后回信说："每年向我索求作品的不计其数，不知道你的情况是真是假。若是真的，请以公文发函。"于是后来我就以公文的形式发函给老先生，老先生就题写了一幅作品。

写字的意义不只是写好字，我们学校书法教育的最终目的是什么？可以用两个字来概括：修养。

书法是熔炉，可以锻炼意志；书法是清泉，可以荡涤杂念；书法是乐器，可以演奏心声；书法是享受，可以陶冶情操。

四、读书养志

学校最美丽的景象是读书，最坚实的成长点是读书，所以我还信奉老祖宗说的一句话：天下第一等好事，莫非读书！

为"读书养志"，我们开展了系列活动。

处处有书，时时读书。我们把大书柜变成小书架，学校里，从教室到走廊，到操场，到厕所，凡能触及的地方全部有小书架，全部向学生开放，学生可以随时拿书。没人管理，除非下雨。

一开始我做了一个学校"读书峰会"，办得很简单。如今这个"读书峰会"已经走过16年，变成了铜山"教师读书峰会"，升级为市级品牌了。校不在大，有书则灵。"无丝竹之乱耳，无案牍之劳形"，只要有书，怎么样都行。

读书是"汲取"，写作才是"倾吐"。

写作有什么诀窍？这里有简单几招，仅供参考：第一招，"唯我独尊"，文章里要有"我"。第二招，"胡说八道"，首先要"胡说"，树立自己的一个观点；然后要"八道"，围绕着你的观点去广泛地收集材料论证。第三招，天下"抄人"，这里面就有一种"通感"和"借鉴"。第四招，"小题大做"。第五招，"斗转星移"。第六招，左右互搏。第七招，画龙点睛。

在这里跟大家分享一个打字员的阅读故事。我办公室的打字员有三大爱好：逛街、化妆、嗑瓜子。我说："你看看书吧。"她说："我一看书就头疼。"我说："你看什么书不头疼？"她想了想说："以前上学的时候看言情小说，后来看一些时尚文学。"我就鼓励她看一些作家的书，一本一本地看。看完以后我问她能不能写，她说不知道怎么写。我就和她"约法三章"，三年每天1000字。如果她觉得有成就感了，就付我100元；如果她认为自己不成功，我付她10000元，立字为证。对于打字员来说，打字不成什么问题。她刚开始写文章，每天1000字都很费劲，但三年写下来，她在省级以上报刊发表了文章29篇。徐州在"三八"妇女节出了一套丛书叫"玫瑰文丛"，这套丛书收录了六位作家的作品，她是其中一位。

五、网络养境

现在是互联网时代，谁离开了互联网，谁就脱离了这个时代，所以我早在2005年就创办了自己的木犁网站，一个以村小之力创建的很小的网站。但是我在大家面前可以骄傲地"吹吹牛"：我们网站的点击率曾经排全国小学网站第一名。

教育部原副部长张天保等视察了木犁网站，给予了高度的评价。当时学校里根本就没有电脑机房，我倡议"家庭电脑进学校"，变"屏幕"为"世界"。当年一个小小的木犁网站现在已经变成了木犁家族。木犁演化成了一个图腾，坚忍执着地耕耘希望，向着教育更青处漫溯。木犁的理念是"根植于教育的沃土，犁出教育的春天"。网友们到我们的"木犁论坛"留言，问我们能不能按自己的想法，抛离"体制"，办一所学校？于是我们在一个撤并过的小学办起了"木犁实验学校"。学校开始有六个班，由志愿者执教，挺有意思。那时候我们可以"挥斥方遒"。随着时代的变迁，这所学校已经由木犁网站变成了木犁家族，变成了木犁书院、木犁咖啡店、木犁文化有限公司和木犁乡村研究院。当然，小学校也"鸟枪"换"炮"了，变成了由政府投资2亿新建的木犁实验学校。学校很现代化，但是名字依然是我们当初的梦想——"木犁"。

拥抱网络有什么好处？因为我们不可能拥有那么多的资源，一个村小也请不起那么多的专家到学校，但是通过网络，我们可以借鉴别处的资源。一句话，在网络的助力下，老师可以进一步好好学习，学生可以进一步天天向上。

六、品位养雅

美也是教育的元素。"以美丽人，以文化人；欲为人师，应为范仪。"我觉得学生还是喜欢比较美的老师，所以在20年前，我就要求老师"化点淡妆，露点微笑，练点形体，描点丹青，会点外语"。

当年的广场舞没有现在这么流行，在那时候我就让我们的老师练芭蕾，50多岁的女老师也要练。我认为跳舞跳的是气质，练的是一种自信。在20世纪90年代，我总是天天在广场上领舞。在我们那个乡镇，我可以说是现在的广场舞的鼻祖。

对于男老师，我则要求他们穿西装、打领带、擦亮皮鞋。他们一开始不理解。因为，农村教师从地头、田间到教室，常常卷着裤子，脚上都是泥，这样怎么给学生谈卫生、谈品位？所以要用这种仪式感让老师们知道擦亮的绝不只是外表，擦亮的还有自己的心灵、思想和品位；擦去的也不仅仅是薄薄的尘灰，更多的是工作中的敷衍塞责和懒惰怯懦。

七、管理养心

管理教师队伍要培养对教师的尊重。我践行"手捧鲜花的微笑"——校长手捧一束鲜花在那里传递快乐，传给王老师、张老师，传的不仅是鲜花，更是尊重。

八、闲暇养情

用"闲暇"完成一个穿越，抵达心灵的自由、生命的丰富。教育的本质是闲暇，闲暇的价值甚至不只在于让人快乐，还在于让人因轻松而拥有自己的自由人格和独立精神。

木犁咖啡店就是这么一个闲暇养情的空间。有音乐、有咖啡，有鲜花，有甜品，顾客会感觉非常快乐。

有一个小故事非常有意思：朋友租了一个破房子，花了不少时间进行改造，马桶换了盖，灯擦得锃亮，房间铺了小地板革。泡上一壶茶，音乐响起，很惬意。有人说："租的房子，至于吗？"朋友说："日子不是租来的！"怀一颗孔子心，染一身庄子气，以入世的心态去工作，以出世的情怀去生活。校长既要有君子般的坦荡，也要有隐士般的逍遥。

九、自在养慧

自在养慧是指以生命为根，以育人为本；以天地为课堂，以万物为老师；以孩子的眼光看世界，以世界的眼光看孩子。孩子的名字叫"明天"，但是我们的孩子也叫"今天"。给学生尊重，给学生自由，学会在下一个路口等他们。

教育的使命是促进生命成长与幸福。学校开展了一个活动：厕所创意大赛。学生说："我想把厕所整得像茶座。"按照他们的思路，学校厕所装上了鱼缸，充分体现了卫生、环保、绿色的理念，学生说很有趣。其他学校厕所里俗一点的标语叫"小便入池、大便骑槽"，文雅一点的叫"来也匆匆，去也冲冲"。这些标语对学生提出了行为要求。但在我的学校，学生自然地做到了。从另一方面讲，学校里面写大标语，学生熟视无睹，我写小谜语，写得非常小，小到上面要挂着一个放大镜，借用我们老师的话来说，是灯谜。谜面写着什么？"婴儿学游泳"，谜底是"小便入池"。每个坑位侧面挡板上都贴着学生的诗歌小令、书法绘画，隔些日子就更换。一个领导到我们学校视察，学生非要拉着他们上厕所看作品，厕所成了学生的展厅。

十、地域养特

每个人的家乡都有自己的风景，学校应该在地域文化中生长。我们学校位于楚汉相争的古战场。据传，公元前205年，刘邦、项羽交战，刘邦兵败彭城，受困于此，拔剑刺地，泉涌而出，将士饮后大振，冲出了重围。后人建汉王庙纪念，此地取名"汉王"。

我定位的这个学校的特色就是：汉字、汉语、汉王；古色、古韵、古香。凭借地域建品牌，我们建立了自己的"拔剑泉论坛""竹坡诗社""伯英印社""紫山物语"。我们有一总四分五所学校，我称之为"达摩五指"，每个学校都形成了自己的特色；我把我们的办学理念概括为"六脉神剑"，把乡村大社会变成"天龙八部"。社会就是学校的大课堂。学校有自己的标志，有自己独特的VI（视觉识别系统）。现在学校的网站都差不多，干吗不做自己独特的？

十一、乡村兴国

中华文明是农耕文化开启的文明，乡村是我们生长的根基。我们要做乡村的先生。"先生"是一个称谓，一种修为，一份崇敬，一种精神。他们的背影，正是我们民族的正面。

云山苍苍，江水泱泱，先生之风，山高水长。为践行"先生之风"，学习"山长之怀"，我们创办了自己的乡村研究院。

小学校，大文化；小学校，大事业；小学校，大教育。学校乡村化，就是"六经"注我，为我所用；乡村学校化，就是我注"六经"，"我"对社会进行反哺。大家提到了乡村振兴战略，我认为乡村建设就是寻根、找魂、塑形和聚心。乡村要美得有形态，美得有韵味，美得有温度，美得有质感。

我一直参与乡村建设，乡村里面的每一块砖、每一片瓦、每一个角落都被我亲手丈量过。我的想法是：用一个梦想去打造一个团队，用一个团队去实现一个梦想。老师们不要说什么不可能，与其埋怨环境，不如改变自己，只要努力去做，一切皆有可能！

乡村，一个永动的天堂，让激情点燃爱的流光，让理想为教育导航。老师们，让我们携手共同创造乡村的明天，享受每天的阳光！

第五章　生命教育：非常时期非常课

给学生上一堂『生命大课』／吴颖民

要把不容易变成有意义！／全汉炎

疫情之下，教育也要形成命运共同体／王红

生活即教育，让孩子从感悟体验中成长／彭娅

自律的必然境界是自护／柯中明

学习的最高境界是自学　自学的有效境界是自律

用十部电影与您感知善待生命，体会慈悲与歌，共探疫情下的自处与他处／韩宜奋　陈峰　姚轶懿

给学生上一堂"生命大课"

当代教育名家

中国教育学会前副会长 吴颖民

广东省中小学校长联合会首任会长

2020年春节，中国人民经历了一场特殊的战争。在这场没有硝烟的战争中，没有局外人，大家都是当事人。回首抗疫历程，以习近平同志为核心的党中央始终坚持人民至上、生命至上，从"二十条"到"新十条"，不断优化疫情防控措施，精准防控。放开了，绝不是"躺平"、放任不管，在未来的日子里，每个人都要当好自己的健康负责人，注重防护，拥抱生活。人生经历一场重大疫情不是好事，但我们可以历事炼心，重要的是要善于把现实危机转化为自我教育、自我提升、自我发展的契机。

一、要上好人生的这一场"大课"

在这场"大课"中，我们扮演了什么角色？我们的个人表现如何？如果把这些问题抛给学生，他们会有不同的答案：有的同学注意到医护人员的献身精神，有的同学看到军人和干警的勇敢表现，有的同学则感受到公交车司机或企业家的热心和爱等等。不管从哪个视角，都可让同学们展开讨论，让他们分享自己的看法：是什么让他们感动落泪？是什么让他们义愤填膺？在这种灾难面前，个人的感悟和思考会比单纯的说教更有意义。当然，在这一过程中，教师应引导学生思考三个问题。

一是关于生命的价值问题。在这场没有硝烟的战争中，"白衣天使"义无反顾地冲向疫区，成为最勇敢的逆行者，他们与时间赛跑、与病毒抗争、与死神争夺危重病人，有的甚至献出了自己宝贵的生命。他们是我们这个时代最可爱、最值得尊敬的人！医护人员把生命献给了他们心爱的医学事业，献给了抗击突如其来的重大疫情的伟大斗争，他们的英勇献身彰显了生命的最高价值！还有那些夜以继日奋战在抗击疫情一线的公安干警、社区干部、公交车司机，甚至媒体记者、快递小哥以及一大批默默无闻的志愿者，他们都用生命共同谱写着抗击疫情的英雄赞歌！他们冲锋在第一线，难道他们不怕死，不知道病毒的厉害？我想并不是。他们是为保护更多人的平安，为此义无反顾甚至是奋不顾身地投身到抗疫一线。

作为教师，我们要引导学生思考如何珍惜生命。既然生命对每个人来说都是最宝贵的，那么生命的意义到底是什么？生命的价值应体现在什么地方？……要让学生学会科学认识和辩证看待生与死的人生课题。相信经历了这场灾难，同学们对生命的价值会有新的思考、新的答案。

二是关于生活的意义问题。什么样的生活才是幸福的生活？我想千万人有千万种答案。但每种答案的背后，一定都体现着一个人对生活意义的认识。

作为教师，我们要引导学生思考：什么样的生活才是我们理应追求的幸福生活？是不是应该着重提升法治意识、道德观念、科学常识等基础文明素养？作为在现代文明陶冶中长大的孩子，应该建立怎样的人生观和幸福观？要让学生思考生活的意义，培养学生的文明品格。

三是关于生态的认知问题。这次疫情对人类来说是一个沉痛的教训。这次疫情再次让我们认识到，人类在病毒面前是那么脆弱和渺小。这警醒我们，我们并不是自然界的唯一主宰。

不尊崇科学，不敬畏天地，大自然会给我们以惩罚。正如恩格斯在《自然辩证法》里所论述的：我们不要过分陶醉于人类对自然界的胜利，对于每一次这样的胜利，自然界都对我们进行报复。作为教师，我们应引导学生科学地看待环境、自然和生态，更深刻地认识到必须遵循自然规律，与大自然和谐相处，并更加自觉地建设生态文明。

学校教育固然主要传播科学知识，但这次疫情告诉我们，要帮助学生重新认识生命、生活和生态的意义，建立科学的生命观、幸福观和价值观，上好人生的这一场"大课"。

二、需重视生命教育

我觉得学校教育之前在以上三个方面可能做得并不够，但经过这次疫情，学校要引起足够的重视。学校未必要专门开生命教育相关的课程，但是所有的学科都可以结合生命、生活和生态的意义来展开教学。

比如化学学科可以启发学生思考消毒的问题。如，为什么消毒剂可以杀菌？在什么样的条件下消毒剂可以发挥作用？同时我们也一定要提醒学生，消毒剂不能滥用，过度使用消毒剂会有不少残留，残留之后会产生污染等。

此外，培养学生健康的生活方式也非常重要，例如我们学校正全面开展垃圾分类的教育，因为现在的垃圾太多，已经造成巨大的污染，我们要求学生努力减少垃圾的产生，学会分类处理垃圾，这对生态有着重要的意义。另外，我认为也需要特别注意垃圾的分类和消毒，以免造成对清洁工、拾荒者的感染，在这个过程中，要教育学生有同理心和公德心。

同时，还可以让学生意识到要节约自然资源，比如要爱护森林、节约木材，节约纸张，以及减少对水资源的浪费等。就拿喝水来说，如果学生自带水杯喝白开水，那么就减少了大量的饮料瓶、食品包装等垃圾，同时对学生身体也是非常有益的。

这些在日常生活中关于生命教育的引导，不一定要上升到"课堂""课程"的高度，但我认为学校、老师都应该重视起来。

三、要把握好疫情危机中的契机

疫情期间实行在线教育教学，对教师和同学来说都是新的挑战，都需要一个学习和适应的过程。不过，这也是一个加快智慧校园、智慧课堂建设，创新教育教学模式，创新学生学习方式的极好机会，可以变成教育改革的契机。师生都要把握好疫情危机中的契机，应对时代的变化。

对教师而言，要更自觉、更努力地掌握现代教育信息技术，尽快掌握在线教学的规律，遵循在线教学的特点，不断创新教学设计和教学策略，加强线上学习指导，不断提高在线教学效果；对学生而言，要不断提高自主学习、独立学习的能力和信息素养，学会合理利用网络学习资源，努力提升网络探究、交流、合作、分享的能力，不断提高在线学习效果。

线上教学有许多线下教学所没有的优点，我相信这次疫情之后，各个学校一定会进一步推动课堂教学的变革，把线上教学和线下教学更好地结合起来。

我认为好的课堂教学模式一定是线上和线下相结合的混合学习、合作学习模式，老师一定不要讲得太多，不要给学生填得太满，一定要把更多的学习时间留给学生，同时要让学生有更多的主动参与和分享的机会。一个好的课堂应该是思维活跃的课堂，应该是"群言堂"而非"一言堂"，课堂的形式应该多种多样，老师有时候当演员，有时候当导演，学生有时候当观众，有时候当主角。

所以，我觉得这次的大范围线上教学的尝试对接下来学校推动课堂的变革、推动育人模式的变革会有非常积极的意义。

2013年央视春晚演唱曲目《春暖花开》的歌词写道：

"如果你渴求一滴水，我愿意倾其一片海；如果你要摘一片枫叶，我给你整个枫林和云彩；如果你要一个微笑，我敞开火热的胸怀；如果你需要有人同行，我陪你走到未来……春暖花开，这是我的世界；生命如水，有时平静，有时澎湃；穿越阴霾，阳光洒满你窗台；其实幸福，一直与我们同在。"

歌词很美，给人温暖，给人希望，更给人力量！抗疫三年，全国人民风雨同舟，淬炼抗击疫情的精神力量，无惧困难、砥砺前行，铸就了伟大抗疫精神，我们坚信，阴霾一定会过去，阳光一定照进来！疫情终将被战胜，春天必定会到来！

要把不容易变成有意义！

广东实验中学党委书记
广东省中小学校长联合会会长　　全汉炎

2020年的开年，很是不平常。然而，就是这样的"不平常"更显得"平常"的可贵。疫情来临，每个人都被裹挟其中，无一例外。平常的生活被打破，当自由呼吸、按时返校这些平常得不能再平常的事情都变成一种奢求时，当好多同学生平第一次发自内心地喊出"我想上学"时，我们才真正感觉到"平常"是多么可贵。这次突如其来的疫情给我们提供了一个教育素材，值得深思的话题很多，从宏观来讲，有家与国的关系、人与自然的关系、人与人之间的关系。学校是教书育人的主阵地，我们一直强调立德树人要落地，我一直认为育人比育分重要，学校应该抓住每一次契机去落实立德树人的根本任务。当疫情过去，一切又归于平静的时候，如果每个亲历者都能够记住这些曾经的不平常的日子，能够珍惜每一个看似平凡的日子，能够意识到自己以为的司空见惯没准是他人难以企及的梦想，那这场"不容易"就会变得有意义。

以此次抗击疫情为教育契机，我们可以从很多方面引导学生。

第一，"平凡"的伟大和伟大的"平凡"。生活给了我们一个大课堂，"风声雨声读书声，声声入耳；家事国事天下事，事事关心"，我们最应该在这个大课堂中引导学生去思考家国、理性、责任、感恩这些话题。此外我们要强调知行合一，引导学生在疫情防控中做一些力所能及的事情。教育不应仅仅发生在学校，发生在学生的求学阶段。当一个学生离开课堂，离开学校的时候，他要能在生活中继续保持学习的心态，拥有学习的能力、坚持学习的毅力，能应对生活与时代的变化，勇于突破自己的舒适区，格物致知，求真向善，这些才是教育的目的和本质，也是学生要不断追求的东西。

苦难从来都不值得歌颂。但是在苦难中勇于担当的人们，那些眼中有光芒、心中有信念、饱含着希望的人们，是值得我们去赞美的。在2020年不平常的开端中，我越发感到"平凡"的伟大。要让学生们真正地意识到，从来没有什么从天而降的英雄，有的只是那些挺身而出的凡人。面对这场突如其来的疫情，我们没有被击垮，没有恐慌，靠的就是这些挺身而出的凡人冲在抗疫的最前线，他们做自己力所能及的事情，也做平时力所不能及的事情。他们是医生、护士，他们也是丈夫、妻子、父母、孩子，也是能够感觉到恐惧、疲惫的普通人，但是他们选择了"逆行"。在抗疫的每时每刻，我们每天都被平凡的人、平凡的事、平凡的话语感动着。不仅有奋不顾身、奋战一线的医护工作者，还有很多平凡的他们：他们可能只是在寒风中守在出入口测体温的社区志愿者；他们可能是倾其所有为武汉送去一些新鲜蔬菜的朴实农民；他们可能是不远万里从国外买来口罩驰援湖北的同胞……在这样的时候，每一个善意的举动，都让我们感觉到温暖和力量。那一句"山川异域，风月同天"，让我们感受到一衣带水的情谊；那一句"我不敢哭，哭花了护目镜，我没法工作"，让我们看到了新生代的成长。钟南山院士那一句"确定可以人传人"，则让我们看到了责任与担当。钟南山院士作为广东实验中学（以下简称"省实"）的优秀校友，其"南山精神"一直鼓励着省实师生，我们理解的"南山精神"有很多方面的含义，比如实事求是、敢于质疑、敢于坚持真理的精神，对科学探索孜孜以求的精神，敬业爱岗、鞠躬尽瘁的奉献精神，等等。

省实提倡师生们要"心中有大我，自信、自强、求实、创新；心中有大家，躬行、达道、敦厚、忠序"，这其实与"南山精神"是一脉相承的。省实有南山班，钟南山院士曾经提出"5个力"以勉励南山班的学生，即要有动力、能力、抗挫力、号召力和体力。他希望南山班的学生能成为未来顶尖的科技人才，成为国家的栋梁。在疫情期间，省实的老师们确实是心中有大我，心中有大家，心中有大爱。省实老师主动担当，做出表率。比如疫情期间，省实最早提出高三的课程面向全社会公开，上线的90多门课程受到社会极大的关注，网课点击量超过千万次。在录制课程的过程中，老师们非常积极，执行力特别强。所有的老师都认为，自己在后方，应该做一些力所能及的事情，应该不计较个人得失。老师们冒着很大风险回学校录制课程，我很感动，他们表现出了大格局。我一直认为，没有格局和大爱的老师，是教不出有爱心、有担当、有责任感的学生的。

第二，生活要做"减法"，生命要做"加法"。从直立行走开始，直至今天，人类自认为已经走向生命领域顶端，人类的欲望在不断膨胀，对欲望的追求打破了世界的平衡。是时候让我们的生活做些"减法"，归于简单与朴素了。面对周围的喧嚣和诱惑，我们要沉住气，不能无限度地去追求享乐等；要少一些对自然的索求，少一些对野生动物的打扰，让人与自然之间的关系更和谐。

与此同时，我们对生命要做"加法"，一方面要保持身心健康，这样生命才有质量；另一方面，要让我们的生命更有厚度，更有意义。我觉得，这场疫情给我们提出了很多问题：当信息潮涌而来时，我们有没有足够的理性和判断力？当义利冲突的时候，我们有没有选择良善的勇气和能力？当面对危险和变化的时候，我们有没有处变不惊的从容和应对能力？当需要我们挑起重担的时候，我们有没有承担的能力和胆识……我想，勇气、共情、理性、担当，这些都是这个特殊时期教给我们的关键词，也是我们教育的关键词。

当然，这次疫情对教育也是一次考验：如何"停课不停学、停课不停教"？疫情使线上教学大规模推行，这是一种新的学习模式，也是未来学校所提倡的很重要的一种学习方式。在线教育促进未来教育信息化发展。现在各校、各地都有好的做法和经验，也经历了各种困难，走了一些弯路，在这里，我想校长联合会要发挥"汇大智，成大道"的功能，让校长们通过交流和表达，在信息化、线上学习、立德树人如何落地、未来学校应该怎么做等问题上共同探索，携手共进，一起把不容易变得有意义，促进教育优质公平发展。

校长是学校的一张名片，也是一所学校的精神领袖。校长不一定能够成为教育家，但是他必须要有教育家的情怀；他不一定能够成为思想家，但是他应该有思想家的远见。校长应该是思考者、思想者、服务者、聆听者、勤勉者。广东省中小学校长联合会（以下简称"联合会"）是引领全省校长提高自身素养，适应时代发展的好平台。

第一，联合会要汇思想，做好教育思想交流的"连通器"。联合会要通过打造好"山长讲坛"演讲平台、定期开展学术论坛、组织对外交流活动等措施，汇集各地域基础教育以及各行各业的先进思想，形成广东基础教育的办学智慧。我们今天在这里讨论"非常时期非常课"，就是要一起面对挑战，面对变化，集思广益，取长补短。联合会也要做好政府的"智囊"，能够为教育的发展献计献策，为教育主管部门制定政策做好参谋。

第二，是汇资源，做好教育转型升级的"转换器"。当前新形势下，"核心素养"方兴未艾，综合素质评价如火如荼，随着高考考试大纲的取消，基础教育正迎来由应试到素质再到素养的深层改革。联合会要汇集各行各业的资源，引领教育转型，回答好基础教育"为谁培养人""培养什么样的人"这两个问题。今天大家畅谈非常时期下教育的与时俱进，这也是汇集资源、携手共进。

第三，是汇声音，要做好广东基础教育的"扬声器"。联合会要梳理"粤派"经验，形成"粤派"风格，让广东基础教育的智慧普惠更多地区。在这次合作中，《羊城晚报》等媒体的朋友们做了很多工作，他们为联合会发声、为广东校长发声，通过信息互动、经验互通，直观生动地展现出非常时期广东校长们的教育智慧与教育情怀。

疫情给了我们一个大挑战，面对挑战，我们没有被击垮，就是因为你、我、大家，一个个平凡的中国人，都在认真负责地做好每一件平凡的事情。疫情给了我们一个"大课题"，为了做好这个"课题"，我愿意与校长联合会的各位同仁，与教育界的各位同仁风雨兼程，心怀愿力，保持定力，不懈努力，保持永远前进的姿态，共同把不容易变成有意义。

疫情之下，教育也要形成命运共同体

华南师范大学教师教育学部部长

粤港澳大湾区教师教育学院院长　王红

广东省中小学校长联合会常务副会长

疫情之下，人类命运共同体更加彰显。而疫情之下的教育，同样也进入了共享智慧与技术的教育命运共同体时刻。作为教育的主要实施者，面对新的教育形势，教师更要修炼内功，变危机为契机，强化自身的关键能力。

一、教育也要形成一个命运共同体

疫情之初，在华南师范大学教师教育学部的学术支持下，广东省中小学校长联合会与羊城晚报社、广东教育出版社、中国国际教育论坛等单位携手共同策划了"期待返校的那一天：非常时期·非常课"特别活动，同时与北京、上海等地一起联动，邀请教育专家、校长和班主任们一起用自己对教育的情怀和热爱，把自己的专业知识转化成实践智慧。我也看到了三地的教师彼此欣赏、相互点赞。在这次联动中，北上广三地的教育界形成命运共同体，在合作中促进教育的专业发展，促进教育的实践发展。

回望这三年的抗疫之旅，教育，特别是线下教育，受到了不少的冲击，但这也为教育的信息化发展带来了新的机会，我认为要抓住教育的关键时期，把疫情这样的突发事件转变成教育孩子的重要契机。发起北上广三地教育界联动，主要有以下三个方面的考虑。

第一，形成教育界的命运共同体。在教育界，各地有各地的精彩，各地有各地的智慧，但是还没有真正形成一个命运共同体的概念。在疫情期间，我们借助这样一个共克时艰的机会，形成命运共同体的概念。北上广三地教育界联动能够让三地的教育者都意识到，疫情当前甚至疫情过后，面对世界共同体时，教育也要形成一个命运共同体。

第二，在合作中促进专业发展。从专业的角度上说，我一直特别欣赏一句话，这句话就是"独行速，众行远"，对于校长、教师而言，尽管各自在教育实践中摸索时都有自己的教育实践智慧，但彼此携手的分享和交流，能够让自身将来在专业成长的道路上走得更高、更远。

第三，在合作中促进教育实践。从教育的目的来说，教育是为了孩子的健康成长，为了给孩子提供更好的教育环境。北上广三地教育界联动，会让三地的教师敞开胸怀，从不同的教师身上吸取智慧，找到教育的最佳实践，让这最佳实践能够为孩子的成长提供更好、更有力的支持。

二、激发教师自身以及合作教学能力的提升

这次疫情无论是对教师还是对学生都是很大的挑战，对教师而言，所谓挑战，是从过去跟学生面对面授课到现在跟学生隔着屏幕上课，教师教起来、学生学起来以及师生互动起来都受到一定的限制，授课效果自然也受到影响。

我一直在思考教师应该如何应对这个挑战。我认为教师们要从以下几方面去思考和反思。

第一，作为教育工作者，要思考教育实践所要求的关

键能力自己是不是已经具备了。教师的专业能力有很多，而我最看重的是教师提问和作业布置的能力。提问能力能够带动学生去思考，或者说能够激发学生进入一种学习的状态。教师提出一个恰当的问题去激发学生的思考，这才是学习真正的开始。因此，教师的提问是学生学习的"启动机"。如果教师能够把作业布置得非常巧妙，那么学生在完成作业的过程中就会调动过去所积累的知识，在解决问题和完成任务的过程中学以致用，真正地进入一种主动学习的状态。

许多教师在这两方面的能力还有所欠缺。在线下教学时，不少教师是通过维持课堂纪律来抓住学生的注意力，但是线上教学时就要靠教师的教学智慧把学生的注意力抓住，让学生真正参与到学习中来。这就要求教师在教学当中运用巧妙的提问以及巧妙的作业设计来激发学生的学习兴趣，而不能只是讲自己已经准备好的教案。

绝大多数教师对于线上教学有一种无力感，不知道自己的学生是否在学习。在线上教学的过程中，教师与教师之间也会产生分化。教师如果具备了这种关键能力，那么他在教学过程中就会游刃有余，不管是线上教学还是线下教学，他都能够很有智慧地去启发学生学习。

第二，教师必须要用一种开放的心态去接受新困难、新技术的挑战。在过去的教学中，很多教师可能会觉得并非每一个人都必须要接受信息技术。但现在不一样了，每一位教师都能切身体会到信息化与自身的密切联系。所以，教师们要用更开放的心态拥抱新的教学形式和新的教学技术。

第三，教师应真正地转变教学模式。比如过去我们一直讲的"翻转课堂"并没有真正落到实处，这次疫情下的远程教学是我们推行"翻转课堂"的关键时机。在线上教学时，教师可以把课堂真正"翻转"过来，教师前期可通过提问布置任务，让学生先自主学习，然后在教学的时候再聚焦、解决学生学习过程中遇到的问题，这样就能使课堂灵动起来。

第四，这是推动教师彼此之间进行合作教学的契机。在线下教学时，教师合作教学的机会并不多，大家在各自的领域独自耕耘。但在线上教学时，教师不妨借助远程教育的形式，相互之间进行合作，以高质量的教学来抓住学生注意力。刘良华教授提到的"双师课堂"也许会出现，这段时间我一直在思考，不仅仅要打造"双师课堂"，我更希望打造"三师课堂"。为什么叫"三师课堂"？因为三人行，必有我师，"三师课堂"会有更多的选择性，三位教师合作同教同一门课，每位教师教授自己最擅长的板块。合作就是将最优的教学组合起来。对学生而言，他们听到的就是最有质量的课，教师不愁抓不住学生的注意力。"三师课堂"可以推进教师之间的合作教学，是推进教学实践的最佳组合。

三、未来，教育应从输入为本向输出为本的教学方式转变

经过这次疫情，未来教育生态会有一定的改变，如教育形式将会更加网络化、数字化和智能化，学生获取知识的方式更加多样化、海量化，教育内容设置上应更加情景化、有效化、探究化、合作化……

不管是什么样的教育形式，它所遵循的教育基本规律是不会变的，即任何学习的发生，都必须建立在学生的学习兴趣和自主性之上。无论是线上教育还是线下教学，都必须遵循一个基本点：教师必须要能够激发起学生内在的学习愿望，基于这种内在的学习愿望，学习才能主动地发生，才能真正地发生。

真正的未来教育，不管在家学习（homeschooling），还是传统的班级课堂教学，抑或是任何一种其他形式的教学，都是为了真正激发起学生的学习兴趣。

从未来的教育生态上来讲，我们必须围绕未来要培养什么样的人来改变教学的范式。我们要培养能够解决社会现实问题、具有创新精神的人。

中国的教育长期以来所存在的一个问题是我们的学生

非常善于输入性学习，善于储存、记忆知识，我们的学生相当于一个大的存储器。但是在未来，我们希望学生不是存储器而是CPU（中央处理器），他要能够去解决问题，要能够输出更多的解决方案。为此，我们亟待改革的是我们在教学范式上存在的误区——更多地让学生去记住、去输入，但是却忽略了让学生学会输出。所以，在未来我们应该要从输入为本的教学范式向输出为本的教学方式去转变。用输出倒逼输入，那么输入学习的过程，即往脑子里装东西的过程，就变成了为了输出而去输入的过程，学生学习就成了一个任务驱动的过程，就会变得更加主动、更加有意义，也更加有效。

我想，无论什么样的教育模式，都必须遵循教育的基本规律，让教育更符合人的成长规律，让教育能够遵循学生的自主学习规律，让学生能够把储存的知识转化成问题解决方案，转化成在社会生活中的创新创造能力。

学习的最高境界是自学
自学的有效境界是自律
自律的必然境界是自护

广东实验中学云城校区校长
广东省中小学校长联合会监事　　柯中明

面对困难，砥砺前行方能造就辉煌。这次疫情对校园里的每个人都是一次刻骨铭心的教育。让人欣慰的是，我校师生员工在这场严峻的困难面前，都经受住了考验，得到很好的成长。

笔者任职的学校有着新年"开学不上课，上课就上体验课"的传统。2021年春节后，受疫情影响，我们把"上课就上体验课"升级为"三秀""三说"和"三自"。

"三秀"，即秀自己的厨艺、手艺和才艺。"一秀"自己的厨艺，除一般的煮饭炒菜外，我们更提倡和主张学生秀的是家乡美食的制作；"二秀"自己的手艺作品，包括剪纸、拼图、积木等；"三秀"自己的才艺，如弹钢琴、书法创作和绘画等。

"三说"，即学校邀请三类身边的榜样来学校演讲，一是请一线抗击疫情的劳模来讲课，与师生分享抗击疫情的动人故事，感受平凡背后的不平凡；二是请学校管卫生的副校长科普卫生知识，让师生筑牢抗击疫情的坚固防线；三是请各行各业的志愿者讲述他们守望相助、爱心助人的动人故事。

"三秀"和"三说"是教育活动，而"三自"则是针对学生学习状态，尤其是学生居家学习这种特殊情况下的学习状态。因应防疫政策启动的"停课不停学"的居家线上学习的要求，我们学校提前做好各种应急方案，确保居家学习的质量不下降。学校通过一系列的宣传教育，最终让教师、家长、学生明白：学习的最高境界是自学，最有效的自学境界是自律。我们最想让学生们达到的"三自"境界，是在自律基础上的自学加自护。有了这样的指导思想，我校"停课不停学"期间，学生居家学习的参与度高，学习兴趣浓，学习效果好。

一、学习的最高境界是自学

自学能力是一种非常重要的能力，它是指学生在没有教师与家长等的监督、陪伴、帮助下，独立完成学习任务的能力。做老师追求的最高教学境界是"教是为了不教"。要实现这样的教学境界，培养学生的自学能力是其基础条件。

根据线上教学的实际情况，教师在开展教学之前会给每个学生发放学习清单。学习清单根据不同年级教学内容的不同以及学生学习能力的不同等，在教学目标上体现学生的个体差异性，做到因材施教。预习环节、教学环节和复习环节，教师通过聊天群沟通等方式让学生提出各种问题，做到全程跟进。之所以把"提出问题"作为突破口，是因为学生只有认真参与了、认真思考了、认真完成各种作业和任务了，才能发现自己在学习中存在的各种问题。教师根据学生的问题，选择"私聊"或"群聊"来解决。在解决这些问题的过程中，教师在班级群中公开鼓励、表扬善于发现问题、善于提出问题、善于解决问题的学生。有了教师的表扬，学生就会主动投入到学习中，通过一段时间的引导和强化，学生的自学习惯就慢慢养成了。

通过抓住"学习问题"这个牛鼻子，尤其是线上学习过程中的"学习问题"，学生在得到正向激励的情况下，自学能力也就慢慢得到提升。

二、自学的有效境界是自律

自学这种能力在常态化下的线下教学环境中不易培养，更何况是线上的居家学习。要真正培养自学能力，教师的引导和家长的督促固然重要，但关键还是要靠学生自己的自律。

居家学习模式对于任何一个人都是挑战，尤其是对自控能力还没有完全养成的小学生而言。居家线上教学在形式上用"屏对屏"完全替代了平日在学校教室里的"面对面"，师生双方完全通过虚拟的教室来进行教与学，居家线上教学完全在网络中进行，而互联网对于学生而言有着极大的诱惑。

如何让学生在自学时保持自律？我的办法是让学生守时、守规、守信。第一是增加仪式感，让学生感觉在家就像在教室一样，形成守时观。每次上课前，一定要让学生穿好校服，提前打开电脑，准备好学习用具，调整好心态，集中注意力，进入线上虚拟教室，安静地等待老师。第二是增加约束感，让学生觉得班规就在家中，形成守规观。在线上教学期间，我校班级的常规考核依然进行，学生的文明礼仪、学习标兵等各种评比活动照常进行。遵守了校纪校规和班纪班规的同学会得到表扬，反之则会得到各种提醒乃至批评。这样一来，学生就会时刻感觉到虚拟的教室不是一个毫无约束、毫无纪律的地方，在家上课也要遵守各种规定。第三就是增加信任感，让学生觉得老师就像家长，形成守信观。在"停课不停学"刚开始实施的时候，我们的老师就通过电话或聊天软件等提前和学生做好各种约定，师生共同遵守。这种师生间的约定，在学生心中有种神圣感，正如有个二年级的孩子对我说的那样，"我与老师拉钩上吊，一百年不许变"。

正是通过增加仪式感、约束感和信任感，自律的意识在学生的心中慢慢建立起来。当然，学生的自律不是一蹴而就的，也不是一劳永逸的，它是一个反复的过程，也是一个螺旋上升的过程。它需要学生的积极参与，需要教师的耐心引导，更加需要家长的全方位的配合。

三、自律的必然境界是自护

学习要自觉，自觉需要自律来维持。一个自律性很强的人，一定能较好地履行其自身的职责。作为一个学生，自律就意味着能自我管理，能自我约束，能自我提升，能自我反省，及时发现自身的问题，及时纠正，及时改进。因此，自律意味着学生能自觉地克服学习、生活、成长中的困难，意味着学生能主动去迎接各种挑战。

在疫情防控期间，我们教导学生要常通风、常洗手，注意个人卫生，养成良好的作息习惯，增强自身体质，增强抵抗力，这需要学生的自律。我们教导学生不要到人群密集的地方，平日要做到"戴口罩、一米线、不扎堆、常洗手"等基本防疫要求，尤其是在没有人提醒与约束的情况下能做到这一点，这也需要学生的自律。学生做到了这些，就是对自我的一种保护，对防疫的一种贡献。因此，自律对学生的学习有必要，对疫情防控、对学生的生命健康的防护同样有必要。

生活是最好的教育，任何一个人，任何一个团体和组织，任何一个民族，如果具备砥砺前行的意志和本领，具备做事自觉、做人自律的良好品质，就会所向披靡。所以，我们学校一直主张对学生进行生存教育、生活教育、生命教育，让生活去教会学生怎么生活。此次疫情，哪种人才能成功迈过这道坎？具有强大身体素质的人能迈过去。所以我们要锻炼身体，要有强大的意志力和信心。我们可以在疫情期间开展生命教育、家国情怀教育、科学教育以及日常行为习惯教育。当然，最终战胜这个病魔的一定是科学技术（西医、中医等），学习是很有必要的。与此同时，认真洗手的习惯等都是我们自我保护的最有效手段。

在线学习是社会发展的一个趋势，在线学习也叫泛学习化，就是利用碎片化的时间来进行学习，这非常考验一个人的学习能力。对于义务教育阶段而言，线下教学不会被线上教学代替，但老师们必须要思考如何提高线下课堂教学的效率；线上教育也不是单纯地把线下课搬到线上。对于居家学习，我觉得更重要的是引导学生做好新教材的预习，并且这种预习是建立在查漏补缺、对以前旧知识复习的基础上，返校后，对于线上已经讲过的内容，教师还要再给学生讲解。居家学习需要学生的自觉参与、自我约束、自我节制，也就是说需要自觉、自律、自护！

生活即教育，让孩子从感悟体验中成长

广州市越秀区东风东路小学校长
广东省中小学校长联合会理事 彭娅

一场突如其来的新冠病毒感染疫情，打乱了学校的一切正常教学秩序，给全社会上了一堂深刻的"生命大课"。危机，往往也是教育的契机。面对疫情，教育不应该缺席，教育者应当有所作为。因为，这是对学生适时进行生命教育、安全教育、科学教育、公德教育、爱国主义教育的契机，是塑造教育价值导向的契机。

东风东路小学在疫情期间，践行最好的教育——生活即课堂，生活即教育。我们积极发挥"教育部第一批教育信息化试点优秀单位"的优势，创建"云端思政"，落实TRSP课堂（思维课堂、研学课堂、实践课堂）研究，为学生创建了一堂有温度、有深度、有广度的抗疫大课，让他们在感悟体验式的学习中成长。在特殊时期中提升教育的温度，体现责任和担当，为学生一生的幸福奠定基础。

一、以变应变，提升教育的温度

如何给学生解释这次疫情？停课不停学，小学生到底该学什么？居家学习，学生需要怎样的课程？特殊的战疫，学校应该教会学生什么？带着这些思考，我带领学校行政团队及课程部核心成员开始行动。

我们组织老师每周六上午开会：首要任务是让大家统一思想、明确方向，形成统一、正确的教育价值观；其次是布置下一周主题研学内容和操作方式。老师要认识到在这一段特殊时期，学生真正需要提升的能力是管理能力、策划能力以及自主向上的学习能力。我们相信疫情后返校的学生一定有所成长和更懂事，学习会更自觉。学校的课程设计与实施要有目标思维，我们在构思时要想到预计达到的效果，老师对课程的落地和操作也要达到预设的目标。

二、寻找身边的战疫英雄，引领正确价值导向

学校办学要有正确的价值追求，我们一直引导学生树立正确的榜样观和英雄观，倡导学生要崇尚英雄，崇尚模范和楷模，"从小学先锋，长大做先锋"。我们有"院士进校园"课程，从2018年开始，每年的"六一"儿童节，我们都要走进院士的工作室去拜访院士，如钟南山院士、何镜堂院士等。

生活即课堂。疫情期间涌现出很多平凡的英雄。在这个特殊的时期，我们相机嵌入英雄的素材，以立德树人为教育之魂，对学生适时进行生命教育、公德教育、科学教育，为培养德才兼备、能够担当重任的社会主义建设者和接班人做出我们教育人的贡献。每周一的线上升旗仪式，成为东风东学子疫情期间固定的"思政第一课"。疫情期间，学校共举办了"向逆行英雄致敬""不平凡时期的平凡人""辛苦了，欢迎回家"等12期线上升旗仪式（"云队课"），让鲜艳的国旗在3000多名学子心中照常升起。在校公众号开设"抗疫专栏"近50期，在专栏里，学生运用从学校一直开展的多元智能课程中学到的一些技能和素养，采用绘画、写诗歌、讲故事等形式来描写、歌颂这些身边的英雄。比如，五年级12班的吴牧原同学在《致敬爸爸们》中，为年三十奔赴武汉建设雷神山医院的爸爸以及像爸爸一样的建设者们写下："他们在和时间赛跑，这里有许多的'爸爸们'都在保护我们的武汉！"父母同在

钟南山院士带领的医疗团队的五年级11班赵鸣灏同学，以时间为轴记录下与病毒抗争的科学家家里的《不一样的除夕》。一年级12班的程婧雯同学画的《剪去长发的天使护士》被《羊城晚报》登载。还有很多学生写的一封封"隔窗家书"登载在"学习强国"等各大媒体。学生用笔"抗疫"，用"童画童语"向英雄致敬，用真情传递着爱与力量，共创作了1000多篇诗文，近4000幅绘画。在这堂抗疫大课中，很多学生纷纷表示以后要做医生，他们这样写道："原来中国的脊梁是这些英雄，长大后我要做像他们一样的天使医生。""这些逆行人才是我们最美的偶像。""科学的力量是打败病毒最有效的武器。"

三、一堂抗疫大课，空中创新求变

生活即教育。这一次的病毒来袭，既是一个生活现象，也是一个社会现象。我们学校几年前就已经在开展研学课程，每学期用一周的时间让学生去研究一些生活现象和社会现象。于是我们以"童心抗疫"为主题开展为期一周的研究性学习：第一天，"病毒来袭"；第二天，"武汉封城"；第三天，"中国加油"；第四天，"世界眼光"；第五天，"疫情之后"……

什么是病毒？病毒传播的途径是什么？什么是一级响应？什么是突发公共卫生事件？……学校以"空中研学课堂"为学习方式，教师则以"主题＋专题＋问题群"为主线，每天带领学生研究一个专题。在"童心抗疫"的主题研学过程中，首先，学生自主组织团队，自发研究，不仅提升了学科知识素养，还提高了发现问题、分析问题和解决问题的能力，明白了科学精神的伟大，懂得了做事要有科学的态度和方法。其次，锻炼了学生的管理能力和策划能力。其自主向上学习的能力也都培养起来了。这是这一段特殊时期学生真正需要提升的能力。

教育要有思想。兴趣是学习的第一要素，而现在的学生大多是被动学习，没有主动选择。成年人觉得什么有用，就把什么套给学生。而事实上，所有教学设计都应该以兴趣为第一，学生只要兴趣就爱学。办有思想的教育，就是要培养学生独立思考的能力。学生做事不是单纯听家长的话、听老师的话，而是要有自己的判断，既要懂得调查研究、分析总结，又能把学到的东西应用到实践中去。

学校还推出了"漫游课本王国"主题课程。古代的课本是怎样的？课本经历什么变化？你更喜欢哪一时期的课本？学生围绕主题开展了五个专题的学习，了解了不同时期、不同地域、不同国家的课本以及未来的课本，通过对语文、数学、英语课本的整本书研究，梳理和建立起新旧知识的关联，培养了整体性思维，为建构完整的知识结构奠定了基础。这段特殊时期的生活与学习，有效提升了学生的关键能力与核心素养，让学生终身受益。学生仿佛走进了课本"大观园"，开始研究课本的"前世今生"。通过对课本的研究，学生脑洞大开，设计了自己的课本，真正表现出了创新能力，老师们收到了预想不到的惊喜。

居家学习期间，学校开展"每日三思"活动，关注学生的情绪，培养学生自律的好习惯。早上是同学会，学生要说说"我今天要做什么"，明确当日的学习规划和生活实践安排；下午是师生会，在老师的指导下，学生分享和交流学习中的困惑与思考；晚上是家庭会，学生与家长谈谈"今天我收获了什么"和"明天我要做什么"。在线教学离不开学校和家庭、社会的合力作用，加强了学校跟家长的思想沟通，学校与家长达成了思想和行为上的共识。建议家长不要时刻跟在孩子身边，要让孩子们在老师的指导下自己把握线上学习的节奏。家长更多的是要配合孩子的劳动教育和体育锻炼，如鼓励孩子分担家务，这是在生活中的学习和体验。另外，家长要给孩子传递正能量，比如对不良的现象，家长要鼓励孩子鼓起勇气和斗志去抗争。

疫情倒逼学校开展教育改革，倒逼老师专业成长，也倒逼学生提高主动学习能力。这是一次教育考验，也是一次教育价值观的重塑。教育，绝不是简单地传授知识，而是要培养有独立思考能力的人；"云课堂"不是简单的课堂搬家，而是引导学生进行研究性学习，让他们从感悟体验式的学习中成长。学校要不断探索适应未来社会的新的教育模式，学生也要不断适应新的成长模式。

用十部电影与您感知善待生命，体会慈悲与歌，共探疫情下的自处与他处

中山市迪茵公学副校长　韩宜奋

广州市华美英语实验学校总校长、广东省中小学校长联合会副会长　陈峰

广东省中小学校长联合会会长助理兼秘书长　姚轶懿

2022年5月21日小满当天，广东省中小学校长联合会发起的全新公益品牌活动"山长直播间"——专家大咖，云上开讲，第二期开播！中山市迪茵公学副校长韩宜奋做客"山长直播间"担任主讲嘉宾，本次"山长直播间"还邀请了广州市华美英语实验学校总校长、广东省中小学校长联合会副会长陈峰博士担任特邀嘉宾，广东省中小学校长联合会会长助理兼秘书长姚轶懿担任主持人。

5月21日正值中国二十四节气中的第八个节气——小满。"小满"蕴含了中国人的处世智慧：不自满，知不足，满而不损。这是一种修养，也是一种人生态度。而我们第二期"山长直播间"的主题：善待生命，慈悲与歌——疫情下的自处与他处，也道出了在特殊时期背景下我们应该有的人生态度。

在直播间，韩宜奋、陈峰两位校长以及主持人姚轶懿秘书长在线下畅所欲言，妙语连珠；观众线上参与。线上线下同步互动，分享观影的感悟，解读电影之外的延展之义，氛围愉悦、轻松、欢乐。在这个过程中，韩校长分

享了为什么选择这十部电影推荐给校长、老师和家长，也揭开了大家一直以来非常关注的韩校长的"秘密"，就是他为什么选择电影作为载体来带动学生语文学科的学习，让学生喜欢上语文，而且学得很好。

第一部电影《入殓师》——愿你曾被温柔相待

电影介绍：《入殓师》，日本影片，荣获第81届奥斯卡最佳外语片奖。在韩校长看来，这是一部非常适合推荐的入门电影。首先，电影语言独具匠心；其次，电影故事非常精彩，平缓推进，慢慢渗透心田。该影片中，一名新手入殓师在入殓的仪式中，通过对围绕死者的各种各样的故事的观察，重新理解了死亡的意义和生存的价值，得到来自生命深处的感动。电影虽然以死亡为主题，但是没有让人感觉恐惧、沉重，反而让人觉得温情、感动。

韩宜奋：这部影片获得了奥斯卡最佳外语片奖，这部影片出来以后，日本入殓师一下子就变成了热门的职业，足见一部电影的重要性和它的作用。

影片中把死亡看作"往生"，对于死去的人，不应该害怕、悲哀，而应该以一种接受、尊重的态度送他离开。其实，这让我们看到生与死是息息相关、环环相扣的，人要心怀大爱，向死而生。

电影中有很多情节给我们以启示。例如电影中有一个工作人员，他说每次把尸体推进火葬炉的时候，人不是死去了而是"往生"了，这让我们重新思考生和死的关系。在电影最后，男主角的妻子回来告诉他"我已经怀孕了"，这是生与生的和解。而男主角通过自己的双手把父亲送走了，其实就是把所有的恨都放下了，爱取代了一切。这部电影让我们明白了什么是"生与生的和解""生与死的和解""爱与恨的和解"。电影男主角的名字叫小林大悟，不知道导演是否有意为之，但最后男主角的确是大悟了。

陈峰：人是畏惧死亡的。电影勾起了我对以前亲历的事情的回忆，那时候我对死亡一知半解，心怀恐惧。如果我在小学、初中的时候接受过"生与死"的教育，或许在我的人生观当中对生死会有更丰富的理解。我也在思考以后是否在学校开展电影教育。

姚轶懿：男主角最后为父亲入殓的场景，让我看到了他对抛弃自己的父亲的释怀，他用最专业的方式送走了父亲。

第二部电影《偷书贼》——绝望之下有希望

电影介绍：《偷书贼》，美国影片，讲述在二战时期纳粹统治下的德国，一个女孩与她的养父母以及寄宿在她家的一个犹太人之间的温情故事，让我们看到了文字有救赎、影响人生命的力量，可以滋养人类灵魂，帮助人度过最艰难的时刻，让人在绝望下看到美好的希望。

韩宜奋：这部电影非常适合家长带着孩子或者老师带着学生一起看，这部影片告诉我们哪怕命运坎坷、环境恶劣、条件艰苦，我们也要敞开胸怀去拥抱美好的世界，要学会自我强大。另外，这部影片也让人思考怎样才能让生命更丰满、更有意义。仅仅有饭吃、有地方住，在物质上满足就可以了吗？这显然是远远不够的，生命还需要更多美好的东西例如书籍来滋养，让人的精神充盈起来。精神的力量可以越过高墙，越过地下室，越过所有种族，是非常闪光的。

姚轶懿：这部电影里我对一个情节印象特别深刻，就是在地下室里面，女主角莉赛尔的养父帮她设计了从A一直到Z的"墙面黑板"，一个字母占一块地方。因为她最早读的是《掘墓人手册》，凡有不懂的单词，她就列在不同的字母里边，她想要知道这个单词是什么意思，就去问她的养父。我想这是一种学习的内驱力。有时候很有意思，人就是这样的，越得不到满足，越想要，就像莉赛尔，越没有书看，越想看书。

陈峰：说到地下室的"墙面黑板"，我也想到，如果把家里客厅的电视墙、酒柜、装饰画变成黑板包裹着的元素，我想这样的一个家庭可能真的叫书香门第，或者是书香家庭了。我们的书香校园可能就很容易建设了。

第三部电影《肖申克的救赎》——越过内心的监狱

电影介绍： 虽然《肖申克的救赎》当年角逐奥斯卡失利，但它的评分长期超过9.5分，堪称经典中的经典。这部影片讲述了小有成就的银行家安迪因被误判为枪杀妻子及其情人而入狱，在洗清冤屈、合法出狱的希望破灭后，不动声色、步步为营地谋划自我拯救并最终成功越狱，重获自由的故事。

韩宜奋： 我想这部电影绝大部分的人都看过。我曾经一遍又一遍、一届又一届地给学生播放这部电影，学生看得津津有味，所写的影评也十分精彩。这部影片告诉我们：一是要有信念、信心和希望；二是要坚持，要持之以恒；三是要认识知识的力量，有专业的知识、有过人的本领才能掌控自己的命运。这部影片还涉及自赎与他赎的话题，当前的疫情出现了很多挑战人性的困境，那我们有定力把持住自己吗？我们能够保持心中的善良，跨越疫情、跨越病痛、跨越生死、跨越丑恶，去帮助那些该帮助的人吗？这是值得我们思考的。

陈峰： 跳出这部电影来看今天的主题，疫情之下我们的确面临着很多的压力，面对压力，如何让自我变得强大？这个过程是复杂的，不是一两句话可以说清楚的。在自赎与他赎，本我到超我之间，是要经过思考，经历进退、矛盾，一步一步变得强大的，人是在挫折中走向新生的。疫情之下我们特别需要这种精神。

姚轶懿： 这部片子还有特别有意思的一个地方，就是黑人瑞德每年给安迪一张海报作为礼物，当瑞德给安迪第一张海报的时候，他们其实已经成了朋友。这些海报其实反映了年代的变化，同时又是每一个人对美的追求。在我看来，美是可以遮住丑的，遮住洞口的一幅幅海报隐喻着向美而生，无论环境多坏，我们都应该看见美，看见希望。

第四部电影《可可西里》——用生命守护一方净土

电影介绍：影片讲述了记者尕玉和巡山队队员为了保护可可西里的藏羚羊和生态环境，与藏羚羊盗猎分子顽强抗争甚至不惜牺牲生命的故事。

韩宜奋："可可西里"这四个字在藏语里就是"美丽的青山和少女"的意思，这里生长着世人眼中皮毛昂贵的藏羚羊，总有一群人始终坚守着自己的信仰，保护着这块地方，守护着这些藏羚羊。电影里有句台词讲得非常好："他们的手和脸脏得很，可他们的心特别干净。"这句话是整部影片里最感人的一句话，这部影片传递出一种信念的力量，也告诉我们人与自然应该如何和谐相处。

这部影片是半纪录片，没有什么表演的痕迹，这也是影片感人的地方之一。我想，没有信念、没有追求的人，不会拍这样的电影，也不会做这样的事情。

我们再回过头来看看老师应该如何去面对困难、面对压力、面对职业倦怠。作为老师，面对犯错的孩子应该怎样教育、感化他？相信大家从这部电影中都会有所感悟。

陈峰：在这个纷繁复杂的世界，我们作为教育人太需要信念了。无论是基层的教师还是中层的管理者，乃是校长，对于教育，我们是否全身心投入，是否用自己的生命在热爱？

第五部电影《霸王别姬》——时代的悲歌，人性的挽歌

电影介绍：《霸王别姬》曾获戛纳电影节最高奖项金棕榈奖。电影围绕程蝶衣、段小楼、菊仙展开悲剧情感故事，以剧情为主线，以时代背景为辅线，深刻地展现了历史的潮流、时代的变迁带给人们的深远影响。

韩宜奋：在我看来，《入殓师》讲的是死亡面前的生命，《肖申克的救赎》讲的是制度下的生命，《可可西

里》讲的是大自然之下的生命，而《霸王别姬》讲的是不同时代下的生命。在大时代之下，每个人都要找到自己站立的地方，如果找不到，就请珍惜当下。我相信不同时代的人在不同的阶段来看这部电影，会有不同的感悟。通过这部电影，我想让学生认识到在不同的时代背景下，人有时候会身不由己，甚至不知道如何自处，现在的中国正处于最好的时代，我们应该珍惜当下。

第六部电影《心灵捕手》——捕捉跃动的灵魂

电影介绍： 影片讲述了麻省理工学院一个名叫威尔的清洁工的故事。威尔在数学方面有着过人天赋，却是个叛逆的问题少年，在教授蓝勃、心理学家桑恩和朋友查克的帮助下，威尔最终把心灵打开，消除了人际隔阂，并找回了自我和爱情。电影也告诉我们悦纳自己的重要性。

韩宜奋：《心灵捕手》的这个"捕"，英文就是hunting，与主人公Will Hunting名字呼应。在电影里我们看到桑恩与其他老师不同，他做的是去倾听，是在"捕"之前先放，没有马上去"捕"他。先放，放的是什么？就是"我要懂你"。我最喜欢跟我的学生讲的一句话就是"彼此懂得"。师生之间是双向的，需要搭建沟通的桥梁，需要敞开心胸，彼此倾听，彼此懂得，找到共同点，从而在灵魂的碰撞中成就彼此。

陈峰： 我认为校长、教师和家长都应该看一看这部电影。现在的教育是简单的线性逻辑，生命中缺少互动。其实教育应该是多维的，教师和家长要从不同的角度看待孩子的成长，要学会捕捉孩子的心灵，同时还要注重"捕"的技巧、"捕"的等待、"捕"的准确性。教育是"慢"的艺术，急不来，需要耐心，因为每个孩子在不同的阶段成长的特点是不一样的。

第七部电影《青木瓜之味》——何以为女，所以为女

电影介绍： 影片从一个名叫梅的10岁小姑娘入住大户

人家做保姆开始，用诗一样的电影语言，缓缓地讲述了这个家庭的变迁、人物的经历、他们的悲欢、人与人之间的美好与伤害以及人情世故的温暖。

韩宜奋：但凡找我推荐电影的人，我都会情不自禁地推荐这部影片。这部电影也特别契合我们今天的主题——善待生命，慈悲以歌。这部电影流淌着诗意的美，就像是吃了山珍海味后递上来的一杯青柠汁，"喝"了是那么舒服，那么沁人心脾。这部电影讲述了三种妇女的命运，一是七年未曾下楼的老太太，她固执、封建，因为最小的孙女死了，为了赎罪，她整天吃斋念佛，她也渴望爱情，但却不敢触碰爱情，是老一辈封建家长的代表。二是太太，她过着丧偶式的婚姻生活，撑起整个家庭，任劳任怨，忍气吞声地接受命运的安排。三是阿梅，她勤劳淳朴，天真善良，获得了属于自己的爱情。这部电影让我们感受到了艺术之美、品德之美、人性之美。这部电影没有激烈的矛盾冲突，也没有喧闹的场景表现，它就像细水流淌，静静地往前走，让人不舍得离开，这也是镜头语言美的魅力。而美也是教育不可缺少的一个环节。

第八部电影《放牛班的春天》——因为懂得，所以慈悲

电影介绍：影片讲述的是一位怀才不遇的音乐老师马修的故事。他来到辅育院，面对的不是普通学生，而是一群被大人放弃的野男孩，马修改变了孩子以及他自己的命运。

韩宜奋：《放牛班的春天》作为经典的教育影片，传递出来的主题是不随意给孩子贴标签，每个学生都具有可塑性，都需要被善待、被宽容、被爱。电影非常值得教育工作者以及家长观看。但一千个读者眼中有一千个哈姆雷特，每位观影者对这部影片都会有不一样的感受，很多人看这部电影都在关注马修老师教育孩子的过程。我有一个学生关注的则是影片中"马修老师谈恋爱"的点，他的影评写得挺有深度。我从来都觉得孩子是了不起的，只要给他一个载体、一个出发点，他就会给你不一样的惊喜。而

电影就是我给孩子们的载体之一。教育也一样，它是多样性的，没有标准答案，不必拘泥于条条框框。

姚轶懿：对，我也在关注马修老师谈恋爱这个点。为什么我会关注这个点？因为我觉得，一个人应该是立体的，除了有他自己的职业，他还有生活。他生活里面应该要有一个完整的历程。还记得电影里面有这样的一个场景，马修约心仪的她——一个孩子的妈妈去喝咖啡，他的心情是多么振奋，但是没有想到，那个孩子的妈妈已经另有喜欢的人了，是个大建筑师，大建筑师把她接走了。当然电影结尾也是一个小遗憾，马修并没有和孩子的妈妈走到一起。

第九部电影《城南旧事》——悲天悯人最温情

电影介绍：影片中，小女孩英子用一对稚气的眼睛见证了发生在她周围的故事，让人感受这个社会上小人物的悲惨命运。电影通过对人物悲剧命运的呈现、对离别的无奈和对人生无常的叹息，为我们展示了一幅色彩明丽的北京风俗画，其间浸润着淡淡的哀愁和悲悯。

韩宜奋：我之所以推荐这一部电影，一是因为电影从小孩子的眼光去看成人的世界，小孩子是单纯、清澈、没有成见的，具有人类最原始的情感——悲天悯人。现在因为我们走得太快，丢失了这样的情怀，我们要找回来。二是因为从电影来看教育，教育的发展是不均衡的，城市与农村的办学条件、师资力量等是不一样的。社会底层的孩子可能会有贫穷带来的各种"毛病"，面对这样的孩子时，能否慈悲地包容他们、接纳他们，这是作为老师需要思考的。三是因为这部电影把目光投向底层的人，也是在告诉我们要慈悲为怀，要在别人需要的时候拉他们一把。

姚轶懿：刚刚讲到这些教育话题，也让我想到了这些年来我自己的工作，我从2013年开始就在做教师和校长培训。我发现，我们之前读书的时候，老师家访是经常的事情，但是近些年来，由于各种原因，大多数老师很难做到家访。虽然现在让人完全放下戒心不容易，但是我一直认为，如果大家都能用英子的眼睛看这个世界，人与人之间能够多一些真诚和信任，我相信，不管老师能不能家访，不管老师的家访能进入多少户家庭，他都能透过孩子的表象看到本质，找到孩子存在问题的原因，这样也就更能理解孩子为什么会这样，就会给孩子多一点慈悲心。

陈峰： 说到《城南旧事》，让我印象深刻的，一是电影的歌曲，"长亭外，古道边，芳草碧连天。问君此去几时来，来时莫徘徊。天之涯，海之角，知交半零落。人生难得是欢聚，惟有别离多"，唱歌水平不怎么样的我也能哼唱几句。二是电影里描写的是一些底层人物的生活，把眼光聚焦在这部分弱势群体中，也是对社会的一种写真，电影也在启发我们，我们的眼光要向下看，对这部分人多一些悲悯的情怀，多一些关怀，多一些理解，多一些帮助。我觉得我们也应该引导学生从电影中得到这样的启发。

第十部电影《十二怒汉》—— 给自己留一条底线

电影介绍： 影片讲述了一个在贫民窟中长大的男孩被指控谋杀生父，案件的旁观者证词和凶器均已呈堂，铁证如山，而担任此案陪审团的12个人要于结案前在陪审团休息室里讨论案情，讨论结果必须要一致才能正式结案的故事。

韩宜奋： 这部影片告诉我们，眼睛看到的并不一定就是真相，当孩子犯了错，校长、老师、家长需要的是公正地、不带成见地、不武断地去对待孩子，因为有时候老师、家长的一句话或一个举动可能就会改变孩子的一生。

姚轶懿： 这部电影我是第一次看，当我认真看完的时候，我就知道韩老师为什么会推荐这部影片了。在这里跟大家回忆一下里面的几段对白，其中有一段话大概是这样的：判断一个跟我们素昧平生的人到底有没有罪，这是陪审团他们要做的事。不论做出什么样的判决，陪审团都拿不到好处，也没有损失。所以陪审团只要有合理怀疑，就不能决定这个孩子杀死了他的父亲，就必须要能够去证明，只要有一点点的合理怀疑，这个判决就不可以完全成立。在这个表决过程中，就因为其中一个人的坚持，因为那一个人认为有合理的理由怀疑这个孩子不是杀人犯，这个孩子并没有杀死他的父亲，到最后，所有的人都重新去审视。

韩宜奋：还有一点，投票是一票一票地变化的，这其实就是人性在一点一点地被发掘。那个投第一票的人可以算是一个准绳。到了最后，大家都向他靠拢。可见，我们会起伏，会犹豫，甚至会后退，但是不管怎么样，我们始终在艰难地往前推进。

第六章 未来教育：国际化视野下瞻望

引擎：同构大湾区学校新图景

北京师范大学中国创新教育研究院副院长
广东省国际教育促进会副会长　康长运

粤港澳大湾区（以下简称"大湾区"）建设是中国国家发展战略之一，大湾区的发展受到国内和国际社会的广泛关注。我们今天在大湾区发展这个壮阔的时代背景下一起研讨关于国际化学校未来发展的新图景。我想主要从以下几方面谈谈我的看法。

一、蓝色思维：华美英语实验学校成长的启示

25年前，一批归国留学生学成不忘报效祖国，创办了改革开放后全国最早的由归国留学生群体创办的学校——华美英语实验学校（以下简称"华美学校"）。今天我们教育人欢聚一堂，庆祝学校25岁生日，描绘大湾区教育美好蓝图，特别有意义。华美学校的发展，国际化教育成果有目共睹，华美学校的卓越让我们感到骄傲，华美学校的发展和成长可以给大湾区未来教育发展图景带来重要启发。我们现在庆祝一个华美学校的成功，但我们更要思考的是在大湾区要有多少个华美学校才能支撑起大湾区教育的蓬勃发展，让学校和教育能够真正成为大湾区发展的引擎。

关于华美学校的发展和成长背后的内涵和动力是什么，大家都做了不同角度的解读和阐释，我都很认同。但根据我自己对陈峰校长和华美学校师生的了解，我更愿意用一种开放创新和国际化的思维来看待，与通常象征中国人民吃苦耐劳和勤劳勇敢的黄河文明、黄土地和老黄牛精神相对应，华美学校的发展和成长更代表了广东所特有的开放包容和锐意创新的蓝色海洋思维（以下简称"蓝色思维"）和精神特质。华美学校的这种蓝色思维和精神特质就是我们今天规划大湾区学校发展、思考大湾区未来教育发展所特别需要的思维和精神。

天地玄黄，宇宙洪荒。"宇宙"一词中，"宇"和"宙"分别代表着"空间"和"时间"。在21世纪的今天，在大湾区这个特殊时空里，我们共同思考和讨论大湾区中小学教育的发展图景和国际化的基因与蜕变。大湾区濒临海洋，是一个辐射人口可能增长到1亿的经济最活跃的区域，与东京湾区、纽约湾区和旧金山湾区相比，大湾区人口、经济发展的前景在中华民族伟大复兴的大背景下更加具有魅力。

毋庸置疑，大湾区的发展可能成为大湾区教育发展的一个重大机遇。大湾区的可持续发展离不开一流的人才的支持，一流的人才当然需要一流的教育和学校才能够培养出来。如果说大湾区的发展能够成为中国迈向世界的发动机，那么制约大湾区长远发展的因素在哪里呢？是教育经费短缺吗？是缺乏国家宏观决策支持吗？显然不是。大湾区教育发展的外部前提都已经具备，这些因素基本可以排除。大湾区的发展可谓得天时地利人和，万事俱备，教育和学校对这一伟大蓝图能够起到引擎作用的就是：大湾区的教育者在这样一个时代面前，能够共同创造出一种什么样的学校新图景。

在中国近代史上，中国第一批留学生从广东沿海地区穿越蓝色海洋走向世界；20世纪，广东也是改革开放的领头羊，深圳从一个名不见经传的小渔村变成国际大都市，成为蓝色思维的真实写照，深圳人既珍视传统，又不故步自封，不畏不惧，勇于创新，拥抱世界，充分彰显了蓝色思维的力量。如果大湾区教育者也能用这种蓝色思维、开放创新的精神共同描绘大湾区教育和学校的崭新图景，那么生机勃勃的大湾区教育将指日可待。

二、要构建立足现代、面向未来的教育

20世纪80年代，中国改革开放的总设计师邓小平同志给北京景山中学题词，提出"教育要面向现代化，面向世界，面向未来"。时至今日，邓小平同志的"三个面向"仍是我们构建大湾区学校和教育图景的指南针。

现代的学校与教育内涵之一就是要跟上时代的发展，特别是科学技术的发展。

任何时代的教育都担负着其独特的使命。大湾区教育要充分理解和立足大湾区发展的国家战略以及近期、远期规划，指向和着力解决大湾区发展的迫切现实问题和未来人才诉求，唯其如此，大湾区教育才能成为大湾区发展的引擎。大湾区学校和教育必须紧跟时代，必须立足现代和面向未来，既要有效回应时代的问题，又要放眼长远，超越当下，未雨绸缪。

现代教育存在的问题一旦解决不好就会成为大湾区发展的障碍，因此解决问题极为重要，也十分紧迫。大湾区的教育发展既有中国教育的共性问题，也有一些独特的问题，需要我们用敏锐的眼光去发现问题，用开放的视角去解决问题。比如，教育中有著名的"钱学森之问"，即为什么我们的学校总是培养不出杰出的高水平人才，这个问题在大湾区教育中更加紧迫，因为高水平人才是教育引擎作用的最集中体现。

立足现代、面向未来的教育的内涵之一就是要把握时代脉搏，紧跟时代发展，特别是科学技术方面的发展，关注科学技术发展趋势，充分了解未来科学技术发展，特别是人工智能等方面发展给教育和人才发展带来的影响；在人才培养目标方面凸显人的创造性以及综合素养，提升大湾区教师科学技术素养，特别是信息技术素养；在学校课程开发方面增加STEAM课程的分量，充分利用技术赋能

教育的各个环节。

三、要构建文化涵养方面的湾区教育

中国具有世界上最为悠久的文化传统，这是中国教育发展的文化生态，是取之不尽的教育资源。

我出生和成长在孔子故里曲阜，先后在山东师范大学和北京师范大学读书，大半生学教育、做教育、讲教育，也周游了北美和澳洲的大学。我一直在想一个问题："到底什么样的教育最能够代表中国？"如果我们今天的教育不能建立在本民族的优秀文化传统之上，而是完全跟在西方人后面，何以影响世界、引领世界？没有本民族文化根基的教育，一定是无源之水、无本之木。

对中国人来说，越是深深了解中国源远流长、博大精深的文化，对未来的教育愿景就会有越大的自信。文化自信，并不是要把当下的文化教育搬回2500年前孔子的时代当中去。社会总是在向前发展，现代社会和未来社会永远不可能割断与历史和传统的关联，教育有责任把现代社会与历史和传统连接起来，这样才能更好地把握未来的方向；同时要充分理解和吸收世界各国先进文化的精髓，用中国文化和世界文化涵养当下的教育和学校，这是当下大湾区教育面临的重大课题。大湾区教育人更应该继承大湾区开放兼容的传统，融合东西文化，这是大湾区的文化优势。

2019年，我所在的北京师范大学中国教育创新研究院的刘坚教授带领团队与西方学者合作，研制了5C核心素养模型，提出了现代学校人的核心素养（Core Competency）培养目标，将文化理解与传承（Cultural Competency）置于其他四个核心素养即沟通（Communication）、合作（Collaboration）、审辩思维（Critical Thinking）与创新（Creativity）的核心。

任何一个区域的文化都有其独特之处和优势，大湾区有其独一无二的文化资源和生态，值得我们珍视并充分挖掘。在讨论中，我的同学、华南师范大学教授王红曾提出，大湾区文化资源的区位优势是什么呢？我们能否绘制一幅大湾区的文化资源地图呢？我觉得这个提法很有价值和可行性。对这个问题，相信在座的广东教育同行们更有发言权。

四、要构建影响世界的教育

国家的大湾区发展战略决定了大湾区是中国未来发展的窗口，承担着作为中国经济社会发展的火车头的历史责任。大湾区教育是整个大湾区发展不可分割的一部分，而且是最为基础的部分。大湾区教育者只有拥有更加开放的胸怀和国际化、全球化的眼光，才能培养出大湾区发展所需要的人才，才能使人才成为大湾区发展的引擎。大湾区是与世界同呼吸的，大湾区发展是开放的，大湾区的学校和教育也理所当然是世界教育体系的一部分，既要融入世界，又要影响世界，因此未来大湾区学校和教育应该"既是中国的和大湾区的，又是世界的"。

大湾区的学校和教育要深深植根于博大精深的中国文化和传统，大湾区学校培养出来的未来一代的大湾区新人要具备更深厚的文化底蕴，兼具国际视野和全球化思维以及敏锐的国际理解能力，具备在越来越复杂的全球环境和不确定的多边局势中从容不迫、游刃有余的能力。习近平同志提出的人类命运共同体的概念既体现了中国传统文化中"齐家治国平天下"的文化情怀，又彰显了中国人的世界胸怀和对全人类的担当。大湾区教育者应当有这种底气。

我在加拿大UBC（英属哥伦比亚大学）工作的时候，我的同事Brent教授是一位在复杂理论与教育领域享有国际声誉的学者，他在研究的很多领域借用了中国的《易经》《道德经》的理念和思维。我们教育要走向世界，不仅仅是向西方人学习，更需要用我们本民族的文化涵养当代教育和自信，并将本民族的历史文化特别是教育传统中优秀的遗产在现代教育实践中发扬光大。

五、要构建持续创新的教育

中国古代典籍《诗经》中说："周虽旧邦，其命维新。"大湾区国际化学校和教育的图景就是一个创新的图景、一个常新的图景。华美学校就是这个创新教育图景的一颗闪耀的明珠。

建设粤港澳大湾区的国家战略的提出就是中国创新事业的一个重要的、常新的部分。大湾区教育需要具备自我更新机制，这种自我更新不是颠覆性的革命，而是一种自我更新的机制。教育需要呈现一种与时俱进的、永远生机勃勃的姿态，这就需要给教育提供宽松的生态，给校长和教师提供创造的空间和土壤。

最后需要指出的是，同构这样一个大湾区的学校新图景，需要各位教育同仁，特别是广大校长和教师的共同参与、付出与贡献。我始终坚信中国教育者的集体智慧。我们欣逢中华民族伟大复兴的伟大时代，大湾区的教育者有责任拥抱这个时代，对大湾区的教育做出应有的回应。

二十七年一件事：华人文化与教育的下一步

道禾教育创始人　曾国俊

大会主席和各位教育界的伙伴，大家下午好！很荣幸能够有这个机会来到"山长讲坛"跟各位做这样的分享。我是一个父亲，27年前，我女儿两岁多，我带着她到处找学校，找着找着，决定干脆自己办一所幼儿园。27年过去了，现在学校不断发展，有了托婴中心、幼儿园、小学、初中、高中，已阶段性成立了道禾教育实验学校、道禾书院、道禾六艺文化馆、道禾教育研究院、道禾三代塾等。我们一直植根于传统文化现代实践教学，我认为这个世界的教育不仅只开有"白色的花""棕色的花"，还应该开"黄色的花"。我们华人的教育也应该在世界上有自己的位置与主体，有自己的话语权及诠释权。

一、教育无他，是一切回归到人的工作

道禾从1996年创立学校，到2006年有了道禾教育基金会，我们开始支持蒋勋先生，讲"美的沉思"，讲"身体的觉醒"；开始支持洪兰教授，讲脑神经科学。十几年下来，我们支持了将近200位不同领域的专家学者在不同的舞台、不同的场域来跟我们的家长、老师和孩

子们交流，请他们帮我们打开视野、心量。教育无他，其实就是老师的爱与榜样，而爱与榜样最重要的是来自"人"，所以教育是一切回归到人的工作。如何为人师是一切教育的根本。

有一次圣雄甘地被一个学校邀请去做讲座，大家把教室打扫得窗明几净，列队欢迎。甘地遇到第一位老师，就问："老师，您在学校里是教什么的？"老师说："我是教数学的。"后来他又遇到了另外几位老师，他也问了他们在学校里是做什么的，老师们说："我是教历史的。""我是教地理的。""我是教物理的。""我是教化学的。"……来到讲台上，甘地的第一句话是："我想有点误会，我们来到学校不是教数学、历史、地理的，我们是来教育人的，只有人可以教育人，知识本身不会教育人。"所以，教育根本的问题是回到人师的身上。我们2006年有了基金会，这十几年来，它努力支持着比我们先行的、比我们更有眼光的、引领我们看得更远的行者、智者们，请他们来帮我们打开眼界和视野。我认为这是我们教育工作者第一件该做的事。

二、不要讨论要不要国际化，我们就是国际化

到目前为止，如果被联合国教科文组织问什么是属于我们的教育，我想我们一定会一头雾水。一百多年前，我们处在战乱、落后、贫穷的状态；近四十多年来，我国的教育不断改革，经济不断发展，政治、军事等方面都展现了有史以来最强大且属于我们的高度自信。但是真正的自信、真正的强国一定是输出文化、输出教育。我认为，这个世界不可能只开"白色的花""棕色的花"，也应该有我们"黄色的花"。

所以，道禾教育27年前在台湾这么小的一个地方起步，开始从儒释道的哲学中寻找现代的教育哲学，从琴棋书画中去寻找现代的教育美学，从武学、从养生学、从山水学、从农学中寻找属于我们自己的身体的美学。我们需要研究、实验，做到让它既是中国的，更是世界的；既是我们的，也是国际的。所以，我们不用讨论要不要国际

化，我们就是国际化。

三、了解、认可自己，用别人听得懂的语言和逻辑说我们自己的故事，那一定是国际化

我们共同的愿景是，一个拥有几千年优秀文化的民族，绝对有能力开启一个属于我们自己的、同时面向世界的教育。什么是真正的国际化教育？了解自己、肯定自己、喜欢自己，进而用别人听得懂的语言和逻辑说好我们自己的故事，那就是国际化。若不然，那就仅仅是崇拜与模仿其他文化，我们最终不能说出或做出什么，有的仅是矮化与异化，将被淹没于世界的舞台上。我想，唯有更加了解、肯定与喜欢我们自己，我们才可以走出属于我们自己的道路。

四、道禾正在践行植根于中国文化的现代教育探索

东方的教育来自熏习顿渐，先用熏、用习，而后顿渐，用耳濡目染，用潜移默化。我们有一套自己的教学教法，比如道禾的山水学就是不同年级各有自己的一座山，每个节气走一次，每年二十四个节气，就走这座山二十四次，每一次走一整天，一大早出发，到傍晚才回来。一年一座山，一年一条河，四季十二个月份，鸟兽虫鸣皆不相同，山就是"天地有大美而不言，四时有明法而不议，万物有成理而不说"，所有的想象力与创造力都来自我们的耳濡目染，大自然带我们目遇成色、耳得成声，大自然是我们最好的老师。

道禾提倡践行，把经典变成生活。我们带着孩子自一年级起种竹子。五年级时，竹子最壮，取竹，剖开成四瓣，取两瓣阴干，两瓣烘干。烘干的隔天可以做弓箭，三到六个月后可以习射，射三到六个月，弓箭会裂与疲乏。而拿去阴干的竹子，因为与天地交换湿度，在九个月到一年后才能取材，但孩子用这样的竹子做成的弓箭习射，到高中毕业弓箭也不会裂。于是我们的孩子就会知道"凡事预则立，不预则废""人无远虑必有近忧"，有些事"十

碗水可以炖成一碗汤"。

"求难则千难一易，求易则千易一难"，因此，道禾的办学情怀就以八个字为心法："求难，求拙，求慢，求少"，少则得，多则惑。看起来慢，实则快，所以求难则易，求易则反难。

有人问，一年一座山，一年一条河，二十四节气只走一座山会不会太少、太慢？一年是一座，两年是两座，到小学毕业六座，初中毕业九座，高中再三座，共十二座。我们小学毕业仪式在台湾玉山举行，山高3952米，学生在山上领毕业证书。初中毕业学生负重三十多公斤，横穿台湾的"心脏"八通关古道，由西往东要走十天，从海拔2500米到海拔3000多米，在出口处领毕业证书。看起来一年走一座山很慢，有的家长劝我："为什么不一年三座、一年五座，偏偏要一年一座？"我就问在座的各位，有认识十二座山的人吗？有的话请举手。能叫出十二座山的名字也可以！一年走一座山看起来慢，其实很快，多数人耐不住性子，就看不见这座山的春夏秋冬，看不见这座山的四季变化。

我们都知道春夏秋冬有教于我，大自然有教于我，经典有教于我，人师有教于我，我们谦卑，所以我们受教。感谢过去二十七年来给我们指教的所有人师、长辈，也感谢今天大会给我们这个机会在这里分享。谢谢大家！

在全球视野下探索基础教育创新

一土教育创始人　李一诺

非常感谢有这个机会来到这个讲台上，今天其实有好几个特殊的意义。第一，大家可能不知道，我们从2017年开始就在华美开了一土的第一个分校的合作项目。记得陈校于2016年冬天来到北京，那时一土教育还是一间刚刚起步的学校，陈校特别有魄力，说在广州也试一试，于是就有了一土学校在广州的落地。第二，对于国际教育，我是外行，但是我在过去的17年里，大概有一半的时间在美国读书和工作，也有一些在顶尖的国际组织工作的经验。虽然2016年之前，我与基础教育没有什么关系，但是在这个过程中反而有一些比较不一样的视角。所以今天我想跟大家分享的题目是《在全球视野下探索基础教育创新》。

一、我国教育现在面临的挑战

第一，关于过去和未来。一方面，教育实际上是在培养整个社会的未来，这就是教育受到这么多人关注的原因。但是另一方面，不管在国内还是国外，很多的知识分子可能都在批判，说我们的教育方式实际是过去的方式。如何弥合这样的鸿沟？

第二，我们的教育目标是教授知识还是培养人？

第三，学校是一个孤岛还是一个与社会连接的实体？

因为教育是一个社会问题，所以必须从不同的角度来看，有时由于我的非教育人的身份，我会发现很多教育问题是教育本身解决不了的。教育实际上只是我们社会转型的很多矛盾的出口和表象，对于教育工作者来说，我们不能逃避这个问题。那么，在这个大的背景下，我们能做什么？

我们的人才培养，特别是基础教育的人才培养，是比较封闭的，不仅中国是这样，美国同样也是这样。如果基础教育培养的人不能全面理解这个世界的话，最终会导致很多问题，包括东西方的冲突，从教育的角度来说，这些问题也是过去三十年教育全球视野的缺乏导致的必然结果。所以，今天如果我们不解决这个问题，以后同样的事情还会发生。我们如何让孩子在上学时就能理解世界而不只是让他学会英语？我认为这是一个很大的社会问题。

二、改变势在必行

我希望真的能有一个改变，我们想做一所学校，它能够做面向未来的教育。我们希望有一个创新的体系，能够实现这种转变，我称之为"三个中心"：以学生为中心的课堂、以教师为中心的学校、以学校为中心的社区；同时希望能够有一个大的社区来集聚社会的意愿和资源，来创造改变；还希望有一个公益的平台去助力教育公平。

其实我们需要的是一场围绕教育的社会创新。我们有一个跨界的团队带来跨界的方法、思维和认知，主要由三类人组成：一类是教育者，我们有大量经验丰富的从事一线教育的人；一类是管理者和有企业背景的人；还有一类是有科技背景，希望理解科技和未来的发展方向，并且让技术在教育中发挥符合教育原则的积极作用，为教师赋能，让教育过程优化的人。

一土的使命是"为中国的未来培养幸福的一代人"。我们就是这样一群希望孩子们成长为内心充盈的乐天行动者、理性创新的高效学习者的人。

一土努力回答的核心问题，就是希望孩子成为什么样的人。实际上成人就应该成为这样的人，如果成人都不是这样的人，每天还道貌岸然地去教孩子，孩子其实比你聪明，他知道你在撒谎。

我真的希望能够探索一条中间道路，就是在以应试为主的教育体系和国际教育之间找一条我们的道路。

三、探寻教育的"水下冰山"

教育的目标是什么？育人目标是所有学校、所有教育行动的指导方向。我们当时用了一个冰山的模型来说明希望培养"内心充盈、知道自己是谁、能做什么、擅长做什么的创造者"。我们不仅仅要培养学生会"冰山"上面的东西：能说会道，会考试，掌握基本知识和基本技能——这些都是外在表现，容易了解与测量，也比较容易通过培训来改变和发展；还要挖掘"冰山"下面的潜能，例如社会角色、自我形象、特质和动机，这些是人内在的、难以测量的部分，不太容易通过外界影响得到改变，但却对人的行为与表现起着关键性的作用。但我们的教育评估体系只评估"冰山"上面的东西，因为它是可以量化、可以测的，但"冰山"下面的东西测不了，因此这也导致了很大的错位。

大家做基础教育的可能会关注芬兰的教育，我去了芬兰一个星期，参加了很多会议，几乎所有的演讲开场都会放同一张表，让我记忆犹新，即他们希望接受他们的基础教育出来的人，首先是人和公民，具体有七条。

①学习能力。

②文化同理心。

③自立。能够照顾自己、会做饭、会缝衣服，能乘坐公共汽车等。（他们有这方面的课程）

④能够读各种各样的语言。

⑤能够用手机。

⑥能够知道世界是什么样的，有创业精神。

⑦能够在一起共建一个可持续的未来。

这个大纲就变成了他们最终的能力，他们称之为可迁移能力。可迁移能力是什么？其实就是"冰山"下面的能力：在不同的情境下可以知道问题是什么，用什么方法解决，应该用什么态度去跟人协作和协调解决问题。

一土的育人目标分为三层：知识技能、思维构建、核心素养（见图1）。

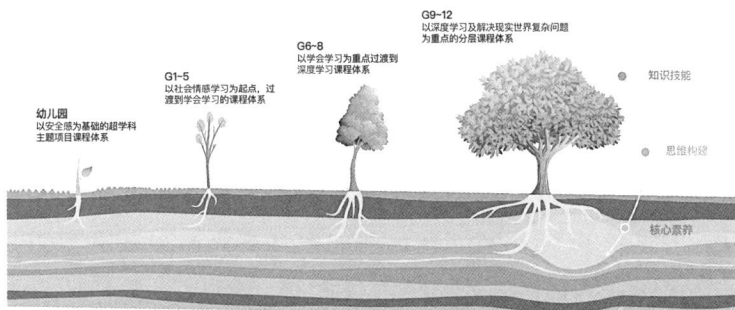

图1　一土教育育人目标图

基于一土育人目标的一土核心素养是：认知自我，追求美好，沟通协作，学会学习和敢想敢做。如图2所示，这代表一个人的成长是个循环上升的过程。

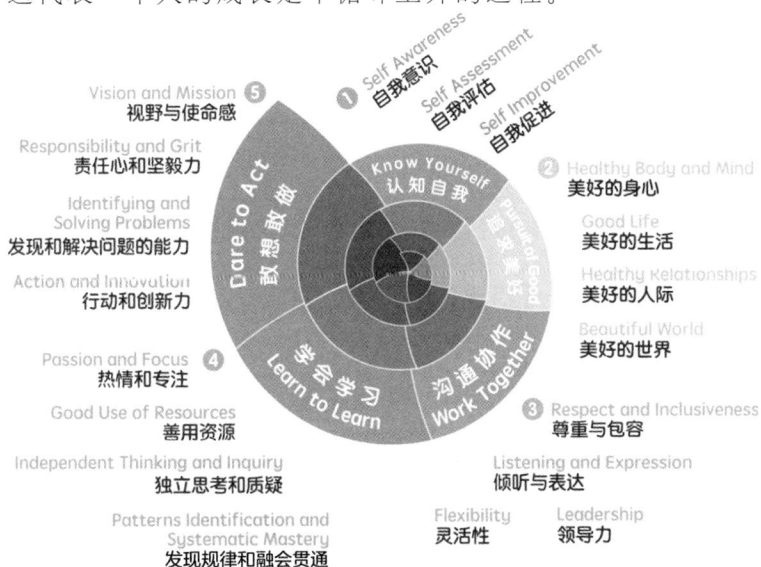

图2　一土教育核心素养体系图

四、打破学校与社会之间的围墙，让教育与社会紧密相连

说到评估，分数是评估的核心，但是没有分数时怎么做？可能要有更全面的评估。我们利用IT（信息技术）体系、多媒体技术等，设置了很多过程性的评估。还有一种方法是学生主导会议，让学生告诉家长，而不是让老师告诉家长。还有展示型评估，即在现场展示，让评估变得真实。

打造独特的教师职业发展体系。我们希望像培养领导者一样培养老师，把企业工作能力与教育领域的需求相结合，如基层核心能力、沟通协作能力、创造力和执行力。

创建一土家长学校社区。学校最大的压力可能来自社会，来自焦虑的家长。最终我想做的是让家长有成长的学校。为了支持更多父母有正确的教育观和有效的教育方法及资源，我们有一个面向父母的线上家庭养育社区，即"一土全村"。

为了支持成年人的内心成长，我们还有一个线上的"诺言"社区，当时与华美结缘也是因为我们的一个志愿者和公众号"奴隶社会"的读者给我们牵线，希望我们能够在广州落地。"诺言"社区里有2万多人，来自全球六大洲60多个不同的城市。

我认为，面向未来，在互联网时代，教育是没有边界的，教育的本质就是培养人，而培养人是一个无边界的命题，所以其中有很多的可能性，可以做很多事情。

好的教育都是相通的。我想大家聚在一起，虽然可能有不同的角度、在不同的情境下做教育，但是对教育的共识让我们走到了一起，我们做的其实也只是推动教育的非常小的力量。但是如果达成这个共识的教育者、平台越来越多，我们的教育就非常有希望。

面向未来：核心素养教育的全球经验

北京师范大学中国教育创新研究院院长　刘坚

中国社会正在进入一个新的历史阶段，社会的主要矛盾已经转化为人民日益增长的美好生活需要和不平衡不充分的发展之间的矛盾。人民对美好生活的向往，就是我们的奋斗目标。同时，实现中华民族伟大复兴成为中国共产党人的历史使命，这是中国共产党对14亿中国人民的庄严承诺。

回到我们今天要讨论的话题：教育到底该怎么办？教育应该如何应对新的时代？具体来说，我们要思考的问题有两个：第一，进入新时代，什么是我国教育发展的主要矛盾？第二，我国教育发展的不平衡、不充分到底表现在什么方面？

十多年前，《南方周末》报道中国社会经济发展的基本生态图，大概是这样的：董事会、决策者在欧美国家，加工指挥者、办公室在印度通过软件进行操作，而加工厂在中国。这是2004年《南方周末》对中国所谓"全球的加工厂"的描述，这样一种描述意味着曾经中国的社会经济生活状况就是，我们付出的是原材料和廉价的劳动力，但造成的是环境污染，获得的是极为有限的回报。

改革开放四十多年来，我们国家的经济生活大致面临这样的生态图景：品牌不是我们的，决策不在我们，巨大的利润也不在我们，但我们付出了大量的资源、廉价的劳动力，我们的环境污染还在影响着每个人的生命。这四十多年来，中国逐渐成为世界第二大经济体，老百姓摆脱了贫困。这其中，普及九年义务教育为提供有保障的国民基本素质做出了重要贡献。这是世界银行的一个基本结论，国际组织对此有基本共识。

我曾与北京四中校长刘长铭、山东省教育厅厅长张志勇一起去一个企业考察，企业的董事长带我们参观，给我们介绍了企业的一系列产品。这个企业是为某品牌手机生产配件的，董事长说，他2001年创办的这个企业，经过不到20年的时间，现在已经成为全球的龙头企业，引进的都是国外最好的生产线。我问："这些生产线咱们自己能生产吗？"董事长当时没有回答，等到走出车间的时候，他说："刚才你提的这个问题，我想了想，再给我15年的时间我也生产不出来。"

你看，我们可以通过付出资源、付出有限的回报、造成环境污染等获得国内生产总值的增长，然后有能力购买世界上最好的生产线，生产世界上最受欢迎的产品。只是这个生产线的平台本身，如这位董事长所言，再过15年也生产不出来。仅仅是一个企业如此，还是全国多数领域都可能存在这样的问题？这值得我们深思。

《环球时报》在一篇关于"疯狂内存条"的报道中曾指出，"从过去一系列不成功的收购案例来看，中国资本想要通过海外并购获得存储芯片市场的入场券行不通"，"中国必须自立自强，才能实现产业发展不受制于人"。

我最近参加了在中南海召开的"中国教育现代化2030"座谈会，会上讨论了一个重要的话题，就是如何站在2050年的高度去思考2030年的教育。今天在座的各位校长和老师，你的学校里正在受教育的中小学生，再过几年甚或十几年，差不多到大学毕业，走向工作岗位的时候，这也意味着，那时候中国经济社会如何发展，取决于我们当下正在学校接受基础教育的中小学生获得什么样的素养，这将决定将来我们可以走得多远、飞得多高。

一直以来，我们的学校教育过度地关注读写算，关注书本知识，关注成绩，以至于我们的中小学生在持续十二年的学习生活中，更多关注的都是答案，是成绩。在这样一个过程中，部分学生与生俱来的好奇心、个性、创造性受到了限制，以至于到了本科、研究生阶段，依旧缺乏对自己的生存价值的认识，失去了自我，放弃了独立思考。

对此，我认为是学业过剩的结果。所谓学业过剩，就是以死记硬背获取标准答案和高分数为取向的教与学。各位校长、老师，回想我们的课堂教学，学生们有多少机会独立思考？又有多少学生学习是因为与生俱来的好奇心在驱动？我想这是值得我们去思考的问题。

刚才我说到2004年《南方周末》介绍中国经济发展生态图，如果我们现在也为中国教育设计一幅发展生态图，我想这幅生态图与大概二十年前的相比，基本面没有变化。为什么呢？在这幅生态图中，中国的基础教育拥有的优势在知识技能、解题能力以及学生认真、勤奋、刻苦的素养，但是中国的学生所缺失的可能是实践能力、创造性、好奇心等，包括人生观和价值观的问题。在我们的基础教育阶段，我们到底花了多少时间培养学生的这些能力和素养呢？到今天为止，这个基本面仍然没有发生什么变化。

回到我前面追问的问题，我们国家从积弱积贫到成为世界第二大经济体，但要想成为一个强盛的国家，我们缺失的正是这幅生态图中的这一系列作为一个现代人应该拥有的基本素养，而我们的基础教育准备好了吗？当我国社会主要矛盾已经转化为人民日益增长的美好生活需要和不平衡不充分的发展之间的矛盾的时候，我们的教育的基本矛盾是什么？我们的培养对象——学生发展的不充分、不平衡到底表现在什么方面？

正是在这样的背景下，努力培养学生的创造性和实践能力，始终坚持以学习者为中心，为受教育者提供个性化、多样化、高质量的教育服务，成为基础教育的重要使命。为此，我们开展了核心素养教育全球经验的研究。

关于核心素养，大家都很熟悉，这个概念2014年第一次出现在教育部的文件中。2015年4月，世界教育创新峰会委托我们做了一项研究，考察全球核心素养教育的总体趋势。我们研究的对象涉及29个经济体和国际组织，研究内容涵盖了从2000年到2015年这16年间的基本文献。通过文献研究，我们将其中凡是与核心素养、21世纪能力、21世纪技能相关的关键词进行归纳梳理，形成了十八项素养。它们又可以分为两大类，其中九项是与某一学科内容或领域相关的，可称为领域素养；另外九项是跨领域的素养，我们称之为通用素养。九项领域素养中，有我们非常熟悉的语文、数学、外语、物理、化学、生物、历史、政治等学科相关的素养，还有信息素养、环境素养和财商素养，因此我们将这些领域素养分为基础领域素养和新兴领域素养。后面的九项通用素养又可概括为三个方面：一是指向高阶认知（批判性思维、创造性与问题解决、学会学习与终身学习）的素养；二是指向个人成长（自我认识与自我调控、人生规划与幸福生活）的素养；三是指向社会性发展（领导力、沟通与合作、跨文化与国际理解、公民责任与社会参与）的素养。

由此，十八项素养整体上可分为这样两大类、五小类的结构，这个框架是非常清晰的。我们又进行了研究验证，对十八项素养在这29个经济体和国际组织进行投票，统计结果显示，十八项素养条目中，得票超过半数以上的有七项：沟通与合作、创造性与问题解决、学会学习与终身学习、批判性思维、信息素养、自我认识与自我调控、公民责任与社会参与。也就是说，这七项素养是29个经济体和国际组织最为关注的，大家会发现这些素养几乎与第一大类的基础领域素养无关。当然，这并不是说前面那些基础领域素养不重要，而是说明这七项素养是更为核心也更为重要的。

基于这样的调查与研究，对于核心素养的本质，我们在研究报告的最后这样指出："我们坚信，核心素养的一端支撑的是健全的人，另一端联结的是真实世界。"我们认为，核心素养一定是决定人能不能解决现实世界的真实问题的素养，同时也一定是决定人的发展的"关键少数"的素养。

我们与美国相关机构合作，构建了一个5C核心素养模型，它是在美国研究机构提出的4C（包括批判性思维与问题解决、沟通能力、创造与创新能力、合作能力）的基础上，加了文化传承和国际理解。因为我们认为，无论哪个国家和民族的学生，文化传承和国际理解都是非常重要的事情。由此，我们提出的核心素养包括这五个重要方面。

对比全球29个经济体和国际组织最关注的七大素养与教育部委托北京师范大学成立课题组研制的《中国学生发展核心素养》可以发现，七大素养中的六项在我们的学生发展核心素养框架里都有，但全球关注度最高的沟通与合作却没有。实际上，沟通与合作是非常重要的，对学生发展来说意味着要懂得自由与规则，懂得个体独立性与团体合作，懂得抗争与妥协。作为现代人，无论是在学习活动中还是在社会生活中，都要懂得尊重每个个体的独立性，重视团体的相互沟通，形成团队，尊重个人自由，强调集体规则，重视在坚持自己的观点的背景下的抗争与妥协，这是我们的教育应该教给学生的重要素养。

那么，如何落实核心素养的培养？关键还是要从尊重学生开始。什么是尊重学生呢？就像一幅漫画描述的，一只小白兔在钓鱼，第一天一无所获，第二天还是如此，第三天，它决定再作一次努力，如果钓不着，说明这个鱼塘里没有鱼。但其实真正的原因是，小白兔用的鱼饵是胡萝卜，小白兔自己喜欢吃胡萝卜，就以为鱼也跟它一样。漫画看起来很好笑，可是我们想想，我们做老师的有时候是不是也是这样呢？你自己喜欢数学，就以为教室里的孩子都跟你一样吗？你擅长体育活动，就以为天下的孩子都像你一样喜欢体育吗？这件事情真的非常重要，"以人为本"说起来很容易，也是过去十几年的课程改革或教育理念普及一直倡导的，每个校长、每个老师都会说"尊重学生""以人为本"，但是真正在课堂上落实的却与之相差较远。

这里有一个真实的故事。2002年深秋的一个晚上，河北石家庄教科所副所长张惠英把这个案例提供给了我。他那天上午听了一节初中数学课，内容是有理数运算，负负得正。老师讲完有理数运算之后，出了一道题："（−3）×（−4）=？"一个学生举手，老师请他发言，他说："老师，（−3）×（−4）=9。"老师请他坐下了，另外一个学生举手说："老师，（−3）×（−4）=12。"老师接着说："你说说你是怎么算的？"显然，在老师看来，第二个学生的答案是对的，学生如果能讲清楚，就说明学明白了，没有问题了。但真的就没有问题了吗？这中间一定会出现一个没有被放大的、没有被展示出来的过程，为什么学生会认为等于9？老师不让他说，他怎么能意识到自己错了，又错在哪里呢？下课后，张惠英找到了第一个学生，问他："孩子，为什么你说（−3）×（−4）=9？"学生这样说道："在数轴上，竖着的箭头朝着正方向，因为是（−3）×（−4），所以首先要找到−3，它在0的负方向，因为是乘−4，所以不能再往下走了，要在相反的方向移动，每次移动三个单位，第一次−3到0，第二次0到3，第三次3到6，第四次6到9，所以（−3）×（−4）等于9。"他这么说好像也很有道理，有谁能说清楚他错在什么地方？他每一步看似都是对的，实际上除了第一步错了之外，其他都是对的，加法是从第一个加数开始加，而乘法不是从第一个乘数开始算的。如果他生活在一千年前，也许我们今天的乘法都要像他那么去算。

后来，我对中国科学院的一位科学家讲了这个故事，他说："刘坚同志讲的这个孩子可能是一个数学天才。"大家看，如果仅仅因为学生说的结果与我们的标准答案不一致就简单地判定他错了，不给机会让他表达他自己是怎么想的，怎么知道学生原来有这么了不起的想法？退一步说，给学生表达的机会，让他明白自己错在什么地方，同时也对他的独立思考予以肯定，岂不是更好？

这看似是一件小事，却很值得我们深思。我们的每一个学科、每一个课堂都有类似的情况存在，几乎每天都会有这样的事情发生。长此以往，一个未成年人经过多年教育之后学乖了，要想获得好分数，要想做爸爸妈妈的好孩子，要想成为老师眼中的好学生，最好的办法就是自己不要去独立思考。我们的本意可能并非如此，但这却是我们教育的现实结果。

一位美国作家曾写过一本书，叫《中国三十年：人类社会的一次伟大变迁》，其中写到基础教育课程改革。他为此采访了三个人，一个是教育部的司长，一个是推行课程改革的教育局局长，再一个就是我。通过采访，他在书中写道："课程改革的核心，是通过教育，鼓励新的、先进的文化和观念在学校以及整个社会中传播，并且在中国民众之间建立起一种合作的和建设性的民主、平等、对话、协商、相互理解的伙伴关系。"课程改革真的如此重要吗？我们再看他接下来的一句话："先进的文化土壤可以滋养人的善良、尊严、自信、独立性与创造性。"这应成为我们从国际视角下审视核心素养的共识。面向未来，在课程改革实践中，在核心素养的培育中，我们的教育工作者的努力，就是要通过文化的传承滋养每个学生的善良、尊严、自信、独立性与创造性。

校长和老师们该怎么读书？读什么书？

华东师范大学课程与教学研究所教授、博导
广州市海珠区第二实验小学教育集团总校长　刘良华

　　读书很重要，大家都在读书。每个人都有自己读书的方式和方法，关于校长和老师们该怎么读书、读什么书，我只分享我个人的感受和建议。我将从以下三点来谈谈我对读书的看法：一是怎么读书，主要讨论读书的三个原则；二是读书的具体方法，主要关注三个方法；三是读什么，重点讨论读哪三类书。

一、怎么读书：读书的三个原则

　　首先谈谈读书的三个原则。第一个原则是适度读书，过犹不及；第二个原则是因人而异，因时施教；第三个原则是区别泛读和精读，区分休闲阅读和专业阅读。

1. 适度读书，过犹不及

　　读书如吃药，药可以医身，书可以医心；不必过度吃药，不必过度读书。与一般职业相比，校长和教师更要重视读书，但即便如此，校长和教师也不必过度读书。阅读也不限于读书，除了读书，还要读"图"（影视作品）、读人。读人就是读世界。如果过度读书，就可能成为书呆子。只有读书、读"图"并读人，才能读懂人情世故。最好的老师，可能是那些懂得人情世故的人，而不是读书最多的人。关于人情世故对于教育的意义，各位可以读读洛克的《教育漫话》。

洛克在《教育漫话》中大篇幅讨论了体育、道德教育、知识与技能教育。在这三类教育中，道德教育是核心，约占全书篇幅的一半。洛克最看重的是教养及德行。《教育漫话》中专门有一个小节，讲绅士应具备的四种品质。这是洛克提出的"四有新人"：有德行、有智慧、有教养、有学问。"四有新人"的品质之中，学问被洛克排在最后。在他看来，智慧就是熟知世态人情，就是"知人"（洞悉人性），其目的在于"正确地判断人和聪明地与人相处"。学问的作用仅在于辅助德行和教养。如果学问不能够成为德行和教养的辅助，那么学问不仅无益，反而有害。

也就是说，在洛克提出的"四有新人"中，有德行以及教养最重要；智慧其次；学问最不重要。而且，洛克将人情世故（knowledge of the world）的管理智慧作为"四有新人"的综合素养。

为了使儿童有礼貌并深知人情世故，洛克尤其强调导师（家庭教师）本人必须懂得人情世故。洛克重视对导师的选择和对导师形象的要求，类似选民对统治者的选择和对统治者形象的要求。

2．因人而异，因时施教

书海浩瀚，对于读什么书要有所选择。不同的人，在不同的年龄段，在职业生涯的不同位置，需要读不同的书。

有些书适合大多数人读，但大量的书只适合特定的读者。在这里我举几个例子，并做一些推荐。如果某个人善良有余，权术不足，可读马基雅维利的《君主论》这本书；如果有人想理解无为而治的管理智慧，可读《道德经》；如果有人想知道善良的力量，可观看电视剧《渴望》《人世间》。

如果有校长和老师想知道如何展开教育改革或教育实验，可读"三史"：《外国教育实验史》《中国近现代教育实验史》《中国当代教育实验史》。我为什么推荐大家读"三史"？虽然校长和老师们可以关注最近的教育改革经验，但是中外教育改革和教育实验已经积累了大量的经验，没有必要刻意追求新的花样。按照美国学者布鲁巴克的说法，教学方法的改革在20世纪初已经饱和，不会再有新的花样。最有可能给教育改革带来新的动力的只有教育技术的更新。

因此，校长和老师们可以把"三史"买回来，带在身边，有空就翻阅。你们会发现，有很多教育改革是可以模仿、参照的。比如，《中国当代教育实验史》里讲述了黎世法做的异步教学实验。我个人也拜访过黎世法先生，我相信，中国的教学改革迟早会从同步教学走向异步教学。所谓异步教学，就是以学生自学为主，教师的主要责任是推动学生按照自己的步子展开学习，并根据不同学生的学习速度提供指引。这样看来，异步教学就是以学生为中心的教学。

3．区别泛读和精读，区分休闲阅读和专业阅读

有些书只能精读，比如柏拉图的《理想国》和卢梭的《爱弥儿》，泛读则无法入其门。有些书可以泛读，比如《被讨厌的勇气》，这本书甚至可以作为休闲阅读的对象。

休闲阅读可考虑类似四大名著的书。"世事洞明皆学问，人情练达即文章"这个说法就来自《红楼梦》。专业阅读可考虑类似叶澜先生的《"新基础教育"论》的专著。

对于泛读与精读，可考虑"先泛读，后精读"和"泛读大于精读"的策略。一年可以泛读几十本书，但精读只要几本就足够了，可以考虑大约10∶1的比例。不能为了读书而读书，读书的关键在于为自己所用。

泛读可以看标题、目录，从目录里寻找感兴趣的章节阅读。或者，可以先翻阅整本书，找整体感觉。

精读需要从头到尾读，或者重点阅读其中重要的章节，要把握一本书的核心观点，并把这些观点引用到自己的教学或写作中。真正的好书会让读者感动并情不自禁地引用或应用。

现在是信息化时代，我们不仅要读书，也要读"图"。读"图"也就是看视频。有些视频会过时，但有些永不过时，比如电影《音乐之声》《回归》等。有些书会过时，但有些永不过时，比如《论语》《孟子》《道德经》《庄子》等。这是经典著作。经典著作会长时间流传。

二、读书的方法

第一个方法：先整体，再细节，不要从头读到尾；读不懂时，不要硬读，找一个人陪读。

在读书的过程中要学会"借力"，也就是读不懂的时候，可以先读这本书的解读，以帮助自己更好地理解原著。比方说，我前面提到的《君主论》，这是一本很薄的书。一般人不会对《君主论》感兴趣，很难读进去。你可以先看一个高人怎么解读这本书。我就是看到一个高人解读这本书后，开始觉得这是一本神奇的书。这个高人是列奥·斯特劳斯。看了列奥·斯特劳斯对《君主论》的解读，再看原著，就会有不一样的感觉。

第二个方法："先入为主"，带着"偏见"上路，不断质疑和提问。

要把阅读做成对话，在对话中逐步实现读者与作者的融合。融合的前提是要有个人立场，这就是"先入为主"地读。

在阅读过程中，不要盲目"跪拜"某本书，要有自己的怀疑。最好像康德推荐的那样，像法官一样审判这本书，要以主体的姿态去阅读。要提出自己的主见和想法。不要盲目去读。

第三个方法：知行合一，不仅阅读，而且引用，以写带读。

这是阅读的最后阶段和最佳境界。对于校长和老师们来说，读书主要是为了汲取教育改革的灵感，甚至可以一边阅读，一边改革。校长和老师们读一本书，就应该像猎人一样去搜寻，在书中找寻灵感，找寻对写作、对教学、对生活等有帮助的观点。

三、读什么：读三类书

我推荐三类书，各位可以根据自己的需要，自由选择。

第一类是关于人情世故的书。这类书可以提高人的教养。我们要自己开心、欢乐、幸福，同时也要让别人开心、欢乐、幸福。关于人情世故方面的书，就能够给我们提供一些帮助。第二类是关于家庭教育的书。第三类是关于学校教育的书。我个人认为，人情世故是社会教育，社会教育比家庭教育重要，家庭教育比学校教育更重要。这就是我推荐这三类书的逻辑思路。在此，重点介绍第一类和第二类。

关于人情世故的书，我推荐的第一本是《人性的弱点》，作者是卡耐基。

尽管很多人不喜欢成功学、心灵鸡汤类的书，但这是一本令人钦佩的书。这本书的第二章讨论如何赢得朋友，如何在谈话中让别人感觉到你是一个适合交谈的人。《人性的弱点》简直就是一本"大众哲学"。

与《人性的弱点》相关的另一本书是《非暴力沟通》。这本书从另外一个角度谈论如何与别人交往，如何跟别人谈话。

*Yes，And*是这两年来最令我感动的一本书，它给我的日常生活和学校教育改革带来了很大的帮助。它的中文书名是《创意是一场即兴演出》，这个中译本的书名实在是没有翻译好。这本书讨论的主题是"即兴演出"，认为人应该具有强大的适应性，能够随遇而安，无论到哪里，都可以生存。校长和老师可以把这本书想象成即兴教学。但

是，我更看重的是这本书的书名*Yes, And*本身所隐含的人生智慧：要对他人先说yes，再用and而不是but的方式，提出自己的看法。不要总是说no。

也因此，我推荐大家看一部电影*Yes Man*（《好好先生》）。电影中的男主角过得很不好，因为他一直喜欢说no。他遇到一个偶然的机会，接受了一场培训，他不被允许说no，必须说yes。后来，他学会了说yes，他的整个生活就发生了改变。这部电影可以作为积极心理学或积极教育学的案例。

我接下来要推荐的就是与积极心理学有关的书，比如《塞利格曼自传》。这本书可以作为积极心理学或积极教育学的入门书。积极教育学的核心是积极乐观、积极主动、积极暂停。我们特别看重积极暂停。我们有时候需要用积极乐观的方式与人交往，与人为善，提出一些建议。如果别人不愿意听，一次不听，还可以再提两次。两次不听，还可以提三次。三次不听，那就要停止。这叫积极暂停。

积极暂停主要有三层含义。第一层含义是，在情绪化的当下，不要做决策；第二层含义是，多次劝告无果时，停止劝说，不要太好为人师。可以采用积极暂停的方式，让他们接受进化论式的自然后果惩罚。第三层含义是，在激愤的当下，不要冲动，要用主动示弱的姿态，学会主动退出，让时间暂停。

第二类是关于家庭教育的书。我重点推荐三类书：一是教育故事类，二是育儿经，三是家庭教育学类。

教育故事首先是童话故事，如《绿野仙踪》等，这些故事隐含了知情意或智仁勇的教诲，有些童话是给成人看的，比如《小王子》。接下来是小说故事，比如卢梭推崇的《鲁滨孙漂流记》、中国古典小说《西游记》。除了童话故事、小说故事，还有历史故事，含人类史故事和自然史故事。人的成长过程中有两个阶段对历史故事很敏感。第一个阶段是幼儿园大班或小学。第二个阶段是中学阶段。当孩子有了读童话故事或小说故事的基础，他才可能会对《史记》《古文观止》《资治通鉴》感兴趣。历史阅读会让学生的历史成绩好，也会让学生的语文成绩好。

我特别推荐两类书，一是成语故事。中国人很多智慧都凝聚在成语里面。二是四大名著。老师可以引导小学高年级学生和中学生从四大名著中至少选择一本重点阅读。引导学生阅读之前，老师本人也要阅读。

也可以从自然与人类的角度对历史故事进行分类。阅读自然史故事，可以激发学生的理科兴趣。比如，可以阅读《大自然的猎人：生物学家威尔逊自传》和《达尔文传：起源》。一旦错过了自然探究的敏感期，学生就很难再对生物学和医学发生兴趣。所以，在小学阶段，我们就应该引导孩子到户外去观察自然、观察动物。在小学的中高年级，应引导孩子们去读一些自然史的故事，比如《昆虫记》。这些书有助于孩子们认识自然、了解自然，这对孩子们探究自然的潜能开发有帮助。

自传也很重要，校长和老师可以阅读《胡适口述自传》《富兰克林自传》，然后引导学生读这些自传。也可以关注我们身边熟悉的人的自传，我特别推荐吴颖民校长的《行思悟道，立己达人：我的教育人生》，我曾经在两个不同的场合解读这本书。校长和老师们可以通过写日记或自传的方式，把自己的教育故事讲出来。我们有很多人做了很多有意义的事，要敢于讲出来，向同行分享自己的经验，也接受同行的批评。

家庭教育类的书除了教育故事，还有育儿经和家庭教育学类的书。

育儿经有很多，我推荐各位关注《斯波克育儿经》《西尔斯育儿经》《卡尔威特的教育》以及陈鹤琴的《家庭教育》；也可以关注两个婷婷的故事：一是《哈佛女孩刘亦婷》，二是周弘的《赏识你的孩子》——这本书讲述的是周婷婷的故事。

关于家庭教育学，我推荐"经典四书"和"现代四书"。

"经典四书"是洛克的《教育漫话》，斯宾塞的《教育论》，罗素的《论教育》，卢梭的《爱弥儿》。"现代四书"是尼尔森的《正面管教》，德雷克斯和索尔兹的《孩子：挑战》，郑渊洁的《郑渊洁家庭教育课》，赵忠心的《家庭教育学》。

今天推荐了很多书。我想回到最初的建议：读书不一定要读很多，关键在于以自己的思考带动阅读，并把学到的新观念化为自己的生活和教育改革。读书的目的是能够对我们的生活有帮助，对我们真实的教育改革有实质性的推动作用。这样的读书才有意义。

第七章　跨界之眼：让教育连接世界

实现孩子的创造梦

广东地方特色课程《走进创新》教材主编　吴庆元

　　尊敬的各位校长，尊敬的女士们、先生们，我今天给大家分享的题目是《实现孩子的创造梦》。

　　在分享这个题目之前，先给大家介绍一下我的个人经历。我于1970年当兵，在黑龙江当炮兵，炮兵有一个兵种，叫侦察兵。炮兵侦察兵是干什么的呢？就是测绘计算方位和距离的。大家知道炮兵在打击目标的时候要隔山打炮，对不对？那么这个炮兵是看不到目标的，要想打到目标就要经过侦察兵的一系列测绘和计算，把炮兵阵地的位置精确地定位在军事地形图上，然后把目标位置精确地定位在军事地形图上，同时进行一系列的计算，确定炮阵地朝向目标的方位和距离后，再由炮兵实施射击。当时我们用的测绘仪器是炮队镜，现在的设备更先进，用GPS进行定位，非常准确。我们当时就用两台炮队镜测绘，每台炮队镜有两个大镜头，先由两个侦察兵相隔一定的距离，测出两人之间的距离，然后通过两台炮队镜测出到炮阵地之间相互的夹角，通过三角函数就能算出观察所到炮阵地的距离和方位，再对目标实施操作。

我记得在第一次炮兵侦察兵培训的时候，炮兵参谋告诉我们一个故事，说有一个炮兵在测目标距离的时候，由于炮队镜头的放大镜反光，被敌兵发现了，敌方的狙击手把那个炮兵打死了，虽然当时牺牲的炮兵的家属获得一定的补偿，但炮兵的生命却没有了。

当时我就在想，既然炮兵在测绘当中用两台仪器测量容易增加被敌人发现的概率，那能不能想一个更简单的方法，只用一台炮队镜测量，以减少被敌人发现的概率？于是我用了三年的时间，利用余弦定理成功研制出单兵测距的装置，并于1972年的年底参加了在黑龙江齐齐哈尔举办的沈阳军区首届战士军事设备革新改造展览会，受到军区首长的接见并获得嘉奖。在那三年设计制作这个装置的过程中，我心中时时有着要把它做出来的强烈欲望，身体的各种力量都被调动起来了，研制成功后我获得了极大的成就感。后来，当我走上教育岗位以后，我觉得应该把这种精神传递给学生。从1996年开始，我便把培养学生的创造力融入我的课堂中。2001年，我写了一本教材，叫《学会创新》，并在我当时任教的深圳市福田区景秀中学开设了校本课程，对全体初一的学生进行创新能力的系统训练。我的目的就是要通过这个课程来实现孩子的创造梦。

一、人人都可以成为成功人士

2002年的5月15日，中国科普研究所信息中心主任到我任职的学校参观，他看到学生提出了很多千奇百怪的问题，制作了非常多有创意的设计方案和模型，他感叹不已，情不自禁地给我们学校题了词——"每一个孩子都是科学家"。我一直把它挂在墙上，我已经退休五年了，它依然还在墙上。

2015年7月，英国杂志《自然》和美国杂志《科学人》发表了一个相同的观点，就是"21世纪我们一定要培养科学家，我们要让英国和美国的每一个孩子都是科学家"。其实，我们早已经认识到这个问题的重要性，并且已经为此努力多年。

人只要努力，能力就会得到提高，人的能力有正能力和反能力，反能力就是反向的，在这里就不说了。在人的正能力里面，人的最高能力就是创造能力。人因为具备创造能力，所以能够制造工具、创造工具，从而使社会不断进步，使世界更加美好。我认为人人都具有创造能力，只是有发挥得好与坏的区别。

二、要尊重每一个孩子，因为每一个孩子都有创造力

2015年，深圳举行了"十大创客"评选活动，评选的"十大创客"里面很多都是高科技人才，甚至是高科技公司的CEO。我的一个学生叫郑一溥，她也有幸被评为深圳的"十大创客"之一。她告诉我："吴老师，感谢您当时的课给我埋下了一颗创新的种子。"我记得在15年前，校长带我到北京和上海办得最好的科技学校去参观，当时校长问了我一句话："吴老师，你看这些学校的科技教育办得这么好，我们才刚刚开始，你觉得我们能超过人家吗？"我说："超不过，但是我们和他们做的不一样。"15年以后，我们的学生被评为深圳的"十大创客"之一证明了这一点。郑一溥还创办了世界上第一个机械之芯协会，她把人工智能引入该协会，协会里面有研究所所长、诺贝尔奖得奖者等。如果她都不能成为创客，谁能成为创客？郑一溥同学证明了人的创造潜力是巨大的，和性别是没有关系的。

还有一个学生叫邝天城，当时他随家人移居加拿大，在办理签证的时候遇到了一些困难，因为学习成绩太差，申请不予批准。他说他有发明专利，第二天他把发明专利拿给签证官看，他的移民审核申请就获得了批准。后来他打电话给我说："我申请的专利很有用。"我说："那只能证明你以前，不能证明你以后。"他到了加拿大以后，继续发挥他的创新能力，在大学期间成立了大学生发明创造协会。他毕业后定居加拿大，创办了加拿大嘉华国际学校，成为安大略省的年度人物，现在是中加教育协会负责人。从邝天城同学的成功，我们可以看到，人的创造力和

他早期成绩也是没有什么关系的。

另外一个学生叫李波，他在上我的课之前非常调皮，学习不积极，但是我的课调动了他创造的激情，也调动了他求知的欲望。他完全变了个人，变得爱学习，爱发明创造，发明了一系列的作品。现在，他的很多作品已经在市面上生产，他还获得了当时深圳市市长的接见。他现在是创意公司的高级设计师。李波同学证明了人的创造力和他是否调皮也是没有关系的。

美国有一个73岁的老人，叫巴克·韦默。有一天他坐公交的时候，突然听到一声闷响，随后闻到一股刺鼻的臭味，大家都知道发生了什么事——有人在放屁。于是韦默就想，能不能让它不臭。于是他经过不断地尝试和实践，发明了世界上第一条防臭屁的内裤。巴克·韦默的经验证明人的创造力和年龄也是没有关系的。

三、实现孩子创造梦的核心是培养孩子的创造性思维

影响创造能力的是什么？主要是创造性思维！俗话说，不怕做不到，就怕想不到。想都想不到，还能做得到吗？你先要想得到，才能做得到。什么叫创造性思维？很多专家有不同的解释。我认为人的创造性思维一定是个体和团队的有机结合，因为一个人很多的创造性思维必须在团队的头脑风暴中和思想碰撞中才能产生。所以在我的课程里，我把团队训练的创造性思维训练比重设计为64%，而个体的创造性思维训练比重设计为36%。深圳市2011年世界大学生运动会在征集100个金点子的时候，我们有8个点子被采纳了。

知识应该是学习和运用的结果，我们现在讲的实践也好，项目学习也好，学科知识一定要与生活中的实际问题相结合。生活是学习的最高形式，知识本身没有力量，知识一定要结合实际才能产生力量。

创造性思维是发散思维和聚合思维的有机结合。如果一个孩子的想法很多，这个想法可以来自他思维的灵活

性、发散性和求异性、形象性，但是必须经过科学的逻辑思维进行推理，还要经过辩证思维和系统思维的分析，在这些过程中孩子又会产生新的想法，如此反复才能创造出新的设计。人的思维就是一个从发散到收敛，再发散，再收敛的螺旋上升的过程。

再说到好奇心。每一个孩子都有好奇心，我们要不断地激发孩子的好奇心，这很重要。我经常对学生说："当你离开我的课堂时，如果你的问题都解决了，我的课堂是失败的。你必须带着更多的问题走出我的课堂，走出我们的学校，走入社会，那我的课堂才算成功。"

我在训练孩子创新能力的过程中深深地体会到：孩子眼里的世界是多姿多彩的。大学自主招生的题目里曾有两个这样的问题。第一个问题是人饥饿的时候吃一碗鸡蛋面，应该要先吃蛋还是先吃面，才能保证吃了之后不长胖。第二个问题是母鸡在生蛋的时候，需不需要跟公鸡交流，如果要交流，它们是怎么交流的。其实这些题目在考孩子的思辨能力。孩子们有了问题就要自己去实践，去判定。在这一方面深圳市做得很好，深圳市每年在全市选一千个小课题进行赞助，小学每个课题赞助两万元，初中是三万元，高中是三万五千元。我有幸成为这个小课题评选的评委，我很感谢深圳市教科院，他们让孩子多提出问题，不是死读书，读死书。

8年前，我有一个学生叫杨天威，他为了减轻母亲在分娩时的疼痛，设计了代替自然生产的仪器。我当时把这个方案评为全校最佳创意方案并在全校公布。我告诉他："你的这个发明设计方案很好，我们做不了，我们知识量不够，你还要努力去学习。"后来他的班主任告诉我说杨天威变了，变得爱学习了。我常常对孩子们说："当你为父母而学习时，你是一个好孩子；当你是为自己去学习时，你是一个优秀的孩子；当你为了实现创造的梦想而努力学习时，你便是一个天才孩子。"我认为，要实现孩子的创造梦，核心的就是要培养孩子的创造性思维，说到底，就是要培养孩子的"不一样"。

曾有报纸给深圳市福田区景秀中学作了整篇报道，它的标题是《创新教育，让这所学校的孩子与众不同》。刚才很多校长说到要培养有个性的学生，这一点非常有意义。景秀中学1994年建立，如今变成了深圳市福田区科技中学。一所普通的学校经过23年变成了科技中学，得到了政府的认可，正如这篇报道的记者所说的"是一门课程改变了这所学校"。我要说的是，一切源于校长的认可和支持，没有校长的认可和支持，一切归于零。秋天是成熟的，它不像羞涩的春天、袒露的夏天和内向的冬天。教育走到今天，已经到了秋天，每一个校长都有非常好的教学理念、教学方式、教学方法。如何帮孩子们插上创新的翅膀，实现孩子们的创造梦想？我想答案就在每个校长的心中。

培训应该靠谁？

中国电信黄埔分公司党委书记、总经理　李剑

一、培训很重要，可以让你的员工、企业跟上时代步伐

大家有兴趣可以上网找一下19年前英国电信运营商沃达丰的门店照片以及14年前我们电信营业厅的照片看看。沃达丰曾经是世界上最大的固定电话网络（以下简称"固网"）运营商，而14年前中国电信是国家唯一的固网运营商。坦白说，各位在逛街的时候，看到沃达丰的任何一家门店，应该都会觉得蛮有意思的，可能会进去看一看。对比之下，以前中国电信的营业厅，大家会想进去吗？一定不会。但是没有关系，因为以前我们没有竞争，你必须来我这里办业务。

直到10年前，我们突然要用4个月的时间从唯一的固网运营商快速转型成为竞争非常激烈的移动电话网络运营商之一。当时我是广州电信收购联通CDMA网络小组以及承接小组的组长。我非常发愁：对手已经干了10年，我们才开始干，只给我们4个月的时间！我们的门店要从100个发展到3000个；我们的柜台要从高柜台改变成开放的中岛式的体验柜台；我们的套餐

有150多个，每年新上市的终端有200多款；我们的网络要从2G升级为3G……我当时的压力非常大。

2G变3G，有华为、中兴帮助我们升级；营业厅，我可以请最好的设计师来重新装修。最难的是什么？最难的是人，是队伍的转型。在一个更新换代这么快的行业，我们的员工一定要赶快去更新他们的知识，一定要把自己的心态从垄断转变为竞争。如果知识和心态不行，装修有什么用？3G网络有什么用？当时我想，我们怎么样才能在4～6个月的时间里完成转变升级？我觉得最重要的是培训。

于是，我决定在内部成立一个培训中心，但是它不叫培训中心，而叫训练营。为什么不叫培训中心而要叫训练营呢？因为训练营的目标不是上课，是要最终改变员工在工作中的状态和行为；它是面向结果的，所有的培训都是面对实战的。

但问题来了：我去哪儿找老师？大部分的单位、部门，每年都会有一笔固定的培训费用，使用这些费用，我们可以请外面的培训机构给我们讲课，每个月讲一次。但是经过反复讨论，我们做了一个特别困难的决定，就是我们大部分的培训由我们自己的人来承担，而不是依靠外面的培训公司。

首先，怎么挑选老师？我们选销售精英，选每个岗位表现最好的人，鼓励他们成为讲师。选择这些人作为讲师有什么好处呢？第一，学员信服他，因为他是工作做得最棒的那个人，他是顶级销售员，他讲课没有人不听。第二，他讲课可能没有培训老师那样幽默，可能也不够生动，但是实战性很强。他讲的每一个技巧，马上就可以在工作里使用。我们成立了训练营以后，80%培训由我们自己的人来做。同时，我们鼓励优秀培训员转变成为讲师，激励他们，给他们制定适当的职业生涯发展路径。

那么，传统的授课培训和训练营到底有什么不同？实际上，我们日常的训练营，课程中只有30%安排在教室里面集中上课，70%是在实战中进行教练辅导和情景演练。

在我的训练营里，大家经常会看到这样的场景：穿蓝色衣服的女生正在给顾客介绍手机和套餐，穿蓝色衣服的男生站在旁边，好像无所事事。但是其实这位男生是我们的带练讲师，他一直在听这位女生是如何向顾客营销的。等这次销售完成以后，他会马上把她带到后台进行教练辅导。他会指出刚才的销售有什么问题，女生的知识点还缺哪些，她要去掌握哪些技巧，这就是在实战中进行情景演练。而传统的授课培训中，上完课以后，我们的员工回到现实中还是走回老路，原来是怎么销售的，现在还是怎么销售。情景演练是我们一个新的培训运作模式。

其次，怎么考核老师？传统的考核是给老师打分，看这个老师很幽默、很轻松，又准时下课，就打满分给他。而训练营的考核完全以业绩为导向。在真正的运营过程中，培训的员工的业绩有没有上升，他的销售行为有没有发生改变，这些方面在考核中占八成。这和传统的考核有哪些不同？在训练营中，老师不但要把课上得精彩，还要跟进学员在实际的生产过程和运营过程中有没有发生转变，他所教的东西必须具有实践性，拿到手能用，这就是训练营和传统授课培训的区别。

我们大概花了半年时间来改造营业厅，这些新装修的营业厅几乎成了业内的"旅游景点"，我们团队创新设计的门店VI（视觉识别系统）也被集团公司推广至全国采用，我们的竞争对手、各行各业的人都过来参观。我们有些优秀的讲师被竞争对手用双倍薪酬聘用。我们公司半年内一线销售人员过万，新用户月入网超10万户。

我在这里分享的第一个观点就是，培训真的非常重要，它可以让你的员工和企业跟上这个时代的步伐。同时，请不要把团队培训与培养的命运交到外面的人手上，而是要牢牢掌握在自己的手里。

二、线上线下相结合，让培训更高效

过去二十几年，通信行业是知识更新换代最快的行业。让我们回忆一下，从2G到3G，花了十年，我们的手机功能就是打电话、发短信；从3G到4G，花了五年，我们可以用手机看视频、玩游戏；现在5G已经来了，从4G到5G只用了三年时间。

以前每个学校都有一个服务器，现在慢慢没有服务器了，全部上云端了，再往后发展就是区块链了。可是我们的员工很辛苦，学习的成本非常高。大家有没有发现一个问题？时代迫切需要员工学习，但是我们的员工真的很累，他们经常会说："我已经忙了一个礼拜，明天还得抽一天去学习；可是学习一天空缺出来的工作我要加班去补，这是一个恶性循环。"

但是，员工不去培训、不去提升，效率低下，就会更忙，然后更没有时间去培训，这才是真的形成了恶性循环。我们在2018年做了一个尝试，试图解决这个棘手的问题。我们尝试把线下的很多培训挪到线上，用线上和线下相结合的方式来代替原来完全线下的培训。这样，员工可以随时随地进行碎片化的学习，不用专门抽半天或一天时间来坐在那里学习。碎片化学习的争议似乎很大，有人说我们的学习不应该碎片化，要专注一点。我认为，应该张开双手尽情拥抱这个移动互联网时代，要给员工创造更好的培训方式，碎片化学习就是其中一种。

我在管辖的部门里开设了分层分级的线上课程。员工可以在上洗手间的时候浏览学习社会类的课程，也可以在准备休息的时候翻看管理类的课程。看不懂的内容可以多看10次，这个优势显然是线下课程所不具备的。即便是线上培训，我也鼓励员工自己开发课程，不要把幸福寄托在别人身上。

开发课程的时候，我们经常会讨论这样一个问题：为什么大家喜欢看短视频，而不喜欢看我们的培训材料？后来我们总结、优化，把我们的课程分成章节，把1小时的视频课程分解成10分钟到15分钟一节，便于大家碎片化学习。同时，我鼓励员工制作课程一定要轻松幽默，让人学起来不觉得沉闷。我们曾经试过在1小时内，上千名员工通过线上方式完成培训学习。在线上，我们还可以快速地分析、跟踪培训效果；可以马上出老师评价报告，了解大家对这个讲师授课的评价如何，通过数据匹配的师资是否满足需求；可以随时了解学员到底学得怎么样，知道不同部门的参与度。我们还设置了讨论区，将关于这个课程的讨论全部留在这个讨论区，以便新来的员工、后面参加培训的员工看到这些评论之后更加了解这个课程的情况。这就是互联网时代给我们带来的不同。

因为我很想知道员工的心声，了解他们最期待的培训方式是什么，我在前年做过一次员工不记名问卷调查。调查结果出乎我的意料，因为他们最期待的既不是线上线下的培训形式，也不是请明星老师来讲课，而是出省或出国培训。我一看就明白了，大家是想把培训变成福利。

如果我把一些固定的课程模块化，让每一个新入职的员工都参加线上的培训课程，那么我可以节省大量的钱，让员工得到更多其他享受。也就是说，在需要同样支出的情况下，线上线下相结合的培训方式是双赢的。所以，大家可以再次思考线上碎片化的学习是否应该大力推动这个问题。

在选择线上平台的时候，我们从众多的平台中选择了"懂了"这个平台，它有什么突出的优势呢？"懂了"是一个垂直的线上平台，它有两个特点：首先，它能够把课程上传，能够高效管理，评论区的内容可以全部保存下来。其次，这个平台还给了我们一些意外惊喜，它可以通过大数据、神经网络、AI（人工智能）等手段智能分析学员的学习过程，而且可以从中洞察学员情绪，推测其性格，为人力资源的运用提供一些帮助。

这个平台最基本的功能是通过大数据分析了解每一节课员工和讲师在线上互动的情况，了解培训效果。我可以了解到底哪一门课更受欢迎，哪一门课程还需要优化。在每一门课结束以后，只要数据量够大，哪些知识点掌握了，学员关注的知识点与岗位说明书提及的知识点是否相符，我都可以马上知道，这在线下是很难实现的。

培训是为了改变学员的行为，培训不仅是上一门开心的课，更为了有效地应用。通过大数据分析，可以把学员的反应通过概念、感知、观察、行动等维度，以象限图方式反映出来，以此推测这门课程能否改变学员未来的工作行为。我们最希望看到的，就是学员理解课程的理念，同时又会随之改变他的工作行为。有一些人是理解了但不付诸行动；有些人执行力特别强，虽然不理解，但是也一定会去做。这些对我们整个课程的回顾和跟踪非常有作用。

最深入的分析，就是性格和情绪管理。中国电信主要有两类员工群，一类是做市场销售的，一类是做技术开发和维护的，这两类人群在性格和情绪上有比较大的差异。通过积累一定的大数据并演算分析结果，我们可以得出一些结论，比如销售人员的性格多为乐群、敢为性强、兴奋；维护人员的性格比较自律、稳定。大单来了，销售人员的工作情绪比较快乐；维护单多了，维护人员的工作情绪比较低落。这些都为我们提供了人岗匹配的参考数据，如维护人员是否适应这个岗位，乐观的人是不是在做销售。

积累了一年的数据以后，我们尝试做了些应用，2018年其中一个部门调整了15个员工，根据数据显示，其中9名在当年第一季度的绩效提升了，这对员工和企业是双赢的局面。这都是线下培训达不到的效果，是意外的惊喜。所以我觉得大家一定要选一个比较好的平台来培训，虽然听起来很简单，只是把课程放到线上让大家去学，好像没什么特别之处，但它有大数据和神经网络帮忙做分析，可以让你更了解员工。这是我想跟大家分享的第二点，"线上+线下"这种培训方式能够让培训更快、更高效，让你更加了解你的员工。

三、拥抱高科技，拥抱5G时代

要和大家谈的第三点就是未来。关于未来，有AI机器人、AR（增强现实）、VR（虚拟现实）、大数据、5G等。5G时代的到来，为VR、AR教育带来可能，它不仅会颠覆教育行业的设备，也会颠覆很多视频监控和AI的应用。未来中国的人工智能机器人会普及家庭中，陪伴每个小孩。5G赋能未来，智慧校园、远程课堂、平安监控等等，也将大规模推广普及。

最后，我想总结一下我今天的分享。第一，培训非常重要，培训可以让你的员工和企业跟上时代的步伐，但培训得坚持自己来；第二，线上线下相结合的培训模式能够让培训更高效，让你更了解你的员工，但要选一个好的平台。第三，请大家拥抱高科技，拥抱5G时代，它一定会让教育行业有一个新的飞跃。

培养内驱成长型人才

广东民营投资股份有限公司董事、执行总裁　肖坚

一、人才培养观

　　我是中山大学兼职教授、岭南学院金融硕士生的业界导师。我的学生是来自各个学校的高才生，因为要进入中山大学岭南学院，以广东省为例，文科的学生要在全省前200名，理科的学生要在全省前500名，他们都是佼佼者。从导师的角度来看，我认为学院不少学生还不够了解自己，有的学生虽然成绩非常好，但对自己兴趣的了解、对自我的认知不足。也有一些人对专业不是特别热爱，当他们即将毕业，面临职业规划的时候，他们对自己的认知、定位，包括对未来的事业，都很茫然。

　　我们金融行业招聘的都是在学业上出类拔萃的学生，从这些顶尖学校毕业的学生当中也有不少人存在着高分低能、情商较低的情况。金融行业对风险承受能力的要求比较高，对综合素质的要求也比较高，但在工作的过程中，很多高才生也会出现信心不足、抗挫折能力不强的现象。导致这种情况的原因是什么？我认为很重要的一个原因是我们的教育一直强调外驱结果，教育形式比较单一。

在我看来，外驱结果型的教育模式存在着一些弊端。首先就是以知识的教授为主，对学生缺乏职业生涯规划的引导，学生只朝着"好成绩"这样一个目标奋斗，导致成绩很好，但是对自我的认知不足。其次，外驱结果型的教育模式导致学生一达到一定的目标就进入舒适区，往往会出现停步不前的情况，因为他们的内驱力不足。

二、内驱成长型人才的特点

与外驱结果型教育相反的是内驱成长型教育，内驱成长型教育关注过程，关注内在的成长，激发人的内驱力，使人持续保持学习的热情。在未来的人工智能时代，我认为内驱成长型的人才能够很好地胜出，内驱成长型教育也应该是未来教育的一种趋势。

内驱成长型人才由于内驱力比较强，所以对自我的认知比较充足。对自己的性格、兴趣、天赋、优势有很好认知的学生，在未来的人生道路上，事业成功率更高，家庭也往往比较圆满。

内驱成长型人才表现出与有固定思维模式的学生完全不一样的特点，由于他们由内在的热爱驱动，他们会主动学习，拥抱挑战，不畏失败，这正是我们金融行业所需要的最基本的品质。

同时，采用内驱成长型模式培养的人才往往有成长性的思维，他们会更关注内在的成长而不是外在的成功，更关注过程而不是结果，这是内驱成长型人才比较显著的特点。

三、内驱成长型人才的优势

过去数百年，人类一直在学习知识、科学，创造产业；而未来，我们将进入人工智能时代，将面临很多的挑战，很多职业会被机械所替代，因此人类这些具有主观能动性的感受、爱、创造力和想象力变得更为重要。

内驱成长型人才将更能够适应人工智能时代的发展，他们表现为情商高，智商也高，创造性和综合素质更强。

一个人只有能够自知，才能从根本上建立自信，而建立自信之后，他在内驱力的驱动下持续学习，将后劲十足，能够应对变化和挑战，并取得优异的成绩。

纵观世界，在当今社会，能够从优秀走向杰出和卓越的人才，基本上都是内驱成长型人才，比如金融行业的巴菲特和芒格，他们八九十岁了还每天坚持阅读、坚持学习，这种终身学习的习惯和思维模式让他们走向卓越的人生。

四、培养内驱成长型人才的建议

培养内驱成长型人才要从基础教育开始。如何从基础教育开始培养内驱成长型人才？我提以下几点建议。

一是基础教育应从应试教育提升为智慧教育。应试教育的优点有很多，如培养学生良好的学习习惯、思维习惯以及严谨认真的学习作风等。但应试教育也存在弊端，其中一点就是对知识的运用能力比较差。在未来，知识的更新迭代非常快，很多技能会快速地被替代，所以一方面，我们的教育要加强学生的知识运用能力的培养，提升学生的自信心。另一方面，我们的教育要帮助学生认清自己，激发他们的内在驱动力，提升他们自我认知的能力，让他们不断地发现自己的兴趣，发现更真实的自己。

二是从素质教育提升为爱的教育。老师只有用心、用爱去了解自己的学生，才能因材施教、因趣而教，使每个学生都成长为最好的自己。华南师范大学附属小学的牛嘉鑫老师就是一个很好的例子。他给自己的班级赋予了特定的文化属性，把班级起名为"狼营"，强调狼性的竞争文化，把狼的精神定位为"团结、勇敢、真诚、智慧、坚强、忍耐、谦虚"，他把狼的这种进取竞争的精神和集体主义精神结合在一起，给学生定了这样的班训："我的一小步，班级一大步。"通过班训来增强学生的集体主义意识。

更重要的是他对每个学生都倾注了大量的爱和心血。比如学校运动会前夕，他会利用课间时间带着学生跑步、练习，帮助每个学生发现自己的优点和体育特长。校运会时他的班大部分学生的成绩都能名列前茅，在这个过程中学生们感觉非常开心，非常有成就感和集体荣誉感。这个班的学生不但体育优秀，在学习、纪律、文娱等方面也表现优异。

这个班主任让我非常钦佩，他巧妙地建立了一个爱的能量场，在这个爱的能量场里面，家长、学生都高度认同教育理念，并提供了很多的反馈，形成了有效的正循环，学生也在无意识中受到老师的影响，渐渐地喜欢上学习，不断地提升自我，做更好的自己。同时，学生也在习得知识的同时学会做人，达到全面发展的目标。我认为这是当前基础教育的一个优秀范本。

孩子是可以感受到爱的，在他们的成长过程中，很多时候正是因为爱这个老师、爱老师的这种教育情怀，他们才一步步热爱上各门学科，慢慢地找到各门学科的灵魂，成为终身学习的践行者。

我也是一个内驱成长型教育的践行者。在这里我想说说我女儿的成长经历。女儿很小的时候，我就跟她说"爸爸是学霸，但是我觉得你是'学神'"。学霸和"学神"有什么特点？学霸是从小就很认真读书，考试总是第一，然后考上名校，有所成就。但"学神"是每天都有进步。我让她告诉我她每天有什么进步，并且让她从小就坚持每天写日记，记下自己的进步。

在学习方面，我给她比较宽松的学习环境。她的高中是在广东实验中学读的，高中时她每天都参加绘画训练班，她发现自己对艺术，尤其是对服装设计特别感兴趣，她想选择另一条路。我就带她一起去参观了中国的很多艺术大学，跟老师和同学们沟通，大家觉得选择艺术会很累，劝她谨慎选择。但我女儿对我说，在她的自我认知中，艺术设计是最适合自己的职业方向。

她还在读高中时就去广州美术学院跟大学的学生一起学习，学习了一个月之后她就说想去国外读书，原因是她发现大学的很多学生都不如她，这些大学生中有一半没有兴趣，一半没有天赋，而她兴趣、天赋两者都具备。后来我建议她去读伦敦艺术学院预科。由于找到了自己的兴趣和天赋，她在考试中表现非常突出，后来也考上了全世界排名第一的服装设计学院——中央圣马丁艺术与设计学院。

我女儿读到大二时，又向我提出了休学一年后再继续读书的要求。我知道她对自己非常了解，清楚自己的兴趣和能力，我也赞成了她的做法。后来，她获得了世界上排名比较前的服装设计大公司实习的机会。完成学业后，她又想去创业。我问："你有什么优势？"她说："这是我的兴趣，也是我的天赋，所以我相信自己有能力，能取得更大的成就。"大学毕业后，她如愿以偿地在伦敦创立了一家服装设计公司。

我女儿就是一个很好的例子，她是一个了解自己、有强大内驱力的孩子，能够找到自己的兴趣、天赋、优势，并且自觉地一步步走向更好。

最后，我想说，有内驱力的孩子才能真正掌握自己的未来。学校、老师、家长要一起形成合力，一起帮助孩子了解自己、认清自己，让他们成为更好的自己。

跨界让人生更精彩

广东欧谱曼迪科技股份有限公司联合创始人　唐前锋

　　大家好，我叫唐前锋，1986年毕业于石门中学，1991年毕业于清华大学。今天非常荣幸有机会作为跨界嘉宾参加"山长讲坛"。我今天分享的题目为《跨界让人生更精彩》。

　　说到跨界，大家想到的是什么？是全才达·芬奇，还是"钢铁侠"马斯克？诚然，他们都是跨界超人，让人可望而不可即。但是，跨界并非这些天才的特权，普通人也可以做到跨界。我周围就有很多朋友做着跨界的事，我也是。

　　几年前，我和几位大学同学共同创办了广东欧谱曼迪科技有限公司，致力于高端医疗器械的研发生产；同时，我又抽出时间进行漫画创作，也出了几本漫画书。

　　在我的新旧朋友中，我的形象就变得有点模糊。一方面我是理工科学生，有的朋友觉得我应该是工程师的样子；另一方面我又是漫画家，有的朋友觉得我应该是艺术家的样子。

　　不管怎样，认识我的人觉得我算是普通人跨界的一个典型，更具有参考、借鉴的意义。

今天，我想从三个方面谈谈跨界：一是跨界让你的朋友更多，让你的眼界更开阔，让你的世界更大；二是跨界让你的人生更充实、更完美；三是跨界不会影响学习或工作，跨界每个人都可以做得到。

一、跨界可以广交朋友，开阔眼界

清华百年校庆时，也是我们毕业20周年，当时有1000多名同年级的同学回校参加聚会。可是，在这么多同学里，我接触的基本上都是以前读书时认识的同班、同系的同学。

2021年是清华110周年校庆，也是我们毕业30周年。由于疫情的缘故，回校聚会的同学比10年前少了很多。但是，我有一半朋友是这次见面新认识的。他们来自不同的系，从事不同的职业，认识他们的同时也让我的视野更开阔了，我学到了很多东西。这次见面时间虽短，但我收获甚大。

两次校庆聚会，我认识了很多新同学、新朋友，很大程度是由于我的跨界身份——漫画家。他们是因为我出的几本漫画书而认识我的。校庆前，有不同系的同学把我拉进了年级活动筹备群，他们认为我跨界创作的漫画素材以及我跨界的能力可以应用到年级毕业聚会活动筹备工作中。当然，也有不少同学对我的跨界内容感兴趣，希望与我沟通、交流。

校庆期间我认识了一位学长，说起来也是源于我的漫画书。这位学长退休后成了清华及西南联大校史研究专家，他给我展示了很多他刚收集到的珍贵史料。

除了众多的不同年级、不同专业的校友，我还认识了不少全国各地的读者和编辑。如果我没有跨界，我是没有机会认识这些朋友，开阔我的视野，增长这些见识的。

在这里我还想说，开阔眼界其实有更深的一层含义，就是让你对事物有更深刻、更全面的思考和理解。

就以我跨界的漫画领域为例，我喜欢不时欣赏一些世界经典漫画。

有幅漫画叫《言传身教》，画面中父亲教训孩子吃饭时不要弄得满身都是饭菜，但他自己的领带却沾到了面前的那碗汤里。这幅漫画很幽默但又很讽刺，显然，这种言传身教是失败的。

漫画《早作预防》描绘的是一个小孩用长长的竹竿把考卷递给父亲审阅、签字，很显然，他这次的考试成绩很糟糕。大家都有这种体验，就是小时候考不好，见到家长、老师、校长会很害怕。

这些漫画让人放松，但在让人哈哈大笑之余，也让人思考。所以我觉得跨界不只有表面的收获，也带给我们深层次的思考和理解，对我们的主业或其他工作，也会有一些意外的帮助。

再看看一些人物漫画。人物漫画除了采用传统的夸张画法，还可以把意念创作出来，漫画也是可以很有创意的。我通过对这些优秀漫画的欣赏和学习，激发灵感，促进自我对工作创新的追求。

美国"9·11"事件之后，航空安检的措施马上严格了几个等级。当时出来很多专业的时政漫画。有些说得很直白，"乘客们，为了你们的安全，做出一点牺牲吧"；有的表现得很高明，如有一幅是面无表情的女工作人员对赤身裸体、拿着登机牌挡住私处的乘客说："你的登机牌！"这是什么意思？最后一块遮羞布都要被没收了。这就让你有了思考的余地。后面这幅更简洁、更含蓄、更幽默，后来获得了《时代》周刊年度漫画奖。

这就说明一个问题，对同样一个主题，我们可以用不同的方式来表达。通过对这些漫画的创意及表现手法的比较，我对自己主业所涉及的技术、产品有了更高的要求，更加追求精益求精。也正因如此，我所创办的公司可以在短短的几年时间里，技术和产品都达到世界领先水平，打破国外垄断，实现国产替代。

反过来，工程师的严谨思维逻辑又对我的创作产生潜移默化的影响。比如，在我新修订的《生于1968·中学》里，有一个大画面描绘的是石门中学当年大冬天时水龙头没水，只能到珠江上取水的场景。我尽量把当时的很多细节都融合进去了。

又如在新修订的《生于1968·童年》里一个大场景经过反复修改，也添加了不少细节。如原来是很中规中矩地画了几个人在玩，后来我想到小孩子天性调皮，在童真童趣方面作了修改、完善。再如，还加进了我们当时很喜欢玩的轴承车以及吃甘蔗等。还有一些地方原来是没有人的，后来加了一些人进去，如别人在捞鱼，小孩子们就捣乱等。

对一幅画可以精益求精，花更多的心思做得更好，那么，这种精益求精的精神迁移到我们的学习和工作中也同样适用，所以漫画创作对我在其他的领域的学习也是很有启发的。

《我的清华》一书里画的清华主楼，有建筑系的朋友说画得很精准。我画的清华景物，有很多人以为是用照片处理的，其实都是我用钢笔一笔一画创作出来的。在这些创作中，理工科素养对我的影响就凸显出来了。

可见，跨界并非完全割裂主业与副业，更为开阔的视野是可以让主业、副业间起到互相启发、互相促进的作用的。

二、跨界让人生更充实、更完美

我的工作常态是技术管理，跨界生活是我的另外一面。

一面是我的产品，另一面是我跨界的作品，相差很远。我的日常就是这样交替进行，感觉是进行着两种不同轨迹的生活，让我的人生都延长了。

我们常常感叹生命短暂，很多人一辈子只能过一种生活，从事一项工作。而跨界可以让人真正地实现体验多种人生的生活。谁不想在有限的生命中多体验不同的人生？这样的人生是不是更充实、更完美？

跨界有那么多好处，自然有人会问："跨界会影响学习、影响工作吗？我也能做到跨界吗？是不是只有很聪明、很厉害才做得到跨界？"其实，每个人都可以做得到，但需要自己去努力争取，切实去做。

　　首先，做好任何一件事情都需要有自律性，这跟是否跨界没有关系。《生于1968》是我出版的第一套书。出版之后同学们很惊讶，他们说没想到我还会画画。高中阶段也没有同学发现我会画画，因为我大部分时间都用在学习上，只有周末或寒暑假回到家里才动笔。

　　做事情需要分清楚主次，需要有轻重缓急，我当时很清楚，学习是首要的。如果没有意识到这一点，那么我即使当时没有由于画画而影响学习，也有可能被其他的事情影响，如沉迷于当时刚引进内地的香港电视连续剧，或者是沉迷于当时很火爆的金庸武侠小说……所以自律性是首要的。

　　日常生活中，很多人并没有跨界，而是成了手机的奴隶。我们把大量的时间和精力都耗费在一些无谓的事情上。我们每天都接触到很多无用的信息，这些无用信息不光让我们宝贵的时间悄然流逝，也消磨了我们的精神和意志。为什么会这样呢？自然是由于我们自律性不够，不能很好地约束自己。

　　其次，做人需要有明确的方向和目的。跨界让人有了明确的方向与目标，因此会变得更加专注和自律，会自觉把很多没意义的杂事给剔除掉。

　　以前老师经常告诉我们，学习时要注意文理交替进行，不要连续长时间地学习理科课程，也不要连续长时间地学习文科课程。文理交替可以避免大脑疲劳，提高学习效率，让我们保持学习的兴趣。这是有科学依据的，这跟劳逸结合、脑力劳动与体力劳动交替进行是一个道理。

　　跨界与之有异曲同工之处：我白天可以是思维严谨的工程师，晚上是富有人文情怀的漫画创作者，如此交替的思维方式，对我的两项工作都有很大的促进作用，让我效率更高，创造性也更强。

三、跨界不会影响学习或工作，跨界每个人都可以做得到

上面说了跨界的那么多好处，那么怎样做到跨界呢？

很多人的跨界都是从兴趣爱好出发。兴趣爱好反映出一个人的潜能和天赋，而现实生活中，由于种种原因，人们的天赋和爱好往往不能得到充分培养，很多时候并不能转变为自己日后所从事的工作，但是这些天赋和爱好可以成为跨界的选择，因为主动权在你自己手中。

而且，这样的跨界会激发出更大的能量，促使我们做出更大的成绩。因为这样的跨界是出于自己的兴趣，是自己内心所热爱的，人愿意为之付出热情，从而发挥出个人最大的潜能。

当然，跨界并不是停留在浮于表面的兴趣爱好，而是需要投入时间和精力，需要沉下心来，需要长期的坚持。若是蜻蜓点水式的什么都想尝试一下，那么最后将什么都做不成。

如果说我在工作之余出了几本漫画书算是一点点成绩的话，那么这成绩也并非一朝一夕可以取得的。我能取得这个成绩，一方面是我从小的绘画兴趣在家庭及学校的宽松环境下得以保持，我通过日积月累打下一定的基础，为日后的创作埋下了伏笔。另一方面，丰富多彩的校园生活给我提供了源源不断的创作素材。这两者结合起来，做出跨界的作品也就是水到渠成的事了。

回应刚开始有人认为我是工程师，有人认为我是艺术家的话题，我想我的思维既有工程师式的，也有所谓艺术家式的，这两者可能都融汇到我的身体里了。

有人说欧美发达国家的人创造力强，充满自信，这是由于他们从小就开始挖掘并发挥自己的潜能，并持之以恒地投入了满腔的热情。因此，作为老师和家长，如何从小培养孩子的兴趣爱好，发掘他们的天赋潜能，并使之发展

为日后长时间甚至是终身陪伴的跨界行为是非常值得重视、值得研究的。这方面做好了，孩子们的天性将会得到释放，自信心也随之建立起来，他们的人生将会变得更加精彩。

"双减"政策下家长角色的定位

跨界嘉宾、家长代表
佛山市顺德区大良顺峰小学家委会会长　　吴剑辉

　　作为跨界人士，我很高兴今天能有机会和众多教育专家一起在这里共同探讨"双减"政策的实施。

　　面对改革，我想首先要客观理性地看待，"双减"政策实施后的第一个学期，我最真切的感受是孩子的作业少了很多，他们比以前更开心了。不用辅导作业，家庭也少了矛盾，亲子关系更和谐。

　　我教育小孩看重两点：坚持运动和感恩社会，拥有良好的体格和性格，自然可以在社会上立足。所以，作为家长，我们需要以精准的角色定位去支持这一项政策。

一、兴趣合伙人，给孩子一份心灵的力量

　　"双减"政策让孩子有更多的时间和空间去做自己喜欢的事情，而不是只把注意力集中在学业上。孩子们还要发展爱好、接触社会，治学修身、兼济天下的前提一定是身体健康。在我的大女儿从二年级到五年级这四年时间里，我在学校组建了足球队，每周日下午3点至

5点我都会带队员们回学校训练，风雨无阻，下雨天就在风雨长廊练带球基本功；到了她初二的时候，每个周末我都带领他们全班同学到顺峰山公园环湖长跑，坚持了一年，效果还是很明显的：原来800米和1000米长跑检测，班上满分的人数不到一半，到初三体育检测的时候超过90%的同学拿到了满分。家长要做孩子兴趣的合伙人，就像足球队的教练、长跑队伍的领跑者，引导孩子在体育锻炼中强健体魄、锤炼意志、懂得自律。

劳动也是有滋有味的事情，我的孩子沉浸在学校的劳动基地不能自拔，每班一块地，自己翻土、播种、施肥、浇水，体验春华秋实的乐趣，自称是快乐逍遥的农夫。能文能武，动静皆宜，既有动起来的体魄，又有静下来的心智，这是我教育孩子的理念，这与"双减"政策不谋而合。

二、素质培养接力者，给孩子一个实践的平台

学校落实了"双减"政策，我们的家庭生活就更丰富了。我对孩子的教育是非常重视的，工作再忙，没有特殊的原因我都会去学校接孩子回家。每天一见面，孩子们就开心地往我身上扑："爸爸，我在学校写完作业了！"一开始我将信将疑，找出孩子在校完成的作业，发现不仅完成了，而且准确率高，他们还对错误的地方工工整整地进行了订正。可见老师把"双减"政策落实到了实处，不仅督促孩子认真完成作业，还加强了对作业的辅导。

学校把写家庭作业的时间腾出来，这样就可以让孩子们去做更有意义的事情了，比如带孩子们去参加插秧农活，感受农民的辛苦。现在的孩子生长在幸福的年代，没饿过肚子，挑食和浪费变成了很多孩子的习惯，他们更需要知道食物从哪儿来，需要学会珍惜，学会知足。

我特别讲一下龙老师的故事。龙老师是我的第一位老师，1983年教我一年级，一直没有结婚，把一生都奉献给了教育事业，后来住进了敬老院。我和同学们经常去探望她，我每次都会带上孩子们，让他们懂得感恩。龙老师80岁后开始不认得我们了，耳朵也听不见了，只能用笔写出来交流，每次见面都舍不得我们离开。上次因疫情无法探

望，我们只能在门口远远地看着她，跟她挥挥手，她也会孩子般地笑着跟我们挥手。去年龙老师离开了我们，我们也不能送她，特别遗憾。借今天这个机会，特别感恩以龙老师为代表的广大人民教师为国家教育事业作出的贡献，谢谢你们！

假期我会带着公司的团队到顺德区扶贫对口地区四川美姑县、金阳县等地，向当地青年传授各种粤菜厨艺，并且教给他们创业的方法，助力他们利用所学的技术成功脱贫，走上致富之路。以此为契机，我们也把顺德的美食文化向粤港澳大湾区以外的地区推广。

我的儿女们在耳濡目染中，厨艺也大有长进，每次学校布置的做饭、炒菜之类的劳动实践作业，孩子们都积极主动参与，大大提升了动手能力和创造力。

新冠病毒感染疫情刚刚发生的时候，在顺德67位医护人员驰援湖北的同时，在有关部门和机构组织的美食送温暖活动中，每周两次给医护人员家属送餐时，我都会带上孩子，让他们感受祖国的大爱、英雄的奉献精神。

"双减"政策之下，孩子有更充裕的时间从书本走向生活，从校园走向社会。家长作为孩子素质培养的接力者，有义务也有责任结合学校设计的各种体验性、实践性、综合性的作业，引导孩子积极参与，提升孩子的综合素养，为社会培养优秀人才。

三、成长同行者，给孩子的成长护航

再和大家分享我儿子的一篇日记。"今天我当守门员，爸爸远远地把球踢过来，我看准球的方向，对准球猛地　踢，球被我反踢回去，爸爸没有接准，我高兴地跳了起来。偶尔我防守不及，爸爸就会射门成功，我的心情又低落下来。我们就这样一攻一守、有喜有忧地度过了多少个美好的傍晚。"这也是"双减"政策落地后我们家课余生活的剪影。足球是我们共同的爱好，作为顺德区青年企业家协会足球俱乐部主席，我召集了一批热爱足球的家庭加入，利用节假日带上我们的孩子去全国各地进行足球交流活动。我们不是去比赛，不争输赢；我们只有一个初心，就是强健体魄，热爱运动，传承体育精神。在这一场场充满温情而激动人心的足球赛中，孩子们享受了高质量的陪伴，也找到了运动带来的阖家欢乐。

"双减"政策就像重启开关，给了我们的焦虑和迷茫一个出口，让我们重新思考和定位：对于孩子，究竟什么才是最重要的？我们欣喜地看到，社会不同层面都在为"双减"政策做着大量有效的努力。

如顺德大良街道办事处教育办公室马上出台措施，解决老百姓对教育最焦虑的问题。第一个就是让孩子们可以躺下来午休，分步骤让越来越多的孩子可以舒心午睡。第二个是大良教育率先开展了课后服务，减轻了家长接送负担。同时，学校层面也在优质特色的课程上推动"双减"政策的落实，比如顺峰小学在原有的"雅趣"课程基础上，又引进了未来融合课程进行优化、整合，给孩子们更丰富的课程选择。

站在家长的角度，我深深地感受到，在瞬息万变的科技时代，孩子们的未来变化不是父母所能够掌控和想象的。我们只有始终和学校保持同向，才能渡孩子到达期望的远方；我们只有细心呵护孩子的兴趣，才能实现孩子的多才多艺；作为父母，应该成为孩子的榜样，父母玩手机，孩子就玩手机，父母爱看书，孩子就爱看书；我们只有专心倾听、全心陪伴，孩子才会自己学习、自我管理、自主成长！

我刚才提到了三个关键词：合伙人、接力者、同行者，这三个词正是我们作为家长的最好角色，与"双减"政策下的教育生态相得益彰。当今父母角色的定位并不是站在高处去要求孩子成为怎样的人，而是和孩子并肩，共同成为更好的自己。借用这个平台，为"双减"政策点赞，为大良教育点赞，为顺峰小学点赞！面对"双减"政策，我们一起不减责任，不减质量，不减成长！

感谢大家的聆听，谢谢！

企业集团经营与管理

深圳奥雅教育科技有限公司董事总经理　黄河

各位专家、领导、老师们好！我来自深圳奥雅股份设计与管理学院，我们公司的传统主营业务是景观设计。什么是景观设计？拿大家熟悉的校园来说，教学楼属于建筑设计的范畴，而这栋大楼以外的所有空间，我们统称为景观，包括绿化、大门、围墙，甚至包括洗手间、饭堂的位置等等。很多人一听到景观设计就会与"美"联系起来，认为设计的东西都是美的。但我想告诉大家，美的东西首先应该是好用的东西，它的功能性非常重要。

我是教育之外的人，也是教育之内的人。为什么这么说？因为我一直从事企业管理的工作，所以这么多年来我更多关注的是企业的管理、发展战略的定位以及市场怎么样更好地持续经营和深耕。但同时，我还是一个10岁男孩的父亲，在5年前，因为孩子的成长问题，我自己创办了培训机构，帮助孩子更加健康地成长。我们集团正在筹办自己的实体学校，从2022年开始会跨入教育事业的板块。我也希望在不久的将来可以以校长的身份坐在这里参加"山长讲坛"，听到更多专家学者的分享，也学习大家办学办校的经验。

今天我以企业教练的身份从企业发展以及企业决策者的角度来看一看，我们到底应该怎样更好地为自己的集团"把脉"，带领集团向正确的方向发展。

我将从三个方面谈谈我的观点：第一，企业集团化管理的核心；第二，从企业集团经营管理看教育集团化；第三，教育集团化视角下校长角色新定位。

一、企业集团化管理的核心

我认为所有的企业其实和人一样，人是有性格的，所谓性格决定命运，那么一家企业的性格就决定了这家企业的命运。企业的性格其实就是企业文化，提到企业文化，就要注意：第一，企业文化注重的是知行合一；第二，也是我特别想强调的，文化是有生命力的，是有发展性的，就如我们刚才看到的深圳市南山外国语学校（集团）的夏育华校长，他让学校校训不断地去延伸、去发展、去丰富，这就是文化顺应时代、不断成长的好例子。企业文化切忌古板、一成不变、机械地复制和执行。

在这个日新月异的网络化时代，我们的文化对于学校来说，要能够贴近孩子；对于企业来说，要贴近客户、贴近市场，这样才能得到持续的、有生命力的、更好的发展空间。

另外，作为企业的集团，一定要有清晰、统一和差异化的品牌。各位教育工作者要思考这样一个问题：教育集团应该要有什么样的品牌？品牌不仅仅是一个名称，更重要的是背后传递给我们的客户和市场什么样的内容。我要特别强调的是，企业文化是企业的性格，同时也是员工工作的基本原则，有了企业文化战略才会有后面的品牌战略。

学校的课程、校外活动等，都是具体的产品，这个产品的背后应该体现出整体品牌战略，这就是我们在做集团化经营过程中应该不断思考的问题。我们公司一直强调一致的企业文化，贯彻始终的品牌战略，对于人才的吸引和辨识、细分市场的加入、有序的内部良性竞争机制的建立、协同的资源整合，都具有实际的正向意义。所以我的观点是：企业文化战略是最重要的战略，有了企业文化战略的引领，才会有后面的市场战略、产品战略、客户经营战略等等，我想这是我们很多教育工作者，尤其是今天我们走在教育集团化办学方向上应该要去思考的事情。

二、从企业集团经营管理看教育集团化

我想给各位分享一个小案例。我们是一家有着超过20年历史的景观设计公司，在国内18个城市有分公司，在海外3个城市有分公司，规模庞大。公司情况也比较复杂，有些分公司是去到不同的城市重新建立起来的，有一些是在当地经营多年后并入我们集团里面来的。对这样的集团化，大家是否觉得似曾相识？

如何帮助这么多的分公司均衡发展？这是我们面临的问题。一开始，我们试过从总部、区域公司派优秀设计师去到一些新加盟的分公司或子公司，帮助他们提高业务、加强管理，帮助他们做好市场拓展。结果一段时间下来，我们发现真的遇到了"牛奶被兑水、浓茶被稀释"的情况。

后来我们是怎么解决这个问题的呢？我们参考了部队一个叫"混成旅"的做法，在每一家分公司都建立一个"鲶鱼部队"，这是我们做的一个TNB（talent-no-boundry）计划，也就是无边界计划。所谓的无边界计划是：我们原来国内有18个分公司，在18个分公司正常发展的基础上，我们从每一家分公司各抽一些人，组成了一个不从属于任何一家分公司的独立小分队。这个独立小分队专门切入设计一些特别的市场产品，在做这个特别的市场产品的过程中，我们会帮助小分队成员之间更好地融合、更好地进行跨界的信息交流。通过"鲶鱼部队"的做法，我们解决了原来因为资源、知识的输出而导致的优势被"稀释"的问题，同时又可以看到集团的发展和专业技术知识水平的提升，整个集团实现了一个特别好的破局，所以"鲶鱼部队"是今天我要和各位分享的一个特别好的案例。

我再举一个案例。深圳福田区有三所很知名的小学（园岭小学、园岭外国语小学、园岭实验小学），这三所知名小学彼此之间的距离不到一千米。2002年，这三所小学成立了一个教育集团，到2012年6月，这个教育集团又拆分成了三所小学。现在这三所小学找到了清晰的市场定位，取得了良好的口碑，也有了更大的发展空间。所以，我的观点是：集团化经营和连锁经营不是一个概念，并不是把一家一家分店串起来就叫作集团化经营，这样充其量只能叫作连锁经营，因为他们的客户群体是高度一致的，市场定位是高度重叠的。而集团化经营就像是一个军队一样，是陆海空一起发力。

三、教育集团化视角下校长角色新定位

我想和各位分享的第三个观点就是教育集团化视角下的校长角色新定位，其实就是一句话：总校长不是校长。作为企业教练，我每年会给深圳市顺电连锁股份有限公司（以下简称"顺电"）的区域总经理们做培训。最早的时候，顺电有很多家独立的分店，每个分店的店长也叫作总经理，叫作GM；随着分店越开越多，需要建立区域管理的机制，他们就成立了区域管理的机构，于是就有了区域总经理。所有的区域总经理都是从店长或从店总经理提拔上来的，每一次我给区域总经理们做培训的第一课，我都会告诉他们，区域总经理不是店长，也不是店总经理，区域总经理已经不需要再像原来做店长那样，去思考空间格局、人力安排、产品结构、商品定价、客户服务、客诉处理等等，应该要花更多的时间去思考集团的定位在哪里，品牌特色是什么，客户群体应该怎么样去细分。只有这样，集团才会有真正长久的市场发展潜力。

当然，我非常认同教育不是经营，至少不是简单的营利性的经营，教育不是简单地做市场。不过我们也一定要有市场的意识，这样才能够帮助教育集团长久地、更好地发展。

第八章 特殊教育：让所有生命绽放光彩

看见每个特殊需要的孩子／陈海苑

四步打造『受人尊敬的温暖学校』／陈辉

特教班主任独特的幸福感／高飞

让残疾孩子获得最大限度的康复／刘少敏

与特殊学校儿童相伴，我们可以做点什么？／刘太祥

推进全民高质量融合教育，成为更好的自己／马善波

让所有生命拥有无限可能／王莉

『可见』，让聋教育更美好！／闫延河

看见每个特殊需要的孩子

广州市番禺区教师进修学校（教师发展中心）

特殊教育部主任　陈海苑

各位同仁，大家好！我是广州市番禺区教师发展中心的陈海苑。非常感谢主办方和承办方举办山长讲坛"5·20"特殊教育专场活动，让我们特教人可以在此共同为特殊需要孩子发声，也让社会大众可以借此机会进一步看见每个特殊需要孩子。

在这里，特殊需要孩子指的是跟普通孩子相比存在着一定差异的孩子，包括各类有心智障碍的孩子、学习困难的孩子、多动冲动型的孩子、智力水平超常的孩子等等。而"看见"的内涵则是指主动、有意识、自觉地看到和见到，与之相反的是有意无意地忽视、忽略。那么，作为教育工作者或者普通的社会成员，我们应该怎样从蒙昧中睁开眼去看见每一个特殊需要孩子呢？

2018年，由于工作的需要，我从工作了21年的特教学校走出来，转而负责推动区域特殊教育融合发展。正是这些跟普通学校大量打交道的工作经历，让我更加清醒地意识到看见每个特殊需要孩子是多么重要！只有看见，我们才能科学地认识和了解他们；只有看见，我们才能为这些孩子提供有效的成长支持。我想，我们应该从内心认可并看到：这是一个孩子，是一个有特殊需要的孩子，是世界上独一无二的孩子。

一、这是一个孩子

我认为，无论哪种类型的孩子，我们都不能否认他首先是一个孩子。我们要看到孩子的天性，看到每个孩子所共有的身心发展特点，不能过度去强调孩子的特殊性，进而剥夺了他作为一个孩子应有的权利。

记得有一次，我到一所普通中学进行融合工作调研，课间突然听见一名教师惊慌失措地叫着："啊！他又跳起来了！"我循叫声望去，只见一个孤独症孩子在过道上一边跳动，一边自言自语，旁边的老师则露出紧张和害怕的神情组织其他学生赶紧离开。我微笑着走过去，朝那个学生挥挥手，告知他我是陈老师，接着伸手示意他跟我握手，然后问他叫什么名字，正在玩什么好玩的活动，我可不可以跟他一起玩。这个可爱的孩子不仅友好地跟我握了手，还用他那特有的细声细气的声音回答说他在玩跳跳游戏。我一边陪他跳着、玩着，一边回应他："对！下课我们一起玩，上课再回教室坐好。"上课铃声响起了，这个同学果然不跳了，跟我挥手再见，自觉地回教室去了。

在这个案例中，我看见了特殊需要孩子想玩耍、要玩耍、在没人陪他玩耍时自娱自乐的儿童天性，看见了他此时跟普通儿童一样的心理需求。很多老师无法与特殊需要孩子建立良好的关系，尤其是面对有问题行为的学生时更显得束手无策。世界著名孤独症教育专家普瑞桑说："有时候最简单的东西反而起到重要的作用——建立关系需要特殊品质。"我对这种特殊品质的理解是：无论什么样的孩子，他首先是个孩子，我们理应先把他当成一个孩子来理解和尊重。教师只有温暖了孩子的心灵，才能与学生建立良好的师生关系。

因此，如果你对普通孩子的成长充满信心，那么你也应该对特殊需要孩子充满信心，因为特殊需要孩子和普通孩子的生长发育过程是一样的，他们都有着巨大的生命潜力。即使孩子的成长速度不及他人也没有关系，因为生命本来就存在个体差异。

二、这是一个有特殊需要的孩子

1994年联合国教科文组织在西班牙萨拉曼卡召开世界特殊教育大会，发表了《萨拉曼卡宣言》，强调"每个儿童都有接受教育的权利，必须有获得可达到并保持可接受的学习水平的机会，每一个儿童有其独特的个人特点、兴趣、能力和学习需要"。这意味着不仅仅生理残疾的儿童需要特殊教育，一些学生由于某些问题也存在特殊教育的需要，这些特殊需要的存在需要学校恰当地应对，以帮助学生减少由此而产生的学习困扰。

我曾接到一个顽劣型特殊需要孩子的案例。通过电话我了解到这个孩子学业成绩非常突出，可是却经常在课间或户外活动时与其他同学产生冲突，校长找他谈话，他也丝毫不配合，不但言语冲撞，还用拳头打了校长。听起来这确实是顽童的表现！

可是，这个平时好端端的聪明孩子为何总会在课间或户外活动时用粗暴的方式来对待身边的同学和老师呢？在这之前究竟发生了什么事情？带着疑惑，我先进入教室观察这个孩子的上课表现，只见他积极举手回答老师的提问，语言表达流畅，思维敏捷，得到师生们的一致认可。下课后，同学们有说有笑地排队去运动场上体育课。正在此时，后面的同学不小心轻轻地碰了一下这个男孩的手臂，男孩突然变脸，转过身质问对方："你为什么打我？"并想用拳头去打对方。我见状赶紧上去制止，并温和地对这个男孩说："你的手臂被他碰疼了对吗？让老师看看。"他朝我点点头，露出痛苦且委屈的神情。"我明白了，是那个同学不小心碰到了你，但他不是故意的，他也不知道这样轻轻一碰，你会那么疼。"男孩在我的安慰下渐渐平静下来。

各位，故事讲到这里，相信你们可以猜到这个男孩身上存在的问题了吧？没错，他是一个触觉敏感型孩子，也就是感知觉异常的孩子。当旁边的同学不小心轻轻碰到触觉敏感型孩子的手臂时，他却感觉受到一顿重击，于是他才想要回击对方。各位试想一下，如果我们突然遭遇旁人重锤，当下会有什么反应？是的，我们会进行自卫、还击，这是一个人的本能反应！看到男孩当时痛苦的神情，我来时的种种疑惑已然有了答案，于是对学校提出了触觉敏感型孩子的环境创设及行为干预策略，同时对班级所有老师进行了相关培训，让这个特殊需要孩子和班上的其他孩子能在学校里更愉快地学习、相处。

很明显，上面案例中的特殊需要孩子并非我们政策上规定的随班就读学生，但他在某个阶段同样需要特殊教育。作为老师，我们要对引发孩子行为的深层原因进行剖析，妄下定论则有百害而无一利。

其实，在我们的校园里，不少学生都存在一定程度的学习障碍。我们还没有深刻地看见这些特殊需要孩子的学习障碍，有时可能看见了他们和别的孩子的不一样，可是由于各种原因，我们仍然无法为他们提供有效的教育支持。要知道，有些孩子可以用自己的方法来克服这些学习障碍，然而有一些学习障碍需要大人给予特别的支持来帮助他们克服。所以我认为，每一个孩子都有可能会在某个阶段出现特殊需要，也就是说我们要认识到特殊需要的存在是一个常态或者普遍现象。融合教育的目的并不是要消除存在于孩子身上的差异性，而是要帮助所有孩子更好地建立社会归属感。

三、这是世界上独一无二的孩子

世界上不可能存在两个完全相同的人，人和人之间都存在差异性，呈现出各自不同的生命样态，但这些都不影响我们用自己的方式去热爱生活、拥抱生活。也正因为有这些不同，我们生活的这个世界才会如此丰富多彩。首先，对于学校来说，校长对特殊需要孩子的态度是推动融合教育最重要的因素，它关系到学校是否会在各个层面真正去实践融合教育。其次是教师和同伴。只有当特殊需要学生真正被教师和同伴所接纳时，他在普通班级中才能够真正"进得来、留得住、学得好"。再有就是同伴的家长。家长是孩子的一面镜子，同伴的家长对特殊需要孩子的态度会投射在自己小孩身上，而家长的态度通常反映了整个社会对特殊需要孩子的接纳水平。特殊需要孩子只有被整个社会真正看见，才能在社会大环境中健康快乐地成长。

那么，这些特殊需要孩子从学校毕业后，他们将走向何方呢？相信孤独症患者森友的就业故事能给我们很好的启发。

20岁的中重度孤独症患者森友在广州番禺一家服装企业就业刚好满一年。在参加公司团建活动时，森友为同事们演奏了钢琴，表演了歌舞。公司的同事们非常友好，他们会教导帮助森友胜任简单重复的包装工作。森友能记得每一个人的名字，和大家在一起时他发自内心地感到快乐，并通过自己勤劳获得了劳动报酬。

所以我想说，当用人单位愿意提供适宜的就业平台时，当社会大众愿意完全接纳人的差异性时，特殊需要孩子同样可以成功进入社会，过上有尊严的生活。

最后，我想借用以下这段话来结束我的演讲：特殊需要孩子所经历的发展阶段，是我们人类都要经历的。帮助特殊需要孩子更好发展的最佳路径是，真切无误地理解他们，并改变我们自己的所作所为，为他们更好地生活和发展，做合格的铺路人和同行者。

四步打造"受人尊敬的温暖学校"

佛山市启聪学校　陈辉

　　有人说：三流的学校管理靠校长，二流的学校管理靠制度，一流的学校管理靠文化。学者们把学校文化总结为下面的金字塔模型（图1），它由物质文化、行为文化、制度文化和理念文化四部分组成。其中理念文化统领其他三个部分，环境布置是容易被看见的物质文化，师生言行属于行为文化，行为模式与行为规范体现的是制度文化，师生的价值观体现其所在的学校倡导什么、反对什么，愿景则是希望学校将来变成什么样子。

　　营造学校文化氛围是非常考验校长领导力的。学校管理需要主动树立旗帜，引导大家朝着理想的方向前行。

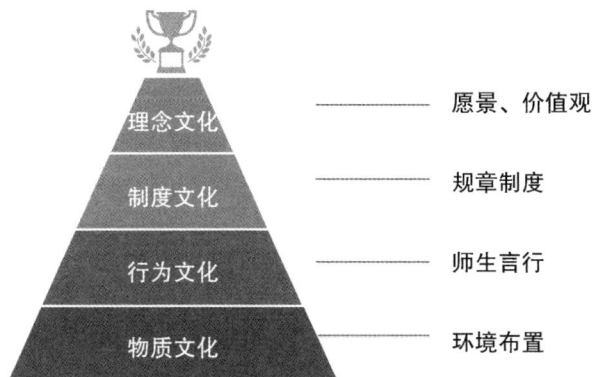

图1　学校文化金字塔模型

广东省佛山市启聪学校是一所综合性的特殊教育学校。我们用两年的时间梳理、提炼出学校的理念文化体系。我校的办学理念是"关爱生命，激发潜能"——我们不要总是盯着学生缺少什么，而要多看其潜能在哪，思考如何培养他们的特长和优势；我校的发展愿景是"成为受人尊敬的温暖学校"——我们不希望残障学生受人怜悯和同情，我们要创造一所相互鼓励、相互温暖的校园，让学生感受教育的幸福，实现"自信阳光，学有所长"的培养目标。我们的学生和老师凭什么受人尊敬？校训"自胜者强"体现了我们的校园精神。"自胜者强"取自老子的《道德经》，原话是"胜人者有力，自胜者强"，意思是战胜别人的人只能说有力量，但是真正的强者不是战胜别人，而是超越自我。我们认为不断自我超越的人才是真正的强者，才受人尊敬。

文化就是一种日常生活方式。如何让学校文化看得见，摸得着，做得到呢？我们运用"美环境，立行为，讲故事，成手册"四步法，让理念文化落到实处，创建一所受人尊敬的温暖学校！

一、美环境，营造温暖的校园氛围

优美的自然环境和温暖的人文氛围容易激发人们的求知欲，让大家由衷地感受生命的美好。我们努力美化学校，让师生喜欢待在学校里，让学校成为师生的精神港湾。

一进入佛山市启聪学校，你就可以看到墙上的一句话："一所受人尊敬的温暖学校。"这是我们的办学愿景，是我们一起努力要达到的目标。它将全校师生乃至家长连接在一起。学校管理者的工作职责就是让每个独特的教师、学生都能感受到温暖，享有被看见的幸福。

（1）增加互动的空间。我们将一些办公楼和教学楼的一楼打通，在大堂摆放了桌椅，设置了休闲区；改造了师生食堂，使其不仅限于吃饭，还可随着可移动桌椅的变化变身为学习交流的场所。

去年，海南省一所特殊教育学校校长带了几位老师来我校交流，我请他们在饭堂吃饭。有位老师对我说："校长，这就是我们梦想中饭堂的样子。"团体水平和什么有关？我认为和成员相互交流的时间和质量有关，饭堂就是个非常好的交流场所。

（2）美化工作、学习的空间。我们每两年开展一次"最美办公室""特色班级教室"评比活动，不但要求环境整洁干净，还要体现学科、班级特色、精神追求之美。

当第一次看到启明部教师办公室墙上的话时，我很好奇，就问办公室负责人李老师："你们为什么选择'许你一生光明'？"李老师说："校长，你可能读过《假如给我三天光明》，但我们认为仅有三天光明是不够的，我们要给视力障碍学生一生的光明。怎么给呢？我们通过传授知识给学生一生的光明。"听完这番话，我对启明部的老师肃然起敬，"许你一生光明"，这是他们的使命，也是学校的使命。

"用真情关爱生命，用专业激发潜能"，这是信息技术组的老师在用自己的语言诠释自己的教学理念。多好的一句话！西点创业室墙上则贴着"每一个温暖瞬间都有我的陪伴"这句话，配着蛋糕，显得特别温馨。

（3）我们也评选"最美教室"。"最美教室"的评选不仅要求环境美丽，还看重在教室后墙上展示的学生作品，希望把更多的美好展示出来，让学生感受到被看见、被关爱。

随便走进一间教师办公室、教室、专业场室，都可以看到类似的环境。

我们常说，要改变一所学校就是要改变这所学校的精神追求。随着"美环境"理念的推进，慢慢地，整个校园变得灵动而有生气，师生们的归属感、自豪感也更强了。

二、立行为，明确师生的价值追求

学校文化建设最难的是什么？是将学校倡导的价值观转化为师生的日常行为。学校管理者需要确立价值观背后的行为标准，即提倡什么行为，反对什么行为，并把它提炼出来，形成可传播的文字。

那么，怎么提炼呢？最好的办法是让广大教职工积极参与。若办学规模比较小，可以组织全体教职工讨论；若办学规模比较大，就需分年级、分科组进行研讨，或让教职工来写，学校管理者再由下至上进行归纳总结，找出共同点和精华点，适当予以升华。

我们确立了"悦纳、自强、感恩、温暖、专业、合作"的学校核心价值观，制定了学校行动纲要，征集了"启聪因我更温暖"等10种行为。我们结合相关师生故事，将学校核心价值观张贴到大堂里最显眼的地方。

三、讲故事，传播校园的美好声音

管理学之父德鲁克说：管理就是激发人的潜能和善意。

管理团队是经营人心。如何经营人心？需要让更多的人被看见，激发人正向、积极、善意的一面，让平凡的人干出非凡之事。

明确了行为标准，我们就要思考如何通俗易懂地传播它，让更多的人了解它、接受它。故事就是最佳的传播载体，易于让大家接受其中的道理。我们选择符合学校核心价值观的行为故事，特别注重发生在学校内部，能引发彼此共鸣的师生故事。身边的榜样无疑更具有启发性。

我们采取了值周教师制度。每周安排两位教师值日，对教师巡视校园新增了一个要求，就是用相机和文字记录温暖瞬间，并制作成演示文稿，在校园大屏幕上展示。待到升旗仪式的"国旗下讲话"环节，值周教师代表一边讲述发生在身边的温暖小故事，一边用图文在大屏幕展示。为了更好地推动老师们发现、记录好故事，我们在每个学期期末还会评选"十佳故事"，把这项工作进一步落到实处。

每个月我们会评选月度人物，哪些老师在这个月的工作当中做出了更多的贡献，我们要让大家知道、看见。我们对学生也一样，开展了多元评价，特殊教育学校的学生我们不看他的全面发展，更多的是看他的特长和优势在哪里，让他展示出来，贴在大堂里面，让大家看得见。

每个学期期末，我们会有一个温暖团队展示项目。级组长收集整个学期老师们在某些方面做得特别好的事例，在全校教师大会上讲出来。启明部级组长第一次就用了"许你一生光明"这个标题，很多老师听完都流下了感动的眼泪，效果超出想象地好。

在教师节，我们组织教师书写"欣赏与感谢"卡片，表达对身边同事的敬佩与感恩之情。通过一个个具体的小事例，这个活动更显情真意切。

通过讲故事，勤沟通，教师之间多欣赏、相互理解、相互学习、取长补短的温暖而有力量的团队氛围日益浓厚。

四、成手册，巩固学校的品牌形象

当我们提炼出学校核心价值观，确定其行为特征和相应的经典故事后，就要把它们编辑成册，有体系地输出价值。同时，这本学校文化手册中可以嵌入师生参与制作的短视频，让传播更立体、更直观，有利于树立和巩固学校的品牌形象。

在启聪部中学组"涛哥有话说"栏目，级组长莫江涛老师组织学生拍摄短视频，介绍学生校园礼仪规范、学生最美形象等，形式活泼多样，受到同学们的喜爱。

我们认为，学校文化手册应包含以下三大内容：第一，把提炼出的办学使命、办学愿景、学校核心价值观及其背后的意义与经典故事呈现出来；第二，明确学校核心价值观里有哪些红线，若有触碰，如何处理；第三，学校核心价值观也要成为考核内容，这与教师业绩考核同等重要。

华东师范大学教授陈玉琨曾经说过："要改变一所学校，首先改变这所学校的精神。要改变一个老师，就要改变他的价值追求。要改变一个学生，就要改变他的人生目标。"

大家可以对照这三点，思考学校有没有做到。我们希望成为一所受人尊敬的温暖学校；我们希望培养"自信阳光，学有所长"的学生，每个人都有自己的人生目标；我们希望全校师生都拥有"自胜者强"的精神，能够不断地自我超越，而不是停留在昨天。

通过美环境、立行为、讲故事、成手册，我们正在打造受人尊敬的温暖学校。2022年是我校建立30周年，回顾走过的路程，我们正走在成为受人尊敬的温暖学校的路上。虽然前路漫漫，但我们会坚持前行。

特教班主任独特的幸福感

阳江市特殊教育学校教师、班主任　高飞

大家上午好！我是阳江市特殊教育学校的高飞。今天和大家分享的是《特教班主任独特的幸福感》。2007年9月，我从老家江苏飞到美丽的广东阳江，在这里为一群听障学生插上"高飞"的翅膀，让他们带着尊严回归主流社会。

阳江市位于广东西南沿海，有些方面的发展比不上珠三角发达地区，人们对特殊教育还存在着很大的偏见。还记得2007年开学的第一天，学校周围传来了一些奇怪的声音，去了解才发现是邻居们在请道士做法事。因为他们觉得我们在这里办学对他们来说是一件不吉利的事情，需要通过法事来化解。面对这种情况，校长对我们说："今天周围的邻居因为我们在这里办学而感到恐慌，他日我们要让阳江的居民一提到我们特殊教育学校就纷纷竖起大拇指。"

作为阳江市特殊教育工作的第一批实践者，我在阳江特殊教育学校一干就是16年。这些年我经历了小学、初中、高中，陪伴着特殊学生成长成才，班主任于我是一种责任，更是一种情怀。算一算，我一共帮助了56名学生考上了理想大学，一大批学生走上了工作岗位。学生从刚入学时的胆小害羞，眼神暗淡无光，到如今的阳光自信、积极向上，收到孩子的大学录取通知书时家长们激动的笑脸、苦尽甘来的欣慰，学生毕业后走上工作岗位，从家庭的负担转变为家庭建设的一分子，以及家长们发来的一条条感谢短信，都是我作为特教人收获的幸福。

一、以心贴心，让学生以特长赢得尊重

有句名言说：上天是公平的，他在关闭一扇门的同时也必定打开了一扇窗。但我想说上天未必关死了每一扇门，门也许是虚掩着的，正等待着有心人推门而入。班主任就是努力发掘学生潜能，赋予他们推开虚掩之门的勇气和力量的那个人。

苏倩瑶，一个从小喜欢舞蹈的女孩，总向往着能有一方属于自己的舞台。可她听不见声音，聋人舞蹈最大的障碍就在于把握节奏，没有了节奏感，舞蹈就是简单的机械重复，也就毫无美感可言。

一天下午，我走进教室，看见倩瑶趴在桌子上哭，几个学生围着安慰她。我走过去问："怎么了？这节律动课，你们怎么没在舞蹈教室上课？"旁边的同学回答说："老师，这节课练习托举，倩瑶因为数不准节奏都摔了好几次了。"我摸了摸倩瑶的头问："哪里摔疼了吗？"她摇了摇头说："我是怕自己做不好，会让老师失望。"多懂事的孩子呀，我知道她这样顶着压力训练是很难完成动作的。

为了鼓励她，我瞄了一下教室的窗台，想都没想，就一抬腿把脚架了上去，然后学着他们练基本功的样子使劲向下压腿。这高度已远远超过了我一个连广场舞都学不会的"舞痴"的极限了。我强忍着疼痛继续往下压，可我的表情出卖了我。孩子们都笑了，倩瑶也笑了。我顺势做出快要摔倒的样子，学生赶紧上来扶我。"看来还是你们厉害啊，我这老胳膊老腿不中用啦！"就这样，原本还"乌云密布"的倩瑶，在我的一番自嘲后，马上就"多云转

晴"了。我趁机鼓励她："倩瑶，老师相信你，只要多加练习，你一定可以做到的。"

事后，我又以聋人舞蹈家邰丽华的故事鼓励她，还开展了"困难面前不放弃"等主题班会课，让她明白学习舞蹈的过程必然是不容易的。同时我还积极创造条件，让她在班级或学校的各类文艺活动中发挥作用，从活动策划、节目编排到成果展示，倩瑶在我的逐步放手中快速成长起来。

后来，由她主演的舞蹈《争流》获得了第七届广东省特殊教育学校文艺会演金奖。由于出彩的表现，她被选入广东省残疾人艺术团，成为一名正式的舞蹈演员。舞蹈给予她自信，让她有了接受各种挑战的勇气，在不懈的努力下，她先后荣获"全国最美中学生""南粤最美少年""阳江好人"等荣誉称号。倩瑶在接受电视台采访时说："我想通过自己的努力，让更多的人看到，我们聋人一样可以跳出优美的舞蹈，舞出自己精彩的人生。"

倩瑶的经历让我明白，班主任就是要借助兴趣教学发现学生独特的能力和潜在的素质，帮他们转化为人无我有的特长，并以此增强学生的自信心，让他们获得赞赏，增强他们积极融入社会的自信和勇气。

二、以梦为马，助力学生梦想花开

2020年春，面对紧张的疫情，我心里惦记着那群今年要参加聋人单考单招的高三毕业生。当其他同学都在线上积极备考时，学生小陈已经好几天没有出现在班群里了，我们私信她也毫无反应。同时我接到了家长的求助电话："高老师，这该怎么办啊？已经耽误一年了，这马上就到关键时刻了，她又打起了退堂鼓，我是真的不知道怎么办了！"听着电话里焦急的声音，我清楚地知道此刻若没有人拉小陈一把，她的人生轨迹有可能会被改写。

我安抚好家长的情绪，又用手机试着和小陈进行沟通，但对小陈来说，单纯使用聊天软件沟通是很难走进她的内心世界的。高考一天天逼近，此时，普通中小学已陆续返校上课，只有特殊教育学校和幼儿园仍处于居家学习状态。我内心万般焦急，一个大胆的想法涌上了心头——把小陈接来家里复习。当我把这个想法告诉小陈妈妈的时候，小陈妈妈连连说着感谢，当天下午就把孩子送来了我家。

刚见面时，小陈很害羞。我拉了拉她的手，面对面地和她坐了下来，递给她一杯她最爱喝的酸奶，问道："小陈，最近遇到了什么困惑吗？愿意和老师聊聊吗？"其实小陈跟我的关系一直都很好，只是因为疫情一直没见面，在这种轻松的交流沟通方式下，小陈的话匣子一下子就打开了。原来她退缩了，复读的一年又遇上疫情，她觉得自己考上大学的希望很渺茫，再加上与妈妈沟通不畅，于是她选择了逃避。找到了问题所在，我就鼓励她，找出她之前发在复习群的作业，指出作业中多处优秀的地方，同时告诉她："线上学习时，知识点一时学不会也没关系，标记下来，课后我们可以私聊嘛。"在我的鼓励下，小陈点了点头，眼里闪耀着重拾希望的光。

连续几天，我化身语文、数学、英语全科教师，从学科知识和学习方法上给予小陈一对一的指导。也许是我的指导扫清了她学习上的某些障碍，又或许是我的爱与坚持深深地触动了她，她的学习热情重新被点燃。2020年6月，高考成绩公布，她如愿以偿地考上了大学。她也第一时间给我发来短信："感谢高老师对我的帮助。"小陈妈妈也打来电话："高老师，是您改变了我家小陈一生的命运，真是太感谢您了！"

"一生只为一事来"，作为教师，面对疫情，我通过自己的最大努力，和学生们风雨共济，助力学生实现他们的大学梦。

三、以情相待，让学生以一技之能获得职业尊严

一走进我们学校，就可以看到"为融入社会走进来，为服务社会走出去"这些金光闪闪的大字。作为学校第一届职高班的班主任，我积极引导学生建立起坚定的职业自

信，从内心深处肯定自我价值。

记得那一年我们班有个学生叫阿泉，24岁，先天性重度聋哑，他有三个兄弟姐妹，最小的弟弟也在我们学校读书。那年春天，他爸爸被确诊为肺癌晚期，4月便去世了，离开时还不到50岁，一家的重担全部落在了他妈妈一个人的肩上。眼看就要毕业了，阿泉对未来一片迷茫。

恰逢阳江日报社开展"圆梦有我"公益活动，我们立即联系记者，希望通过社会的力量来帮助阿泉，减轻他的家庭负担。

在记者的帮助下，我带着阿泉来到了阳西（他的家乡）寻找实习工作。一路上，他低着头，紧紧地跟在我身后，仔细地看着我的每一个手语，生怕遗漏什么重要信息。一位好心的老板愿意接纳他，这让我们非常欣慰，可工厂不提供食宿，又地处郊区，考虑到他的安全问题，我们谢绝了，又马不停蹄地寻找下一家。

在阳西县人力资源社会保障局的帮助下，我们在产业园帮助阿泉找到了一份合适的实习工作。在签订实习协议的那一刻，阿泉的妈妈流下了欣慰的泪水，说："高老师，太感谢你们了，是你们的帮助让我一度灰暗的生活重新看到了希望。"是啊，培养好一个学生就是造福一个家庭，阿泉家从一个人照顾四个人，到现在两个人照顾三个人，这是一个多么大的转变啊！离开时，阿泉的妈妈紧紧握着我的手，用最朴实的语言说着感谢。她拉着的是我的手，拉近的却是我们和家长的心呐！

阿泉刚实习工作的那半年，我每个周末都会去阳西看他，了解他的工作状态和生活情况，及时为他排忧解难。公司的门卫看到我都会说："高老师，您又来啦！学生都毕业了，您还这么有心。"我笑着说："谁让我是他们的班主任呢！"在公司年度表彰活动中，阿泉被评为"优秀员工"，还获得了奖金。当他妈妈把这个好消息告诉我时，我激动得眼泛泪花。看到他们生活过得好了，我的心也就安了。

就这样，我在阳江特教班主任的岗位上已经走过了16个年头，见证了阳江市特殊教育从起步到发展的点点滴滴。朋友们，你们猜一猜现在学校周围的邻居对我们特殊教育学校的看法如何？当然不再存在那种做法事的事情了。我们这群特教人让很多人改变了对特殊教育的看法，周围的邻居也变得和善起来，一提到特殊教育学校，很多人都会说"那里的老师很厉害的"。

做教师是我的理想，从事特殊教育是我一生无悔的选择。一个人若能选择自己想做、能做而且社会需要的事情，并且沉醉地做着，这个人无疑是最幸福、最快乐的。我通过自己的努力，去帮助特殊学生实现梦想。他们的梦想得到实现，就是我作为特教班主任最大的幸福！

让残疾孩子获得最大限度的康复

湛江市特殊教育学校副校长　刘少敏

　　我是湛江市特殊教育学校的刘少敏，今天我跟大家分享的是我与听障孩子的康复故事。

　　30年前，我在南京特殊教育师范学院的选修课中遇见周弘先生，他用赏识教育的方法成功康复女儿周婷婷的故事，让我对听障儿童语言康复教育充满了憧憬，悄悄立下让残疾孩子最大限度康复的特教梦想。在我从事特教工作的29个年头里，我一直为实现梦想而努力地攀登听障儿童康复的那座山，期待未来自己能征服这座山。林宝贵老师曾说过："世界的聋教育，其实就是一部语言沟通与语文教育的发展史。"我一直担任聋校语文与语言康复教学，同样深切地感受到语言对听障儿童未来发展的重要性。

　　2002年，国家提出残疾人"人人享有康复服务"的目标，为听障儿童语言康复带来了曙光。我的学生茵茵就是在这束光的照耀下成长的。她1岁时因药物中毒而双耳失聪，8岁才植入耳蜗，康复后在普通学校随班就读，顺利考上大学，喜欢野外骑行和摄影。目前她在一所中学工作，乐观、积极地融入社会，自强地生活。是康复给予了她成长的力量，润泽了她美好的心灵。

一、构建体系，发展语言

我们知道，通过采取医学、教育等综合措施，帮助听障儿童补偿或重建听力，发展听觉、言语等交流能力，提高整体素质，是实现听障儿童全面康复的重要保证。由于我国的特殊教育起步较晚，早期对残疾的预防及康复的宣传不到位，多数听障儿童未能得到早期康复，导致语言能力得不到开发，一些有残余听力、受训过的听障儿童在普通学校随班就读后语言能力得不到关注和发展，越来越退化。

1999年，我校迎来听障学生入学高峰期，个别在普通学校随班就读的听障儿童回流到特殊教育学校。为了让孩子们的语言能力得到巩固和发展，在前辈老师的指导下，学校成立了口语强化班，开展以口语为主导的全沟通教学研究，我担任该项目的负责人。在研究过程中，学生既要学文化又要学说话的问题成为最大的困扰。我们通过调整课程设置、改善教育环境、整合教育资源、争取政府与社会支持开展教学改革，探索听障儿童语言能力发展的途径与方法。

通过10年的实践，该项目成果获得广东省第七届普通教育教学成果二等奖，也改变了一批听障儿童的人生轨迹。亮亮是口语强化班的第一批学生，语言能力的发展让他顺利进入大学学习，毕业后因具有良好的口语、手语和书面语沟通能力而得以进入一家传媒公司做平面设计。他2019年获第六届全国残疾人职业技能大赛第二名，2021年获"全国技术能手"称号。现在他已在广州工作，过上美满的生活，是康复激发了他的自信，使他自强自立，成为社会有用之人。为使湛江听障儿童人人享有康复服务，我们积极践行康教结合、综合康复、融合教育新理念，构建了"五段一体"教育康复体系，开展"0～6岁早期抢救性康复服务、1～3年级巩固性与补救性康复训练、4～6年级强化表达性语言教学、7～9年级以口语为主导的全沟通教学、高中阶段自主性教育康复"的教学实践，以满足更多听障儿童的语言能力发展需求。

二、协同康复，融合发展

党的二十大报告提出办好人民满意的教育，强化学前教育、特殊教育普惠发展，普惠发展战略将为学前特殊教育在"十四五"期间获得飞跃式发展提供强大能量。《"十四五"特殊教育发展提升行动计划》对学前教育和融合教育的部署，促进了特殊教育的高质量发展，满足了更多残疾儿童对美好教育生活的新期待。学前残疾儿童康复是一项抢救性工程，康复的效果将影响学生未来的发展。

我校历来重视学前康复教育，1990年3月成立学前听力语言康复班，其间即使是面临师资、经费严重短缺等困难也从没放弃。我是在这个岗位上坚持最久的人。我跟随着残疾人康复的时代步伐，在"三早——早发现、早诊断、早干预"的宣传、"医教结合，综合康复"的实践、"全面康复"的探索中不断思考，逐渐形成"协同康复"教学特色。协同康复有效地将医院、残联、学校、家庭和社会等力量整合起来，实现康复效果最大化。

这里我想与大家分享我们在家校协同康复探索中的一些思考。交叠影响域理论认为，学校和家庭承担着共同的教育责任，对孩子的成长起到相互交织的作用。世界顶尖语言学家史蒂芬·平克认为"声音环境、母亲式语型、父母的回应与自我实践"是儿童学会语言的三大要素，这些与家庭教育息息相关。

为了让家校双方深入合作、同步教育，我们以亲子同训课程为抓手，与家长开展协同诊断评估、协同制订康复计划、协同康复训练，组织上门指导、家长沙龙、家长培训等活动，积极、主动将家校教育资源和教育力量协调起来，开展合作。在家校协同过程中，当走进不同的家庭，近距离感受他们的困难和压力时，我更加坚定了携手这些特殊家庭走出困境的决心。

让我至今记忆犹新的是东东的母亲。东东一出生竟患有严重脑积水、耳蜗发育不全等，生命垂危，曾多次被医生下病危通知。孩子在保温箱里待了一个月，东东母亲也足足哭了一个月。三年后，她抱着孩子来到学校，说："老师，他能活下来已经是一个奇迹，我相信他能创造第二个奇迹，哪怕他只能学会叫我一声妈妈。"家长的坚持深深地感动了我。于是，我们便有了长达十余年的深度家校合作。因为孩子的协调运动能力差，听力干预效果不理想，康复的过程真的很艰辛。经过两年的协同训练，东东才开口叫出一声"妈妈"，这一句对普通孩子而言是脱口而出的话语，东东却用了五年的时间才学会。那一刻，东东妈妈热泪盈眶。歌德曾经说过，没有在长夜痛哭过的人，不足以谈人生。眼泪有时候是痛苦，有时候是软弱，有时候是坚强，有时候是喜悦。

经过四年的训练，东东虽不像其他孩子那样康复得那么好，但他非常乐观，即使口齿不太清晰，却也喜欢主动与人沟通。在我们的支持下，东东在普通学校完成了义务教育阶段的学习，进入职业学校接受教育，现在即将毕业。他的未来将会如何，我无法预测，但我相信每个生命都有绽放的机会，只不过花期不同。残疾的程度不应是定论教育康复效果的最终标准。教育康复就是一个汇集力量的风火轮，是家庭、学校和社会共同架起的生命之桥。无数个夜晚我都在想，那些聚光灯无法照到的贫困残疾儿童，他们的未来由谁来照亮？这需要一群人负重前行，用协同的力量汇聚光芒，照亮残疾孩子的未来，改变他们因残疾而带来的贫困。

三、全面康复，成就未来

我国已进入新时代，新时代对人才的培养提出了新要求，能听会说已不能满足听障儿童融入社会的多元化需求。教育只有与时代同频共振，方可行稳致远。我们坚定地走全面康复的道路，努力地成就残疾孩子的未来。

"Twinkle twinkle little star..."听着如此动听的歌声，我们何曾想到是一名听障孩子歌唱的。她叫淑怡，患有双耳重度感音神经性耳聋，2岁进入我校康复，享受国家0~6岁残疾儿童康复救助项目资助。目前，越来越多和淑怡同样年龄的听障儿童接受了早期康复，这对康复质量提出了高标准、高要求。我们遵循儿童的发展规律，以学前教育为基础，科学地采用听力干预、听觉言语训练、言语矫治等专项技术，把听障儿童听说能力的发展与儿童的整体发展相统一，通过绘本阅读、戏剧表演、融合活动等课程，整合资源与家庭、普幼合力同步教育，共同促进听障儿童全面发展、全面康复。目前，淑怡在普通小学随班就读，与健听的孩子一样健康成长，语言、学习、音乐等能力全面发展。

康复一个孩子，造福一个家庭。今天，全国爱耳日与"山长讲坛"完美相遇，每一个残疾孩子都将会被看见，他们成长的每一刻都将被了解。我相信未来的特殊教育将会更加美好！让我们携起手来，一起为广东特殊教育高质量发展立言立行吧！

推进全民高质量融合教育，我们可以做点什么？

东莞市启智学校副校长　刘太祥

大家上午好！我是来自东莞启智学校的刘太祥老师，今天我给大家分享的题目是《推进全民高质量融合教育，我们可以做点什么？》。

时光荏苒，转眼间已是我在特殊教育学校工作的第26个年头了。我的教育故事要从这一间有温度、有品质的特殊教育学校说起，它就是东莞启智学校。因为热爱，我一直在特教一线工作，慢慢地从一名普通教师成长为骨干教师，再到省、市名师工作室主持人，从而有更多的机会走出特殊教育学校，走进中小学，走向社会，开展融合宣导，帮助有特殊需要的孩子。

什么是特殊教育？特殊教育就是满足孩子特殊需要的教育，特殊教育就是慢的教育，特殊教育就是有牵着蜗牛去散步那样的心境的教育。有人说特教老师就像一束会转弯的阳光，用自己的光和热温暖着一个个折翼的天使，用自己的爱心、耐心、细心、责任心去陪伴孩子成长。

在我的教育生涯中就有这么一个学生，他是我校的毕业生，叫吴子喻。他是一个"来自星星的孩子"，他就是在中央电视台《向幸福出发》节目里神采奕奕弹奏曲子的"孤独症钢琴小王子"。

子喻刚入学时，有严重的刻板行为，坐不住，经常前后摇晃椅子，有时会突然发脾气咬自己的手背，并伴随着尖叫，手背上留下了深深的牙齿印。

一开始，老师们都觉得他是一个令人头疼的孩子，但我觉得，每个特殊孩子都是一本书，我们要用心去读懂他。

孤独症孩子不善于沟通，当身体不适时，很少直接诉说或寻求安慰，而是以各种刻板行为代替语言，目的是获取他人注意、逃避任务和获得感官刺激。子喻情绪敏感，有强迫症，弹琴时弹错一个音符，他就会着急生气，咬自己的手腕；有时候一个问题要反复追问几十遍。针对这些问题，我运用正向行为干预方法，给孩子制订个性化教育计划。当他遇到困难，感觉自己不能完成任务时，我会适时协助他完成任务，引导他用正确的方式表达自己的情绪，减少自伤行为；当他焦躁不安、开始咬手腕时，我会安抚他的情绪，给他听一些舒缓的音乐。在干预的过程中，我们发现他每每听见音乐响起就能安静下来，而且特别喜欢唱歌，我就让他参加学校的音乐兴趣小组，让音乐老师系统地教他乐理、电子琴和唱歌。子喻的妈妈也千方百计地给他找学习机会。功夫不负有心人，子喻12岁时，遇到了改变他命运的钢琴老师，正式开启了音乐之路。子喻从启智学校毕业时，已经取得了电子琴十级、钢琴九级水平证书。更让人惊喜的是，子喻被招进了东莞市残疾人艺术团，成为公益演出的明星演员，并登上了中央电视台的舞台，再一次向人们证明，"星星儿童"也能成长为一颗真正耀眼的明星。

我们不会因为孩子特殊就将其贴上弱者标签，他们也能在某些方面上闪闪发光，释放出巨大的能量。我们特教工作者就是要发掘特殊儿童的闪光点，开发他们的潜能，成就他们更多的可能。这就需要全社会的人们都来支持特殊教育，接纳特殊儿童，推进融合教育。

什么是融合教育？融合教育就是"融入、接纳和尊重"，是将有特殊教育需要的儿童安置在普通学校接受教育。全民指的是一种影响性的范围，即全社会、全人类都关注融合教育。高质量的融合教育是包括特殊儿童在内的所有学生在普通教育环境中参与所有教育活动，并获得实质性进步和使潜能得到发展的教育。

其实，从某种意义上讲，我们每个人都有可能成为一个有"特殊需要"的人，需要借助一定的支持才能够成为一个健康人。比如，我们身边最常见的近视人士，需要在眼镜的帮助下才能看清事物；如果腿受伤了，配上拐杖或轮椅就可以行走；由于身高限制，我们拿不到高架上的书，但借助梯子就可以拿到了。

所以，只要无障碍环境足够友善，方便拿拐杖或坐轮椅的学生进出，脑瘫的孩子一样可以在校园里活泼地生活。只要老师在设计课程的时候多考虑学生的特殊需要，有身心障碍的学生在普通学校接受融合教育就不再是天方夜谭。融合教育并不难，只需我们做出改变，给他们提供一些帮助和支持，构建融合教育的生态，让特殊儿童也能够绽放生命的精彩。

融合教育是一种温柔的坚持。

特殊儿童就读普通学校所面临的种种挑战，凸显出学校、家长、学生对特殊个体的了解和接纳程度。最近几年出现很多案例——孤独症孩子被19名家长联名上书赶出校园，某市数十名家长联名罢课，反对孤独症学生与自己的孩子同班，等等。由于包容度不够，缺乏共识，特殊儿童在普通学校里想要一张课桌变得非常困难。很多家长和学生由于不了解特殊人群，难免对特殊儿童的外貌和行为方式等产生偏见和误解，甚至产生恐惧，歧视特殊儿童。因此，让学校、家长、学生都能尊重、接纳特殊儿童，这是推进高质量融合教育的第一步，也是关键的一步。

融合教育是一段美丽的旅行。

现阶段，融合教育的理念正在被越来越多的人所接受。但融合教育仍然面临着诸多困境，特别是中小学缺乏专业的特殊教育师资和系统的康复教育模式，使得许多学校面临着虽有政策支持，但却不知从何开展工作的尴尬局面。

作为广东省特殊教育名师工作室主持人，我的使命就是践行融合教育。我们工作室的口号是"聚焦特殊教育，推进普特融合"。工作室自成立以来，一直在践行这个理念。多年来，我们开展了100多场线上线下融合教研活动，足迹覆盖东莞的各个镇街，以及珠三角其他城市和粤东、粤西、粤北地区。在与老师们的交流过程中，让我感受最深的是，普通学校老师认为学校里的特殊儿童特别难管、特别难教，他们的情绪和行为问题让老师们很头疼。面对特殊儿童不知道教什么、怎么教，特殊儿童影响课堂纪律怎么办，孩子有攻击行为怎么办等困惑和担忧表明，普通学校老师迫切地需要了解融合教育，掌握特殊教育专业知识和技能。这是推进高质量融合教育的最重要的一步。

融合教育是一项服务民生的工程。

同在蓝天下，共同成长进步，既是对特殊儿童的帮助，也是对普通儿童的教育。《中国教育现代化2035》提出，办好特殊教育，推进适龄残疾儿童少年教育全覆盖，全面推进融合教育，促进医教结合，是我国特殊教育现代化的重要任务。这给全社会发出了信号：要优先让残疾儿童少年在普通学校接受教育，普通学校要承担起接纳残疾儿童少年随班就读工作，用责任与担当撑起特殊教育的蓝天。《"十四五"特殊教育发展提升行动计划》提出"推进融合教育"，为残疾儿童接受公平、优质的教育提供了法律支持与保障。从关心、支持到办好特殊教育，再到党的二十大提出的强化特殊教育普惠发展，彰显了国家办好特殊教育的决心。特殊教育作为全面保障群众受教育权利的最后一块拼图，将在党和国家的长期指引下进一步高质量发展。

高质量融合教育不仅仅停留在平等的教育机会和相同的支持上，更应该面向全体学生因材施教，让所有的适龄少年都能够接受适合的教育。高质量的融合教育不再是将特殊教育的学生推向普通学校，而是要将特殊教育的资源和支持保障体系融合到普通学校里面，这也是推进融合教育实现高质量发展的核心。

尊重接纳，融合宣导，支持保障是构建融合教育生态的三个方面。它需要我们特教人共同努力。

如何推动融合教育发展？我们能为此做点什么？

近几年，全国各地都在全面推进融合教育发展，社会融合氛围也越来越浓厚。在座的各位有可能是教育专家、学校管理者、中小学普通老师，也有可能是社会人士，但无论是什么身份，我们都应该是融合教育的倡导者。

如果您是特教教师，您可以积极地对特殊儿童的入学政策进行宣导，可以开展主题丰富的各种活动，以此引导家长参与融合教育，也可以发挥我们的特教专长，做一名巡回指导教师。

如果您是特殊儿童的家长，您可以配合学校做好家校共育工作，重点培养孩子的行为习惯，巩固孩子的文化知识，加强对孩子的教育康复训练，让教育融入孩子的学习和生活中。

如果您是随班的老师，您可以认真地做好课堂教学、教育评估以及管好班级的日常工作，架起沟通特殊教育和普通教育的桥梁。

如果您是社会人士，我在这里呼吁，请您伸出大爱之手，关心、支持和帮助有特殊需要的儿童。不要只关注他们的缺点，要关注他们的能力。

有位教育学家曾说："教育的本质就是一棵树摇动另一棵树，一朵云推动另一朵云，一个灵魂唤醒另一个灵魂。"融合教育亦是如此，未来的融合教育更多的是由量变到质变的发展，要让特殊儿童进得来、留得下、学得好，同时让随班就读的学生能够拥有一张公平而有质量的课桌。

"千淘万漉虽辛苦，吹尽狂沙始到金。"融合之路很漫长，需要在座的各位同仁前赴后继，继续努力，更需要全社会人们的关心支持。只有全民参与的特殊教育，才是高质量的融合教育。

与特殊学校儿童相伴，成为更好的自己

佛山市禅城区启智学校副校长　马善波

大家上午好！我是来自佛山市禅城区启智学校的马善波。佛山目前有七所特殊教育学校，我职业生涯的第一个十年是在佛山市启聪学校，第二个十年是在禅城区启智学校。

教育事业是一项伟大的事业，特殊教育又是其中重要的组成部分。从党的十八大的支持特殊教育到党的十九大的办好特殊教育，再到党的二十大的强化特殊教育普惠发展，我们充分感受到了党和国家对特殊群体的温暖与关怀。

今天，我非常有幸参加广东省中小学校长联合会举办的这场"山长讲坛"，把特别的"5·20"送给了我们特殊教育专场。借用在座的掌声，送给活动主办方。

今天我要讲的是《与特殊学校儿童相伴，成为更好的自己》。对于我自己来说，我与孩子的相处是一种双向奔赴。在帮助孩子有效提升他们生命质量的时候，我发现这也给自己的生命注入了越来越多的正能量。如何有效地陪伴？又如何让正能量发挥得越来越大？今天我想结合自己的成长历程和大家进行分享。

今天专场的主题是"看见每一个，成长每一刻"。近年来，我们感受到越来越多的人对我们特殊教育的看见，我们在看见中互相陪伴，在陪伴中成为更好的自己，这也是禅城区启智学校的校风：让孩子成为更好的自己，让老师成为更好的自己。

有人说爱的对立面不是恨，而是冷漠。每个生命都应该被尊重，不该被冷漠对待。那么我们如何去做到这样的尊重？今天我想和大家分享三个观点。

人是社会的人，在社会就会有各种关系，而教育是人影响人的过程。如何去更好地影响和教育孩子？首先，我认为关系先于教育，要让孩子感到我们的关系不一般。其次，从一名老师的角度来说，面对特殊需要儿童，观其言行、读其内心、助其成长是我们的职责所在。最后，对于我个人来说，人生追求目标是成己为人，成人达己。

第一个观点，关系先于教育，我将从三个维度来解释。第一，从老师角度讲，师生的关系不一般。在我工作的20年时间里，我做了10年的班主任、8年的德育主任，大多数的时间都在和孩子打交道。我们学校的孩子有轻度、中度、重度的智力障碍者，有脑瘫、孤独症、唐氏综合征以及多动症等类型的，这些孩子里面有的又会伴有心脏病、蚕豆病、川崎病等疾病。因为他们的特殊，老师要有一把特殊的"钥匙"来打开孩子的心灵世界。孤独症，也称自闭症，孤独症孩子存在刻板行为，比如爱转圈，他们就一圈一圈地转着，活在自己的世界里。在他们转圈的时候，如果你走上前和他们一起转，他可能会停下来看着你，认为你们是同一个世界的人，然后他会对你笑，这时你就引起了他的关注。孤独症孩子本身对人少关注，存在沟通障碍，我们需要用不同的方法走进他们的世界。当你上课的时候，他听到你的声音，原来看着窗外的眼睛看到了你，于是我们的教育才刚刚开始。所以说关系先于教育。

第二，从孩子角度讲，师生的关系不一般。我们学校的学生类型多，孩子们对老师的表达方式真的很不一般。

例如脑瘫的孩子会是课堂的开心果，上课的时候他积极回应你，下课的时候他理解你，他会说："老师，您辛苦了"。患唐氏综合征的孩子，也就是我们平时说的"糖宝宝"，他们性格执拗但是情感丰富，虽然他们语言表达没有那么流畅，可是你在办公室的时候，窗外总有他们的目光注视着你；他们会注视着他们心目中的"女神"或"男神"，但是如果发现你也看到了他们，他们往往会大喊一声，转头就跑。还有的孩子会表达他对你的喜欢，只要你出现在他的面前，他会用力地把你抱起来，180斤重的小伙子可能会抱得你要窒息，但这就是他对你表达喜爱的方式。

我们学校有60%是患孤独症的孩子，他们对老师表达喜欢的方式千奇百怪，各种各样，比如在课间的时候你正在走路，突然身边有个身影飞过，你的衣服被用力一扯；你在批改作业的时候后背突然被打了一拳，这时候有个身影笑着跑开了……这就是孤独症孩子和老师的关系，他们对你的喜欢不一般。

第三，因为孩子没有办法表达，家长有时候对他们行为的解读就会产生偏差，所以家长和老师的关系也很不一般。例如有一个二年级孤独症孩子的家长投诉我们学校老师不专业。家长说他的孩子在我们学校读了一年，原来只会在角落里静静地待着，现在开始打人了。当时作为德育主任的我去处理了这件事。这个家长属于权威型，于是我对他说："你的孩子进步了，你怎么还投诉我们？"这个家长发怒了，说："打人了还算进步吗？"我说："孩子本身就对人少关注，存在沟通障碍，现在他对人开始感兴趣了，这难道不是一种进步吗？问题只是在于他用力太大，变成打人，轻轻拍拍你就是打招呼，孩子没有语言，他除了做肢体上的动作还能干什么呢？"家长一听，转怒为喜："老师，那现在我们应该做什么？"于是家校鼎力合作，开始对孩子进行力的训练，但这时孩子又开始捡地上的小东西了。家长急了："老师，你看这个习惯不好，他随便捡地上的东西！"我说："孩子又进步了，他对人有了关注，对物体也有了关注，他在用触觉感知世界、认识世界。而我们要做的就是帮助，当他捡东西的时候，我们要用孩子的口吻说出物体的名称、属性、用途，来告诉他们这个世界有多么美好。"就是在这样的过程中，家长和老师建立了不一般的关系。

我们学校每个学期有开展家长学校，佛山的家长学校在全国都是出名的。我作为佛山空中家长学校讲师团的讲师，经常在佛山电台和大家分享我的教育理念和故事，所以家长也愿意和我沟通。

第二个观点，作为一名老师，面对特殊需要儿童，我们要观其言行、读其内心、助其成长。大家谈起特殊教育时常常觉得我们需要更多的爱心、耐心和恒心，其实在面对越来越多的多重障碍儿童时，我们更需要有一双专业的慧眼，来认真观察孩子的一言一行。在孩子不能言语时，要像对待婴儿一样，用自己的专业解读他们行为背后的各种原因，从表面现象、从人的身心发展特点、从他所处的内在环境和外在环境这些生态系统等方面来找到问题的关键。

接下来，我想和大家分享我和阳阳的故事。阳阳是我教了9年的孩子，他是一个孤独症孩子，语言表达能力有限，行为刻板，缺乏社交技巧。

记得他一年级的时候，上课时总是走来走去，而且伴随着严重的呕吐行为。当时我们学校正在进行正向行为支持理论的学习，我们明白每一个孩子的问题行为都是他的能力受限所致，特别是孤独症孩子没有办法用语言表达正确的需求，于是常常用不当的行为向我们求救。在阳阳的呕吐行为发生后，我们观察到，他吃饭的时候不充分咀嚼，习惯把整口饭吞下去，把整条青菜吞下去。试想，成年人吃饱了都想要出去走一走，何况是一个7岁的孩子？他的呕吐行为可能是因为不当的饮食习惯引起了肠胃不适。我们又向家长了解，得知孩子在小时候非常难带，又哭又闹，于是家长对他是喂饱了就算，在关键的咀嚼期没有对他进行干预。于是我们用牛肉干对孩子进行干预，"1、2、3……"我们用语言提示他放慢咀嚼的速度、进食的速度，从语言的提示到目光的提示，慢慢地，阳阳的呕吐次数减少了，自然而然地，他在班级里走来走去的次数也少了。

成长是一个漫长的过程，教育也是一项漫长的工程。阳阳在长大，他在每一个成长阶段出现的问题都各不相同。我记得他在七年级的时候已经长成身高1.7米、体重90公斤的威猛少年，那时候他在上课时会大喊大叫，会说："去黄埔军校，爷爷来接我了。"下课的时候，他会亲吻同学的头发，还会推人，甚至推得父母摔倒，奶奶跌倒受伤住院一个月。这些行为是怎么产生的？原来他推倒奶奶是因为学校家政课上教了西红柿炒鸡蛋，他负责的环节就是打完鸡蛋，坐在那里安静地等，就能吃到西红柿炒鸡蛋了。回到家里他看到奶奶买了鸡蛋，他也去打鸡蛋，发现在厨房里打没有吃到西红柿炒鸡蛋；在客厅里打，也没有吃到西红柿炒鸡蛋；到楼下打，还是没有吃到西红柿炒鸡蛋。他生气了，于是把奶奶推倒在地。孩子不善于表达，家校沟通这一块更为重要，所以学校在家校沟通聊天群会通过视频和图片告诉家长老师每天教的内容和孩子学习的情况。密切沟通特别在疫情期间尤为重要。

我们说每一个孩子的问题行为都是他的能力受限所致，孩子或者是为了引起关注，或者是为了获取食物，或者是为了逃避任务，又或者是仅仅想要感官的刺激。在成长过程中，阳阳上课打人、下课亲同学怎么办？经过我们的观察，他主要是想引起老师的关注。偶然间，我发现他对作业非常感兴趣，于是作业就成了我和阳阳之间沟通的桥梁。如今，阳阳正在佛山市启聪学校就读高中，在课上他安静地听课，在课后他是老师的帮手。

我想和大家分享的第三个观点是：成己为人，成人达己。2015年我被评为"佛山好人"时，电视台曾把我的名字解读为"马上把善良传播出去"。带着这种积极的心理暗示，2018年，"广东省名师工作室主持人"这个身份也光临了我。有些人说我非常幸运，我说："幸运是机会遇见了一直努力的人。"我的名字是"马善波"，我把工作室命名为"善播工作室"，意为传播善心善念和特殊教育专业知识和技能。

如何成为更好的自己去服务他人？在成就他人的时候又如何体现自己更大的价值？我想从成己为人谈起。所谓成己为人，就是成为更好的自己，从而更好地服务他人。我从教师专业发展的三个维度努力：专业态度、专业知识和专业技能。专业态度，我们说"热爱可以抵挡岁月漫长"，爱心、耐心、恒心都是需要历练的。刚毕业的时候，特殊教育并不是我坚定、坚持的事业，我曾经做过广告公司的助理，卖过保险，还考过导游证，带旅游团，从省内到省外，体验过各行各业的艰辛。突然我发现自己的聚焦关键、准确定位在特殊教育，于是这颗热爱的种子才在心中萌发。在专业知识这一块，我非常理解"爱"是一个动词，爱总会有用完的时候，所以我们要不断地去学习知识和技能，这样才能让爱变得越来越多。于是我从专科读到本科再读到研究生。在专业技能这一块，我积极参加各类知识培训大赛，从学校的三等奖到省的一等奖，从名班主任到名师，再到新时代中小学名师名校长培养对象，接下来我还将在北师大研修基地在职培训三年。

我希望在成为更好的自己之后能够成人达己。成人达己就是出经验、出人才、出成果，能够把自己的经验分享出去，能够培养更多的优秀教师服务特殊教育，能够把自己的成果，如我获得省教育教学成果二等奖的德育管理模式、关于班级管理的个人专著等等都推广出去。

如今，我作为广东省党代表、佛山市委委员，能够站在更高的平台上为特殊教育发声，为教育系统继续阐述高质量发展。作为一名80后的工作者，我将"不忘博爱初心，牢记特教使命"。面对特殊需要儿童，观其言行、读其内心、助其成长，用自己的专业之心提升他们的生命质量。面对家长，想家长之所想，急家长之所急，解家长之所难，给他们带去希望，因为我坚信希望是黑暗里唯一可以代替光的东西。面对社会，我想搭建理解与沟通的桥梁。

最后，让我们记住习近平总书记说的"心中有信仰，脚下有力量"，怀大爱做小事，我们将为实现残疾人对美好生活的向往而不懈努力。

让所有生命拥有无限可能

广州市南沙区启慧学校党支部书记、校长　王莉

经常有人问我是做什么工作的，我说我是做特殊教育的。接着，我就会听到很多的疑问：特殊教育是什么？是特工吗？是教特别的人才吗？事实上，在很多人眼里，特殊教育是不被理解的，甚至是被区别对待的，而这种区别对待不仅仅是对学生、家长，还有对从事特殊教育的我们。

1996年，我毕业参加工作，在一所盲人学校当英语教师，这里的孩子能听见、能品尝、能触摸感受，唯独看不见这个世界的五彩斑斓。为了让他们能够更多地融入社会，我们开展了许多社会实践活动。我还清晰地记得，有一次我们外出体验搭公交车时，被后面的乘客呵斥："瞎子为什么还要带出来？"

2007年，我校的校长去参加一场校长座谈会，普通学校的一个校长走上来伸出手说："你好，你是哪所学校的校长？说不定我的孩子可送入你们学校读书呢。"我们的校长尴尬地笑着说："你千万不要送进来，我是盲人学校的校长。"那校长一听："啊，你是盲校的校长啊？"他伸出来的手又缩回去了，想要递

出的名片也收了回去。

2019年，我筹办南沙区启慧学校时，曾邀请普通小学的一个老师加入我们，她却对我说："我才不要当特教的老师呢！"

2022年，疫情期间，还有个别普通学校出于所谓的"安全考虑"，让班级里的特殊学生和普通学生错峰上学。

我们党和国家从党的十七大的"关心特殊教育"、党的十八大的"支持特殊教育"，到党的十九大的"办好特殊教育"，再到党的二十大的"强化特殊教育普惠发展"以及如今《"十四五"特殊教育发展提升行动计划》的启动实施，越来越重视特殊教育的发展。但时至今日，社会大众仍戴着有色眼镜看待特殊教育。那么，特殊教育是什么？它的价值何在？它的未来将走向何方？我想，真正的特殊教育应该是让生命成为生命本身，让教育回归教育本质。

一、展个性：特殊教育让人的生命绽放应有的光彩

党的二十大提出要强化特殊教育普惠发展，不仅强调特殊教育发展要普遍惠及全体特殊儿童，确保一个都不能少，还要着力推进特殊教育的高质量发展，让每一个特殊儿童焕发生命的光彩，从"有学上"到"上好学"。加快推动特殊教育现代化，努力办好让人民满意的特殊教育，这也是我们每一个特教人努力的方向。

2020年9月，广州市南沙区启慧学校应运而生，它坐落于粤港澳大湾区枢纽中心。伴随着南沙教育的快速优质发展，南沙特殊教育也在"弯道超车"。目前，我校在读学生146人，涵盖学前教育和义务教育阶段，未来将延伸至0～4岁早期干预和职业高中教育阶段。我校现有教职工65人，致力于打造一支包含特殊教育、康复治疗、临床医学、语文、数学、英语、音乐、体育、美术、信息技术和心理学等跨学科、多元化和复合型的专业教师团队。

我们学校秉持"办适合的教育，让所有生命拥有无限可能"的教育宗旨，以培养"阳光聪明、独一无二、自信自立、悦纳融合"的生命个体为教育目标，践行"圆和融通、绽放精彩人生"的教育理念。当前，学校基于生命教学哲学和生命教育理论（Life education），创建了"圆融生命"教育理念和课程体系，最终的目标是让所有生命绽放应有的光彩，绽放人的真善美，释放人的潜能，体现人的价值。

我校的小慧同学，因身体一侧偏瘫不便，只有左手能够使用，以前常被同学们用异样的眼光看待，被同学们排挤，她的座位总是在教室最后面的角落里。在这样的环境中，她变得焦虑、沮丧和不自信。但自从来了启慧学校，她发生了巨大的改变。如今，小慧的脸上每天总是挂着笑容，整个人都焕发着阳光和自信的光彩。最近，我们学校开展家访活动，我看见她妈妈在朋友圈发布了学校老师记录小慧成长点滴的视频，并感慨道："你现在的每一个笑容都能治愈我过往的一切伤痛。"

二、燃希望：特殊教育让家庭点燃全新的希望

特殊教育对个体的生命影响巨大，对家庭的影响也不容忽视。一个特殊孩子的背后，总是有一个背负巨大压力的家庭。我们学校孩子的家长们也不例外，平时他们不敢把孩子带出去，害怕被别人冷眼对待、冷嘲热讽。他们当中有为照顾孩子而辞去工作的高校老师，有的因为孩子特殊而患上了抑郁症，更有因为孩子而导致家庭关系紧张甚至破裂的……但是，当他们送孩子入读启慧学校后，他们的家庭生活开始有了色彩和希望。

小宇刚来学校读书时，小宇妈妈总是忧心忡忡，经常趴在学校的围栏上关注着教师的一举一动，生怕孩子受到不公平的对待。小宇入读一段时间后，小宇妈妈感受到了启慧学校和谐悦纳的人文氛围和教师的专业，也看到了小宇的巨大转变——从一开始的大喊大叫到能够安静地坐在座位上听讲。渐渐地，小宇妈妈能安心地把孩子交给学校，还找到了一份工作，自己的生活状态也越来越好。我

经常对家长说："你给孩子树立的最好的榜样就是做好自己的事情。"

小静妈妈的故事是我非常想分享给大家的，在做演讲之前，我咨询过她的意见，我说："我想把你的照片、把你和小静美丽开朗的笑容放上来，可以吗？"她说可以，她很愿意把现在的状态、把她现在的笑容、把她和小静美好的生活状态展示给社会公众，分享给大家。但很多人不知道，在此之前，小静妈妈因为孩子的特殊情况，曾有一段时间变得情绪低落，郁郁寡欢。当孩子顺利入读启慧学校后，孩子开心愉快地学习，她也因此受到鼓舞，调整自己的状态，还找到了生活的乐趣，学习了烘焙技能，还有了自己的蛋糕网店。

小俊和他的妈妈、他的整个家庭让我非常敬重，总能让我想起向阳而生的向日葵，也让我想起在荒漠里以昂扬姿态生长的白杨。因为他们非常乐观，很有正能量。小俊患重度的视障、孤独症，最初家人以为孩子永远无法像普通孩子一样适应学校生活。小俊入读启慧学校后，小俊妈妈感叹小俊的巨大变化——小俊开始慢慢地尝试自己背书包、穿鞋子、喝水等，小俊妈妈给学校写的感谢信中提道："小俊终于在一个脱离父母的集体里被尊重、被接纳和被教育。"

以上这些例子只是千千万万特殊孩子家庭的缩影，特殊教育存在的意义在于，它像一束光，照亮特殊孩子前行的路。我们不再是"孤勇者"，家庭、学校、社会相互扶持，是携手共进的同行者。2022年6月，我校成立了家长学校。来自高校、医疗机构、家长志愿者服务机构、中小学、幼儿园等各个领域的专家组成的首届讲师顾问团，未来将以此为阵地，辐射家校社同行者的力量。

三、悦包容：特殊教育让整个社会迈向更高的文明

我们常说："特殊教育是社会文明的窗口，是衡量社会进步和公平正义的尺度和标杆。"它不仅影响一个生

命、一个家庭，还对推动人类社会发展起到重要的作用。《荀子·天论篇》中说道："万物各得其和以生，各得其养以成。"在建校之初，学校的生活阿姨、保安、饭堂职工由于不了解特殊学生的身心特点，对他们要么溺爱或同情，要么因惧怕而远离。相处过后，他们逐渐学习、了解而悦纳孩子们，对孩子们关爱但不溺爱，帮助但不包办。渐渐地，学校附近的社区居民不再用异样的目光看待我们的孩子，而是从内而外地接纳、包容和帮助他们。不仅如此，我校还积极连接社会各界资源开展学生实践活动，例如我校与星海音乐厅合作音乐陪伴计划"在音乐世界里并不孤单"融合音乐活动，联合广州图书馆在我校举办书香文化活动，广州市南沙区教育基金会在我校举办百草园计划等。让孩子们走出校园，让社会大众更加尊重、理解、悦纳特殊孩子，让特殊教育学校不再是孤岛，而是成为孩子走向社会的桥梁。

社会因生命个体的不同而展示出多元的、独特的美丽。星星之火可以燎原，特殊教育就像微弱的星星之火，在让社会迈向更高文明的同时，也努力实现教育的终极目标。

四、特殊教育的明天

特殊教育未来将走向何方？我不禁想起华中科技大学一名教授曾经问我的话："特殊教育学校未来的功能定位是什么？"这两个问题很相似。据我了解，欧美及我国港澳台地区的特殊教育学校是往资源中心方向发展的，以特殊教育学校作为专业力量依托，从而辐射整个区域性普通中小学校融合教育。

2021年11月，南沙依托学校建立了特殊教育资源中心（指导中心）、转介安置中心和区特殊教育专家指导委员会。可以预见，未来特殊教育学校将会成为一座教育的立交桥，成为集特殊教育管理、指导、资源整合、科研和培训"五位一体"的跨学科、多功能的指导中心（机构）。在今后的十年、二十年，甚至更长的时间内，特殊教育学校和资源中心将双轨并行，正如两腿走路，践行多元融合的社会使命，实现全纳的教育理想，促进包括特殊儿童在内的每一位学生都焕发出人生的光彩！

我们希望有一天，可以打破普通教育与特殊教育之间的围墙，让适合的教育遍布每一个课堂，覆盖每一个孩子，真正实现教育的融合，实现对特殊儿童的全纳。

我们希望有一天，家庭、学校和社会都不再是"孤勇者"，而是成为促进生命发展的摆渡者、支持者和守护者。

我们希望有一天，特殊教育学校都能消失，我们的孩子都能像普通的孩子一样学习生活，再没有人将他们定义为"特殊"。希望每个孩子都能生活在同一片蓝天下，快乐健康地成长！

假如还有人问我"特殊教育是什么"，我想回答："特殊教育就是教育本身。"

让我们一起尊重生命的每一种形态，接纳生命的每一种可能，支持生命的每一种成长，让所有生命拥有无限可能！

"可见"，让聋教育更美好！

我是一名工作了26年的聋校数学老师。我记得刚参加工作不久，我的学生就给我起了一个"外号"，这是一个用动作语言来表达的外号。那时几个高年级男生在校园里一看到我就露出坏笑并开始表演起来，他们的动作非常滑稽：双腿前后站立，微微下蹲；一手自然下垂，一手伸在身前，上下拍动；嘴唇噘起，眼睛四处张望。

原来，他们表演的这套动作是模仿我和他们一起打篮球时我的一个习惯性运球动作。他们观察到我运球的时候会下意识地把嘴唇噘起来。在学生表演之前，我从来不知道我有这样的习惯性动作。没想到我这个下意识的动作竟然引起了学生这么大的关注，已经成了他们的日常谈资和笑料。学生把我的这个运球动作"艺术"再创造后，它就变得非常滑稽了。作为新老师，看到学生这样做，我心里很排斥，也很懊恼：怎么能这样！但是，因为他们总是嬉皮笑脸地对着我，我有火也没办法发出来。

然而，和学生相处的时间久了，我发现他们这样做其实并没有恶意，甚至可以说是一种表达友好和亲近感的表现。在学生的眼里，我肯定是一位有趣的老师，也是一位受欢迎的老师。

其实，聋生会根据每一位老师的相貌、性格或其他一些标志性的特征，给每一位老师都起一个"外号"。这个"外号"可以是额头上的一粒痣、比较有特色的发型、走路的姿势等等。在聋生这个群体中，只要做一个很简单的动作，他们就心领神会这个动作代表的是哪一个老师。

聋生很善于捕捉和发掘我们健听人容易忽视的事物特点，视觉非常敏锐。既然如此，那我何不利用他们的视觉优势，用"可见"的教学方式来优化和改进我的教育教学呢？

一、课堂：用"可见"的过程演变深化理解

聋生因听力障碍导致了语言障碍和学习障碍，这给聋校的数学教学带来了很大的困难。他们能敏感、高效地捕捉、辨认、区分视觉信息，但是逻辑思维发展非常缓慢。他们很难理解数学教学中常见的概念、判断、推论等抽象化程度比较高的知识。

所以，聋校数学教师应针对聋生的认知特点，精心创设生活情境，多采取直观演示和动手操作的教学措施，以展示演变过程，分解教学难点，从而帮助聋生深化理解。

举一个例子。我上过一堂公开课"圆柱的侧面积"，这节课曾获得广东省特殊教育课例评比一等奖。在这节课上，我用软件《几何画板》做了两个小课件。这两个小课件都可以通过拖动滑杆对图形进行任意变形和随意调整，可以把图形拉高、压扁、扩大、缩小。第一个演示是圆柱侧面的形成过程。矩形绕着一边旋转一周之后，《几何画板》的轨迹功能就自动生成了它的侧面。第二个演示是点击按钮之后，这个圆柱就可以打开或者合上。这两个演示可以很直观地演示出圆柱侧面展开后的长、宽和圆柱的底面周长、高之间的一一对应关系。以上两个演示都是用"可见"的过程演变来深化聋生对概念和推论的理解，取得了非常好的教学效果。

对于聋生来说，"可见"就是发挥他们的视觉认知优势；对于教师来说，"可见"就是看见学生的学习需求。

教师既要看到学生的学习需求，也要看到他们的学习困境。如果一个问题总是困扰着聋校数学课堂，总是困扰着聋生的数学学习，那么这个问题就是一个普遍性问题。要解决普遍性问题就需要用系统思维和课程思维。

二、课程：用"可见"的意义阐释建立连接

我先出示一道应用题，这道题是课本上的一道原题，看起来非常简单，但是我们的学生解答这道题时出错率非常高。题目如下：

> 一个游泳池长25米，小红游了3个来回，她一共游了多少米？

我想问在座的各位，你认为这道题难在哪里？单纯的计算对于我们的学生是没有问题的。这道题难就难在对"来回"二字的理解，即使老师提醒学生要看题目里的"来回"二字，并用笔画出来标示，很多学生在计算的时候还是会漏掉"乘2"这一步。

对"来回"二字的不理解不是个案。很多聋生对数学教材中的一些常见词汇，比如"一周""飞走""飞来"等都不理解。不理解词汇，读不懂题，就谈不上解题，更谈不上提升聋生的数学核心素养。

那么应该如何解决这个共性问题呢？我们学校的理科组老师做了一个大胆的尝试和探索。我们编制了一本《聋校数学词汇图解手册》，作为聋校数学教学的辅助资源，希望能够系统性地解决聋校数学教学中这个具有普遍性的问题。

图解，就是用具体、形象、直观、生动的图示解释或说明词的含义。我们先收集、梳理、分析出聋校数学教学中使用频率比较高的数学词语，特别是蕴含解题条件等关键信息的字词；再对每一个词的对应手语、图示解释、应用案例、应用情景等几方面内容进行整合，在各种概念表

征之间建立连接，以视觉资源的形式呈现给聋生和数学教师，作为聋校数学教学的辅助资源。

对"一周""飞来""飞走"这几个词汇我们是这样"图解"的。我们把"一周"这个词的拼音、手语、图画解读、语言应用等整合在一起，对这个词语进行多角度的意义阐述，让各种表征建立连接。对"飞来""飞走"这两个词的图解，我们换了一种思路，通过图示解释对比，学生可以很直观地看到数量的增减，以后再出现此类题目的时候，学生就知道该用加法还是减法。

目前，我们团队从小学低年级数学教材中遴选了近300个词汇，已编撰完成一本130多页的《聋校数学词汇图解手册》。做这件事情，我们团队非常辛苦，但我认为这件事情非常有意义！

让知识演变过程可见，让意义阐述可见，都指向育人这一教育目标。

三、育人：用"可见"的生命成长创造美好

看见是一种力量。心里没有，眼里自然看不见。作为特殊教育学校教师，我们要善于观察和发现学生的闪光点，让他们所获得的成就"可见"，从而形成正向循环，让他们变得越来越好。

我当过很多年班主任，今天我想和大家重点分享一下我带的第三个班的同学吕泽明的成长故事。

在我做一年级班主任的时候，小吕来到了我们班。其实他在我们学校已经读过一年了。聋校很多一年级新生没有读过学前班，突然来学校就读，对于他们来说是很有挑战性的，也是很迷茫的。小吕同学没有读过学前班，所以他第一年到学校之后，不管是全校开大会、升旗礼，还是上课的时候，他都由着自己的性子在校园里到处走动，要老师到处找他，学习成绩也不如人意。所以一年级下学期期末时，家长就向学校提出请求，希望学校可以让小吕重读一次一年级。经过学校研究，他就成了我们班的一名

学生。

作为一名重读生，和刚入学的同学相比，小吕不管是行为习惯、学习水平还是学习态度等方面都有优势。开学不久我就发现了他的这些优势，并及时给予表扬。小孩子一受到表扬，心气就上来了，整个人的状态就变得非常好。开学没多久，他就很开心地拿了一本很厚的数学习题册给我——他已经写完了一年级数学上册整本口算练习册。

那个学期期末，我们学校举行数学比赛，小吕算得快而且正确率也高，得了第一名。我们集中颁了奖。第一次在集体场合领这么"重量级"的奖，他的学习热情和生活激情都被充分调动起来了。后面我教他数学，期中考试一过，他就着急地问我："闫老师，什么时候举行数学比赛啊？"

后来小吕同学又迷上了魔术表演，自学成才，自己买了ＶＣＤ光盘学习，魔术表演技艺越来越精湛。上初中时，他就在大路边、天桥上、菜市场等地方现场表演魔术和售卖魔术道具。售卖魔术道具的收入已经成了他们家庭的一项重要收入。他的事迹也被《广州日报》等媒体报道，他被称为"聋人魔术师"。

2023年春节，已经是深夜，他在微信上兴高采烈地告诉我："闫老师，佛山市迎春花市专门给了我一个摊位，让我售卖魔术道具，我还上了广东省残疾人联合会官方网站的新闻！"

我真为他感到高兴！每一个学生都有无限发展的可能性，作为特殊教育学校的教师，我们要让他们的闪光点和所获得的成就"可见"，要适时对他们给予激励，激发他们内心深处向上的力量。

发现潜能，看到希望；遇见美好，见证成功！

在今天演讲的最后，我头脑中浮现出一个画面。我好像看到几个高年级的男生又嬉皮笑脸地向我走来，边走边夸张地打出"灿烂"这个词的手语，这是我教七年级思政课时给他们重点解释过的一个词语。可能我打这个手语时动作生硬了一点，或者是夸张了一点，这个手语又成了他们的谈资和笑料来源，成了他们夸张"艺术"表演的又一个素材。

这样欢乐、美好的画面，不就是特殊教育应该有的样子吗？

后 记

时光流转，岁月沉淀。光阴飞逝，温暖流年。我们相信"相信"的力量、"坚持"的力量、"累积"的力量。2017年6月至2023年6月，"山长讲坛"共举办5季20场，有省内外教育名家、名校长、名师、跨界嘉宾和学生代表等共157人次先后登上"山长讲坛"的演讲台分享教育智慧，超过50家媒体进行报道，累计约225万观众在线观看，约410万社会各界人士通过各种途径关注。

2020年"山长说"系列第一本《山长说——岭南教育名家讲演录》正式出版，引起了广泛的社会关注并获得一致好评。2021年4月，《山长说——岭南教育名家讲演录》高票入选《中国教师报》"助推校长发展的十本好书"推荐书单。我们不忘初心，一直记得与大家的那个约定——在社会各界的关注和支持下，"山长讲坛"会持续举办，"山长说"系列会陆续出版，把更多演讲嘉宾的精彩思想、教育智慧记录下来、传播开去。时隔三年，我们第二本《山长说——教育名家岭南思想汇》即将付梓，终于要和大家见面！作为"山长讲坛"创始团队核心成员和顶层策划者之一，我难掩激动心情！一路走来确实艰辛，特别是疫情三年，我们克服重重困难，依然坚持举办了4场线下演讲活动。

我清楚地记得，2020年10月18日，第四季第一场"山长讲坛"活动在佛山顺德举行，现场举办了第一本《山长说——岭南教育名家讲演录》的新书发布仪式，广东省中小学校长联合会首任会长、该书顾问吴颖民校长祝贺新书发布，高度评价这本书的价值与意义，认为它为全省甚至全国做了很好的引领示范，起了很大的辐射作用。出席发布会的还有广东省中小学校长联合会会长、广东实验中学校长全汉炎，学术委员会主任胡中锋教授、咨询委员会副主任郑炽钦及监事长邱榕基和联合会其他副会长、副秘书长。正是因为有给力的会员、演讲嘉宾和社会大众的各方支持，"山长说"系列第二本才能顺利出版。"山长讲坛"是一个开放多元的平台，不仅有岭南的校长、教师参与其中，还有来自全国其他地方以及外国的教育工作者成为我们的讲演嘉宾，他们都汇聚到岭南，在这里进行教育智慧碰撞、教育思想交融。经过充分研讨，第二本书正式定名为《山长说——教育名家岭南思想汇》。

本书的出版意义深远，一方面它是对"山长说"系列第一本的延续，另一方面在广东省中小学校长联合会（下称"联合会"）成立十周年之际出版，它是献礼联合会成立十周年之作。两本"山长说"将会以套盒形式与广大读者见面，让读者能够一次性饱览"山长讲坛"全五季精选演讲。

《山长说——教育名家岭南思想汇》收录的内容更加丰富和完整，增加了跨界嘉宾的演讲精选，还添加了"非常时期非常课"名校长、名班主任的教育思想分享。全书包含有"五育并举：为幸福人生奠基""集团化办学：从课程到文化的共融""减负提质：学校教育新格局""乡村教育：在传承中热爱""生命教育：非常时期 非常课""未来教育：国际化视野下瞻望""跨界之眼：让教育连接世界""特殊教育：让所有生命绽放光彩"等八个章节。在此，我特别想提一提"生命教育：非常时期非常课"与"特殊教育：让所有生命绽放光彩"这两个章节。

2020年初，突如其来的疫情打乱了所有人的工作和生活节奏，给全国人民和各行各业都带来了巨大挑战。对于教育系统而言，"延迟返校""停课不停学""如何确保师生安全"等前所未有的挑战，也摆在了教育部门主管领导、校长、教师等广大教育工作者面前。面对"超长假期"，全国各地的校长、教师并没有停止对教育的深度思考。在华南师范大学教师教育学部、省级中小学教师发展中心的学术支持下，广东省中小学校长联合会与《北京教育》《中小学德育》《上海师资培训》《现代教学》（思想理论教育）《学习报（教师专业发展）》、上海市中小学德育研究协会及广州市教育评估和教师继续教育指导中心等刊物或单位联合举办活动"期待，返校的那一天：非常时期非常课"，活动一经推出便得到积极广泛的响应，共收到全国各地投稿超过600篇。"生命教育：非常时期非常课"章节精选了吴颖民校长、全汉炎会长、王红教授等教育专家的七篇文章，从不同角度讲述了生命教育。这一章节不仅仅记录了疫情期间教育工作者对教育变革的思考，更是体现和宣扬了特定时期所需要的积极精神——迎难而上、无私奉献、勤于思考……我们以此致敬全体教育工作者。

"特殊教育：让所有生命绽放光彩"是这本书的重要章节。2023年3月3日，我们举办了第五季第二十场"山长讲坛"特殊教育专场。疫情结束后的第一场"山长讲坛"，我们留给了"特教人"。因为我们内心装着对特殊教育的特殊情感，想要把特别的爱送给有特殊需要的孩子们；我们希望能够用这种独特的方式来表达对特殊教育的敬意，也希望通过"山长讲坛"这个平台，把特殊教育人的声音传播出去，让更多人认识、了解和关注特殊教育，从而能够帮助有特殊需要的孩子走上社会后被接受、被悦纳。孩子的成长就是学校的成长，更是特殊教育事业的成长。看见每一个，成长每一刻！也正是有了特殊教育篇章和特教人的声音，才让《山长说——教育名家岭南思想汇》的内容更加完整。

"山长讲坛"特殊教育专场，让我回想起12年前赴美国参访的一段经历。那是2011年3月3日，我跟随王红教授带领广州市优秀中小学校长们参访田纳西州纳什维尔市Susan Gray School（苏珊戈瑞学校），这是一所正常孩子和残障孩子共同学习和生活的融合型学校。这里不仅是美国范德堡大学皮博迪教育学院特殊教育真正意义上的实验学校，拥有全美顶尖的研究团队的支持，而且拥有大批"天使爸妈"。据说，当年是七个正常孩子的家庭竞争一个学位，这些正常孩子的父母希望他们的孩子能够和有特殊教育需求的孩子成为同学。当年Susan Gray School的校长告诉我们，融合教育对于身体发育正常的孩子而言，真正的价值在于：一是为他们真实、准确、全面地了解残障孩子提供机会；二是给他们提供了培养不同人多元存在的积极态度和敏感性的机会；三是让他们见证残障孩子在挑战中成功的机会和可能性。这也道出了为什么有那么多"天使爸妈"存在的原因。据了解，通过多年的跟踪研究发现，很多有轻度残障（包括肢体和智力）的孩子如果能够获得早期干预，身边有足够多的正常发育孩子的刺激和陪伴玩耍，他们身心智力的发育程度都要明显优于没有这种融合教育机会的轻度残障孩子。关注和尊重每一个人，看见每一个生命存在的意义和价值，是融合教育的本质所在。正是这次的参访经历，让我们更加坚定安排"山长讲坛"特殊教育专场，我们希望通过行动为特教发展做一点微薄贡献。

由于版面原因，本书只呈现了53位演讲嘉宾的教育智慧。作为本书主编之一，我特别感恩所有演讲嘉宾和内容编写参与者，正是有你们的积极参与，才创造了这笔无价的财富。"山长讲坛"是一个公益演讲平台，每一位演讲嘉宾都积极报名、认真对待，他们的演讲稿经过一次又一次地打磨、修改，有的甚至修改十几稿，他们在百忙中抽时间参加线上线下至少四次彩排……如琢如磨、淬炼成金，只为完美呈现18分钟TED式脱稿演讲。在这过程中，"山长讲坛"与山长们相互赋能、共进共长；在这平台上，山长们的教育思想得到进一步凝练和传播。正是有山长们精彩无私的分享，才让"山长讲坛"根深叶茂、累结硕果，才赋予了"山长讲坛"更多元、更蓬勃的生命力。

感谢广东省教育厅，华南师范大学教师教育学部、省级中小学教师发展中心等指导单位；感谢佛山市南海区教育局、佛山市顺德区大良街道教育局、羊城晚报教育发展研究院、中国国际教育论坛、广东省研学旅行协会等合作单位及《中国教育报》《中国教师报》《羊城晚报》《中小学德育》等报刊媒体一直以来对"山长讲坛"的大力支持；感谢佛山市顺德区大良街道教育局的充分信任，与我们携手合办了五年"凤城山长讲坛"；感谢广东教育出版社与我们携手出版《山长说——岭南教育名家讲演录》和《山长说——教育名家岭南思想汇》；感谢广东广雅中学、广州市荔湾区培正小学、广州市执信中学、广州市培正中学、广州市西关培英中学、广州市华美英语实验学校、广州中学、佛山市顺德区西山小学、佛山市启聪学校、佛山市南海区石门中学、佛山市南海区桂城中学等单位提供场地支持。

特别感谢本书的顾问吴颖民校长、全汉炎会长，主编王红教授以及白宏太博士，副主编叶丽琳常务副会长和何勇副会长等领导对本书的悉心指导；感谢顾明远先生、黄永光先生、罗易老师为"山长讲坛""山长书院"题字；感谢北京师范大学明远教育书院郭华教授、滕珺教授等学术委员会专家们提供的帮助；感谢葛新斌教授、温联洲先生、伍时骏先生、孙丽丽女士、李翠芬女士、欧阳红女士等专家领导及所有参与"山长讲坛"的嘉宾们的大力支持。

还要感谢和我一起并肩战斗的团队成员们，感谢蔡倩颖、陈艳艳耐心地与嘉宾沟通，感谢李朝霞、聂柏宇为本书的成稿做了大量的整理工作，感谢信萍、张婵团队等全程参与"山长讲坛"的筹备与执行工作，感谢关兆迎、林楚容、邱理仪、吴京懋、廖俏根、梁颖鸢、汪冬梅、陈琛、阳文华、冯诗哲、赵璐、彭雯雯、张春燕、关颖瑶、黎宇蓓、邝嘉俊、朱文文、陈郁芸、邹永林、余斌等为"山长讲坛"所做出的贡献，同时感谢我的家人对我工作繁忙的理解包容与大力支持！

我们将继续秉承"启迪教育智慧，分享教育之道"的宗旨，坚守"崇圣尚礼，人格养成；践履践行，经世致用；崇尚学术，兼容并蓄"的中国书院精神，在联合会现任会长全汉炎校长和两位常务副会长王红教授、叶丽琳校长的前瞻引领下及众副会长、副秘书长、理事会成员的鼎力支持下，在各位会员和关心教育的社会各界人士及各大媒体的关注下，我们将不忘初心，继续攀登，永往直前，把"山长讲坛"越办越好，继续出版"山长说"系列丛书。

姚轶懿

2023年6月23日

（姚轶懿，系华南师范大学教师教育学部部长助理，省级中小学教师发展中心副主任，广东省中小学教师培训中心副主任，广东省中小学校长联合会会长助理兼秘书长）